GLÜCK

AUS DREI JAHRHUNDERTEN
EUROPÄISCHER MALEREI

Dürer, Brustbild einer Venezianerin. Wien, Kunsthistorisches Museum

GUSTAV GLÜCK

AUS DREI JAHRHUNDERTEN EUROPÄISCHER MALEREI

MIT 141 ABBILDUNGEN

1933

VERLAG VON ANTON SCHROLL & CO. IN WIEN

GUSTAV GLÜCK
GESAMMELTE AUFSÄTZE

In zwei Bänden herausgegeben von

Ludwig Burchard und Robert Eigenberger

Zweiter Band

PRINTED IN AUSTRIA
COPYRIGHT 1933 BY VERLAG ANTON SCHROLL & CO. IN WIEN
DRUCK: CHRISTOPH REISSER'S SÖHNE, WIEN V

INHALT

EIN ANGEBLICHES BILDNIS DER FRAU ROGER VAN DER WEYDENS

Das Städelsche Institut zu Frankfurt am Main besitzt unter Roger van der Weydens Namen eine altniederländische Silberstiftzeichnung (Abb. 1), die nach einer Überlieferung, die wohl kaum auf eine frühere Zeit zurückgeht als auf die von romantischen Neigungen erfüllte der Boisserée, die Gemahlin des Künstlers vorstellen soll (zuerst veröffentlicht von Schönbrunner und Meder, Handzeichnungen aus der Albertina und anderen Sammlungen, Bd. IV, Nr. 388). Das Blatt rührt nun keineswegs von Roger van der Weyden her, für den es zu wenig fein in der Zeichnung ist, sondern von einem unbekannten, gleichzeitigen Künstler, der mehr mit der Art Jan van Eycks gemein hat als mit der Rogers.

Daß die Dargestellte Rogers Frau sei, hat schon J. Meder (im Texte zu der angeführten Publikation) mit Recht als unwahrscheinlich bezeichnet. Wer die Dame wirklich ist, erfahren wir durch ein kleines Ölbild, das aus der Ambraser Sammlung in den Vorrat der Gemäldegalerie in Wien gekommen ist und das durch einen auf der Rückseite angeklebten Zettel als Bildnis der Herzogin J a c o - b a e a v o n B a y e r n bezeichnet wird (Abb. 2). Die beiden Darstellungen stimmen bis auf kleine Einzelheiten überein, und es kann kein Zweifel sein, daß unsere Zeichnung die Vorlage für das gemalte Bildnis ist. Dies zeigt freilich eine so rohe, handwerksmäßige Ausführung, daß man annehmen muß, es sei eine spätere Kopie nach einem verlorenen besseren altniederländischen Öl- gemälde, das als Zwischenstufe zwischen der Frankfurter Zeichnung und dem Wiener Bilde zu denken wäre.

Henry Thode hat nun den seltsamen Einfall gehabt, dieses unbedeutende Bildchen, das nur als ein authentisches Porträt der merkwürdigen Fürstin seinen Wert hat, dem Österreicher Pfenning, den er fälschlich mit dem Nürnberger Meister des Tucherschen Altars identifiziert hat, vermutungsweise zuzuschreiben (Nürnberger Malerschule, 1891, S. 72). Wann aber sollte ein Nürnberger Ge- legenheit gehabt haben, Jacobaea, die Erbin von Hennegau, Holland, Seeland und Friesland, die nacheinander Gemahlin des französischen Dauphins Johann, des Herzogs Johann von Brabant, des Herzogs Humphrey von Gloucester und endlich des holländischen Edelmannes Frank von Borsselen war, zu malen?

Thodes Irrtum hat Robert Stiaßny (Jahrbuch der kunsthistorischen Samm- lungen in Wien, XXIV, S. 85) erkannt und das Bildnis Jacobaeas als »eine geringe Kopie aus zweiter Hand nach einem altniederländischen Originale« be-

Abb. 1. Jacobaea von Bayern (Silberstiftzeichnung)
Frankfurt, Städelsches Institut

zeichnet. Der Kopist scheint ihm, da die »Färbung (aber nichts anderes) in der Tat an das Pfenning-Bild erinnere«, ein Bayer oder Österreicher zu sein. Ich kann auch von dieser Übereinstimmung in der Färbung nichts entdecken und möchte glauben, daß die vorliegende Kopie niederländischen Ursprungs ist, ebenso wie das vermutliche Original und dessen Vorlage, die Frankfurter Zeichnung.

Die lateinische Inschrift der Rückseite, deren Schriftzüge wohl noch ins 15. Jahrhundert gehören, enthält nicht, wie Stiaßny sagt, das irrige Todesdatum der Fürstin 1437 (statt 1436), sondern die Angabe, daß das Originalbildnis im Jahre 1432 gemalt worden ist. So möchte ich wenigstens die letzten drei Zeilen der sehr zerstörten Inschrift deuten. Die Entstehung der Zeichnung wäre also ins Jahr *1432* zu setzen, kurz vor die Vermählung der Herzogin mit ihrem vierten Gatten Frank van Borsselen und der Abtretung ihrer Länder an Philipp den Guten von Burgund. Wir hätten daher in dem Blatte des Städelschen Instituts, das wir mit Sicherheit als die Originalaufnahme nach dem Leben betrachten

Abb. 2. Jacobaea von Bayern
Wien, Kunsthistorisches Museum, Vorrat der Gemäldegalerie

können, eine der frühesten datierbaren niederländischen Handzeichnungen vor uns. Dazu paßt vollkommen der Stil der Zeichnung, der Beziehungen zur Kunstweise J a n   v a n   E y c k s verrät.

Ob nun Jan van Eyck selbst die Herzogin gemalt hat, muß dahingestellt bleiben. Unter den zahlreichen Bildnissen Jacobaeas, die in E. W. Moes' Iconographia Batava (Nr. 3960) sorgfältig verzeichnet sind, ist wohl künstlerisch das hervorragendste das der Kopenhagener Galerie, in dem ich geglaubt habe das von J a n   M o s t a e r t nach einem älteren Originale gemalte Bildnis, das von van Mander erwähnt wird, erkennen zu können (Beiträge zur Kunstgeschichte, Franz Wickhoff gewidmet, Wien 1903, S. 68). Dieses Bildnis ist von dem hier besprochenen Typus völlig verschieden, doch läßt sich nicht beweisen, daß Mostaert als Vorlage ein Werk Jan van Eycks benützt hat, wenn auch auf Stichen des 17. Jahrhunderts, deren Angaben für das 15. Jahrhundert ganz unzuverlässig sind, ein ähnliches Porträt als Arbeit Jan van Eycks bezeichnet wird.   (1905)

EIN GEMÄLDE
DES MEISTERS DER TIBURTINISCHEN SIBYLLE

In der Sammlung des Barons J. van der Elst in Wien befindet sich unter dem Namen des Albert Bouts ein feines, mit der vollen Sorgfalt der alten Niederländer ausgeführtes kleines Gemälde (auf Holz, 37 : 23 cm), das die heilige Anna neben Maria mit dem Kinde (Abb. 3) vorstellt, in der niederländischen Malerei eines der frühesten Beispiele dieses Themas, das wir im Deutschen zumeist als »Anna selbdritt« bezeichnen. Freilich sind wir hier noch entfernt von der merkwürdigen Behandlung des Motivs, die, wahrscheinlich zuerst in der Bildhauerei üblich geworden, die klein gebildete Maria mit dem Kinde auf dem Schoße ihrer Mutter wiedergibt. Hier sitzen die beiden heiligen Frauen symmetrisch nebeneinander auf einer gemauerten Rasenbank mit den Füßen auf einer mit Blumen bewachsenen Wiese; Maria hält mit beiden Händen das auf ihrem Schoße nackt stehende Jesuskind, das, zur Mutter aufblickend, in der linken Hand zwei Gänseblümchen hält und mit der rechten ein drittes der heiligen Anna reicht. Den Hintergrund bildet eine durch einen zinnenartigen Abschluß bekrönte Mauer, auf der man einen Pfau und ein Pfauenweibchen sieht; davor stehen, in der symmetrischen Anordnung den beiden sitzenden Figuren entsprechend, zwei hohe, schüttere Bäume.

Ohne Zweifel scheint uns der Stil dieses kleinen Werkes ganz in die Nähe des Dirck Bouts zu führen; doch zeigt es einen altertümlicheren Charakter als alles, was wir dank den Bemühungen Georges Hulins[1] und Max J. Friedländers[2] als Arbeiten Albert Bouts, des zweiten Sohnes des großen Meisters, kennengelernt haben. Auch der Vortrag der Malerei ist sorgfältiger und zäher als bei Albert und darin näher den Werken des Vaters verwandt. Ganz ähnliche Eigentümlichkeiten sowohl des Motivs als auch der Ausführung zeigt ein etwa gleich großes Bildchen, das ich auf der Ausstellung zu Brügge im Jahre 1902 kennenlernte: eine Maria mit dem Kinde, ebenfalls in ganzer Figur, auf einer gemauerten Rasenbank in einem Schloßhof sitzend, damals im Besitze von Stephenson Clarke in Hayward's Heath[3]. Die reizvolle Erfindung dieses Werkes, das ich nur nach der durch eine Photographie gestützten Erinnerung zu be-

[1] Georges Hulin de Loo, Catalogue Critique, Gand 1902, p. XVIII.
[2] M. J. Friedländer, Die altniederländische Malerei, III, Berlin 1925, S. 64.
[3] Katalog Nr. 43; M. J. Friedländer, a. a. O., III, S. 125, Nr. 87, Taf. LXXIII.

Abb. 3. Meister der tiburtinischen Sibylle, Maria mit dem Kinde und der heiligen Anna
Wien, Sammlung des Barons J. van der Elst

urteilen vermag[4], scheint mir ohne Zweifel auf denselben Künstler zurück-
zugehen wie das Bildchen der Wiener Privatsammlung. Die Einzelheiten der
Formengebung, wie besonders der Gestalten der Maria mit dem Kinde, des
Faltenwurfes, der Rasenbänke, der zinnenbekrönten Mauer u. s. w., stimmen
völlig überein.

Nun ist schon Georges Hulin[5] bei dem Marienbilde, als es 1902 in Brügge
ausgestellt war, an ein Gemälde erinnert worden, das zu jener Zeit noch fast
allgemein als eine Arbeit des Dirck Bouts selbst angesehen wurde: die tiburtinische
Sibylle im Städelschen Institut zu Frankfurt am Main. Mit Recht bemerkt
Hulin hierzu, daß sich dieses Werk noch mehr von der Weise des Dirck Bouts
entferne. In der Tat erkennen wir in dem Maler, dem Max J. Friedländer seither
nach seinem Hauptwerke den Notnamen des »Meisters der tiburtinischen Sibylle«
gegeben hat[6], eine ausgesprochene, besondere künstlerische Persönlichkeit. Die
eigentümliche räumliche Anordnung der Szene, die zumeist in einen Schloßhof
verlegt wird, die Vorliebe für die Belebung der Darstellung durch allerlei Tiere,
von denen Pfau und Pfauenweibchen fast nie fehlen, der stark genrehafte
Grundzug der Erzählungsweise, der etwas nüchterne Ausdruck der Figuren, die
kühlere und trockenere Färbung ... alles dies sind Dinge, die eine eigene Indi-
vidualität verraten. Es ist ein tüchtiger, wenn auch nicht sehr phantasiereicher
Künstler, der sich in jenen Bildern der heiligen Anna selbdritt und der Maria
mit dem Kinde noch enge an Bouts anschließt, sich aber in der »tiburtinischen
Sibylle« und mehr noch in der »Vermählung Mariae« in der Johnsonschen Sammlung zu Philadelphia und der »Auferweckung des Lazarus« im Museum S. Carlo
zu Mexiko von der Weise seines Vorbildes entfernt. In den realistischen und
genrehaften Zügen dieser Kunst glaubt man etwas von holländischem Wesen
zu erkennen, und Hulin hat auch nicht ohne Grund an einen h o l l ä n d i s c h e n
Schüler oder Nachfolger des Dirck Bouts gedacht. Dieselben Eigentümlichkeiten
ließen sich aber wohl auch durch einen vorübergehenden Aufenthalt des Künstlers
in Holland erklären, und ich glaube daher, daß eine solche Annahme nicht der
Meinung Max J. Friedländers widersprechen würde, der in dem Meister der
tiburtinischen Sibylle einen Maler erkennt, der zu Dirck Bouts im Verhältnis
eines n a h e n V e r w a n d t e n und N a c h f o l g e r s steht und zwischen
1480—1495 tätig gewesen ist.

[4] Auch eine angeblich 1498 und in diesem Falle sicherlich für die Entstehungszeit der
Komposition zu spät datierte Wiederholung im Dom zu Leitmeritz in der Tschechoslowakei
ist mir aus eigener Anschauung nicht bekannt.

[5] A. a. O., p. 12, Nr. 43.

[6] A. a. O., III, S. 70; 122, Nr. 74; dazu P. Heiland, Dirck Bouts und die Hauptwerke
seiner Schule, Straßburg 1902; Karl Voll, Die altniederländische Malerei von Jan van Eyck bis
Memling, 2. Aufl., Leipzig 1923, S. 114, und Wilhelm R. Valentiner, Aus der niederländischen
Kunst, Berlin 1914, S. 48. Auch ich hatte schon während meiner Studienzeit Zweifel an der
Urheberschaft des Dirck Bouts meinem Lehrer Carl Justi mitgeteilt, worauf er mir am 3. Januar
1894 schrieb: »In Bezug auf die Frankfurter Sibylle ist auch mir die Differenz von den sonst
bekannten Werken des Meisters aufgefallen. In der malerischen und perspektivischen Anordnung der Szene scheint er mir gewandter als sonst; auch der schwere, graue, glatte Ton
im Fleisch, das viele undurchsichtige Schwarz gibt dem Bilde ein anderes Aussehen ...«

6

Ohne Zweifel gehört der Künstler, besonders wenn man die heilige Anna selbdritt der Wiener Privatsammlung mit in Betracht zieht, zu den ältesten Nachfolgern des Schulhaupts Dirck Bouts. Ist die Vermutung gar zu gewagt, die in dem Meister der tiburtinischen Sibylle den ältesten Sohn des Meisters, D i r c k B o u t s d. J., erkennen würde, der am 15. Januar 1473 von seinem Vater mündig gesprochen wurde, zwischen dem 30. Januar und dem 10. Februar 1476 heiratete, in verschiedenen Akten als »pictor ymaginum«, darunter auch 1482, vorkommt und vor dem 2. Mai 1491 verstorben ist[7]? Friedländers zeitliche Ansetzung der Tätigkeit des anonymen Malers würde gut zu dieser Annahme passen, für die es freilich noch an äußeren Beweisen fehlt. Eine zu vermutende Reise in die Heimat des Vaters, nach Haarlem, würde gewisse holländische Eigentümlichkeiten seiner Kunst erklären. In dem Kopfe eines etwa dreißigjährigen Mannes, der auf dem Gemälde der tiburtinischen Sibylle in Frankfurt oberhalb der Gruppe von fünf Hofleuten links sichtbar wird, möchte man glauben ein Selbstbildnis des Malers erkennen zu können. Die Züge zeigen eine gewisse Familienähnlichkeit mit den bekannten des Vaters und besonders mit denen der beiden jungen Leute, die auf dem berühmten Gemälde des Abendmahls in der Peterskirche zu Löwen sichtbar sind und in denen Georges Hulin[8] schon vor Jahren die beiden Söhne des Meisters, Dirck und Albert, hat erkennen wollen. Vielleicht ergibt sich hier ein Anhaltspunkt für die bisher noch schwach begründete Identifikation des Meisters der tiburtinischen Sibylle mit Dirck Bouts dem Jüngeren.   (1931)

---

[7] Edward van Even, Thierry Bouts, dit Thierry de Haarlem ... Six lettres à Mr. Alphonse Wauters, Löwen 1864, p. 22.
    [8] Catalogue Critique, p. 10, Nr. 36.

ZU EINEM BILDE VON HIERONYMUS BOSCH
AUS DER FIGDORSCHEN SAMMLUNG IN WIEN

Das ewig schöne Gleichnis vom Verlorenen Sohne hat, seitdem es zum ersten Male in den Stoffkreis der bildenden Kunst des Nordens aufgenommen wurde, immer wieder die größten Künstler zur Darstellung angeregt, ja das Interesse an dem Gegenstande ist selbst bis in die neueste Zeit in der Malerei lebendig geblieben. Die Vorliebe der Maler gerade für diese biblische Erzählung erklärt sich wohl in der Hauptsache aus dem Umstande, daß kaum eine andere eine solche Fülle von verschiedenen zur Darstellung durch die bildende Kunst geeigneten Momenten in sich birgt. Es wäre wohl einer Betrachtung wert, wie die verschiedenen künstlerischen Individualitäten sich einem solchen Stoffe gegenüber benommen haben, wie weit sie ihn ausgenutzt und erschöpft haben. Die Hauptmotive der Erzählung sind ohne Zweifel Erniedrigung und Reue. Von diesem Inhalt ist Dürers später oft nachgeahmter Kupferstich ganz erfüllt; hier sehen wir mit den geringsten Mitteln den Augenblick des tiefsten Elends und der größten Verzweiflung festgehalten: der junge Prasser kniet in Lumpen gehüllt neben seinen Schweinen, die aus dem Troge fressen. In ähnlicher Absicht, wenn auch in mehr äußerlicher Art, hat Lucas van Leyden einen späteren Moment der Geschichte dargestellt: die Rückkehr des Verlorenen Sohnes. Auch hier ist noch das Gewicht auf den Ausdruck von Erniedrigung und Reue gelegt; doch ist die Wirkung schon etwas abgeschwächt durch einige episodische Figuren, die dem Vorgang beiwohnen, und durch die prächtige Landschaft, in die die Handlung versetzt wird. Bald darauf konnte Cornelis Metsys den gleichen Stoff zur Staffage einer seiner Waldlandschaften verwenden (Amsterdam, Rijksmuseum Nr. 1528). Inzwischen war aber in der Antwerpner Malerei eine völlig veränderte Auffassung des biblischen Gleichnisses aufgetaucht, die weit bis über das Ende des 16. Jahrhunderts hinaus in der niederländischen Kunst herrschend blieb. Ein starker Zug zum Sittenbildlichen macht sich in den Dreißigerjahren des 16. Jahrhunderts geltend und führt dazu, einen früheren, im Evangelium nur flüchtig angedeuteten Moment der Handlung herauszugreifen und das Treiben des reichen Verschwenders in den Freudenhäusern zu schildern, deren Darstellung ohne biblische Einkleidung eben kurz vorher der sogenannte Braunschweiger Monogrammist in die niederländische Kunst eingeführt, ja zu seinem Spezialfach erhoben hatte. Bezeichnende Beispiele dieser Art sind ein Bild von Jan van Hemessen im Brüsseler Museum (datiert 1536), wo die Figürchen im Hintergrunde von der Hand des Braunschweiger Monogrammisten sind, ferner ein Gemälde, das von einem dem Peter Aertszen verwandten, etwa gleichzeitigen Künstler, wohl von Jan Mandyn, herrührt, in der Gemäldegalerie in Wien (Nr. 773, mit Unrecht bisher Hendrik van Cleve zugeschrieben), und endlich, um auch ein viel späteres Beispiel zu nennen, ein schwaches anonymes Bildchen des Germanischen Museums in Nürnberg (Nr. 533), das etwa im letzten Jahrzehnt des 16. Jahrhunderts entstanden ist. Auf solchen Bildern sehen wir den Verlorenen Sohn in modischer Tracht, umgeben von einem Kreise von verworfenen Mädchen, von Gaunern und Spielern; er wird von allen Seiten bestohlen und schließlich, nachdem man ihm alles genommen hat, halbnackt zur Tür hinausgeworfen. Die dem Geiste des Evangeliums viel wesentlicheren Schilderungen des Verlorenen Sohnes als Schweinehirten und seiner Rückkehr zum Vater finden nun nur mehr als nebensächliche Episoden des Hintergrundes ihre bescheidene Verwendung. Es scheint, als ob die Künstler zu dieser Auffassung neben der Neigung zum Sittenbildlichen auch von einer moralisierenden Tendenz gedrängt worden wären, die den ursprünglich tief religiösen Sinn des Gleichnisses verschoben und endlich ganz verwischt haben mag. Erst Rubens hat (in einem Bilde des Antwerpner Museums) wieder den Verlorenen Sohn neben seinen Schweinen dargestellt, wie es über ein Jahrhundert früher Dürer in seinem Kupferstich getan hatte. Aber obwohl Rubens seinem Schweinehirten in Gesichtszügen und Haltung sehr wohl den Adel tiefer Reue zu verleihen wußte, so hat er sich doch in der Darstellung des Stalles, wo der Vorgang spielt, nicht genug tun können und dadurch die Hauptfigur zu einer episodischen gemacht, so daß Jacob Burckhardt vor dem Bilde mit Recht ausrufen konnte: »Ist es nun als Genrebild, als Tierbild, als baulicher Anblick, als Stilleben von allerlei Gerät aufzufassen? Rubens, welcher all dieser Terminologie gespottet haben würde, malte vor allem, wie ihn der Geist führte, und es wurde ein Ganzes von seltenster Art.« Jacob Jordaens finden wir auf ähnlichen Pfaden in dem stimmungsvollen Bilde der Dresdner Galerie, wo der Verlorene Sohn an einem stürmischen Gewitterabend bei einem braven Bauernpaare als Schweinehirt Aufnahme findet. Die Darstellung der verschiedenen Tiere und der Gewitterstimmung ist hier dem Künstler so sehr zur Hauptsache geworden, daß er darüber vergessen hat, wie schwer es dem Beschauer fällt, diesem feist und athletisch gebildeten Jüngling den ganzen Jammer seiner Existenz zu glauben. Am weitesten aber ist in der Neigung, das Beiwerk zur Hauptsache zu machen, der Holländer Harmen Saftleven gegangen in einem kleinen Bildchen der Figdorschen Sammlung in Wien: hier sehen wir in einem Bauernhofe einen wüsten Haufen verfallenen Gerümpels und dahinter ganz im Hintergrunde das winzige Figürchen des Verlorenen Sohnes bei seinen Säuen[1]. Aus dem biblischen Gleichnis ist ein reines Stilleben geworden. Zur selben Zeit aber, da Saftleven an diesem Virtuosenstückchen malte, hat sein großer Landsmann Rembrandt, der die Bibel nicht nur von außen kannte, den alten Stoff

[1] Eine Abbildung bei Th. von Frimmel, Kleine Galeriestudien N. F., IV. Lief., 1896, S. 27. (Mit den Gemälden der Sammlung Figdor versteigert in Berlin am 29. September 1930, Kat. Nr. 70).

wieder vorgenommen und über diesen Gegenstand das Tiefste gesagt, was die bildende Kunst darüber zu sagen hatte. In einer Radierung vom Jahre 1636, in mehreren Handzeichnungen und endlich in einem herrlichen Ölgemälde der Ermitage, das kurz vor seinem Tode entstanden ist, hat er die Rückkehr des Verlorenen Sohnes dargestellt. Die handelnden Personen beschränkt er wieder auf eine geringe Zahl und das Beiwerk auf das Allernötigste, und so erreicht er mit wenigen Mitteln den Ausdruck tiefster, edelster und zugleich bitterster Reue, wie keiner vor und keiner nach ihm.

Wenn auch diese Reihe von Darstellungen des Verlorenen Sohnes wirklich lückenlos wäre, was ja nicht im entferntesten unsere Absicht sein konnte, so ließe sich darin doch schwer die Bearbeitung einfügen, die meiner Meinung nach derselbe Stoff in einem sehr merkwürdigen altniederländischen Rundbilde aus der Sammlung Albert Figdors in Wien[2] gefunden hat (Abb. 4). Hier sehen wir den Gegenstand so neu, so lebendig, so eigenartig und dabei so einfach aufgefaßt, daß er uns auch in dieser Gestalt neben Dürers und Rembrandts großartigen Schöpfungen zu fesseln vermag. Der Künstler hat einen ganz anderen Moment der Erzählung gewählt, und zwar auch einen, der tief in den Sinn des biblischen Gleichnisses eindringt: den Augenblick der E r l e u c h t u n g, die den armen Sünder überkommt. In einer verfallenen Bauernherberge, die den auf altniederländischen Bildern nicht seltenen Schild zum Schwan (in 't swaenken) führt, hatte er eine kümmerliche Unterkunft gefunden. Es ist ein ärmlicher Bau aus Holz und Lehm in stark verwahrlostem Zustande. Das Strohdach ist zerrissen, aus einem Mansardenfenster hängt ein Hemd zum Trocknen heraus, ein Fensterladen ist aus der Angel geraten. Im Türweg sieht man eine Bauernfrau, die von einem Burschen mit Liebesanträgen bedroht wird, wohl eine Andeutung des früheren Lasterlebens des Verlorenen Sohnes; aus dem Fenster guckt eine alte Bäuerin; an der Ecke des Hauses verrichtet ein Bauer seine Notdurft. Vor der Herberge sieht man die aus einer Kufe fressenden Schweine, die der Verlorene Sohn bisher gehütet hat. Er aber »begehrte seinen Bauch zu füllen mit Träbern, die die Säue aßen; und niemand gab sie ihm. Da schlug er in sich und sprach: Wie viele Tagelöhner hat mein Vater, die Brot die Fülle haben, und ich verderbe im Hunger. Ich will mich aufmachen und zu meinem Vater gehen und zu ihm sagen: Vater, ich habe gesündigt in den Himmel und vor dir und bin hinfort nicht wert, daß ich dein Sohn heiße; mache mich als einen deiner Tagelöhner.« Von diesem Gedanken beseelt hat er sich nun aufgemacht und schreitet, in die Lumpen eines Bettlers gekleidet und mit allerlei wertlosen Dingen bepackt, den Hirtenstab in der Rechten und den Hut in der Linken, der Türe des Zaunes zu, die sich bald hinter ihm schließen wird. Er blickt noch einmal zurück nach der elenden Herberge, wo er gehaust hat; doch niemand gibt ihm das Abschiedsgeleite, nur ein kleines Hündchen ist ihm nachgelaufen und kläfft ihn verächtlich an.

Wer ist nun der Maler, der etwa zur selben Zeit, da Dürer dem Gegenstande in seinem Kupferstiche eine endgültige Fassung gab, noch so vollkommen

---

[2] Auf Eichenholz, von achteckigem Format, die Darstellung selbst rund, Durchmesser 71¹/₂ cm. Vorbesitzer: Theodor Schiff, Paris.

Abb. 4. Hieronymus Bosch, Der Verlorene Sohn
Ehemals Wien, Sammlung Figdor

unbefangen an die Darstellung des biblischen Gleichnisses herantrat und daraus
ein Sittenbild, ein Volksstück schuf, wie es ihm vor Augen stand, wenn er die
Bibel für sich las und ihre Gestalten in das Gewand seiner Zeitgenossen kleidete?
Ich glaube, die Antwort auf diese Frage wird Kennern der altniederländischen
Malerei kaum zweifelhaft sein: der Meister unseres Bildes ist kein anderer als
H i e r o n y m u s B o s c h. Zu keinem anderen passen so gut der zarte, mit
trockenem, spitzem Pinsel bewirkte Auftrag der lichten, fein zusammengestimmten
Farben und die schöne, weite, in helles Tageslicht getauchte Hügellandschaft,
deren Augenpunkt sehr hoch liegt. Auch dem Rundbilde begegnen wir bei Bosch
nicht selten; man denke an die Dornenkrönungen im Escorial und in Valencia,
an einzelne Darstellungen auf der Tafel mit den Todsünden im Escorial, an die
Steinoperation im Prado; es ist nicht unwahrscheinlich, daß der Künstler auf

diese Form, die zu seiner Zeit in den Niederlanden noch ziemlich selten war, durch seine Beschäftigung mit Entwürfen für Glasmalerei gekommen ist, von denen uns die Urkunden berichten[3]. Daß ihm das Rundbild nichts Neues war, beweist die überaus geschickte Art, wie die Figur des Verlorenen Sohnes in den Raum komponiert ist. Sehr bezeichnend für Bosch ist die Art des Schreitens; die Bewegung der Figuren hat in seinen Bildern immer etwas eigentümlich Ungeschicktes, die einzelnen Gestalten stehen entweder fast in antik statuarischer Haltung mit regelrechtem Stand- und Spielbein oder sie schleichen gespenstisch, als ob sie sich scheuten, ordentlich aufzutreten. So schleicht auch unser Verlorener Sohn mehr als er schreitet, ganz ähnlich wie der heilige Jakobus auf der Außenseite des Jüngsten Gerichts der Wiener Akademie, das ich als eine Kopie nach einem Werke Hieronymus Boschs ansehen möchte, oder wie der Lastträger auf der Invidia der Sieben Todsünden, der selbst unter dem schweren Gewichte, das seinen Rücken krümmt, von diesem Zehengang nicht abläßt. Aber auch andere Einzelheiten der Zeichnung weisen bei unserem Bilde mit voller Sicherheit auf Hieronymus Bosch hin: den mageren, bartlosen Kopf mit den kleinen, runden, lebhaften Augen, dem silbergrauen, spärlichen Haupthaar und den stark betonten Halssehnen finden wir wieder bei dem heiligen Hieronymus des Wiener Triptychons (Nr. 651) und mehrmals auf der Anbetung der Könige im Prado, die schwächliche Hand mit dem schmalen Gelenk und der breiten Handwurzel begegnet uns auf allen seinen Bildern, das seltsame Kopftuch sehen wir genau so verwendet auf der von Peter van der Heyden (P. a Myricenis) gestochenen Allegorie des Haifisches. Selbst die kleinen Scherze, die unser Meister als eine Art märchenhaften Aufputzes seinen Bildern beizugeben suchte, finden sich auf unserem Bilde wieder: der Schusterkneip, der, als Agraffe gedacht, den Hut durchbohrt, entspricht ähnlichem Schmuck (Pfeil und Messer), womit der Hut eines alten Schergen auf der Dornenkrönung und der eines Hirten auf der Anbetung der Könige verziert sind; das Haar, das durch ein Loch des Kopftuches hervordringt, hat seine Analogie in dem Schopfe, der aus der zerrissenen runden Mütze des Schergen links auf der Dornenkrönung emporsteht. Die kleinen Figuren des Hintergrundes, der Holz- und Lehmbau, die vielen in der Landschaft zerstreuten, mit seltsamer Naivität aufgefaßten Tiere, darunter ein Specht, der auf dem unteren Rande eines Astes hinaufkriecht (wie in dem Flügelbilde mit dem heiligen Ägidius auf dem Triptychon der Wiener Galerie Nr. 651), der belaubte Baum mit einzelnen verdorrten Zweigen, der tüpfelnde Baumschlag — alles dies findet sich ganz ähnlich wieder auf verschiedenen authentischen Schöpfungen des Meisters, wie besonders auf der Anbetung der Heiligen Drei Könige im Prado (Nr. 2048) und der Tischplatte mit den Sieben Todsünden im Escorial.

Solche Übereinstimmungen scheinen mir mit Sicherheit zu beweisen, daß Hieronymus Bosch der Maler unseres Bildes ist. Da ich aber zum Vergleiche eine Anzahl von Gemälden herangezogen habe, die von einem ernsten Forscher wie

[3] Vgl. Alex. Pinchart, Archives des Arts, Sciences et Lettres, I, 1860, p. 273.

Hermann Dollmayr[4] im Gegensatze zu Carl Justis auf gründlichster Kenntnis der Originale beruhendem Urteile[5] dem Meister abgesprochen worden sind, so möchte ich nicht versäumen, in Kürze zu begründen, warum ich glaubte, bei Justis Anschauungen verbleiben zu müssen. Dollmayr hat eine Gruppe von Gemälden, darunter solche, die Justi als Hauptwerke des Meisters anerkannt hatte, aus der Liste seiner Werke zu streichen und einem Monogrammisten ⋒ zuzuschreiben versucht. Den Ausgangspunkt für Dollmayrs Annahme bildete das Triptychon mit dem Jüngsten Gerichte, dem Paradiese und der Hölle in der Akademie der bildenden Künste zu Wien, ein Werk, das lange Zeit als eines der wenigen echten Stücke Hieronymus Boschs außerhalb Spaniens gegolten hatte. Ich selbst hatte bemerkt, daß die Malweise dieses Gemäldes nicht zu der Hieronymus Boschs stimme[6], und die Frage aufgeworfen, ob es nicht auf Grund des auf einer Messerklinge angebrachten Buchstabens ⋒ dem von van Mander als Nachfolger Boschs erwähnten Jan Mandyn zugeschrieben werden könnte. Den Vergleich mit dem einzigen bekannten bezeichneten Werke Mandyns in der Corsinischen Sammlung in Florenz hat hierauf Dollmayr gezogen und dabei meine Vermutung nicht bestätigt gefunden: das Corsinische Bild, eine Versuchung des heiligen Antonius, zeigt einen viel späteren, schon stark aufgelösten Stil, und auch die Werke, die Dollmayr um dieses beglaubigte gruppierte, sind viel weiter von Boschs Stile entfernt als das Jüngste Gericht der Wiener Akademie. Dollmayr glaubte nun in dem letztgenannten Werke die Hand eines anderen Nachfolgers Hieronymus Boschs zu erkennen, den er als Monogrammisten ⋒ bezeichnete und dem er außer dem Jüngsten Gerichte die folgenden Werke zuschrieb: das Triptychon mit der Dornenkrönung im Museum von Valencia, wo das gleiche Monogramm ebenfalls auf einem Messer angebracht erscheint, die Tischplatte mit den Sieben Todsünden, den Heuwagen und die Weltlust im Escorial, die Steinoperation im Prado (Nr. 1860) und endlich eine Reihe von Bildern von geringerer Bedeutung, die ich hier außer acht lassen möchte.

Diesem Verdammungsurteil, das nur auf Grund von Photographien gefällt wurde, steht nun die schwerwiegende Ansicht eines Kenners wie Carl Justi entgegen, der nach gründlicher Autopsie der Originale alle die fünf genannten in Spanien befindlichen Bilder als echte Werke Boschs anerkannt hat. Ich glaube auch, daß man selbst nach dem Studium der Photographien allein sich Justis Urteil anschließen muß: diese fünf Gemälde bilden allerdings vielleicht eine zeitlich zusammengehörige Gruppe, die aber keineswegs aus dem Rahmen von Hieronymus Boschs Stil herausfällt, sie stimmen in vielen Einzelheiten und vor

[4] Hieronymus Bosch und die Darstellung der Vier Letzten Dinge in der niederländischen Malerei des 15. und 16. Jahrhunderts, Jahrbuch der kunsthistorischen Sammlungen in Wien, XIX, 1898, eine Studie, deren bleibender Wert hauptsächlich in der weitgreifenden, kulturhistorischen Untersuchung über den Ursprung der Vorstellungen besteht, die den niederländischen Höllenstücken zugrunde liegen.

[5] Die Werke des Hieronymus Bosch in Spanien, Jahrbuch der preußischen Kunstsammlungen, X, Berlin 1889.

[6] Kunstchronik, VII, 1896, S. 196.

allem in der Gesamtauffassung mit den beglaubigten Werken des Künstlers überein. Ist es wahrscheinlich anzunehmen, einer seiner Nachfolger hätte eine solche unerschöpfliche Erfindungsgabe, soviel Kompositionstalent, soviel Humor besessen, wie sie sich in diesen Werken zeigen? Er müßte ja geradezu in diesen Eigenschaften den Meister selbst übertroffen haben. Auch können wir schon aus dem Grunde nicht wagen, diese Gruppe von Bildern aus der Liste von Boschs Werken zu streichen, weil wir den künstlerischen Entwicklungsgang des Meisters, der, nach seinem gestochenen Bildnisse zu schließen, ein hohes Alter erreicht haben muß, heute noch keineswegs klar überblicken können.

Mit dem Jüngsten Gerichte der Wiener Akademie hat es nun aber eine andere Bewandtnis. Es steht sowohl der eben besprochenen Gruppe spanischer Bilder als auch anderen beglaubigten Werken Boschs ganz außerordentlich nahe, so daß man nach der Photographie fast an eine Arbeit Hieronymus Boschs selbst denken könnte; doch vor dem Originale sieht man an der schweren, trüben Färbung, die schon an die spätere Antwerpner Schule erinnert, daß von der Hand Boschs hier nicht die Rede sein kann. Da aber die Einzelheiten der Zeichnung völlig zu dessen beglaubigten Werken stimmen, so ist der Schluß erlaubt, daß hier eine Kopie nach einem Gemälde des Meisters vorliegt, und zwar eine sehr getreue. Henri Hymans[7] hat nun die zu wenig beachtete Vermutung aufgestellt, unser Triptychon könnte mit einem von Philipp dem Schönen im Jahre 1504 bei Meister Bosch bestellten großen Altarwerke[8] identisch sein. Die Gegenstände des Wiener Triptychons, das Jüngste Gericht, das Paradies und die Hölle, stimmen mit denen des urkundlich erwähnten Werkes in der Tat überein, nicht aber die Maße: der Wiener Flügelaltar ist beträchtlich kleiner als der im Auftrage Philipps des Schönen gemalte, für den die ungewöhnlich hohe Summe von 36 Pfund gezahlt wurde. Daraus möchte ich schließen, daß wir in dem Wiener Jüngsten Gerichte eine kleinere getreue Kopie nach dem heute verschollenen großen Altarwerke des Meisters besitzen. Diese Annahme wird durch die Betrachtung der Außenseiten der Flügel bestätigt, die in Grisaille die Gestalten des heiligen Bavo und des heiligen Jacobus von Compostela und darunter in gotischer Umrahmung je ein leeres Wappenschild enthalten. Zu welchem Besteller könnten die beiden Heiligen, der eine der Schutzpatron der Niederlande, der andere der Schutzpatron Spaniens, besser passen als zu Philipp dem Schönen, der in den Niederlanden seine ganze Jugend verbracht hatte und als König von Spanien fern von seiner Heimat ein frühes Ende finden sollte? Der Umstand, daß die beiden Wappenschilder leer sind, deutet wiederum darauf

[7] Le Livre des Peintres de Carel van Mander, I, 1884, p. 174.

[8] Die Urkunde darüber hat Alexander Pinchart in den Archiven von Lille entdeckt und in seinen »Archives des Arts, Sciences et Lettres«, I, p. 268, veröffentlicht; sie lautet folgendermaßen:

»A Jéronimus Van Aeken, dit Bosch, paintre, demourant au Bois-le-Duc, la somme de XXXVI livres, à bon compte sur ce qu'il pourroit estre deu sur un grant tableau de paincture, de IX pieds de hault et XI pietz de long, où doit estre le Jugement de Dieu, assavoir paradis et enfer, que Monseigneur lui avoit ordonné faire pour son très-noble plaisir.«

hin, daß wir hier eine Kopie vor uns haben; denn auf dem Originale werden die Wappen, wohl die von Burgund und von Kastilien, kaum gefehlt haben.

Man stelle sich nun nach unserer Kopie das wohl für immer verlorene Altarwerk, das vielleicht Boschs umfangreichste Arbeit gewesen ist, vor und denke sich besonders die prächtige Wirkung der echt Boschschen Heiligengestalten, die auf dem Originale in Lebensgröße dargestellt gewesen sein müssen, und man wird von der Richtigkeit unserer Annahme überzeugt sein, daß kein anderer als Bosch selbst der Erfinder dieser Kompositionen gewesen sein kann. Damit verschwindet die Gestalt des Monogrammisten m, die Dollmayr geschaffen hat, wohl für immer aus der Kunstgeschichte, und die Bezeichnung m, die sich auf den Messern des Wiener Jüngsten Gerichts und des Triptychons in Valencia gefunden hat, ist wohl in der Tat, wie schon Th. von Frimmel[9] bemerkt hat, nichts anderes als die Marke eines Waffen- oder richtiger eines Messerschmiedes[10]. Die Stadt Herzogenbusch, wo Bosch lebte und von der er seinen Namen hat, war nach Guicciardinis Angabe berühmt durch ihre Messerfabrikation; es würde gerade unserem Meister ähnlich sehen, wenn er Messer mit der Marke eines Schmiedes seiner Vaterstadt als Hausrat der Hölle und als Waffe eines Häschers Christi verwendet hätte. Das würde zu seinen satirischen Neigungen sehr wohl passen.

Wenn wir auch hier eine Anzahl von Bildern Hieronymus Bosch wieder zurückgegeben haben, so bleibt doch noch eine große Menge von Gemälden übrig, die in alter und neuer Zeit dem Meister mit Unrecht zugeschrieben worden sind. Zu diesen Nachahmungen, vor denen schon im 16. Jahrhundert Felipe de Guevara gewarnt hat und die zum großen Teil in Dollmayrs Schrift angeführt werden, möchte ich aber keineswegs jene köstliche Geburt Christi im Kölner Museum (Nr. 489) zählen, die Justi mit gutem Recht dem Meister zurückgegeben hat; sie gehört in ihrer großen Einfachheit zu den feinsten Kompositionen, die Bosch geschaffen hat.

Heute kann man nicht mehr sagen, daß die echten Werke Hieronymus Boschs außerhalb Spaniens so überaus selten sind, wie man es noch vor wenigen Jahren behaupten konnte. Eine Reihe von hervorragenden Gemälden des Meisters ist erst in der letzten Zeit bekannt geworden: dazu gehören die ebengenannte Geburt Christi im Kölner Museum, die beiden bezeichneten Triptychen der Wiener Galerie, die Dollmayr publiziert hat, ein Ecce Homo in kleinen Figuren, früher bei L. Maeterlinck in Gent, jetzt bei Geheimrat von Kaufmann in Berlin, eine Anbetung der Könige aus der Sammlung des verstorbenen Geheimrats Lippmann ebenda, endlich die Kreuztragung im Genter Museum[11] und Christus

---

[9] Geschichte der Wiener Gemäldesammlungen, I, S. 461, und IV, S. 150.

[10] Es ist bezeichnend, daß auch auf der der Schule Cranachs angehörenden Kopie des Jüngsten Gerichtes im Berliner Museum (Nr. 563) das Monogramm auf der Messerklinge beibehalten erscheint. Dieser Kopist des 16. Jahrhunderts hat es also auch nicht als Künstlersignatur gedeutet.

[11] Publiziert in Max J. Friedländers Meisterwerken der niederländischen Malerei auf der Ausstellung zu Brügge 1902, Taf. 84.

Abb. 5. Peter van der Heyden, Das Gleichnis von den Blinden
Kupferstich nach Hieronymus Bosch

vor Pilatus im Museum zu Princeton in den Vereinigten Staaten[12], zwei Gemälde,
die in der Charakteristik der Köpfe weit über die Grenzen hinausgehen, an
die sich sonst der Meister gehalten hat, und schon an den Einfluß von Lionardos
Karikaturen denken lassen, trotzdem aber wohl als Originale angesehen werden
müssen. Diesen Werken schließt sich nun das Rundbild der Figdorschen Sammlung würdig an, ja es ist vielleicht kunstgeschichtlich noch von höherem Interesse.
Denn es zeigt uns am deutlichsten den Weg, den Bosch gegangen ist, um von
biblischen Vorstellungen aus zum reinen Sittenbilde zu gelangen, und auf dem
er zum Vorläufer Peter Bruegels d. Ä. geworden ist.

Als biblisches Gleichnis steht der Verlorene Sohn nicht vereinzelt unter
Boschs Werken da; die alten Inventare der Sammlung König Philipps II. kannten
ein zweites Gleichnis von seiner Hand, das von den Blinden[13], das uns heute
nur mehr in dem Kupferstiche Peter van der Heydens (Abb. 5) erhalten ist. Auch
hier ist die Auffassung völlig die gleiche wie auf unserem Bilde: aus der Bibelstelle gestaltet der Meister, ohne von ihrem tiefsten Sinn abzuweichen, ein wahres
Volksstück, das allen seinen Zeitgenossen verständlich sein mußte. Von solchen
Gleichnissen, also noch von biblischen Vorstellungen, aus kam Bosch auf jene

[12] Veröffentlicht von Allan Marquand im Princeton University Bulletin, XIV, 1903, Nr. 2.
[13] C. Justi, a. a. O., S. 129, 141, 144.

16

Abb. 6. Peter Bruegel d. Ä., Die Blinden
Neapel, Museum

reinen Sittenbilder, die heute wohl alle verschollen sind: die Blinden auf der
Saujagd, die Disputation des Mönchs mit den Ketzern, der Tanz nach der Weise
von Flandern, die Hochzeit, Fasten und Fasching, das Strafgericht, die Hexe,
der Hexenmeister, der Mann auf dem Eise[14], der Hirt vor seinen Schafen in
einer Landschaft[15] u. s. f. Erhalten ist uns nur mehr die sittenbildliche Illustration
eines Sprichwortes, jene von Carl Justi entdeckte Steinoperation im Prado
(Nr. 1860), eine Darstellung, deren Beliebtheit über Boschs Tod hinaus zahlreiche
spätere veränderte Wiederholungen (z. B. im Rijksmuseum zu Amsterdam, bei
Dr. Figdor in Wien und, nach H. Hymans, im Museum zu Saint-Omer) beweisen.

Gerade von Boschs Gleichnissen führt nun der Weg zu den Schöpfungen
seines großen Landsmannes Peter Bruegel d. Ä. In dem herrlichen Gemälde des
Neapler Museums hat auch dieser das Gleichnis von den Blinden (Abb. 6) behandelt. Schon Cornelis Metsys war, in einer seiner kleinen Radierungen, auf den
Gedanken gekommen, aus den zwei Blinden, die Bosch getreu der Bibel folgend
dargestellt hatte, einen Gänsemarsch von vier Blinden zu machen. Bei Bruegel
sind es deren sechs. Allein obwohl Cornelis Metsys einer Gruppe von Künstlern
angehört, die auf Bruegel nicht ohne Einwirkung geblieben sind, jener Gruppe,
zu der auch der sogenannte Braunschweiger Monogrammist zählt, den ich für
eine Person mit dem von van Mander erwähnten Jan de Hollander halten
möchte, so kommt doch auch in diesem Falle der Einfluß des geringen Cornelis
Metsys auf den großen Bruegel nur als ein ganz nebensächliches Moment in

[14] C. Justi, a. a. O., S. 129, 141 ff.

[15] »Eenen *herder voor zyn schaepen*, lantschap, van Bosch« wird erwähnt in dem Nachlaß eines Antwerpner Kunsthändlers (1642), vgl. van den Branden, Antwerpsch Archievenblad, XXI, p. 339.

Om dat de werelt is soe ongetru
Daer om ga ic in den ru

Abb. 7. Peter Bruegel d. Ä., Die Unredlichkeit der Welt
Neapel, Museum

Betracht; denn dieser Einfluß beruht auf nichts weiter als auf dem Einfalle, aus den zwei Blinden der Bibel eine ganze Kette von solchen zu machen. In der künstlerischen Auffassung, in der Neigung, aus der biblischen Vorstellung ein Sittenbild zu gestalten, in der malerisch vollendeten Darstellung berührt sich hier Bruegel viel mehr mit Hieronymus Bosch, dessen Nachfolger er ist, ohne ein Nachahmer zu sein.

Aber auch der Verlorene Sohn der Figdorschen Sammlung deutet in mancher Beziehung auf Bruegel hin. Am auffallendsten ist die Ähnlichkeit in der Komposition: gerade in der Kunst, eine einzelne Hauptfigur in die Landschaft zu setzen und sie mit ihr zu einem einheitlichen Ganzen zu vereinigen, wetteifert Bruegel oft sehr glücklich mit Bosch. Hervorragende Beispiel dieser Art sind der »Vogeldieb« der Wiener Galerie und die Allegorie von der Unredlichkeit der Welt im Museum zu Neapel (Abb. 7). Die Verwandtschaft des letztgenannten

Gemäldes mit unserem Bilde, mit dem es überdies die runde Form gemein hat, ist besonders augenfällig. Wie die großartige Figur des still und resigniert dahinwandelnden Eremiten, dem noch im letzten Augenblick vor seiner Einkehr in die Wildnis die böse Welt den Beutel mit seinen letzten Ersparnissen abzwickt, von der weiten ebenen Landschaft sich abhebt, diese feine malerische Wirkung ist in der auf echt holländischem Boden versetzten, traurigen Gestalt des Verlorenen Sohnes, dem seinerseits ein kläffendes Hündchen das Geleite gibt, mindestens vorgeahnt. Diese Vorahnung ist kein Zufall; denn beide großen Künstler stammen aus demselben Ländchen Nordbrabant, das heute zu Holland gehört, und wenn auch bei ihnen an ein Verhältnis von Lehrer und Schüler aus chronologischen Gründen nicht zu denken ist, so ist es doch ohne weiteres klar, daß der Jüngere die Werke des Älteren auf das genaueste gekannt und aufs emsigste studiert hat. Daß sich aber Hieronymus Bosch mehr als ein halbes Jahrhundert vor Bruegel schon an solche malerische Probleme gewagt, ja sie sogar in seiner ihm allein eigentümlichen Weise gelöst hat, beweist, wie wahr es ist, was Carl Justi von ihm gesagt hat: »daß Bosch der Träumer ein Maler ist, und zwar sehr ein Maler«.   (1904)

JAN MOSTAERT

Der Ruhm Jan Mostaerts, des Meisters, der uns nach allem, was wir von ihm hören, als der Hauptvertreter der Haarlemer Malerschule in der ersten Hälfte des 16. Jahrhunderts erscheint, hat ein seltsames Schicksal gehabt. Zu seiner Zeit hochgeschätzt bei Vornehm und Gering, hat Mostaert noch zu Anfang des 17. Jahrhunderts einen liebevollen Biographen in seinem Landsmann van Mander gefunden; im weiteren Verlaufe des 17. Jahrhunderts kommt sein Name nur mehr bei einigen Gemäldeauktionen vor, um bald gänzlich zu verschwinden. In unserem Jahrhundert hat man den Namen wieder aus der Vergessenheit hervorgezogen, um mit ihm einige Bilder zu taufen, von denen man nicht weiß, warum sie gerade so und nicht anders benannt werden sollen.

Wenn wir die Hoffnung nicht aufgeben wollen, einmal gegenwärtig unbenannte oder fälschlich benannte Gemälde als Werke seiner Hand nachweisen zu können, so gilt es, sich sein Leben und seine Kunstweise nach den verläßlichsten Quellen zu vergegenwärtigen. Eine solche bietet uns nebst einigen wenigen Urkunden die Lebensbeschreibung des Karel van Mander[1], der über Mostaert besonders gut unterrichtet gewesen sein muß, da er sowohl einen betagten Schüler des Meisters Albert Simonsz (Ausg. von 1618, fol. 128 b) als auch einen Enkel Mostaerts, den Herrn Niclaes Suycker, Schulzen von Haarlem, kannte und gewiß der Mann war, sich für sein Werk die persönliche Bekanntschaft mit diesen Leuten zunutze zu machen. Ohne zwingende Gründe wird man daher seine Angaben bezüglich unseres Meisters im wesentlichen kaum bezweifeln dürfen.

Mostaert entstammt einem altadeligen, in Haarlem ansässigen Geschlechte. Seine erste künstlerische Ausbildung erhielt er bei dem Haarlemer Maler Jakob Janszen[2], den van Mander als »eenen redelyck goet Schilder« bezeichnet. Mostaerts Lehrzeit fällt in das letzte Jahrzehnt des 15. Jahrhunderts; er hat weder Albert van Ouwater noch Geertgen tot St. Jans mehr gekannt (van

---

[1] Auf die nützliche Ausgabe von H. Hymans, Le livre des peintres, Paris 1884, sei hier ein für allemal verwiesen.

[2] Über ein heute verschollenes Werk dieses Jakob Janszen, ehemals in der Groote Kerck zu Haarlem, vgl. Van Mander, ed. De Jongh 1768, I, p. 162 Anm. In den Urkunden finden wir ihn 1503 beim Verkauf eines Hauses erwähnt; 1509 vermacht er 40 rhein. Gulden der Kirche (van der Willigen, Les Artistes de Haarlem, 1870, p. 45 und 55).

Mander 1618, fol. 128 b). Im Jahre 1500 war er schon selbständig tätig: für die Groote Kerck wird in diesem Jahre bei ihm ein größeres Altarwerk mit Darstellungen aus der Legende des heiligen Bavo bestellt (van der Willigen, p. 54).

Bald nach dieser Arbeit scheint er Haarlem auf längere Zeit verlassen zu haben. Er trat in den Dienst der kunstsinnigen Margarete von Österreich, der Tochter Maximilians I. Ob er volle 18 Jahre an ihrem Hofe zugebracht hat und ihr nach allen ihren Residenzen gefolgt ist, wie van Mander weiter angibt, läßt sich mit Sicherheit nicht ausmachen, da urkundliche Nachrichten fehlen. Den Titel eines Hofmalers Margaretens führten in dieser Zeit Jacopo de' Barbari und nach ihm Barend van Orley; gleichwohl mag unser Maler das Amt eines valet de chambre oder dergleichen bekleidet haben, wozu ihn seine adelige Geburt und seine vornehmen Sitten besonders befähigen mochten. Daß er in irgendwelchen Beziehungen zu Margareten gestanden hat, müssen wir dem van Mander glauben, da er berichtet, er habe im Besitze der Nachkommen Mostaerts eine Urkunde gesehen, worin die Regentin ihn zu ihrem Edelmann ernannt habe. Jene Annahme bestätigt überdies die urkundliche Nachricht von einem Porträt von Margaretens zweitem Gemahl Philibert von Savoyen, das Mostaert nach dem Leben, also noch vor dem 1504 erfolgten Tode des Herzogs gemalt hat. Im Jahre 1520 schenkte der Maler dies Bildnis seiner Gönnerin, wofür er anfangs 1521 die ansehnliche Gratifikation von 20 Philipps-Gulden erhielt; vielleicht war es ein Abschiedsgeschenk; denn in den erhaltenen Ausgaberechnungen der Fürstin kommt sein Name nicht weiter vor[3]. Für Mostaerts 18 Jahre währenden Aufenthalt am Hofe Margaretens bliebe aber immerhin der Zeitraum von 1500 bis 1520 offen. Auch die Erzählung, Mostaert habe einen Antrag Mabuses zur Mithilfe an einem Altarwerk für die Prämonstratenserabtei in Middelburg abgelehnt mit der Motivierung, daß er im Dienste einer so hohen Herrin wie Margarete stünde, stimmt dazu; denn tatsächlich muß das genannte Altarwerk in den Jahren vor 1521 entstanden sein, weil Dürer auf seiner niederländischen Reise (Tagebuch, ed. Leitschuh, S. 70) es als vollendet erwähnt.

Mostaert ist dann wieder in seine Vaterstadt zurückgekehrt, wo er hochgeehrt lebte und oft Besuche von »hohen Herren« erhielt — eine seltene Auszeichnung für einen Maler in damaliger Zeit. In hohem Alter hat er sich noch zur Übernahme eines bedeutenden Auftrages entschlossen; zur Ausführung eines Altarwerkes für die Pfarrkirche von Hoorn scheint er 1550 mit seinem Sohne dahin übersiedelt zu sein (van der Willigen, p. 229).

Das lange Leben Mostaerts fällt in eine für die Geschichte der niederländischen Malerei höchst inhaltsvolle Zeit. In seiner Jugend mag er noch unter dem Eindruck der letzten Nachfolger des Albert van Ouwater und des Geertgen tot

[3] Vgl. die von Pinchart, Compte rendu des séances de la commission royale d'histoire, IV. Serie, XI. Band, p. 218, in den Ausgaberechnungen Margaretens gefundene Notiz vom Januar 1521: »A ung painctre qui a présenté à Madame une painctre de feu Notre Seigneur de Savoye, faict au vif, nommé Jehan Masturd (sic!) XX philippus«. Das Werk scheint sich im Inventar der Kunstsammlungen Margaretens wiederzufinden (vgl. Jahrbuch der kunsthistorischen Sammlungen in Wien, III: entweder Nr. 19 oder Nr. 113).

21

SAINT PETER'S COLLEGE LIBRARY
JERSEY CITY. NEW JERSEY 07306

St. Jans gestanden haben. In seinem reiferen Mannesalter bricht sich eine neue Richtung Bahn, die hauptsächlich durch einen neuerlichen Impuls zum Naturalismus bezeichnet ist, der in der Wahl des Charakteristischen bis zum Karikaturenhaften seinen Ausdruck findet. Schließlich dürfte er in seinem späteren Mannesalter von der Geschmacksrichtung der Romanisten schwerlich ganz unbeeinflußt geblieben sein.

In den spärlichen Beschreibungen und Erwähnungen von Gemälden Mostaerts, die sich in van Manders Biographie finden, können wir diese Wandlungen nur ahnend verfolgen. Es ist eine bunte und zufällige Auswahl aus den, wie es scheint, einen sehr reichen Stoffkreis umfassenden Werken des Malers. Natürlich nehmen die Gemälde religiösen Gegenstandes in dieser Aufzählung den größten Raum ein. Da werden ohne nähere Beschreibung genannt: eine vielgerühmte »Kerstnacht« (Geburt Christi), ein heiliger Christoph und ein heiliger Hubertus, beide in reicher landschaftlicher Umgebung, eine heilige Sippe (»S. Anna gheslacht«)[4]. Mehr hören wir von einem Ecce Homo in lebensgroßen Halbfiguren (also etwa ähnlich den bekannten Kompositionen von Hieronymus Bosch und Quinten Metsys). Einige Köpfe hatten darauf ausgesprochen porträtmäßigen Charakter; die Tradition nannte dem van Mander noch den Namen eines der Modelle, die dem Künstler zu den Häschern Christi saßen, eines gewissen Pieter Muys, von grotesken Zügen und mit pflasterbedecktem Kopfe. In gleichzeitigen Werken der Haarlemer Malerei finden wir analoge Figuren wieder, wie die Gestalten der aussätzigen, pflasterbedeckten Häscher auf der Dornenkrönung des Calcarer Altarwerkes von Jan Joest und auf der Kreuzschleppung des Retablo der Kathedrale von Palencia von Juan de Olanda. Sie können uns die grell naturalistische Wirkung einer solchen Gestalt veranschaulichen. Ebenfalls eine Komposition in lebensgroßen Halbfiguren war eine »Vertreibung der Hagar«, bei welchem Bilde van Mander die phantastischen Kostüme besonders rühmend hervorhebt. In diese Reihe gehört noch ein von van Mander nicht erwähntes Bild, das 1662 im Haag versteigert wurde[5]; es enthielt die Darstellung des Guten Hirten, eines in dieser Zeit höchst seltenen Motives, das mir nur noch in einem ebenfalls altholländischen, etwa dem Anfange des 16. Jahrhunderts angehörenden Gemälde von nicht großem Kunstwert im Kunstkabinett zu Bonn begegnet ist.

Diese Werke kann man sich noch im alten, vom Romanismus unberührten Stil ausgeführt denken. Anders steht es mit einem Gemälde, das uns in den mythologischen Stoffkreis führt. Es ist dies ein Göttergelage (»een Goden bancket«), bei welchem die Discordia mit dem Apfel erscheint und Verwirrung unter die versammelten Götter bringt. Ein solcher Stoff ist vor dem Eindringen italienisierender Kunstweise in den Niederlanden nicht denkbar. Ebenfalls in diese

[4] 1662 im Haag versteigert, vgl. Obreens Archief, V, p. 296: 50. »Het geslacht van St. Anna geschildert by den Ouden Mostert« (so zum Unterschied von den späteren Frans und Gillis Mostaert).

[5] »Een Christus met een lam op syn rugge, geschildert by den Ouden Mostert« (Obreens Archief, a. a. O.).

letzte Zeit seines Wirkens gehört offenbar ein von ihm unvollendet hinterlassenes Gemälde, dessen Gegenstand unklar erscheint: eine »westindische« Landschaft mit fremdartigen Gebäuden, Häusern und Hütten, Felsen und vielen nackten Figuren.

Wir wissen nicht, wie weit Mostaert in dieser neuen »antikischen« Manier gegangen ist; ob er es wohl so weit darin gebracht hat wie sein begabter Landsmann Jan Scorel, der ja auch in den guten alten Traditionen aufgewachsen war wie er? Wir wollen es für ihn nicht hoffen. Vielleicht hat er nur zögernd dem Zeitgeschmack nachgegeben. Verdächtig ist freilich das Lob Heemskercks, der von ihm sagte, er ginge ihm weit über alle Alten, die er gekannt habe.

Am meisten rühmt van Mander den Meister im Bildnis- und im Landschaftsfach, in jenen beiden Fächern, in denen die Holländer selbst noch in der ärgsten Verfallzeit Großes und Rühmliches geleistet haben. Als Bildnismaler war Mostaert besonders in Hofkreisen sehr beliebt. Sein Porträt Philiberts II. von Savoyen haben wir schon erwähnt. Offenbar nach älteren Originalen malte er Jacobaea von Bayern und ihren letzten Gemahl Frank von Borsselen; diese Bildnisse sind heute verschollen. Ein sehr interessantes Selbstporträt werden wir noch später zu besprechen haben. Ein einziges Bildnis des Meisters, das Philipps des Schönen, des Bruders Margaretens, ist uns in Stichen von Cornelis Visscher und Pieter de Jode erhalten; leider geben diese uns keinen Fingerzeig für die Kunstweise des Meisters; denn die Stecher haben das alte Original so frei im Stil des 17. Jahrhunderts verarbeitet, daß von der Eigenart des alten Malers so gut wie nichts mehr zu erkennen ist.

Zu dem Bilde, das wir uns nach diesen Nachrichten von Mostaerts Kunstweise machen können, wollen nun die Gemälde, die seit Waagen in Galeriekatalogen und Handbüchern seinen Namen führen, ganz und gar nicht passen[6]. Nichts spricht bei dem trefflichen Künstler, dessen Hauptwerke die Schmerzensmutter in Brügge, die »Deipara Virgo« in Antwerpen und die Anbetung der Könige in der Lübecker Marienkirche sind, für Haarlemer Ursprung; überhaupt ist er seiner Kunst nach kein Holländer, sondern er gehört in den großen Kreis von Schülern, den Gerard David in den ersten Jahrzehnten des 16. Jahrhunderts in Brügge um sich versammelte. Er schließt sich eng an den späteren Stil dieses Meisters an; der längliche Typus seiner Frauenköpfe, seine reizenden Landschaften erinnern sehr an seinen Lehrer, dem er in einigen Werken zum Verwechseln ähnlich ist und von dem er sich hauptsächlich durch den warmen, bräunlichen Ton und die ungemein weiche Modellierung unterscheidet. Sein Stoffkreis ist ein gänzlich anderer als der Mostaerts, wie wir ihn eben kennengelernt haben. Auch als Bildnismaler begegnet man ihm höchst selten[7]. Vielleicht bringt uns

[6] Zweifel haben schon Scheibler, Woermann (Geschichte der Malerei, II, S. 530) und mit eingehender Begründung, auf die ich hier verweise, Stiaßny (Repertorium für Kunstwissenschaft, XI, S. 379 Anm.) geäußert.

[7] Mir ist nur ein Porträt bekannt, das ich mit Scheibler nach der Übereinstimmung mit dem Stifterbildnisse auf dem Lübecker Triptychon für seine Arbeit halten möchte, ein männliches Porträt des Museums zu Antwerpen (Nr. 460, dem van Orley zugeschrieben). Das männliche Bildnis der Wiener Galerie ist trotz dem übereinstimmenden Urteil von Waagen und Scheibler nicht von seiner Hand.

einmal die belgische Lokalforschung aus den noch zu wenig durchsuchten Brügger Archiven den Namen des begabten Anonymus, bis dahin mag er immerhin den Namen des »Waagenschen Mostaert« führen, dem Manne zu Ehren, dessen Verdienst man hauptsächlich die erste Kenntnis seiner Werke zu danken hat.

Es ist seltsam, daß von einem Meister, dessen Tätigkeit mehr denn ein halbes Jahrhundert umfaßt, gar keine Werke sich mehr erhalten haben sollten. Oder sollten wir den lobenden Urteilen der Heemskerck und van Mander keinen Glauben schenken und den vielgepriesenen Meister als eine ephemere Erscheinung ansehen, deren Andenken die Nachwelt nicht mehr zu bewahren braucht? Ich glaube kaum. Eine große Anzahl von bedeutenden anonymen Werken der alt-niederländischen Malerei gibt ja noch immer dem Forscher schwer zu lösende Rätsel auf. Unter diesen wird man Umschau halten müssen.

Ich wage es hier, auf eine Möglichkeit hinzuweisen, die sich mir immer und immer wieder aufgedrängt hat, ohne daß ich sie zur Gewißheit zu erheben vermocht hätte.

Die Vermutung geht von jenem von van Mander beschriebenen Selbstporträt aus. Es war eine von seinen allerletzten Arbeiten: er hatte sich dargestellt fast ganz en face, die Hände ineinandergelegt, vor ihm lag ein Rosenkranz, hinter ihm erblickte man eine »natürliche« Landschaft. In der Luft thronte Christus als Richter und urteilte über den nackt (also als ψυχή) vor ihm knienden Meister. Auf der einen Seite stand der Teufel, auf der anderen kniete ein Engel, der bei dem göttlichen Richter für den Meister Fürbitte einlegte.

Es ist nicht leicht, sich von diesem Bilde eine klare Vorstellung zu machen. Wohl ist bei Porträten seit Memling landschaftlicher Hintergrund mit einzelnen genrehaften Figuren nichts Seltenes; allein eine ausführliche Darstellung im Hintergrunde eines Bildnisses anzubringen, ist etwas meines Wissens in der niederländischen Malerei der Zeit ganz Vereinzeltes, weshalb wir wohl ein Recht haben, Mostaert selbst diese glückliche Erfindung zuzuschreiben.

Dieselbe merkwürdige Kompositionsweise ist mir allein in einem herrlichen Brustbilde des Brüsseler Museums (Nr. 538; 88 : 55 cm) begegnet, das uns nicht nur eine deutliche Vorstellung von der Anordnung des beschriebenen Selbstporträts, sondern auch, wie ich glaube, einen sicheren Hinweis darauf geben kann, in welchen Werken wir den Geist und die Hand unseres Mostaert zu suchen haben (Abb. 8).

Dargestellt ist ein ältlicher bartloser Mann in sehr vornehmer Tracht; die mit weißen Handschuhen bekleideten Hände halten den Rosenkranz und ruhen auf einem reich gestickten Kissen. Hinter dem Dargestellten erblickt man rechts Teile eines Schloßgebäudes, links eine reizende Landschaft. In der Szene, die in kleinen Figuren in dieser dargestellt ist, erkennt man auf den ersten Blick die Verkündigung der Sibylle an Kaiser Augustus. Auch hier also wieder eine himmlische Szene: in den Lüften thront auf Wolken Maria mit dem Kinde, das das Kreuz hält, umschwirrt von vielen reizenden nackten Engelchen. Ein größerer bekleideter Engel fliegt vom Thron der Mutter Gottes weg zur Erde herab und trägt in der Hand eine offene mächtige Pergamentrolle mit drei großen

Abb. 8. Jan Mostaert, Männliches Bildnis
Brüssel, Museum

Abb. 9. Jan Mostaert
Altarflügel mit dem heiligen Petrus
Brüssel, Museum

Siegeln. Unten auf dem Sandboden des Schloßplatzes kniet Kaiser Augustus, neben ihm steht die wahrsagende Sibylle und das Gefolge. Auch im Schloß wird man auf die wunderbare Erscheinung aufmerksam und blickt aus den Fenstern und vom Balkon erstaunt aufwärts. Auf dem Gesimse eines von gotischen Ranken umsponnenen Pfeilers erblickt man das Wappenschild des Dargestellten (einen goldenen, blaubewehrten Löwen auf rotem Grund enthaltend)[8], das von zwei Putten getragen wird, während drei andere Helm und Lanze, die Insignien des Ritterstandes, herbeischleppen.

Eine eigentümliche Mischung von Realismus und Phantastik beherrscht dieses seltene Werk und macht seinen ihm eigenen poetischen Zauber aus. Der Ausdruck des etwas bigotten, wenig geistvollen Kopfes ist wahr und ungesucht, die Modellierung des Fleisches und der Gewandung sehr eingehend und weich, ohne eckige oder brüchige Linien. Einen phantastischen Eindruck macht die Architektur, voll Poesie ist die Wiedergabe der himmlischen Erscheinung, reizvoll die zarte, duftige, wie aus leichtem Dünensand aufgebaute Landschaft, voll Leben und natürlicher Bewegung sind die kleinen Figuren des Hintergrundes. Das Bild ist bei vollem Tageslicht gemalt, aber nicht in dem warmen

[8] Die Deutung des Wappens ist mir trotz Einholung sachverständigen Urteils nicht gelungen.

Lichte südlicher Sonne, sondern in dem kühlen, bläu-
lichen eines nordischen Himmels, der mit einer feinen,
weißen, flaumigen Wolken-
schicht bedeckt ist. Die Farbengebung neigt daher zu hel-
leren und kühleren Tönen,
ist aber gleichwohl sehr har-
monisch.

Die Frage nach dem Ur-
heber, die bei dem hohen
Kunstwert des Gemäldes
wohl manchen Forscher be-
schäftigt haben mag, ist noch
unbeantwortet. Einmal ist
von einem bedeutenden Kenner der Name des Herri met
de Bles genannt worden, aus
dem sich die neuere Forschung
bemüht, eine ganz chamäleon-
artige Künstlererscheinung zu
gestalten. Niemand hat aber
diesen Einfall ernst genommen.

Ob nun der anonyme
Maler dieses Bildnisses nicht
mit unserem Jan Mostaert
identisch sein könnte, ist eine
Frage, die ich hier ernstlich
aufwerfen möchte. Außer der
erwähnten auffallenden Ähnlichkeit der Kompositionsweise stimmt noch zu dem
Bilde von Mostaerts Kunst,
das wir aus van Manders Biographie gewonnen haben, die
Trefflichkeit des Porträts und
der Landschaft, die Zeit der
Entstehung, die wir nach den

Abb. 10. Jan Mostaert
Altarflügel mit dem heiligen Paulus
Brüssel, Museum

Trachten und der noch von Renaissance unberührten Spätgotik der Architektur
in die beiden ersten Jahrzehnte des 16. Jahrhunderts versetzen können, und
der für einen Hofmaler passende Umstand, daß hier offenbar eine hoch-
gestellte Persönlichkeit dargestellt ist. Endlich scheint mir, was auch schon von

anderer Seite bemerkt worden ist, in dem Brüsseler Porträt das Werk eines Holländers vorzuliegen. Freilich Malweise, Kolorit und Durchbildung von Porträt und Landschaft sind so eigenartig, daß man mit Bestimmtheit nicht auf die Entstehung in einer lokalen Schule schließen kann. Allein der Holländer verrät sich hier mit ziemlicher Sicherheit an den weiblichen Kopftypen: wer die Bilder eines Geertgen oder Jakob Cornelisz daraufhin angesehen hat, wird in den weiblichen Köpfen unseres Bildes Verwandte erkennen; auch hier die zarten Köpfchen mit der hohen Stirn, den kleinen, runden, hervorquellenden Augapfeln, dem Stumpfnäschen und dem besonders bezeichnenden zurückweichenden, fast verkümmerten Kinn.

Dieselben Eigenschaften finden wir wieder in zwei aus der Sammlung Arenberg stammenden Flügelbildern derselben Galerie (Nr. 539 a und 539 b, jedes 79 : 37 cm), die schon Fétis als Werke derselben Hand erkannt hat, was ein Vergleich mit dem daneben hängenden, eben besprochenen Bildnisse bestätigt (Abb. 9 und 10). Die beiden Tafeln — offenbar Reste eines größeren Altarwerkes, dessen Mittelbild verloren ist — enthalten die Porträte des Stifters und der Stifterin mit den Schutzheiligen Petrus und Paulus; im Hintergrund der einen sieht man wieder in kleinen Figuren die Verkündigung der tiburtinischen Sibylle, in dem der andern die Bekehrung Pauli. Merkwürdigerweise fehlt hier bei der Darstellung der Verkündigung der Sibylle die himmlische Erscheinung der Madonna, was Fétis vielleicht richtig durch eine Beschneidung des oberen Bildrandes der Tafeln erklärt.

Auf drei andere Porträte des Meisters macht uns der Katalog der Berliner Galerie von 1891 aufmerksam. Das Bildnis eines Mannes in mittleren Jahren im Museum zu Berlin (Nr. 59; 42 : 29 cm) ist etwas breiter behandelt und weist mehr Helldunkel auf, da es ohne landschaftlichen Hintergrund, also im Zimmer, gemalt ist; in den übrigen Details zeigt es aber sicher die Hand des Brüsseler Anonymus. Näher steht den Brüsseler Bildern das Porträt eines jungen Mannes in der ehemaligen Sammlung Hainauer in Berlin, das auf der Rückseite von späterer Hand als »heer Joost van Bronkhorst, Heer van Bleyswyck« bezeichnet ist. Da die Bronckhorst eine vornehme holländische Familie waren, kann auch diese Aufschrift für die holländische Herkunft unseres Meisters sprechen. Der landschaftliche Hintergrund ist hier nur durch einige genrehafte Figuren belebt.

Das dritte und wichtigste der vom Berliner Katalog angeführten Werke, das männliche Bildnis der Royal Institution zu Liverpool[9], habe ich leider noch nicht sehen können. Einer ausführlichen Beschreibung, die ich Carl Justi verdanke, entnehme ich, daß es dieselbe Person darstellt wie das Brüsseler Porträt; nur ist der Dargestellte hier jünger, Züge, Tracht und Stellung sind dieselben; die Umgebung ist hingegen ganz anders. In der Landschaft des Hintergrundes sieht man rechts ein auf hohem Berge gelegenes Schloß, unten im Tale Jagdszenen und eine Gesellschaft, die im Grünen lagernd ein Jagdfrühstück einnimmt. Weiter vorn kniet der heilige Hubertus vor dem weißen

[9] Beschrieben van Waagen, Treasures of Art, IV, p. 236. Es galt damals als Selbstporträt des Lucas van Leyden. Burger sah es auf der Manchester-Ausstellung (Trésors d'Art, 241 Anm.).

Abb. 11. Jan Mostaert, Anbetung der Könige
Amsterdam, Rijksmuseum

Hirschen, der auf der Stirn ein Kruzifix trägt, auf das aus einer Licht-
öffnung mit gelbrötlichem Schein ein Strahl fällt. Die Anordnung ist also eine
ähnliche wie auf dem Brüsseler Bilde, wenn auch die Vision hier durch den Licht-
strahl ersetzt ist. Man erinnert sich, daß auch Mostaert in einem von van Mander
erwähnten Werke den heiligen Hubertus in einer Landschaft dargestellt hat. Von
dem Aufenthalt des Malers am Hofe zeugt die genaue Kenntnis höfischen Jagd-
lebens, das mit großer Ausführlichkeit geschildert ist.

Im Berliner Museum (Nr. 2052) befindet sich noch ein weibliches Porträt
des Meisters, das in dem landschaftlichen Hintergrunde wieder eine Verkündigung der Sibylle darstellt, deren Komposition ganz mit der des Brüsseler Porträts
übereinstimmt.

Endlich glaube ich in einem männlichen Bildnis mit landschaftlichem
Hintergrund, das 1892 mit der Sammlung Hoech in München unter dem
Namen Holbeins d. Ä. versteigert worden ist, ein Werk des Anonymus zu
erkennen. Am nächsten ist es dem Bildnis der ehemaligen Sammlung Hainauer
verwandt[10].

Diese Porträte machen uns neugierig auf Historienbilder des Meisters. Leider
kann ich bisher nur eines nachweisen (Abb. 11). Es ist dies die kleine Anbetung
der Könige im Rijksmuseum zu Amsterdam (Nr. 1674; 47 : 22·5 cm), ein Werk,
das noch ganz der andächtige Zauber des 15. Jahrhunderts durchweht, wenn-
gleich seine Entstehung nicht vor Anfang des 16. Jahrhunderts zu setzen ist.
Die Komposition ist eine höchst einfache: Zu beiden Seiten der sitzenden
Madonna knien zwei heilige Könige. Links hinter dem einen kommt der nicht
unedle Kopf des Mohrenkönigs zum Vorschein. Hinter diesem erblickt man zwei
Männer im Gespräche. Der eine, in dem wir den heiligen Joseph erkennen
können, wendet sich ehrerbietig, den Hut in der Hand, zu dem andern, in die
vornehme, modische Tracht der Zeit gekleideten, wie etwa der Bürgermeister
eines kleinen Dorfes, der seinem Landesherrn den Cicerone macht. Die Züge des
so ausgezeichneten Kavaliers haben eine unverkennbare Ähnlichkeit mit denen
Maximilians I. Hätte Mostaert dies Bild für Margarete gemalt, so würde es
sich erklären, daß er das Bildnis ihres Vaters hier anbrachte[11]. Wie auf jenem
Brüsseler Porträt erhebt sich auch hier ein gotischer Pfeiler in der Mitte des Bildes.
Pfeiler und Architrav sind mit Reliefs verziert, die die Wurzel Jesse, die Ver-
kündigung der Sibylle und, wie ich vermute, die drei Helden Davids, die ihm
das Wasser bringen (2. Sam. 23, 16), darstellen. Im Hintergrunde sieht man das
Gefolge in einer Landschaft, welche der des Brüsseler Porträts sehr ähnlich ist.
In diesem kleinen Format ist der Meister besonders glücklich, in der unsäglichen
Feinheit und Vollendung jedes Details übertrifft er fast noch die van Eyck.

[10] Eine Abbildung gibt der Auktionskatalog (Nr. 94). Auch Carl Justi erkannte in diesem
Bilde die Hand des Meisters.

[11] Ein Porträt Maximilians I., das vielleicht eine Kopie nach einem Werke des Meisters
sein könnte, findet sich im Braunschweiger Museum (Nr. 12; 44·5 : 34·2 cm, mit der Aufschrift:
»Maximilianus D. Austriae Imperator mary de la princesse Marrya«). Besonders das Kostüm
erinnert sehr an das der Brüsseler Bildnisse.

Dies sind die wenigen mir bisher bekanntgewordenen Werke des Meisters, der, wie ich glaube, einmal einen höchst ehrenvollen Platz in der Geschichte der altniederländischen Malerei einnehmen wird.

Persönlich überzeugt von der innerlichen Wahrscheinlichkeit meiner Vermutung habe ich vergeblich nach urkundlichen Beweisen gesucht. Malersignaturen sind in dieser Zeit in den Niederlanden verhältnismäßig selten. Freilich finden sich auch auf einigen Arbeiten unseres Meisters Inschriften: so auf dem Brüsseler Porträt A und C in den Ecken des Polsters neben dem gestickten Wappen des Dargestellten, auf dem männlichen Stifterbildnis derselben Sammlung A an gleicher Stelle neben demselben Wappen, auf dem Berliner Porträt A, auf dem Bildnis aus der ehemaligen Sammlung Hainauer U, bei beiden letztgenannten auf den Knöpfen der Schaube mehrfach wiederholt. Der Ort, wo diese Buchstaben angebracht sind, spricht nicht für eine Meistersignatur; wie sollte der Maler seine Initialen neben das Wappen des Dargestellten zu setzen gewagt haben? Trotzdem das A mehrmals wiederkehrt, wird man in den Buchstaben noch eher die Anfangszüge der Namen der Dargestellten als die des Malers erkennen müssen.

Schwerwiegender könnte der Einwand scheinen, daß die von van Mander erwähnten großen Historienbilder Mostaerts (jenes Göttergelage und die westindische Landschaft) ganz und gar nicht zu den Bildern des Brüsseler Anonymus passen. Wer aber den Unterschied zwischen Mabuses oder Scorels früheren und späteren Werken kennt, den wird es nicht Wunder nehmen, wenn solche späte Werke in dieser ersten Zusammenstellung noch fehlen; denn wer hätte auch ohne sichere äußere Beweise den Zusammenhang zwischen den späteren und früheren Werken jener Meister erkannt?

Möge die Hoffnung des Verfassers, seine Hypothese durch gesicherte Tatsachen bewiesen zu sehen, nicht getäuscht werden! Er möchte nicht gerne einen zweiten Pseudo-Mostaert ins Leben gerufen haben.   (1896)

31

ÜBER EINIGE BILDNISSE VON JAN MOSTAERT

Die Gemäldegalerie des Louvre besitzt ein hervorragendes altniederländisches Bildnis, das einen Ritter des Ordens vom Goldenen Vließe darstellt, in der reichen, vornehmen Tracht, wie sie etwa um das Jahr 1520 in den Niederlanden üblich war (abgebildet in der Gazette des Beaux-Arts, XXI, 1899, p. 273). Die Züge des glattrasierten Gesichtes verraten Tatkraft gemischt mit Frömmigkeit und wohl auch etwas Beschränktheit. Die Tracht entspricht in jeder Einzelheit der der damaligen Hofkreise: er trägt einen weiten Pelzmantel, einen gesteppten Wams, auf dem an einer Schnur das Zeichen des Goldenen Vließes hängt, weiße Handschuhe und einen großen Hut, der durch eine goldene Denkmünze mit der Darstellung der Mutter Gottes und der Aufschrift »Maria mater gratiae«, durch goldene Knöpfe und kleine Agraffen geziert ist. Den Hintergrund bildet eine hügelige Landschaft, in der offenbar eine ruhmreiche Episode aus dem Leben des Abgebildeten dargestellt ist. Links sieht man Krieger zu Fuß mit Fahnen vorbeimarschieren, etwas weiter zurück brennende Dörfer. Rechts erscheinen zwei vornehm gekleidete Frauen, in flehender Haltung einem Ritter zugewendet, der in voller Rüstung zu Pferde vor ihnen haltgemacht hat. Ein zweiter Ritter sprengt mit eingelegter Lanze im Galopp aus dem Bilde heraus gegen den Beschauer zu. Ist es schon schwer möglich, sich diese Vorgänge zu erklären, so erscheint uns erst als ein wahres Rätsel der Trupp von Kamelen, der hinter den beiden Frauen den Hügel herabtrabt.

Während diese Szenen bisher noch keinen Erklärer gefunden haben, so ist man doch in der Bestimmung der Person des Dargestellten glücklicher gewesen. Die Buchstaben I. W., die auf der Bordüre des Hemdkragens sich mehrmals wiederholen, weisen auf die richtige Fährte: Der Dargestellte ist nach L. Dimiers überzeugendem Nachweis (Chronique des Arts, 1901, p. 5) J a n B a n n e r h e r r v o n W a s s e n a e r, Burggraf von Leyden, der letzte männliche Sproß des edlen Geschlechtes, von dem Guicciardini sagt, es sei das älteste in Holland, während das der Egmont das reichste und das der Brederode das vornehmste seien. Jan van Wassenaer ist um 1483 geboren, trat früh in kaiserliche Dienste, zeichnete sich schon 1509 bei der Belagerung von Padua aus, wurde 1516 Ritter des Goldenen Vließes und starb als kaiserlicher Generalkapitän von Friesland an einer Wunde zu Leeuwarden am 4. Dezember 1523. Über seine Beziehungen zu M a r g a r e t e v o n Ö s t e r r e i c h, der er als der General-

Abb. 12. Jan Mostaert, Bildnis des Jan van Wassenaer
Paris, Louvre

statthalterin der Niederlande unterstand, gibt uns der Briefwechsel dieser Fürstin (L. Ph. C. van den Bergh, Correspondance de Marguérite d'Autriche avec ses amis. Leiden 1845 und 1847) den besten Aufschluß. Wassenaer wird ihr von dem klugen und tatkräftigen Floris van Egmont, Grafen von Buren, als ein Mann empfohlen, der zu einer führenden Stellung besonders geeignet sei. Margarete fand auch bald Gelegenheit, ihn als Feldherrn in dem langwierigen Kriege des Kaisers gegen den genialen, aber gewalttätigen Karl von Geldern zu verwenden. Doch war Wassenaer in diesem Kampfe nicht vom Glück begünstigt: am Weihnachtstage des Jahres 1512 wurde er von den Gegnern, die er auf ihrem Rückzuge verfolgte, geschlagen und mit allen seinen Hauptleuten gefangen genommen. Karl von Geldern brachte ihn nach Hattem und setzte ihn dort zum Hohne in einen eisernen Käfig. Erst nach zwei Jahren wurde er gegen das hohe Lösegeld von 20.000 Gulden aus der schimpflichen Gefangenschaft befreit. Er begab sich darauf an den Hof Margaretens, bei der er sich bitter über die erlittenen Unbilden und Kränkungen beklagte. In einem längeren, vom 26. November 1514 datierten Schreiben empfiehlt ihn Margarete aufs wärmste ihrem kaiserlichen Vater. »Et pour ce, Monseigneur«, schreibt sie am Schlusse ihres Briefes, »que les dites extorcions, violences et dommaiges que luy ont été faiz procédent d'avoir icelluy seigneur de Vassenaire esté prins au service de ceste maison, vous supplie, Monseigneur, en tous sesdites affaires l'avoir pour singulièrement recommandé; et vous me ferés honneur et plésir.« Im Jahre 1517 erhält er nun in der Tat eine Pension von 1600 Pfund. Auch späterhin blieb ihm die Gnade Margaretens treu; im Jahre 1519 vertraute sie ihm und Wilhelm von Rogendorff die Sicherung der holländischen Provinzen gegen die Angriffe Karls von Geldern an und sprach beiden für ihre Dienste die wärmste Anerkennung aus. Die Briefe, die Wassenaer gelegentlich an Margarete richtet, lassen ihn als einen braven, tapferen Kriegsmann von geringer Bildung, aber von größter Anhänglichkeit gegen das Herrscherhaus erkennen. Ähnliche Eigenschaften glauben wir aus den Zügen des Bildnisses im Louvre herauslesen zu können.

Wenn nun der Dargestellte der nächsten Umgebung Margaretens angehört, so wird man wohl auch den Maler in ihrem Kreise von Getreuen suchen dürfen. Es kann wohl kaum ein Zufall sein, daß das Bildnis, wie schon Camille Benoît, der von der Person des Dargestellten noch nichts wußte, erkannt hat, von dem holländischen Künstler herrührt, den ich versucht habe mit J a n M o s t a e r t , dem Hofmaler Margaretens von Österreich, zu identifizieren (Zeitschrift für bildende Kunst, 1896). Man braucht auch nur ein paar Bilder des merkwürdigen Malers, dessen Werk zuerst L. Scheibler zusammengestellt hat, gesehen zu haben, um sich von der Richtigkeit dieser Bestimmung zu überzeugen. Hier haben wir nun das Bildnis eines aus jenem Kreise von Rittern des Goldenen Vließes vor uns, die nach van Mander mit Jan Mostaert auch nach seinem Ausscheiden aus dem Dienste Margaretens noch in vertrautem Verkehre blieben. Jan van Wassenaer ist nicht nur einer der treuesten Anhänger Margaretens, sondern auch mit dem obengenannten F l o r i s v a n E g m o n t verschwägert und befreundet, von dem van Mander berichtet, er habe Mostaert in Haarlem besucht und ihm bei dieser Gelegenheit erfreuliche Beweise seiner Gewogenheit, ja man kann sagen seiner Freundschaft gegeben. Die sympathischen Züge dieses Floris van Egmont sind uns in einem durch die Anfangsbuchstaben seines Namens beglaubigten Bildnisse im Besitze von Percy Macquoid in London überliefert, einem Werke, das sich mit Sicherheit nach dem Stile einem anderen, wohl kaum mit Recht berühmteren Hofmaler Margaretens, nämlich Bernaert van Orley, zuschreiben läßt.

Eine ganze Sammlung von Bildnissen jener holländischen Familien aus Margaretens nächstem Kreise, worunter sicherlich auch Werke von Mostaert und Orley, obwohl ihre Namen nicht genannt werden, gewesen sein müssen, lernen wir aus dem Inventar der Kunstsammlungen kennen, die Philipp Graf von Ligne, der durch seine Mutter Erbe von Wassenaer geworden war, im Jahre 1559 auf seinem Schlosse Beloeil vereinigt hatte (Pinchart, Archives des Arts, Sciences et Lettres, II, Gent 1863, p. 26). In dieser Reihe von Bildnissen, die heute das höchste Interesse erwecken würden, sah man neben Margareten von Österreich (»madamme de Savoye«) und Margareten von York, der Witwe Karls des Kühnen (»madamme la grande«), neben Ludwig von Ungarn und seiner Gattin Maria, der Nachfolgerin Margaretens in der Statthalterschaft der Niederlande, verschiedene Ahnenbilder der Familien Hoogstraeten, Egmont, Wassenaer und anderer. Darunter waren auch die Bildnisse unseres Jan van Wassenaer und seiner Gemahlin, der Großeltern des Besitzers, und man wird leicht glauben können, daß auch diese Porträte von Jan Mostaert gemalt waren, zumal da es noch heute im holländischen Privatbesitze zwei veränderte Wiederholungen des Bildnisses im Louvre gibt (Chronique des Arts, 1901, p. 124), die beide offenbar auf denselben Meister zurückgehen.

Ohne Zweifel bietet uns nach alledem das Bildnis Jan van Wassenaers im Louvre einen neuen, fast untrüglichen Beweis für die Richtigkeit der Vermutung, jener Scheiblersche Anonymus sei mit Jan Mostaert identisch. Seitdem das Werk des Meisters, besonders durch Max J. Friedländers Bemühungen, vermehrt und näher bekanntgeworden ist, haben sich für die Annahme der Identität auch sonst noch eine Reihe von Stützen gefunden. Vor allem wäre hier ein Bildnis Philiberts II. von Savoyen, Margaretens Gemahl, zu nennen, das Georges Hulin unter dem falschen Namen Philipps des Schönen im Prado zu Madrid entdeckt hat (vgl. Georges H[ulin] de Loos kritischen Katalog der Brügger Ausstellung, Gent 1902, p. 93). Es ist aller Wahrscheinlichkeit nach eine veränderte Wiederholung oder Kopie eines Bildnisses des Herzogs, das in den Inventaren der Kunstsammlungen Margaretens beschrieben wird und wohl mit dem Gemälde identisch ist, das im Anfange des Jahres 1521 ein Maler namens »Jehan Masturd« (ohne Zweifel Jan Mostaert) Margareten zum Geschenke machte. Ein zweites Bildnis Philiberts, das eine späte Kopie nach einem Werke desselben Meisters sein könnte, ist uns in der historischen Abteilung des Brüsseler Museums erhalten; hier trägt der Herzog auf seinem Hute eine Schaumünze mit der für den Gemahl Margaretens passenden Darstellung der heiligen Margarete.

Das von Mostaert gemalte Porträt dürfte kurz vor der Zeit geschaffen worden sein, als er es Margareten schenkte, also lange nach dem Tode Philiberts, der im Jahre 1504 gestorben ist. Doch möchte ich nicht die Möglichkeit von der Hand weisen, daß Mostaert auch ein Bildnis des Herzogs n a c h d e m L e b e n gemalt haben k ö n n t e. Jan Mostaert ist, wie wir aus Urkunden wissen, schon im Jahre 1500 in seiner Vaterstadt Haarlem mit künstlerischen Aufträgen beschäftigt. Es ist demnach sehr leicht möglich, daß er 1503 oder 1504 in die Dienste Margaretens getreten ist. Der Nachweis für diese Annahme ist freilich nicht leicht zu führen. Eine Urkunde, die van Mander noch im Besitze der Nachkommen Mostaerts sah, bezeugte nicht seine Ernennung zum Hofmaler, sondern die zum Edelmanne Margaretens. Er mag also bei der Erzherzogin, etwa wie Jan van Eyck bei ihrem Vorfahren Philipp dem Guten, die Stellung eines valet de chambre oder dergleichen innegehabt haben. Auch die Nachricht, daß er 18 Jahre bei Margareten verbracht habe, wird sich nicht leicht bezweifeln lassen, da sie van Mander direkt aus dem Munde von Mostaerts Nachkommen hat. Nehmen wir nun an, daß Mostaert anfangs 1521 schon aus dem Dienste geschieden war, wozu uns die Tatsache berechtigt, daß sein Name in den erhaltenen Ausgabenrechnungen Margaretens aus den Jahren 1521—1530 nicht weiter vorkommt, so müssen wir glauben, daß er 1503—1520 (also die 18 Jahre, von denen van Mander spricht) bei der Erzherzogin gelebt hat. Für diese Vermutung würde auch die weitere Angabe van Manders sprechen, daß Mostaert seiner Gebieterin nach allen ihren Residenzen nachgefolgt sei (»woonende over al daer deses Vrouwen Hof was«). Darunter kann man kaum den Wechsel ihres Aufenthalts zwischen Brüssel und Mecheln während der Zeit ihrer Statthalterschaft in den Niederlanden verstehen, es müssen vielmehr weitere Reisen gemeint sein; ich meine, es ist eine Andeutung ihres wechselnden Aufenthaltes auf den Schlössern ihres Gemahls in Savoyen. Dazu würde die Beobachtung stimmen, daß die Landschaften auf den Bildern des Meisters, dem ich den Namen Mostaert gegeben habe, sicherlich nicht niederländisch sind, sondern Partien aus südlichen Alpenländern vorstellen (vgl. auch Georges Hulin, a. a. O., p. 94). Ich selbst kenne Savoyen nicht; doch höre ich von Freunden, die Südfrankreich gesehen haben, daß gerade die Gebirgsformationen, die auf unseren Bildern immer wiederkehren, in diesen Gegenden nicht selten sind. Auch auf dem obenerwähnten Bildnisse Philiberts im Prado fehlt die Landschaft nicht, die zu den bezeichnendsten Merkmalen des Stiles des Meisters gehört; wenn auch gerade dieses Porträt nicht in Savoyen selbst gemalt worden ist, so mögen doch dem Maler Erinnerungen und Skizzen von seinem Aufenthalt im Süden zur Verfügung gestanden haben.

War Jan Mostaert in der Tat in Savoyen, so müßte er uns wohl auch in den erhaltenen Verzeichnissen des Hofstaates Margaretens aus den Jahren 1503 und 1504 begegnen. Unter seinem gewöhnlichen Namen suchen wir ihn hier vergebens. Sollte er aber nicht ein und dieselbe Person sein mit einem J e h a n d e H o l a n d e, der in diesen Verzeichnissen in der Zeit vom 1. März 1503 bis zum 1. Mai 1504 zweimal ohne Angabe seines Amtes vorkommt (E. de

Quinsonas, Matériaux pour servir à l'histoire de Marguérite d'Autriche, III, Paris 1860, p. 143 und 149)? Im Jahre 1532 wird derselbe Jehan de Holande, der diesmal als »varlet des filles d'honneur« bezeichnet wird, unter den Personen aus Margaretens Hofstaat erwähnt, die ihre Pensionen noch bis zu einem halben Jahre nach dem Tode der Regentin ausgezahlt erhielten (a. a. O., p. 395). Aus dem Zusammenhang anderer Urkunden geht klar hervor, daß Jehan de Holande in den letzten Lebensjahren der Regentin nicht mehr wirklich in ihren Diensten stand, sondern offenbar nur noch nach seinem Abgange seinen Titel beibehalten hat. In den Jahren von 1525 bis zum Tode Margaretens (1530) kommt er in den vollständigen Verzeichnissen des Hofstaates nicht vor; in dieser Zeit gab es vielmehr zwei »varlets des filles d'honneur«, deren Namen, Estienne Loys und Eustasse Chappiret, mehrfach in den erhaltenen Urkunden erwähnt werden. Jedenfalls stimmen diese Daten mit unserer Annahme überein, wonach Jan Mostaert von 1503 bis 1520 im Dienste Margaretens stand, und man wird die Möglichkeit zugeben müssen, daß Jehan de Holande und Jan Mostaert ein und dieselbe Person sind. Daß bei Künstlern dieser Zeit der Familienname durch die Angabe der Heimat oft ersetzt worden ist, dafür haben wir manche Beispiele: gerade in dem Kreise der Hofmaler begegnet uns dieser Brauch nicht selten, wie denn auch Bernaert van Orley, Jan Vermeyen und Pieter Coeck in Urkunden und anderen Quellen häufig Bernaert van Brussel, Jehan de Bruxelles und Pierre van Aelst genannt werden.

Von größter Wichtigkeit für die Frage nach den Werken Jan Mostaerts wäre es ohne Zweifel, wenn es einmal gelänge, die Gemälde des Meisters, die van Mander in seiner Lebensbeschreibung erwähnt, wieder aufzufinden. Lange Zeit hat man geglaubt, die Bildnisse Jacobaeas von Bayern und ihres Gemahls Frank van Borsselen, die van Mander bei Mostaerts Enkel in Haarlem gesehen hat, in zwei Bildern des Antwerpner Museums (Nr. 263 und 264) wiedererkennen zu können. Obwohl längst die Unrichtigkeit dieser Annahme nachgewiesen worden ist, so sind doch einzelne Forscher, wie zuletzt L. Dimier (Chronique des Arts, 1903, p. 29), wieder darauf zurückgekommen. Es muß hier deshalb nochmals gesagt werden, daß die Bildnisse des Antwerpner Museums mit den von van Mander erwähnten keineswegs identisch sein können. Sie stellen vor allem nicht die genannten Personen vor: dies wird allgemein zugegeben, weil die authentischen Bildnisse Jacobaeas (Abb. 1 und 2) und ihres Gemahls mit den hier Dargestellten nicht die geringste Ähnlichkeit zeigen und die Wappen später aufgemalt sind. Daß van Mander in der Angabe der Personen geirrt habe, ist zwar wenig wahrscheinlich, aber möglich. Unmöglich ist es aber, daß van Mander als Werke Mostaerts bei dessen leiblichem Enkel zwei Gemälde gesehen haben sollte, die von zwei ganz verschiedenen Künstlern herrühren: das männliche Bildnis des Antwerpner Museums ist, wie schon Scheibler angenommen hat, ein Werk Jan Mabuses, das weibliche hingegen von der Hand eines etwa gleichzeitigen Brügger Malers, den Waagen für unseren Mostaert gehalten hat, der aber, wie Georges Hulin (a. a. O., p. XXVII) überzeugend nachgewiesen hat, mit dem in Brügge ansässigen Lombarden A m b r o s i u s B e n s o n identisch ist. Daß die beiden Bildnisse überdies nicht als Gegenstücke gedacht sind, geht schon aus ihrer räumlichen Anordnung hervor.

Man wird also Mostaerts Bildnisse Jacobaeas und ihres Gemahls anderswo suchen müssen. Nur von Jacobaea ist mir ein Bildnis von künstlerischem Wert bekannt, das der Nationalgalerie zu Kopenhagen (abgebildet bei L. Kaemmerer, Hubert und Jan van Eyck, Bielefeld und Leipzig 1898, S. 47). Dieses Porträt ist eine veränderte Kopie des 16. Jahrhunderts nach einem Originale, das, wie wir aus Stichen ersehen können, im 17. Jahrhundert als ein Werk Jan van Eycks gegolten hat. Daß hier wirklich Jacobaea dargestellt ist, beweist der Vergleich mit älteren, durch Aufschriften gesicherten Bildnissen im Rijksmuseum zu Amsterdam und im Vorrate der Wiener Gemäldegalerie (Abb. 2). Auf die Rechnung des Kopisten sind wohl die heraldischen Zutaten an der Haube und den Ärmeln der Dargestellten zu setzen, ebenso auch, wie Kaemmerer richtig bemerkt hat, »die etwas affektierte Haltung der Hände«. Wer ist aber dieser Kopist? Die zarte, fast schattenlose Modellierung des Fleisches, die selbst in der Photographie sichtbar ist und Kaemmerer an die Richtung des Metsys erinnert hat, die Behandlung des Schleiers und des Hermelinpelzes, endlich die merkwürdig ungeschickte Zeichnung der Hände lassen die Weise des anonymen Meisters erkennen, den ich für Jan Mostaert halte. Ich würde diese Vermutung nicht aussprechen, ohne das Original gesehen zu haben, wenn nicht ein anderer Forscher unabhängig von mir auf dieselbe Beobachtung gekommen wäre, was mir eine erfreuliche Bestätigung meiner Ansicht ist: Hermann Dollmayr hat mir kurz vor seinem allzu frühen Tode mitgeteilt, daß auch er in dem Kopenhagener Bildnisse die Hand jenes Meisters erkenne und deshalb seine im XIX. Bande des Jahrbuches der Kunsthistorischen Sammlungen (S. 298) ausgesprochene Vermutung über Jan Mostaert fallen gelassen habe. Wir haben also hier höchstwahrscheinlich das von van Mander beschriebene Bild vor uns, und einem glücklichen Zufalle mag der Fund des Gegenstückes, das Frank van Borsselen vorstellte, überlassen bleiben.

Wenn noch nach diesen Einzeluntersuchungen ein Zweifel an der Identität des Scheiblerschen Anonymus und Jan Mostaerts möglich sein sollte, so genügt, diesen Zweifel zu zerstreuen, ein flüchtiger Blick auf die Gesamtheit der Werke, die im Laufe der letzten Jahre als von der Hand desselben anonymen Meisters herrührend erkannt worden sind. Abgesehen davon, daß eine Anzahl seiner Bildnisse mit einem bei van Mander erwähnten Selbstporträt Mostaerts in der Anordnung eine Ähnlichkeit zeigt, die ich schon allein für beweiskräftig halte, weil dieselbe Kompositionsweise sich bei keinem anderen alten Niederländer nachweisen läßt, stimmen die künstlerische Herkunft seiner Werke, die Zeit, in der sie entstanden sind, und die Trachten der Bildnisse völlig mit dem überein, was wir von Mostaert wissen.

Daß der anonyme Meister seiner künstlerischen Abkunft nach ein Holländer ist, hat schon von allem Anfange an die Untersuchung seines Stiles gezeigt. Daß er ein Haarlemer ist, ergibt sich mit voller Sicherheit aus einem neuen Funde Max J. Friedländers (Jahrbuch der preußischen Kunstsammlungen, XXIV, 1903, S. 66): ein kleiner Flügelaltar (vor kurzem im Besitze des Kunsthändlers Peypers in Antwerpen) enthält als Mittelbild eine Kopie nach Geertgens Beweinung Christi, einem der Flügel vom ehemaligen Hochaltare der Johanniterkirche zu Haarlem (gegenwärtig bekanntlich in der Wiener Galerie). Die Flügelbilder dieses Altärchens sind, wie der genannte Forscher sagt, »ganz im Stile jenes Meisters gemalt, den man jetzt für Jan Mostaert hält, wenn sie auch schwach und nicht auf der Höhe stehen, auf der der prätenziöse, pedantische Hofmaler gewöhnlich steht. Das Beieinander dieses Mittelbildes und dieser Flügel ist jedenfalls sehr interessant und bestätigt gewisse Hypothesen.« Ein zweiter Beweis für die Haarlemer Herkunft des Meisters liegt darin, daß der Stifter eines seiner frühesten Werke, des Oultremontschen Altars (jetzt im Brüsseler Museum), Albert van Adrichem, in Haarlem ansässig war, wo er die Stellung eines Schöffen bekleidete.

Die Werke des Meisters, die uns bisher bekanntgeworden sind, fallen in den Zeitraum von etwa 1500—1525. Die auffallenden stilistischen Unterschiede, die man an ihnen bemerkt hat, genügen nicht, um die Annahme eines z w e i t e n Meisters, der von der belgischen Forschung als »Meister des Oultremontschen Altars« bezeichnet worden ist, zu rechtfertigen, sie erklären sich vielmehr ohne Schwierigkeit durch die Wandlungen, die ein Maler, wie Jan Mostaert, der an verschiedenen Orten gearbeitet hat und daher verschiedenen Einflüssen zugänglich gewesen ist, geradezu durchgemacht haben m u ß. Als die früheste Arbeit des Künstlers möchte ich die merkwürdige, sittenbildlich aufgefaßte Heilige Familie im Kölner Museum (Nr. 486) ansehen. Ihr schließen sich der Oultremontsche Altar des Brüsseler Museums und der Ecce Homo bei Henry Willett (vgl. G. Hulin, a. a. O., p. 91) aufs engste an. Diese Werke scheinen mir noch in Haarlem entstanden zu sein; sie zeigen in der Tat in der stark naturalistischen Bildung der Köpfe, in dem Vorwiegen des rein Malerischen und in der dicht gedrängten, oft ungeschickten Komposition die nächste Verwandtschaft mit den wenig älteren Arbeiten des Haarlemer Malers Geertgen tot St. Jans. Dieselben Eigenschaften erscheinen schon stark gemildert in dem Altarwerk mit dem Jüngsten Gericht bei Herrn Wesendonck in Berlin, in einem Bildchen der Nationalgalerie in London, das das Haupt Johannis des Täufers auf einer Schüssel, von Engelchen umgeben, darstellt (vgl. M. J. Friedländer, Ausstellung von Kunstwerken aus Berliner Privatbesitz, Berlin 1898, S. 23) und in einer wenig veränderten Wiederholung desselben Gegenstandes im Museum zu Dijon (Nr. 109). Diese Gemälde, die man sich um 1510 entstanden denken kann, zeigen deutlich den Übergang zum späteren Stil des Meisters. Während, um nur ein Beispiel hervorzuheben, die Landschaft auf dem Oultremontschen Altare noch rein holländisch ist, zeigt die des Wesendonckschen Jüngsten Gerichtes schon jene fremdländischen Einzelheiten, die, wie wir oben vermutet haben, der Maler von seinen Reisen in Savoyen mitgebracht haben mag. Gegen 1515 fallen, nach den Trachten zu schließen, das Bildnis Joost van Bronkhorsts aus der Sammlung

Hainauer und das eines bärtigen Mannes im Berliner Museum. Wenig später scheint das Bildnis Jan van Wassenaers im Louvre gemalt worden zu sein, vielleicht noch im Jahre 1516, in dem dem Dargestellten das Goldene Vließ verliehen worden ist. Nun folgt die ganze Reihe von Arbeiten, die den Meister auf der vollen Höhe seines Könnens zeigen und in der Zeit gegen 1520 entstanden sein dürften: die Stifterflügel des Brüsseler Museums (Abb. 9 und 10), die Anbetung der Könige des Amsterdamer Rijksmuseums (Abb. 11), das Bildnis Philiberts im Prado, die männlichen Bildnisse in Brüssel (Abb. 8) und in Liverpool, endlich das weibliche im Berliner Museum (Nr. 2052). Etwas später als diese Werke mögen das Porträt der ehemaligen Höchschen Sammlung und zwei Gegenstücke, Bildnisse eines Ehepaares, im Germanischen Museum zu Nürnberg (Nr. 63 und 64) fallen.

Daß die meisten Porträte des Meisters, wie nach dem Beispiele des Bildnisses Jan van Wassenaers im Louvre zu vermuten war, wirklich Personen vom Hofe Margaretens von Österreich vorstellen, ergibt sich aus dem Vergleiche ihrer Tracht mit der anderer Bildnisse, die mit Sicherheit diesem Kreise zugewiesen werden können. Derselbe mit Medaille und Agraffen geschmückte Hut, dieselben von Knöpfen mit den Anfangsbuchstaben des Dargestellten zusammengehaltenen Pelzschauben, dieselben Formen des Wamses und des Hemdes, wie sie uns auf einigen Werken des Meisters begegnen, kehren wieder auf dem Bildnisse des etwa sechzehnjährigen Karl V. in einer Miniatur des Statutenbuches des Goldenen Vließes (Jahrbuch der kunsthistorischen Sammlungen in Wien, V, Taf. XXII), einem Bildnisse, das offenbar nach einem Gemälde kopiert ist, das einst Margarete besessen hat[1]. Daß Karl V. für die Mode am Hofe seiner Tante maßgebend gewesen sei, wird niemand bezweifeln können. In ähnliche Tracht sind auch andere Personen gekleidet, die zu Margaretens Umgebung gehörten, wie z. B. König Christian II. in der Kopenhagener Galerie (Nr. 75), Floris van Egmont, dessen Bildnis von Orleys Hand wir oben erwähnt haben, Guillaume de Croy im Brüsseler Museum (Nr. 76) und andere mehr. Endlich müssen hier auch die in der Tracht genau übereinstimmenden Büsten erwähnt werden, die Wilhelm Bode (Jahrbuch der preußischen Kunstsammlungen, XXII, 1901, S. IV), wie ich glaube mit vollem Recht, dem Hofbildhauer Margaretens, Konrad Meyt, zugeschrieben hat. Ebenso wie die männliche Tracht, weist auch die weibliche auf den Hof der Regentin hin. Gerade die Fütterung und Verbrämung der Kleider mit Hermelin, wie sie die Bilder unseres Meisters zeigen, scheint hier besonders Mode gewesen zu sein; man begegnet dieser Sitte sowohl in Beschreibungen von weiblichen Bildnissen in den Inventaren der Kunstsammlungen Margaretens, als auch auf den Darstellungen aus dem Leben des heiligen Romuald in St. Rombouts zu Mecheln, Gemälden, die sicherlich in Mecheln selbst, wo Margarete zumeist Hof hielt, entstanden sind.

Jan Mostaert hat ein hohes Alter erreicht; er ist nach van Mander erst im Jahre 1556 gestorben. Wir besitzen also von ihm nur Werke etwa aus der ersten

---

[1] »Aultre tableau de la portraiture de l'empereur moderne, habillé d'une robe de velours cramoisy fourée de martre, les manches coppées à deux boutons et ung prepoint de drapt d'or, pourtant le colier de la thoison« (Jb. d. kh. Smlgen in Wien, III, S. XCV).

Hälfte seiner künstlerischen Tätigkeit. Daß gerade diese auf uns gekommen sind, ist kein Zufall; sie haben sich in den Familien der hochgestellten Personen, für die er während seiner Anwesenheit am Hofe arbeitete, besser erhalten als die Gemälde, die er nach seiner Rückkehr nach Haarlem für Kirchen und bürgerliche Personen geschaffen hat. Wie die Werke ausgesehen haben, die er in den 30 letzten Jahren seines Lebens geschaffen hat, dafür haben sich bisher noch keine Beispiele gefunden. Man wird dies begreiflich finden, wenn man die Wandlungen bedenkt, die die holländische Malerei in dieser Epoche durchgemacht hat und die sie den Italienfahrern Jan van Scorel und Marten van Heemskerck zu danken hat. Es braucht nur daran erinnert zu werden, daß Heemskerck schon 1537 aus Italien nach Haarlem zurückkehrte und den Stil mitbrachte, der alles verheeren sollte, was noch an guter alter Überlieferung vorhanden war. Auch Jan Mostaert dürfte sich kaum solchen Einwirkungen entzogen haben; es ist geradezu unglaublich, daß er bis zum Jahre 1556 in dem Stile weitergearbeitet haben sollte, der bei den Zeitgenossen Margaretens beliebt gewesen war. Diese Bemerkungen mögen dazu dienen, dem einzigen ernstlichen Einwande zu begegnen, der gegen meine Vermutung während der sieben Jahre, seitdem sie ans Licht getreten ist, ausgesprochen worden ist. »Van Mander«, sagt Max J. Friedländer (Ausstellung von Kunstwerken aus Berliner Privatbesitz, Berlin 1898, S. 23), »betont bei mehreren Schöpfungen des Jan Mostaert die natürliche Größe der Figuren. In den 15 oder 16 Gemälden des Meisters, die mir bisher bekanntgeworden sind, kommt keine Figur von voller Lebensgröße vor, die Gestalten der Kompositionen erreichen sogar gewöhnlich nur das halbe Maß der natürlichen Größe. Und — was schwerer wiegt — der Stil dieses Malers scheint geradezu einer Gestaltung in Größenverhältnissen des Lebens zu widersprechen.« Nun hat aber offenbar van Mander in Haarlem, wie er sogar an einigen Stellen ausdrücklich bemerkt, fast nur Werke der letzten Zeit des Künstlers gesehen. Die lebensgroßen Halbfiguren, die Quinten Metsys in die niederländische Kunst eingeführt hat, dringen erst spät von Antwerpen nach Holland ein. Vermögen wir uns nun gar vorzustellen, wie ein Künstler, der 1500 zu malen begonnen hat, den in der zweiten Hälfte des 16. Jahrhunderts in der holländischen Malerei sehr häufigen Gegenstand des Göttermahls, das durch Eris mit dem Zankapfel unterbrochen wird, dargestellt haben sollte? Solche Fragen müssen solange unbeantwortet bleiben, als nicht ein glücklicher Zufall uns mit einem solchen Werke aus Jan Mostaerts spätester Zeit bekanntgemacht hat.

Zum Schlusse dieser allzu langen Erörterungen sei mir gestattet, einen Wunsch auszusprechen, der nach allem Gesagten hoffentlich nicht als zu unbescheiden angesehen werden wird. Man hat mir die nicht ganz zweifellose Ehre angetan, den Künstler, von dem hier die Rede gewesen ist, ähnlich wie den sogenannten Waagenschen Mostaert, mit meinem Namen zu bezeichnen. Ich möchte nun bitten: man lasse den lästigen Zusatz fort und nenne endlich den Meister bei seinem wahren Namen J a n   M o s t a e r t.   (1903)

KINDERBILDNISSE AUS DER
SAMMLUNG MARGARETENS VON ÖSTERREICH

Margarete von Österreich, die Tochter Maximilians I. und Witwe Philiberts II. von Savoyen, gibt uns durch ihren Kunstbesitz, dessen Umfang
und Inhalt aus verschiedenen sorgfältigen Inventaren[1] bekannt sind, Beweise
eines sehr feinen und zugleich eines höchst persönlichen Geschmackes. Durch-
blättert man diese Inventare, in denen an tausend verschiedene Dinge, darunter
Bilder, Skulpturen, Goldschmiedearbeiten und andere kunstgewerbliche Gegenstände, Gobelins, Antiken, Medaillen, Raritäten aller Art und endlich eine für
diese Zeit sehr wertvolle und umfangreiche Bibliothek verzeichnet sind, so
gewinnt man den Eindruck, daß die Fürstin an jedem einzelnen von diesen
Dingen mit wahrer Liebe gehangen sei, daß jeder einzelne Gegenstand ihr eine
werte Erinnerung verkörpert habe. Sie hegte und pflegte ihre Schätze aufs sorg-
samste und hatte fast an allen Wänden ihrer Zimmer seidene Vorhänge anbringen
lassen, um die Bilder und anderen Kunstwerke vor den schädlichen Einflüssen
des Sonnenlichtes zu bewahren.

Ein besonderes Verhältnis hatte sie zur Malerei: sie handhabe selbst den
Pinsel in den Mußestunden, die ihr die Politik, die sie immer mit all ihren
Kräften zum Vorteil und zur Ehre des Hauses Habsburg betrieb, oft wohl nicht
in allzu reichlichem Maße übrig ließ. Ein Zeitgenosse rühmt ihre große Geschicklichkeit im Selbstporträt und fügt bei, sie habe viele weibliche Bildnisse, aber
kein einziges männliches geschaffen[2]. Leider wissen wir nicht, wer Margareten
in den Anfangsgründen der Malerei unterwiesen hat. Man möchte vermuten,
daß es ein Maler war, dem äußerst sorgsame Durchführung über alles ging.
Denn seine Schülerin hatte, wie es scheint, ihr Leben lang keine Vorliebe für

---

[1] Über den Druckort dieser Inventare und ihr gegenseitiges Verhältnis vgl. Heinrich
Zimmermann im III. Bande des Jahrbuches der kunsthistorischen Sammlungen in Wien,
S. XCIII Anm.

[2] Antoine du Saix, Oraison funèbre de Marguerite d'Autriche (1532), zitiert von Pinchart
bei Crowe und Cavalcaselle, Les anciens peintres flamands, Brüssel 1862/63, II, p. CCCVIII:
»Cependant si ne fault-il laisser à magnifier la subtile excellence de bien paingdre, qui estoit
en nostre parangonne et primeraine femme, car elle eut cela à partir et en société avecques
Maria, poinctresse romaine, que, en regardant au mirouer, trefait et exprima son effigie si
semblable à sa vive face, par justes traicts, couleurs appropriés et esgalle proportion de bouche,
que les painctures fainctes et artificielles en ont deceu plusieurs qui les pensoient naïfves et
naturelles. Item, la bonne dame paingnit maints visaiges de femme, mais d'homme point.«

große Gemälde, deren sie nur ganz wenige besaß; ihre volle Neigung galt kleinen, höchst fleißig ausgeführten Bildchen. Sie nannte mehr als ein Dutzend kleiner Madonnen ihr eigen, darunter solche von Jan van Eyck, Foucquet und Bouts; ihr Liebling unter diesen Madonnen war aber eine von der Hand des Hofmalers Isabellas der Katholischen, Michiel[3]. Von demselben Meister besaß Margarete noch eine Anzahl von Bildern, deren Beschreibung in den Inventaren uns deutlich den miniaturartig feinen Charakter der Malweise erkennen läßt. Besonders wert war Margareten auch eine Folge von dreißig ganz kleinen Passions-darstellungen, die ein anderer Hofmaler Isabellas der Katholischen, Juan de Flandes, gemalt hatte und von denen Margarete einen Teil später zu einem reich mit Silber verzierten Reiseoratorium vereinigte[4]. Auch Dürer fielen diese Bildchen auf, als er im Jahre 1521 die Sammlung Margaretens besichtigte. An den im Escorial und im Besitze des Fürsten Fondi in Neapel[5] befindlichen Resten dieser Folge kann man auch heute noch die miniaturartig feine Durchführung und die reiche Erfindung bewundern. Doch vermögen wir schwer zu begreifen, daß Margarete solche Arbeiten auf eine Stufe mit dem Werke gestellt hat, das uns heute als das allerwertvollste Stück der ganzen Sammlung erscheinen muß: mit Jan van Eycks unübertrefflichem Bildnis Arnolfinis und seiner Frau; freilich kann man von Margarete nicht verlangen, daß sie die volle kunstgeschichtliche Bedeutung dieses Werkes hätte ermessen sollen, und es muß uns genügen, daß auch sie schon wenigstens an der unsäglich feinen malerischen Durchführung ihre Freude gehabt hat.

Was aber der Sammlung Margaretens einen ganz besonderen Charakter verlieh, war die große Anzahl von Bildnissen von Verwandten, fremden Fürst-

---

[3] »Item une petite Nostre-Dame, fort bien fecte a ung manteau rouge, tenant une heure en sa main, que Madame appelle sa mygnonne«: Jahrbuch der kunsthistorischen Sammlungen, III, S. XCIX, Nr. 146. Dazu vgl. Le Glay, Correspondance II, 481: »Une autre petite Nostre Dame, disant ses heures, faict de la main de Michiel, que Madame appelle sa mignonne, et le petit Dieu dort.« Carl Justis Hinweis auf ein mit dieser Beschreibung übereinstimmendes Madonnen-bild in der Kirche S. Maria de la Oliva zu Lebrija in der Provinz Sevilla ist besonders wichtig, da das hier beschriebene Motiv nicht häufig zu sein scheint. Mir ist nur eine ähnliche, wenn auch spätere Darstellung (wohl von der Hand des Meisters vom Tode Mariä) erinnerlich, ein Bild, das im Kataloge der Odiotschen Versteigerung (Paris 1889) abgebildet ist. Maria hält hier auf dem rechten Arme das Kind, das an ihrer Brust eingeschlafen ist, und deutet mit der Linken auf ein Gebetbuch, das auf ihrem Schoße ruht.

[4] Carl Justi, Juan de Flandes, ein niederländischer Hofmaler Isabella der Katholischen: Jahrbuch der preußischen Kunstsammlungen, VIII, Berlin 1887, S. 157 ff.

[5] Zwei, wie mir scheint, zu dieser Folge gehörende Bildchen, die Versuchung Christi und die Hochzeit von Kana, kamen auf der Versteigerung der fürstlich Fondischen Sammlung in Neapel 1895 vor (im Kataloge der bolognesischen Schule zugeschrieben, Nr. 738 und 738 bis, mit Abbildung der Versuchung Christi). Sie wurden auf der Auktion zurückgezogen und befanden sich noch 1897 im Besitze des Fürsten di Fondi in Neapel. Es sind offenbar die zwei Stücke, die Margarete selbst zu einem reich mit Silber beschlagenen Diptychon hatte zusammen-fügen lassen, während sie achtzehn der übrigen Bildchen zu einem größeren Reisealtar vereinigte. Vgl. Jahrbuch der kunsthistorischen Sammlungen in Wien, III, Seite C, Anm. 70, und für die weiteren Schicksale der Täfelchen Carl Justi, a. a. O., S. 159 ff.

lichkeiten, Freunden und Bekannten. Wäre diese Porträtgalerie, die mehr als sechzig Bildnisse umfaßte, heute noch vorhanden, sie wäre wohl eine wahre Wonne für den Freund der Geschichte, und auch dem Kunstfreunde böte sie genug des Bemerkenswerten. Vortrefflich vertreten waren die Höfe von Spanien, Frankreich und England, zu denen allen ja Margarete manche Beziehungen hatte. In der Mehrzahl waren aber natürlich Ahnen- und Familienbildnisse. Wie man heute auch in bürgerlichen Kreisen bei kinderlosen weiblichen Mitgliedern der Familie gerne Sammlungen von Familienporträten (freilich leider nur in Photographien) findet, so vereinigte auch Margarete in ihrem Palaste eine fast lückenlose Reihe solcher Bilder: hier sah man Johann den Unerschrockenen, Philipp den Guten, Karl den Kühnen und seine Gattin Margarete von York, Kaiser Friedrich III., Maximilian I., Philipp den Schönen und seine Frau Johanna von Kastilien, Karl V. und seine Gemahlin Isabella von Portugal, Ferdinand I. und seine Gattin Anna von Ungarn, die Schwestern Karls V. Leonore, Isabella und Maria, die Gemahle Isabellas und Marias Christian von Dänemark und Ludwig von Ungarn, die drei Kinder Christians und Isabellas, die vier ersten Kinder Ferdinands I. u. a. m. Dazu kommen noch eine Anzahl von Bildnissen Margaretens selbst und ihres Gemahls Philibert.

Wo Margarete die Wahl hatte — und sie hat wohl gewiß manche Bildnisse in ihrem eigenen Auftrage ausführen lassen —, wird sie auch hier neben der Porträtähnlichkeit sorgsamer Ausführung den Vorzug gegeben haben, selbst vor großartiger Auffassung, wie man vielleicht aus der bekannten Stelle von Dürers Tagebuch schließen kann. Diese Annahme findet man bestätigt, wenn man den Kreis von Hofbildnismalern ansieht, den Margarete um sich versammelte. Nicht nur Dürer fehlt in dieser Reihe, sondern auch der größte niederländische Maler, der damals lebte und auch im Bildnisfache das Großartigste leistete — Quinten Metsys. Der Liebling Margaretens unter ihren Hofbildnismalern war, wie es scheint, kein anderer als Jacopo de' Barbari, dessen Malweise wir freilich heute wohl nur nach einigen wenigen etwas äußerlichen und weichlichen Arbeiten beurteilen können, die er während seines Aufenthaltes in Deutschland und unter dem Einflusse deutscher Kunst gemalt hat. Von seinen Bildnissen haben wir, seitdem die meisten Forscher Morellis Zuschreibung des prachtvollen Bildnisses eines jungen Mannes in der Wiener Galerie (Abb. 120) nicht mehr für begründet halten, kaum irgend eine Vorstellung. Margarete besaß von ihm zwei Porträte: ihr eigenes, das im Inventar das höchste Lob (»fort exquise«) erhält, und das eines jungen Portugiesen in Schwarz und Weiß, das wohl nur wegen seines Kunstwertes in die Sammlung aufgenommen worden war. Wie mögen diese Bildnisse ausgesehen haben?

Weit besser können wir einen anderen Hofmaler Margaretens, den von ihr sehr geschätzten Bernard van Orley, beurteilen: er ist als Bildnismaler in seinen Anfängen trocken und stillos und scheint mehr auf äußerliche Ähnlichkeit auszugehen als auf eine geistige Auffassung der Persönlichkeit; später wird er, unter dem Einflusse Quinten Metsys' und Mabuses, kräftiger in der Auffassung und sicherer in einem Stile, der freilich nicht auf seinem Boden gewachsen

44

ist[6]. Margarete hat ihren ganzen Hof wiederholt von ihm malen lassen; doch hat sie diese Bildnisse fast nur zu Geschenken verwendet, und in ihrer eigenen Sammlung läßt sich kein einziges Werk Orleys mit Sicherheit nachweisen. Diesem Meister sehr verwandt ist ein namenloser Künstler, den ich mir, nach den Trachten seiner Bildnisfiguren zu schließen, am ehesten am Hofe der Regentin tätig denken möchte. Es ist jener »Meister der Magdalenenlegende«, dessen Werke Max J. Friedländer zusammengestellt hat[7]. Eine merkwürdige Eigentümlichkeit dieses Malers ist, daß er seinen Heiligen gerne nicht nur die Tracht, sondern auch die Züge von Personen eines Hofes gibt, in dem wahrscheinlich der Margaretens zu erkennen ist, an dem es sogar vorkam, daß die Züge einer jungen Hofdame zur Darstellung einer Madonna verwendet wurden. Der Meister der Magdalenenlegende dürfte, nach manchen altertümlichen Eigenheiten seiner Arbeiten zu schließen, wohl eher ein gleichalteriger Schulgenosse Orleys als dessen Schüler sein. Wahrscheinlich ist es, daß man von seiner Hand auch eigentliche Bildnisse finden wird.

Der bedeutendste Porträtmaler des ganzen Kreises, der sich um Margareten schart, ist aber ohne Zweifel Jan Gossaert, genannt Mabuse. In seinen Bildnissen erkennen wir eine höchst individuelle Auffassung und einen edlen, sozusagen ausgeschriebenen Stil, sowohl der Zeichnung als auch der Malweise nach. In der Porträtähnlichkeit dürfte er wohl Orley nachstehen, aber das Neue und Persönliche, das er in allen seinen Bildnissen, von dem Carondelets im Louvre angefangen, wohl dem frühesten, das wir von ihm besitzen, zum kräftigen Ausdruck bringt, ist uns lieber als alle Ähnlichkeit. Margarete von Österreich scheint ihn nicht gerade viel beschäftigt zu haben. Doch ist es nicht unwahrscheinlich, daß er auch ihr Bildnis gemalt hat[8]. Jedenfalls hat Mabuse im Jahre 1516 für

[6] Für solche späte Bildnisse halte ich das eines Mannes in Dresden (Nr. 811, schon von Scheibler dem Meister zugewiesen), das Margaretens, das auf der Brügger Ausstellung von 1902 zu sehen war (Werkstattwiederholungen in Hampton Court und Antwerpen), das eines kaiserlichen Sekretärs in Brüssel (Wauters Nr. 301), ein männliches Porträt in Wien (Nr. 642) und endlich das bisher immer dem Quinten Metsys zugeschriebene Bildnis Jean Carondelets in München.

[7] Es scheint noch nicht bemerkt worden zu sein, daß die Bilder bei Colnaghi (Brügger Ausstellung von 1902, Nr. 282 und 283) offenbar zu einem und demselben Altarwerke gehören wie die beiden Schweriner Stücke, die nicht, wie Schlie annahm, den heiligen Fiacrius und die heilige Magdalena vorstellen, sondern als Außenseiten der Flügel des Altars zusammengehören und das häufige Motiv Christi als Gärtner wiedergeben.

[8] In dem von Le Glay publizierten Inventare findet sich (p. 482) folgendes Porträt Margaretens erwähnt: »Ung demy tableaul où est Madame paincte en une chambre faicte de telle main que celluy de Maillardet.« Dazu vergleiche man eine andere Stelle derselben Inventars (p. 480), die erklärt, wer unter dem Maler des Bildes von Maillardet zu verstehen ist: »Ung tableaul de Nostre-Dame, du duc Philippe, qui est venu de Maillardet, couvert de satin bronché gris et ayant fermaulx d'argent doré et bordé de velours verd. Fait de la main de Johannes.« Das Inventar versteht sonst unter »Johannes« immer Jan van Eyck; wenn aber der »Johannes«, der die Madonna gemalt hat, auch Margarete porträtiert hat, so muß es ein viel späterer Johannes sein, vielleicht Mabuse, für den die Darstellung eines Bildnisses in einem Innenraume sehr wohl passen würde. Dann müßte wohl in der zweiten Stelle unter »duc Philippe« der Bastard Philipp von Burgund verstanden werden, was schwer angeht, weil sonst mit diesem Ausdruck immer Philipp der Gute bezeichnet wird und dem Bastard der Titel des Herzogs nicht zukommt. Ich muß gestehen, daß ich für diese Schwierigkeiten keine Erklärung weiß.

Karl V. zwei Bildnisse seiner Schwester Leonore gemalt[9], von denen das eine, wie ich vermuten möchte, für den portugiesischen Hof bestimmt war, mit dem schon damals Heiratsverhandlungen schwebten. Späteren Datums ist das Bildnis derselben Fürstin in Hampton Court; hier ist sie durch eine spanische Inschrift schon als Königin bezeichnet. 1524 war Mabuse zwei Wochen in Mecheln, um Gemälde für Margarete zu restaurieren, und um diese Zeit dürfte er das schöne Porträt Isabellas von Dänemark in der Casa Cereda in Mailand und das reizende Gruppenbild der dänischen Königskinder in Hampton Court gemalt haben[10], ohne Zweifel unter den Augen Margaretens selbst. In ihrer Sammlung bewahrte die Regentin von ihm ein großes Bild als Geschenk ihres Neffen Christian von Dänemark: dargestellt waren hier ein Zwerg und eine Zwergin, beide nackt und offenbar als Adam und Eva dargestellt, da die Zwergin einen Apfel in der Hand hielt, auf blauem und grünem Hintergrunde. Wir würden viel darum geben, dieses Bild kennenlernen zu können. Mabuse erscheint hier als der Vorläufer Anton Mors und des größten Zwergenmalers Velazquez, wie er auch in jenem Gruppenporträt der dänischen Kinder als der Vorläufer der größten Kindermaler, eines Velazquez und eines van Dyck, gelten kann.

Am Hofe Margaretens muß auch jener Meister Michiel, der Hofmaler Isabellas der Katholischen[11], eine Zeitlang tätig gewesen sein, da er ihren Hofkontrollor Charles Ourssin gemalt hat. Außer diesem Bildnisse besaß die Regentin von diesem Künstler noch die Porträte Isabellas der Katholischen und ihrer Tochter Isabella von Portugal, beide wohl als Geschenke des spanischen Hofes. Auch hat ihn Margarete noch 1515 in einer geheimen Mission verwendet, bei der es sich wohl sicherlich um einen Porträtauftrag handelte[12].

Zu den Hofbildnismalern der Regentin gehört auch der Holländer Jan Mostaert, dessen Bildnisse, die uns in den letzten Jahren bekanntgeworden sind, bei etwas beschränkter Auffassung eine höchst sorgfältige Malweise, ein zartes, feingestimmtes Kolorit und sehr viel Sinn für Raumkomposition zeigen. In der Sammlung Margaretens dürften sich, obwohl der Name des Malers nicht genannt wird, manche Bildnisse von Mostaerts Hand befunden haben, so besonders eines von den im Inventar erwähnten Porträten von Margaretens Gemahl Philibert.

[9] Vgl. die von J. Houdoy (Gazette des Beaux-Arts, II pér., V, 1872, p. 516) mitgeteilte Urkunde.

[10] Beide Bilder sind wiedergegeben in Carl Justis schönem und wichtigem Aufsatze in der Zeitschrift für bildende Kunst, N. F. VI, 1895.

[11] Carl Justi: Jahrbuch der preußischen Kunstsammlungen, VIII, 1887, S. 157 und 158.

[12] Am 28. März 1515 läßt Margarete dem Maler Michiel Zittoz ein Geschenk von 20 Philippsgulden überweisen »pour aucunes causes dont ne voulons icy ny ailleurs aultre ne plus ample déclaracion en estre faicte« (Pinchart, Anmerkungen zur französischen Ausgabe von Crowe und Cavalcaselle, p. CCCXI). Sollte hier etwa schon ein Bildnis Isabellas, der Tochter Emanuels von Portugal, gemeint sein, die erst 1526 die Gemahlin Karls V. werden sollte, deren Verbindung mit Karl aber schon seit ihrem sechsten Lebensjahre geplant war? In diesem Falle wäre die von Margarete verfügte Geheimhaltung des Auftrages sehr dringend gewesen, da sonst ein Konflikt mit dem Hofe von Frankreich, dem in dieser Zeit ebenfalls Heiratspläne vorgespiegelt wurden, hätte befürchtet werden müssen.

Ein solches hat wenigstens Margarete im Jahre 1521 von dem Maler selbst zum Geschenke erhalten.

Der jüngste von diesen Hofmalern war Jan Vermeyen. Er ist ungefähr fünf Jahre vor dem Tode der Regentin in ihre Dienste getreten gegen einen Sold von hundert Pfund jährlich und die Verpflichtung, daß ihm alles Malermaterial gezahlt würde. In dieser Zeit hat er, abgesehen von Entwürfen für die Grabdenkmäler Philiberts und Margaretens von Bourbon, im Auftrage der Regentin eine große Anzahl von Bildnissen gemalt[13]. Margarete scheint den jungen Mann nach den verschiedenen Residenzen ihrer Verwandten gesendet zu haben, um authentische und getreue Bildnisse zu erlangen: unter anderem hat Vermeyen für sie Karl V. gemalt, in Lebensgröße und mit dem Zirkel gemessen (»tirée après le vief et faicte par compas«), ferner etwas kleiner die Königinwitwe Marie von Ungarn, ebenfalls auf Leinwand, die Kaiserin Isabella (als Geschenk für den Kardinal von Lüttich Eberhard de la Mark bestimmt), die Bastardtochter Karls V. Margarete von Parma (von dieser drei Bildnisse, eines für den Kaiser, eines für den Papst und eines für die Regentin selbst), Ferdinand I. und seine Frau Anna von Ungarn, ein verstorbenes Kind Karls V. (wahrscheinlich Ferdinand, gest. 1530), endlich die vier ersten Kinder Ferdinands I.: Elisabeth (geb. 1526), Maximilian, den späteren Kaiser (geb. 1527), Anna (geb. 1528) und Ferdinand von Tirol (geb. 1529). Um die letztgenannten zu malen, hatte er eigens eine Reise nach Innsbruck unternommen. Ferner werden noch das Bildnis des Kardinals von Lüttich Eberhard de la Mark, das Margarete mit einer Madonna des Meisters zu einem Diptychon vereinigte, und das eines gewissen Jehan Denys, den Vermeyen beim Kerzenlicht dargestellt hatte (»fait au lustre de la chandoille«), erwähnt. Von allen diesen Bildnissen, von denen besonders das letztgenannte ein besonderes kunstgeschichtliches Interesse hätte, hat sich, wie es scheint, nichts erhalten, und da wir auch aus der späteren Zeit Vermeyens, von einigen Porträtradierungen abgesehen, keine authentischen Porträte kennen, so können wir uns kaum eine klare Vorstellung davon machen, wie diese Bilder ausgesehen haben mögen.

Wenn wir auch die warme Liebe Margaretens, deren kurze Ehen kinderlos geblieben waren, zu ihren kleinen Neffen und Nichten kennen, so bleibt doch immer noch die große Zahl von Kinderbildnissen, die uns in den Inventaren ihrer Sammlung begegnen, eine auffallende Erscheinung. Denn das gemalte Einzelporträt des Kindes hatte erst kurz vorher »seinen Einzug in die Kunstgeschichte« gehalten. So viel wir heute wissen, scheint Italien hier vorangegangen zu sein; die ältesten Kinderbildnisse, von denen uns die Quellen berichten, sind wenigstens das des elfjährigen Pietro Bembo (1481) und das seines neugeborenen Brüderchens (1472), beide vom Morellischen Anonimo als Werke des rätselhaften Jacometto erwähnt[14]. Das letztgenannte Bild war zu der Zeit gemalt

[13] J. Houdoy: Gazette des Beaux-Arts, II. pér., V, 1872, p. 515. Dazu zu vergleichen das im Jahrbuch der kunsthistorischen Sammlungen in Wien, Bd. III, publizierte Inventar.

[14] Jacob Burckhardt, Beiträge zur Kunstgeschichte von Italien, Basel 1898, S. 208.

worden, da sich der Vater Bembos als Gesandter am Hofe Karls des Kühnen befand. Wahrscheinlich ist es, daß man dem Vater das Bild des neugeborenen Knäbleins in die Fremde nachgesandt habe, da er nicht selbst den neuen Weltbürger hatte begrüßen können. Freilich bleibt dabei die Möglichkeit bestehen, daß der Wunsch nach einem solchen Bildchen in dem Gesandten erst rege wurde, nachdem er am burgundischen Hofe solche Kinderporträte kennengelernt hatte. Da wir aber keine niederländischen Kinderbildnisse aus dieser Zeit nachweisen können, so liegt es uns ferne, Italien seinen Vorrang streitig machen zu wollen.

Jedenfalls hat sich aber das Kinderbildnis als Gattung erst dann völlig entwickelt, als an den europäischen Höfen ein Bedürfnis nach solchen Porträten sich geltend machte. Daß dies sehr bald geschah, darf uns nicht wundern, da gerade in dieser Zeit in den diplomatischen Verhandlungen das Kind, kaum daß es auf die Welt gekommen war, eine Rolle spielte wie nie zuvor. Fast in allen Verträgen ist von geplanten Heiratsverbindungen unmündiger Kinder die Rede, und da mögen manche Höfe danach verlangt haben, wenigstens Bildnisse von den Kindern zu bekommen, deren Heirat mit den ihren beschlossen worden war. So ist das Kinderbildnis für die Hofmaler zu einem besonderen, mit Liebe gepflegten Fache geworden. Es scheint uns fast wunderlich, daß dazu mehr die politischen Verhältnisse beigetragen haben als die Freude der Eltern an ihren Sprößlingen. Diese waren ja doch dazu bestimmt, schon in frühester Jugend politischen Zwecken zu dienen.

Ein Überblick über die Geschichte des Kinderbildnisses an den europäischen Fürstenhöfen wäre wohl der Mühe wert. Doch sind wir heute nur auf ein sehr lückenhaftes Material angewiesen. Am ehesten läßt sich eine ununterbrochene Reihe solcher Porträte in Frankreich überblicken. Sie beginnt mit dem reizenden im Jahre 1494 entstandenen Bildnis des frühverstorbenen kleinen Dauphins Karl Roland[15] von der Hand des Meisters von Moulins, den Georges Hulin wohl mit Recht mit Jehan Perréal, dem Hofmaler Karls VIII., identifiziert. Es folgen die Kinder Franz' I., der Dauphin Franz (im Museum zu Antwerpen) im Alter von etwa drei Jahren und die Prinzessin Charlotte (aus dem Besitze von Mr. Agnew in London) im Alter von etwa sechs Jahren, beide neuerdings Jean Clouet zugeschrieben[16]. François Clouets prächtiges Brustbild des elfjährigen Karl IX. in der Wiener Galerie (Nr. 571) ist allgemein bekannt. Im 17. Jahrhundert hat der eingewanderte Niederländer Joost van Egmont Ludwig XIV. und seinen Bruder, den Herzog von Orléans, als Knaben gemalt (diese Bildnisse gegenwärtig im Vorrate der Wiener Galerie).

[15] Aus dem Besitze des Herrn Ayr in London. Auf der Ausstellung der französischen Primitiven von 1904 wurde dieses Bildnis meines Erachtens mit Unrecht Jean Bourdichon zugeschrieben. Jacob Burckhardt (a. a. O., S. 208) hatte schon nach der Beschreibung des Anonymus des Morelli in dem Dargestellten das ältere Söhnchen Karls VIII. vermutet, eine Vermutung, die durch die Auffindung des köstlichen Bildchens aufs glänzendste bestätigt worden ist.

[16] L. Dimier: Chronique des Arts, 1904, p. 163. Beide Bildnisse wiedergegeben in Henri Hymans' Studie über die Pariser Ausstellung (Onze Kunst 1904).

Auf frühe niederländische Beispiele kommen wir noch im folgenden zurück. Das schönste Kinderbildnis aus der ersten Hälfte des 16. Jahrhunderts ist ohne Zweifel das schon erwähnte Gruppenbild der dänischen Königskinder von Mabuse (um 1525). Daß auch um diese Zeit schon Privatpersonen ihre Kinder haben malen lassen, beweist Jan Scorels entzückendes Bildnis eines gelehrten etwa zwölfjährigen Knaben (1531) im Museum zu Rotterdam. Auch Anton Moro wird manches Kinderbild geschaffen haben; ein Porträt des dreizehnjährigen Alessandro Farnese bewahrt die Galerie zu Parma.

Die Nachfolger Moros am spanischen Hofe hatten viele Kinderbildnisse zu malen, die von den spanischen Königen an den Wiener Hof gesendet wurden. Zu diesen gehören Juan Pantoja de la Cruz' Bildnisse der Töchter Philipps III.: Anna, die spätere Königin von Frankreich, im Alter von drei Jahren (1604), und Maria, die spätere Kaiserin, etwa anderthalb Jahre alt (1607), beide in der Wiener Galerie (Nr. 598 und 601[17]). Gerade solche Stücke zeigen, wie steif und leblos dieser Kunstzweig unter den Händen eines geistlosen Nachahmers werden konnte. Es bedurfte der Bemühungen der größten Künstler des Jahrhunderts, um ihn wieder zu beleben. Auch Rubens hat im Anfange seiner Laufbahn höfische Kinderbildnisse geschaffen, und es ist tief zu bedauern, daß ein Bildnis Eleonorens, der Tochter Vincenzo Gonzagas und späteren Kaiserin, das Rubens offenbar in Mantua gemalt hatte und das noch in der Sammlung Erzherzog Leopold Wilhelms[18] vorhanden war, heute unwiederbringlich verloren zu sein scheint. Van Dycks Bildnisse der englischen Königskinder brauchen hier kaum erwähnt zu werden, ebensowenig wie Velazquez' Darstellungen der Kinder des spanischen Hofes. Gerade die prachtvollen Stücke, die die Wiener Galerie von Velazquez besitzt, sind sicherlich weniger wegen des Interesses der österreichischen Habsburger an den spanischen Verwandten als politischen Heiratsplänen zuliebe von Madrid nach Wien geschickt worden. Selten hat wohl die hohe Politik zu größeren Kunstwerken den Anlaß gegeben als in diesen Fällen.

Bei den Kinderbildnissen, die sich in der Sammlung Margaretens von Österreich befanden, wird man in den meisten Fällen nicht an die Politik denken müssen, sondern eher glauben, daß die Besitzerin sich diese Bilder aus Sehnsucht nach den Kindern ihrer nahen Verwandten, die zum größten Teile in weiter Ferne lebten, zu verschaffen suchte. Freilich wenn in dem Inventar ihrer Sammlungen von einem Bildnis der Tochter Heinrichs VIII. Maria (geb. 1516, später Königin von England und Gemahlin Philipps II.) die Rede ist, so wird man

[17] Das Bildnis Marias ist durch den Buchstaben M in dem Schmuckstück, das das Kind auf der Brust trägt, hinlänglich beglaubigt, was bisher übersehen worden ist. Nach den Resten des Datums ist ohne Zweifel 1607 zu lesen (vgl. die Abb. 176 und 178 im I. Band).

[18] »332. Ein kleines Contrafait von Öhlfarb auf Leinwath Ihrer Majestät der Kayserin Eleonorae seeliger Gedächtnusz in der Jugent in einem roth vnndt blawen Klaidt, auf dem linckhen Armb ein Kleinodt, warauf ein Meerkatz, auf dem Haubt ein anders mit Perlen vnndt geschmelzten Blumen vndt vmb den Halsz ein geschmeltzes Kettel. In einer blawen Ramen, hoch 3 Span 7 Finger vnndt 3 Span braidt. Original von Peter Paul Rubbens« (Inventar von 1659, veröffentlicht im Jahrbuch der kunsthistorischen Sammlungen in Wien, Bd. I, S. CXXXII).

diesem Geschenke des englischen Hofes sicherlich politische Gründe zuschreiben müssen; denn es handelt sich hier um ein Kind, dessen Verbindung mit Karl V., dem Neffen Margaretens, schon seitdem es drei Jahre alt geworden war, in alle Verträge des Kaisers mit Heinrich VIII. aufgenommen worden war. Es galt also wohl hier, bei der einflußreichen, im übrigen auch England freundlich gesinnten Tante Stimmung für die geplante Heirat zu machen. Margarete besaß übrigens auch einige Bildnisse der älteren Maria von England, der Schwester Heinrichs VIII. (geb. 1498, später Gemahlin Ludwigs XII.), deren Verbindung mit Karl V. schon früher (Ende 1507) beschlossen worden war.

Die Bildnisse von Kindern ihrer Familie sammelte aber die Regentin mit großer Liebe, und es mag ihr eine Freude gewesen sein, ihre ganze Familie wenigstens im Bilde um sich versammeln zu können. Die einzelnen Kinderbildnisse vereinigte Margarete gerne zu Diptychen oder Triptychen, um die Kinder einer Familie bequem nebeneinander zu haben. Leider hat sich von diesen kleinen Kunstwerken nur mehr sehr weniges erhalten. Zwei solche Stücke, die entweder aus Margaretens Sammlung stammen oder mindestens Wiederholungen nach Bildern ihres Besitzes sind, bewahrt noch die Gemäldegalerie in Wien.

Das eine davon (Abb. 13) ist ein kleines Diptychon, dessen beide Teile nach Art der Reisealtärchen oben abgerundet und in den Bildflächen so vertieft sind, daß beim Zusammenklappen der noch heute durch ein altes Scharnier zusammenhängenden Teile die Bildflächen sich nicht reiben konnten. Dargestellt ist auf dem linken Flügel das Brustbild eines etwas mageren Knaben mit langen blonden Haaren, schwarzer Mütze, an der Perlagraffen befestigt sind, in einem hermelingefütterten Goldbrokatgewand, auf dem die Kette und der Orden des Goldenen Vließes sichtbar sind, auf dem rechten Flügel das Brustbild eines wohlaussehenden Mädchens mit schwarzer goldgeränderter Haube, in Goldbrokat gekleidet, eine Goldkette um den Hals. Der Hintergrund ist dunkelgrün, und an den Kehlen des Rahmens sieht man auf Goldgrund die Namen der Länder der Dargestellten aufgeschrieben; die Wappen, die den einzelnen Namen ursprünglich in Gold, Silber und Email beigefügt gewesen sein dürften, wie man aus einzelnen Spuren schließen kann, sind offenbar mit der Zeit abgefallen und nicht mehr wieder ersetzt worden. Auf dem Rande des Knabenbildnisses sind folgende Länder angegeben: »Austria, Stiria, Karinthia, Karniole, Terrentia, Slavonia, Alsatia, Schelcklingen, Cili, Kyburg, Burgovia, Phüt, Habsburg, Nellenburg, Ortenburg, Portus navonis.« Darunter steht: »Etate XVI° anor.« Auf dem Mädchenbildnis finden wir folgende Länder: »Bourg[und], Lothryck, Brabant, Lembourg, Luxemburg, Gheldres, Artois, Flander, Hannegau, Bourg[und], Holland, Namur, Zeelande, La sainte empire, Salins, Malines, Frise.« Darunter steht: »Etate XIIII anor.«

Diese beiden Bildnisse, die aus der ehemaligen Ambraser Sammlung stammen, gelten als die des Erzherzogs Max, des späteren Kaisers, und seiner Braut Maria von Burgund. Als solche hat sie J. Bergmann veröffentlicht[19], und denselben Namen führen sie auch in Fr. Kenners Führer durch die Porträtsammlung Erz-

[19] Berichte und Mitteilungen des Altertumsvereines zu Wien, I, 1856, S. 80.

50

Abb. 13. Niederländisch um 1494. Die Kinder Maximilians I.: Philipp der Schöne und Margarete
Wien, Kunsthistorisches Museum

herzog Ferdinands von Tirol[20]. Von vornherein ist diese Annahme nicht wahr
scheinlich; denn es liegt kaum im Geiste dieser Zeit, in der die geplanten Heiratsverbindungen so oft nicht zur Ausführung kamen, daß man ein Brautpaar
zusammen dargestellt hätte. Sieht man dabei näher zu, so stimmen die Züge, die
Trachten, die Altersangaben (die übrigens J. Bergmann falsch gelesen hat) gar
nicht zu den Namen. Auch Bergmann war es aufgefallen, daß Maximilian erst
1478 das Goldene Vließ erhalten hat, während die beiden Bildnisse nach seiner
Annahme spätestens 1475 entstanden sein müßten.

Nun ist aber wirklich kein Brautpaar dargestellt, sondern, was von vornherein viel wahrscheinlicher war, ein Geschwisterpaar. Die beiden Kinder sind,
wie der Vergleich mit sicheren Bildnissen lehrt, keine anderen als Philipp der
Schöne und seine Schwester Margarete. Hier stimmen auch die Altersangaben
aufs beste: im Jahre 1494 war Philipp 16 und Margarete 14 Jahre alt. Dazu
kommt noch, daß im Inventar der Sammlung Margaretens von 1524 das folgende
Stück erwähnt wird, das entweder mit dem Ambraser Bilde identisch oder
mindestens eine Wiederholung derselben Darstellung war: »Item ung petit

[20] Wien 1892, S. 106.

double tableau vieux, ou la representation de feu le roy dom Philippe et de Madame du temps de leur mynorité et portraiture, habilléz de drap d'or[21].«

Die Angabe, daß Philipp und Margarete zur Zeit ihrer Minderjährigkeit gemalt worden waren, bestimmt die Zeit der Entstehung der Bildnisse noch näher. Denn im Spätsommer 1494 wurde Philipp der Schöne aus der Vormundschaft entlassen und übernahm die Regierung über die niederländischen Provinzen. Vor diesem Termine muß also unser Doppelbild enstanden sein.

Zu welchem Zwecke mag nun die Aufnahme der beiden Kinder Maximilians gemacht worden sein? Suchen wir nach persönlichen Motiven, so könnte man sich denken, der Kaiser, der um diese Zeit in den Niederlanden weilte, habe gewünscht, Bildnisse seiner Kinder, die so fern von ihm lebten, in seine Heimat mitzunehmen. Obwohl diese Annahme unserer modernen Empfindung entsprechen würde, so scheint es mir doch wahrscheinlicher, daß die Aufnahme aus politischen Gründen erfolgt sei. Schon seit längerer Zeit war in den Verhandlungen zwischen Maximilian und dem Hofe von Spanien von einer Doppelheirat die Rede: Philipp der Schöne sollte die Infantin Johanna, Margarete den Infanten Johann heiraten. Über diesen Heiratsplan, dem verschiedene Schwierigkeiten im Wege lagen, waren gerade im Frühjahre 1494 die verhandelnden Parteien einig geworden[22]. Nun mochten Ferdinand von Aragonien und besonders auch seine Gemahlin Isabella die Katholische den Wunsch geäußert haben, ihre künftigen Schwiegerkinder wenigstens im Bilde kennenzulernen. Man mag daraufhin am Hofe in Mecheln einen niederländischen Maler mit der Aufnahme betraut haben. Es ist aber auch ebensogut möglich, daß Isabella die Katholische ihren niederländischen Hofbildnismaler, jenen Meister Michiel, zu diesem Zwecke nach Mecheln entsendet habe. Für diesen Meister würde sowohl die miniaturartig feine Ausführung der leider durch manche Übermalung entstellten Bilder sprechen, als auch der Umstand, daß ein etwa um dieselbe Zeit entstandenes Porträt Johannas der Wahnsinnigen im Vorrate der Wiener Galerie (Abb. 17) einen ganz ähnlichen Stil zeigt.

Wer auch der Künstler sein mag, der diese Bildchen geschaffen hat, so möchte ich glauben, daß von derselben Aufnahme gleichzeitig mehrere Exemplare hergestellt worden sind. Der Kaiser wird kaum die Gelegenheit versäumt haben, sich ein Bildnis seiner Kinder zu verschaffen, und auch Margarete von York, die Witwe Karls des Kühnen, die treue Pflegerin der Kinder, mag sich eines bestellt haben. Das Exemplar, das heute im Besitz der Wiener Galerie ist, dürfte wahrscheinlich weder mit dem nach Spanien geschickten noch auch mit dem in Margaretens Inventar von 1524 (also nach Maximilians Tode) noch erwähnten identisch sein. Diese Annahme findet darin eine gewisse Stütze, daß sich eine freie und flüchtige Kopie nach dem Wiener Bildchen noch erhalten hat: es sind zwei oben abgerundete kleine Gemälde, die sich, worauf mich Max Dvořák

[21] Dazu vergleiche man die Beschreibung des Le Glayschen Inventars von 1516: »Ung petit double tableaul en l'ung des coustez duquel est le feu roy dom Philippe et en l'autre est Madame ayant ung beguin en sa teste, du temps qu'ilz estoient petitz enffants.«
[22] Heinrich Ulmann, Kaiser Maximilian I., Stuttgart 1884, I, S. 242.

Abb. 14. Niederländisch nach 1494. Die Kinder Maximilians I.: Philipp der Schöne und Margarete
London, Nationalgalerie (ehemals Sammlung Chigi, Rom)

freundlichst aufmerksam machte, bis um 1903 in der Chigischen Sammlung in
Rom befanden (Abb. 14)[23]. Stellung und Kostüm stimmen in allem Wesentlichen überein, nur die Züge haben durch die flüchtige Ausführung jeden
Charakter und wohl auch jede Porträtähnlichkeit verloren. Die Wappen und
Länder befinden sich hier nicht auf den Rahmen, sondern sie sind auf dem
Hintergrunde selbst aufgemalt. Es sind dieselben Länder, nur ist auf dem Bildnisse Margaretens Antwerpen (»Le saint empire«) durch Zutphen (Zutphania)
ersetzt. Über den Köpfen der Dargestellten sieht man hier die folgenden Inschriften: »Phs̄ dei grâ archidux austr ... dux [b]urg[undiae] etc.« und
»Margareta filia regis Romanorum.« Da hier Philipp schon als Herzog von
Burgund bezeichnet wird, so muß wohl die Entstehung dieser Bildchen, die eine
viel schwächere Hand zeigen als die Wiener, schon nach der Erbschaftserklärung
im Sommer 1494 fallen.

Das zweite Stück der Wiener Sammlung, das uns an einen Bestandteil der
Sammlung Margaretens von Österreich erinnert, ist ein dreiteiliges Bild mit den
Porträten der drei ältesten Kinder Philipps des Schönen (Abb. 15). Die einzelnen
Tafeln enthalten je ein Brustbild, sind oben abgerundet und zeigen in dieser
Rundung je ein gemaltes Wappen. Links sehen wir die Erzherzogin Leonore
(geb. am 15. November 1498), die spätere Königin von Portugal und von

[23] Sie waren nach Mitteilung von Hermann Julius Hermann auf der Ausstellung der
französischen Primitiven in Paris 1904 zu sehen (damals im Besitze von Mr. Agnew in London).

53

Frankreich, nach dem Wortlaute der Inschrift im Alter von vier Jahren (»Madame leonora en laige de IIII ans«), in der Mitte Karl V. (geb. am 25. Februar 1500) mit dem Goldenen Vließ, das er schon am 11. Jänner 1501 erhalten hat, im Alter von zweieinhalb Jahren (»Duc Charles en laige de deux ans et demi«) und rechts Erzherzogin Isabella (geb. am 18. Juli 1501), die spätere Königin von Dänemark, im Alter von einem Jahre und drei Monaten (»Madame ysabiau en laige de ung an et III mois«)[24]. Die einzelnen Bildnisse sind nicht von hohem künstlerischem Wert, aber sehr reizvoll durch die, wie es uns scheinen will, ungemein treue Wiedergabe der Züge und der Kostüme. Besonders entzückend ist das Bildchen Isabellas, die in ihren beiden Händchen ein in die Tracht der Zeit gehülltes Püppchen hält und deren Kleidung an die jenes frühverstorbenen Dauphins Karl Roland erinnert.

In dem von Le Glay veröffentlichten Inventar der Kunstsammlungen Margaretens von 1516 kommt nun ein Stück vor, das ganz zu diesem Dreibilde paßt: »Ung petit tableaul à trois feuilletz du roy et de madame Lyénor et Ysabeaul, ses seurs, quant ilz estoient bien josnes.« Da dieses Triptychon in dem späteren Inventar von 1524 nicht mehr erscheint, so ist es sehr wahrscheinlich, daß Margarete es in der Zwischenzeit ihrem kaiserlichen Vater geschenkt hatte, besonders da sie noch andere Bildnisse ihrer Geschwisterkinder besaß[25].

Unser Triptychon muß, nach den Altersangaben zu schließen, in der Zeit vom 25. August bis zum 15. November 1502 entstanden sein. Damals befanden sich die fürstlichen Kinder in Mecheln unter der Obhut ihrer Stiefurgroßmutter Margarete von York, der sie Philipp der Schöne, als er im November 1501 mit seiner Frau nach Spanien reiste, anvertraut hatte. Den Vater, der bald auch seine hochschwangere Frau verließ, um fast ganz Europa zu bereisen, haben die Kinder erst nach vollen zwei Jahren wiedergesehen: am 9. November 1503 traf er wieder in Mecheln ein, wo, wie Fugger erzählt, »sein erstes Thun war, daß er seine Kinder herzete, und deren Erziehern vor die getreue Aufsicht dankte«.

Wer war nun der Besteller der Aufnahme der Kinder, die bald durch Philipps Tod und Johannas Wahnsinn Waisen werden sollten? Man könnte an Margarete von York denken; da aber Margarete von Österreich die Bildnisse später in ihrem Besitze hatte, so wird sie wohl auch die Bestellerin gewesen sein. Seit dem Herbste 1501 hatte sie die Niederlande verlassen, um mit ihrem Gemahl Philibert nach Savoyen zu reisen, und dort mag sie sich nach den Kindern ihres Bruders gesehnt haben, für die sie bisher neben ihrer Namensschwester von York am meisten gesorgt hatte. Oder sollte Margarete von York Philipp den Schönen bei seiner Wiederkunft mit dieser Aufnahme seiner Kinder

[24] Friedrich Kenner (a. a. O., S. 110) erkennt in diesem Bilde das Porträt Isabellas von Portugal, der späteren Braut Karls V., die aber in dem Jahre, in dem diese Bilder gemalt sein müssen, noch nicht am Leben war.

[25] Le Glay 482: »Trois portraictures faictes sur thoille à la semblance de mes dames Lyénor, Ysabeaulx et Marye seurs du Roi. — Autre paincture sur thoille à la semblance du roy, lui estant josne prince, assez mal faicte.« (Diese Bildnisse kommen auch im Inventar von 1524 unter Nr. 857 vor). Le Glay 483: »Autre petit tableaul double du Roy, son frère [Ferdinand I.], et deux de ses seurs estant bien josnes.« (Fehlt im Inventar von 1524.)

Abb. 15. Niederländisch um 1502. Die Kinder Philipps des Schönen: Leonore, Karl (V.) und Isabella
Wien, Kunsthistorisches Museum

überrascht haben? Jedenfalls sind es diesmal sicherlich keine politischen, sondern rein persönliche Motive, denen die Bildnisse ihre Entstehung verdanken.

Wer der Maler ist, weiß ich nicht zu sagen. Von den bekannten Hofmalern Margaretens ist es gewiß keiner. Sollte man an J a c o b   v a n   L a t h e m denken, den einzigen Künstler, der, so viel wir wissen, den Titel eines Hofmalers Philipps des Schönen geführt hat[26]?

Jedenfalls haben unsere Bildchen einen eigentümlichen Wert als die frühesten Bildnisse, die wir von Karl V. und seinen beiden ältesten Schwestern besitzen. Die späteren Bildnisse Leonorens und Isabellas hat Carl Justi[27] zusammengestellt und miteinander verglichen. In der letzten Zeit sind noch zwei Stücke bekanntgeworden, die darauf Anspruch machen, als Bildnisse Isabellas von Dänemark zu gelten. Das eine davon (aus dem Besitze des Grafen Tarnowski in Dzików), das H. Hymans veröffentlicht hat[28], führt seinen Namen, wie schon die zusammengefügten Buchstaben Y des Goldschmuckes der Haube beweisen, mit vollem Recht. Die steife Anordnung und die nüchterne Behandlung lassen aber, wie mir scheinen will, in dem Maler eher Orley als Mabuse erkennen. Schwieriger scheint es mir um ein Bild aus der Sammlung des Herrn Ch. Léon Cardon in Brüssel zu stehen, das auch auf der Brügger Ausstellung von 1902 zu sehen war[29]. Hier sieht man ein mädchenhaft zartes, feines Gesicht mit gerader Nase, mandelförmigen Augen und einem kleinen Mund, der gar nicht an den habsburgischen Typus erinnert. Alles dies stimmt nicht zu Isabella, ebensowenig wie die Tracht, die nicht im entferntesten an die am Hofe Margaretens übliche erinnert. Das Bildnis ist aber gleichwohl mit dem Buchstaben Y und einer Krone darüber als das einer Isabella aus königlichem Geblüt beglaubigt. Sollte man hier nicht eher an Isabellas von Dänemark viel schönere und reizvollere Namensschwester von Portugal, die spätere Gemahlin Karls V., denken? Die authentischen Bildnisse, die sie schon als Kaiserin darstellen, wie eines in Gripsholm in Schweden und eines in florentinischem Privatbesitz, in dem Georg Gronau[30] den Urtypus für Tizians Porträt nachgewiesen hat, scheinen mir dieser Vermutung wenigstens nicht zu widersprechen. Wer der Maler des Brüsseler Bildes ist, möchte ich nicht entscheiden; weder die Zuschreibung an Orley noch die an Mabuse würde ich in diesem Falle annehmbar finden. (1905)

---

[26] Jacob van Lathem tritt 1493 in die Antwerpner Gilde ein und wird am 22. Januar 1504 mit dem Titel eines »paintre du roy« (Alexandre Pinchart, Archives, I, p. 244) und noch im Jahre 1516 als »scildere onser genadigsten Heere des Coninckx van Castillie« (Karls V.) erwähnt (Rombouts en Van Lerius, Liggeren, I, p. 46).

[27] In der schon erwähnten Studie: Zeitschrift für bildende Kunst, N. F. VI, 1895.

[28] Onze Kunst, II, 1903, p. 114.

[29] Abgebildet bei P. Wytsman, Tableaux Anciens peu connus en Belgique, Brüssel 1903.

[30] The Burlington Magazine, II, p. 281.

BILDNISSE VON JUAN DE FLANDES

Obwohl das Vertrauen zur stilkritischen Bestimmung alter Bilder in der letzten Zeit aus verschiedenen Gründen ein wenig erschüttert zu sein scheint, so glauben wir doch an dieser Aufgabe der Kennerschaft keineswegs verzweifeln zu sollen. Irrtümer sind freilich hier wie auf so vielen Gebieten der Forschung, auch selbst wenn die größte Vorsicht, die genaueste Überlegung angewendet wird, was leider nicht immer der Fall ist, ganz unvermeidlich und an sich kein Unglück; denn es gibt sogar Irrtümer, welche die Wissenschaft zu fördern vermögen. Sie sind an sich ja nicht bleibend und werden beim weiteren Fortschreiten beiseite gelassen. Nur die richtigen Erkenntnisse gelangen schließlich zur allgemeinen Geltung, bilden aber dann auch — selbst für die Arbeiten der weitblickenden Kunsthistoriker strengster Observanz — die notwendigen Grundlagen. Wir werden uns daher die Freude an stilkritischen Bestimmungen nicht nehmen lassen und unbeirrt und — bei aller Vorsicht — ohne allzu große Ängstlichkeit auf unserem Wege fortfahren. Diese Freude wird erhöht und verwandelt sich in wahre Befriedigung, wenn die Ergebnisse der Stilkritik nachträglich durch äußere und daher objektive Kriterien eine — immer willkommene — Bestätigung finden. Über einen solchen Fall möchten wir heute berichten.

In dem überaus reizvollen, kleinen Bildnisse eines sehr jungen Mädchens mit einer Rosenknospe in der Hand, welches mit der Sammlung des Herrn Dr. Heinrich Baron Thyssen-Bornemisza aus Schloß Rohoncz im Sommer 1930 in der Alten Pinakothek zu München ausgestellt war (Abb. 16), erkannte Max J. Friedländer die Hand des niederländischen Hofmalers Isabellas der Katholischen, Juan de Flandes, der uns bis dahin noch nicht als Porträtmaler bekanntgeworden war. Die überraschende Bestimmung wird überzeugend durch die stilkritische Vergleichung mit der bekannten Reihe kleiner Täfelchen aus dem Leben Jesu, die im Besitze der Gönnerin des Künstlers und später in dem Margaretens von Österreich nachweisbar sind und die zuerst von Carl Justi (Jahrbuch der preußischen Kunstsammlungen, VIII, 1887, S. 157, und Miscellaneen aus drei Jahrhunderten spanischen Kunstlebens, I, Berlin 1908, S. 315) mit überzeugenden Gründen Juan de Flandes zugeschrieben worden waren, und mit einigen Gemälden, welche sich ihrer größeren Figuren wegen leichter vergleichen lassen und zudem als Werke des Künstlers urkundlich beglaubigt sind, den Teilen des Hochaltars der Kathedrale von Valencia (zwei Beispiele abgebildet bei F. J. Sánchez

Cantón, Archivo Español de Arte y Arqueología, num. 17, Madrid 1930, Taf. XXVI und XXVII). Hinzu kommt noch eine erst 1928 für das Museum des Prado aus der Kirche San Lazaro in Valenzia erworbene Tafel mit der Heimsuchung Mariä nebst einem geistlichen Stifter und — im Hintergrunde — einer Schar von Engeln (schon von Justi, Jahrb., VIII, S. 167, und Miscellaneen, I, S. 324, erwähnt und bei Cantón, a. a. O., als Tafel XXVIII abgebildet). Die übrigen dem Meister zugeschriebenen Werke sind in Friedrich Winklers ebenso gründlichem wie übersichtlichem Artikel in Thieme und Beckers Künstlerlexikon (XIX, 1926, S. 278) zusammengestellt. In allen gesicherten Arbeiten dieses Juan de Flandes finden sich dieselben persönlichen Züge von Stil und Handschrift, die in jenem kleinen Bildnisse auffallen: die sorgfältige, individuelle Art der Zeichnung mit dem langgestreckten Gesicht, den etwas geschlitzten Augen, den gleichsam eingekerbten Oberlippen, den ganz dünnen Fingern und die sehr zarte, dünne und zugleich zähflüssige Malerei, verbunden mit ungewöhnlich heller Färbung von feinem, eigenartigem Geschmack. Nach den Grundsätzen der Stilkritik erscheint sonach die Bestimmung des Bildnisses durchaus zwingend. Dieselben Eigentümlichkeiten konnte ich nun nach Friedländers Entdeckung in einem zweiten ähnlichen Porträt eines — etwas älteren — jungen Mädchens wiederfinden, das bisher unbeachtet unter anderen Bildnissen in den Räumen der Münzensammlung im Kunsthistorischen Museum zu Wien gehangen hatte und dessen hoher künstlerischer Wert erst nach der Entfernung schwerer Übermalungen sich offenbarte (Abb. 17). Bild und Rahmen sind aus einem Stück Eichenholz (Bildfläche 30 : 19 cm, Rahmengröße 36,5 : 25,5). Dargestellt ist eine junge Dame von etwa achtzehn bis zwanzig Jahren, mit länglichen Gesichtszügen, blauen Augen, schlichtem blondem Haar, das — ganz ähnlich wie das des Bildnisses bei Baron Thyssen — mit einer Art von gestickter Haube bedeckt ist, mit hell-rosenfarbenem, rechteckig ausgeschnittenem, auf der Brust geschnürtem Kleide, um den Hals die Schnur eines Amuletts, die allein sichtbare Hand — vom Bildrand überschnitten — sprechend erhoben. Die Übereinstimmung zwischen beiden Bildnissen, selbst auch in dem hellgrünlichen Hintergrunde mit den Schatten des Rahmens und der Dargestellten erkennbar, sind so groß, daß Zweifel an der Selbigkeit des Malers nicht möglich sind.

Die Frage liegt nahe, wer die beiden dargestellten jungen Damen sein mögen. Sie sehen wie Schwestern aus, und wenn wirklich der Hofmaler Isabellas der Katholischen der Urheber der Porträte ist, so wäre wohl ohne Zweifel, obwohl Zeichen fürstlichen Ranges fehlen, an die Töchter der Königin zu denken, zumal da Bildnisse so junger Personen in dieser frühen Zeit kaum irgendwo anders als an Fürstenhöfen vorkommen. Diese Annahme wird durch die folgenden Darlegungen zur Gewißheit. Obwohl das Porträt des Wiener Museums so aussieht, als gehörte es zur alten kaiserlichen Sammlung, so ist es doch erst 1882 aus Wiener Privatbesitz erworben worden, und zwar, was wichtig ist, zusammen mit einem männlichen Gegenstücke (Abb. 18), das einen ganz ähnlichen Rahmen aus der Zeit besitzt, ursprünglich mit dem weiblichen Bildnisse zu einem Diptychon vereinigt gewesen sein dürfte und erst vor kurzem von

Abb. 16. Juan de Flandes, Mädchen mit einer Rosenknospe
Schloß Rohoncz, Sammlung Baron Thyssen-Bornemisza

starken Übermalungen befreit worden ist, wobei auch eine ohne Zweifel falsche
Inschrift: RVDOLFVS DVQ DE BORGO entfernt wurde. Der frühere Besitzer hatte die beiden Porträte, nachdem er richtig erkannt hatte, daß diese
Aufschrift nicht richtig sein kann, weil es keinen Rudolf von Burgund gegeben
hat, ebenso irrtümlich als die Philipps des Guten und seiner Gemahlin Isabella
bezeichnet, was aus chronologischen Gründen nicht möglich ist. Bei der Aufstellung in der Porträtsammlung des Kunsthistorischen Museums hatten sie dann

Abb. 17. Juan de Flandes, Johanna die Wahnsinnige
Wien, Kunsthistorisches Museum

Abb. 18. Juan de Flandes, Philipp der Schöne
Wien, Kunsthistorisches Museum

— offenbar von Friedrich Kenner — die Namen Philipps des Schönen und seiner Gemahlin Johanna der Wahnsinnigen erhalten.

In der Tat läßt die Betrachtung des männlichen Bildnisses keinen Zweifel darüber aufkommen, daß die letzte Benennung die richtige ist. Philipp, der Sohn Maximilians (1478—1506), erscheint hier als Jüngling mit ziemlich langer, wenig hervortretender Nase, kleinem Mund mit kräftiger Unterlippe (dem habsburgischen Erbteil) und langen dunkelblonden Haaren, auf dem Kopf eine schwarze Mütze, über dem pelzverbrämten Gewand die Kollane des Goldenen Vließes, die allein sichtbare rechte Hand sprechend erhoben. Auch hier finden sich dieselben Eigentümlichkeiten des Stils, derselbe hellgrünliche Hintergrund mit den Schatten von Dargestelltem und Rahmen, so daß die Urheberschaft des Juan de Flandes völlig überzeugend erscheint. Die Reihe von Philipps Bildnissen beginnt mit dem des Fünfjährigen, das ein Jahr nach dem Tode seiner Mutter Maria von Burgund, 1483, entstanden ist, in der Johnsonschen Sammlung des Museums zu Philadelphia (abgebildet in W. R. Valentiners Katalog, III, Nr. 1175, und bei M. J. Friedländer in Clemens Belgischen Kunstdenkmälern, I, S. 317). Schon hier ist die Ähnlichkeit mit Juan de Flandes' Porträt unverkennbar; noch stärker zeigt sich aber die mit dem des Jünglings im Alter von sechzehn Jahren auf dem Diptychon des Kunsthistorischen Museums zu Wien (in welchem er zusammen mit seiner Schwester Margarete von Österreich aus Anlaß ihrer geplanten Heirat mit dem spanischen Geschwisterpaar abgebildet ist (Abb. 13; vgl. auch das künstlerisch geringere und wenig Porträtähnlichkeit verratende, um dieselbe Zeit, also um 1494, entstandene Bildnispaar, das aus den Sammlungen Chigi und Salting seither in die National Gallery zu London gelangt ist; Abb. 14). In dem Gemälde des Juan de Flandes sind die Züge schon weiter zu denen eines Jünglings von achtzehn bis zwanzig Jahren ausgebildet, und etwa in demselben Alter zeigt ihn die Aufnahme des Flügelpaars im Brüsseler Museum, wo er in ganzer Figur neben seiner Gemahlin erscheint, die er am 18. Oktober 1496 in den Niederlanden geheiratet hat. Er ist aber in diesen beiden Darstellungen wesentlich jünger als in den häufig vorkommenden Porträten des Typus, bei dem Max J. Friedländer (Die altniederländische Malerei, IV, 1926, S. 118 und S. 144, Nr. 83) wohl mit Recht an den Hofmaler Philipps, Jacob van Lathem, als Urheber gedacht hat.

Noch individueller als das Bildnis Philipps des Schönen erscheint in der Wiedergabe des Juan de Flandes das seiner jungen Gemahlin. In ihren sonst bekannten Porträten trägt Johanna meist eine schwarze, mit Goldstickereien eingefaßte Samthaube; Beispiele dieser Art aus dem Vorrat des Kunsthistorischen Museums zu Wien und aus dem Besitze des Marquis de Santillana waren auf der Ausstellung des Goldenen Vließes in Brügge 1907 (Kat. Nr. 42 und 43) zu sehen. Am meisten Ähnlichkeit mit der Aufnahme des Juan de Flandes zeigt die des schon erwähnten Flügelpaars im Museum zu Brüssel; hier sehen wir dasselbe auffallend längliche Gesicht mit der hohen Stirne, den mandelförmigen Augen, der spitzen, langen und dünnen Nase und dem kleinen Mund. Der Kopf ist aber schon von jener, an den Höfen der Wende des 15. zum 16. Jahrhundert üblichen

Haube bedeckt. Juan de Flandes hat sie weggelassen, vielleicht weil sie die Freiheit und die Eigenart seiner künstlerischen Auffassung gestört hätte, in der man fast etwas von dem erregten, unsteten Wesen der künftigen Geisteskranken zu erkennen glauben möchte. Damals war freilich bei Johanna der in ihr schlummernde Wahnsinn zunächst nur erst in gelegentlichen Ausbrüchen von Gereiztheit und Heftigkeit und in manchen Absonderlichkeiten zutage getreten. Er kam voll zum Ausbruch, nachdem sie sechs Kinder geboren hatte, von denen zwei Kaiser, vier Königinnen werden sollten, und nachdem sie, noch vor der Geburt des sechsten Kindes, ihren Gatten verloren hatte. Sie hat dann in der stumpfen Abgeschlossenheit des Schlosses Tordesillas bei Valladolid noch 46 Jahre ihres nicht weniger als 75 währenden unglücklichen Lebens verbracht.

Juan de Flandes' Bildnisse Philipps und Johannas fallen, nach dem jugendlichen Alter der Dargestellten zu schließen, in die erste Zeit ihrer Ehe, die mit stürmischer Zuneigung auf den ersten Blick begann, bald darauf aber der Unbeständigkeit des lebens- und vergnügungslustigen Gatten und auch der gewalttätigen Eifersucht und krankhaften Schrullenhaftigkeit der jungen Frau wegen nicht mehr glücklich genannt werden konnte. Diese ersten Jahre verbringt das Paar in den Niederlanden, die es im November 1501 verläßt, um nach Spanien zu fahren, wo es erst zu Anfang des folgenden Jahres anlangte. Es kommt mir wahrscheinlicher vor, daß unsere Bildnisse vor als nach dieser ersten spanischen Reise entstanden seien. Juan de Flandes wird am 26. Oktober 1496 als Hofmaler der Mutter Johannas, Isabella der Katholischen, angestellt und sein Gehalt wird am 8. März 1498 um die Hälfte erhöht, worauf er im Dienste der Königin bis zu ihrem Tode (1504) bleibt. Es wäre wohl zu kühn, anzunehmen, daß diese Gehaltserhöhung damit zusammenhängt, daß Isabella ihren Hofmaler nach den Niederlanden entsendet hätte, um von dort Bildnisse des jungen Paares zu erhalten, und ihn nach seiner Rückkehr auf solche Weise belohnt hätte. Unmöglich erscheint es aber nicht, da der Künstler gerne die Gelegenheit benützt haben könnte, seine Heimat wiederzusehen. Wir wissen freilich nicht, ob er jemals nach den Niederlanden zurückgekehrt ist. Eine andere Möglichkeit wäre, daß die Porträte während des ersten gemeinsamen Aufenthalts des Ehepaars in Spanien im Laufe des Jahres 1502 entstanden wären; doch da Philipp auf seiner Reise seinen eigenen Hofmaler Jacob van Lathem in seiner Begleitung hatte, hätte er wohl diesem eher eine solche Aufgabe anvertrauen lassen. Nicht annehmbar wäre wegen des Alters der Dargestellten eine spätere Entstehung, etwa während des letzten Aufenthalts Philipps in Spanien, wo er am 25. September 1506 gestorben ist. Nach allen diesen Erwägungen läßt sich nur sagen, daß die Bildnisse in der Zeit von 1497—1502 entstanden sein dürften.

Vergleicht man das Porträt Johannas mit dem des jungen Mädchens in der Thyssenschen Sammlung, so ist eine Verwandtschaft zwischen beiden vorhanden, die nicht nur durch die gleiche Art der künstlerischen Auffassung und der malerischen Behandlung sich erklären läßt, sondern wohl ohne Zweifel auch auf eine Familienähnlichkeit zurückzuführen ist. Die Dargestellte des Thyssenschen Bildes ist offenbar wesentlich jünger: es ist ein Kind von kaum mehr als vierzehn bis fünfzehn Jahren. Jene Ähnlichkeit ist aber nicht so groß, daß wir eine Identität der Person bei verschiedenem Alter annehmen könnten. Wahrscheinlicher ist die schon angedeutete Vermutung, es sei hier eine der jüngeren Schwestern Johannas zu erkennen. Dafür spricht der Umstand, daß die Züge des Thyssenschen Porträts mit denen des Bildnisses Isabellas der Katholischen im Königlichen Palast zu Madrid (abgebildet bei L. Pfandl, Johanna die Wahnsinnige, Freiburg 1930, S. 16) noch größere Verwandtschaft zeigen, als mit denen Johannas. Es könnte sich also entweder um die 1482 geborene Infantin Maria handeln, die 1500 König Manuel von Portugal, den Witwer ihrer ältesten Schwester Isabella, geheiratet hat, oder, was vielleicht dem Alter nach wahrscheinlicher ist, um die 1485 geborene Katharina, die sich in erster Ehe (1501) mit Arthur, Prinzen von Wales, in zweiter (1509) mit Heinrich VIII. von England vermählt hat.

Wie dem auch sein mag, so scheint sich mir doch der Kreis zu schließen und Friedländers schöner Fund durch die Entdeckung der Porträte der Tochter und des Schwiegersohnes der Gönnerin des Juan de Flandes eine sehr erwünschte Bestätigung zu erhalten. Für die Geschichte der Entwicklung der niederländischen Bildnismalerei sind die beiden Gemälde nicht ohne Bedeutung. In der Anlage des Porträts zeigt sich hier Juan de Flandes sehr fortschrittlich gesinnt, ja er kann als Neuerer gelten. Denn wenn auch das Motiv des Vorzeigens einer Blume (hier einer Rosenknospe, die wohl als Symbol der Jugend gelten mag) wie in dem Thyssenschen Bilde schon bei Jan van Eyck vorkommt, so erscheint doch in den Porträten Philipps und Johannas die Einführung der „redenden Hand", soweit wir sehen können, in der Geschichte der Kunst zum ersten Male. Es ist eine Neuerung, die in der Bildnismalerei der ersten Hälfte des 16. Jahrhunderts, bei Quinten Metsys und Mabuse, wie auch später in der Gruppe des sogenannten Pseudo-Cleve, eine hervorragende Rolle spielen und sehr zur Belebung der ganzen Gattung beitragen sollte. Ein so eigenartiger Künstler wie Juan de Flandes, der auch als Hofmaler von Einfluß gewesen sein mag, kann dazu die Anregung gegeben haben. (1931)

SCHICKSALE EINER KOMPOSITION LIONARDOS

Es gibt kaum etwas anderes, das uns einen so tiefen Blick in das Wesen der Kunst der Renaissance im Norden tun läßt, wie die in zahlreichen niederländischen Gemälden verschiedenen Werts verbreitete Komposition der beiden heiligen Kinder Jesus und Johannes, die nackt nebeneinander sitzend sich zärtlich umarmen und küssen. Wie beliebt dieser reizvolle Vorwurf in den ersten Jahrzehnten des 16. Jahrhunderts gewesen ist, läßt sich daraus erkennen, daß allein mehr als ein halbes Dutzend solcher Wiederholungen, die aus der Werkstatt eines der bezeichnendsten Vertreter jener Bewegung in den Niederlanden, Joos van Cleves, des Meisters vom Tode Mariae, hervorgegangen sind, heute noch in öffentlichen und privaten Sammlungen vorhanden ist[1]. Das figürliche Motiv ist überall genau das gleiche; nur der Hintergrund wechselt: bald zeigt er einen reichverzierten Betthimmel, rechts ein kleines Kissen und über den Häuptern die schwebende Taube des Heiligen Geistes, wie in dem seit Max J. Friedländers[2] wichtiger Äußerung als Original Joos van Cleves anerkannten Gemälde des Museums in Neapel (Abb. 19), bald ist er einfach schwarz, wie in einigen Exemplaren von geringerem Wert, bald eröffnet er zwischen zur Seite gestellten Architekturteilen mit Säulchen, Medaillons und Amoretten im niederländischen Renaissancegeschmack einen Ausblick auf eine weite Landschaft, wie in den hübschen Werkstattbildern des Mauritshuis im Haag (Abb. 20) und des Schloßmuseums zu Weimar. Gerade in dem Architekturschmuck der beiden zuletzt genannten Stücke findet sich eine bisher unbeachtete Einzelheit, die für den humanistisch gerichteten Geist dieses Stils bezeichnend ist: Je zwei Medaillons auf beiden Seiten enthalten je zwei Bildnisse eines Mannes und einer Frau. Wie diese zu deuten sind, ergibt sich aus den gut lesbaren Inschriften des Weimarer Exemplares[3]: das linke Paar ist als ANTIGONA · FI · S ... und OEDIPPVS FILIVS REG. TE, das rechte als AENEAS TROIAN · FILI ANCH: und

---

[1] Eine Aufzählung bei L. Baldass, Joos van Cleve, Wien 1925, S. 32; »Anmerkungen« S. 9, Anm. 91, 92; »Katalog« S. 26 Nr. 58, S. 33 Nr. 96. Dazu noch Th. von Frimmel, Verzeichnis der Gemälde im Besitze der Frau Baronin Auguste Stummer von Tavarnok (Galerie Winter), Wien 1895, S. 40 Nr. 98.

[2] Von Eyck bis Bruegel, 1. Aufl., Berlin 1916, S. 185.

[3] Herrn Direktor Dr. Wilhelm Köhler sind wir für die gütige Mitteilung der richtigen Lesung zu Dank verpflichtet. Auch auf dem Exemplar im Mauritshuis im Haag beziehen sich die nicht ganz deutlich lesbaren Inschriften nach freundlicher Auskunft des Herrn Professors Dr. W. Martin ebenfalls auf die Paare Antigone und Ödipus, Äneas und Dido.

DIDO . C ... CARTAG: bezeichnet. Antigone vertritt mit ihrem Vater Ödipus, dem thebanischen Königssohn, das Beispiel der Kindesliebe, Dido, die Herrscherin von Karthago, im Verein mit dem Trojaner Äneas, dem Sohne des Anchises, die Liebe des Weibes. Eine Verweltlichung des Motivs ist eingetreten. Während auf dem Neapeler Gemälde die Taube des Heiligen Geistes die himmlische Liebe versinnbildlicht, deuten hier die beiden Paare die irdische an. Die den Humanisten dieser Zeit geläufigen Gestalten des klassischen Altertums treten in den Gedankenkreis, wenden den geistlichen Sinn der Gruppe ins Profane, die Liebe heiliger Personen wird zur Liebe der Menschen. Zwei kleine Amoretten in dem krausen Stil eines Dirk Vellert, an dessen »Knaben mit dem Delphin« (B. 13) sie erinnern, schweben über den beiden Medaillonpaaren und verdeutlichen die platte Symbolik.

Daß die liebliche Erfindung der Kindergruppe nicht von Joos van Cleve selbst herrührt, sondern einem viel Größeren zu danken ist, wissen wir schon lange. Der italienische Ursprung des Bildgedankens liegt ja auf der Hand. Den kleinen Johannes den Täufer in lebendiger Weiterbildung der Angaben der Bibel dem Jesuskinde als zärtlichen Freund und Gespielen beizugesellen, ist einer der schönsten Einfälle der florentinischen Renaissance, und man kann die Entwicklung dieses Gedankens in vielen Skulpturen und Bildern dieser Zeit verfolgen[4]. Auch Lionardo hat ihn übernommen, und ein Skizzenblatt seiner Hand, heute in der Königlichen Bibliothek zu Windsor (Abb. 21), enthält einen unverkennbaren ersten flüchtigen Entwurf zu der Gruppe, die uns beschäftigt[5]; die Haltung der Kinder ist freilich noch ganz anders, aber das wesentliche Motiv der Umarmung und Zärtlichkeit der beiden sitzenden nackten Kinder ist hier schon völlig ausgebildet vorhanden. Der Grundgedanke der Gruppe stammt also ohne Zweifel von keinem Geringeren als von Lionardo. Wir können aber noch weiter gehen: genau dieselbe Komposition, wie sie in jenen Kopien Joos van Cleves und seiner Werkstatt erhalten ist, muß auch wohl von Lionardo selbst existiert haben, dem allein die Größe und Anmut einer solchen Erfindung zuzutrauen ist. Freilich ein Original seiner Hand, ein Gemälde oder ein Karton ist uns nicht erhalten. Aber daß es ein solches gegeben hat, wird zwar nicht durch die zahlreichen Kopien niederländischer Maler bewiesen, wohl aber durch eine Anzahl von Wiederholungen, die unzweifelhaft aus der lombardischen Schule des großen Meisters stammen. Dahin gehören die Gemälde in der ehemaligen Sammlung Doetsch in London[6] und im Schlosse Hampton Court

[4] Man vergleiche die lehrreiche Zusammenstellung Bernard Berensons im Juni-August-Heft des »Dedalo«, IV, 1923/24, p. 3.

[5] Vor Max Gg. Zimmermann (Monatshefte für Kunstwissenschaft, I, 1908, S. 630) hat Th. von Frimmel a. a. O. schon auf diese Zeichnung in Windsor sowie auf das noch zu erwähnende Gemälde von Luini im Prado aufmerksam gemacht. Baldass (a. a. O., S. 32) findet hingegen den »Zusammenhang der sich küssenden Kinder Josses mit der Kunst Lionardos nur mehr sehr lose«.

[6] Dieses hielt der ausgezeichnete verstorbene italienische Kenner Gustavo Frizzoni (bei Th. von Frimmel, Gemalte Galerien, 2. Aufl., Berlin 1896, S. 70) für »ein gutes Werk aus der Schule Lionardos«, welcher er auch das Exemplar in Hampton Court zuwies. Baldass (a. a. O., Anm. 92) scheidet diese italienischen Wiederholungen nicht von den niederländischen.

Abb. 19. Joos van Cleve, Jesus und Johannes
Neapel, Museum

(Abb. 22). Nur das zweite von diesen Stücken ist uns aus eigener Anschauung
bekannt. Dieses wird kein Kenner der Malerei auch bei flüchtigster Betrachtung
einer anderen als einer italienischen und im besonderen lombardischen Hand
zuschreiben können. Schon die weiche Modellierung der kleinen Körper mit dem
zarten Sfumato, das die Niederländer nicht kennen, spricht dafür, noch mehr
aber die Landschaft, die mit der dunkeln Kulisse des Felsens im Hintergrunde, dem
hellen Ausblick rechts und den liebevoll durchgebildeten Blattpflanzen und
Kräutern durchaus die Weise Lionardos und seiner Schule zeigt und auch an die
Landschaften erinnert, die man heute jenem von Vasari erwähnten Mitarbeiter
Cesare da Sestos namens Bernazzano zuschreibt[7].

Wie wir gesehen haben, ist in allen den Repliken, italienischen ebensowohl
wie niederländischen, die Kindergruppe genau dieselbe, während nur die Bei-
gaben des Hintergrundes verschieden sind. Man muß sich wohl nun die nicht
ganz leicht zu beantwortende Frage stellen: ist die Gruppe in ihrer ursprünglichen
Fassung eine selbständige Komposition oder nur ein Teil einer solchen gewesen?
Man hat sich für die zweite von diesen Möglichkeiten entschieden[8], weil eine
ähnliche Gruppe der beiden heiligen Kinder auf einem Gemälde der Heiligen
Familie von Bernardino Luini, heute im Prado zu Madrid, vorkommt (Abb. 23);
ja man hat dieses Bild als die Vorlage Joos van Cleves angesehen. Kann diese

[7] Vgl. W. Suida, Monatshefte für Kunstwissenschaft, XIII, 1920, S. 254.
[8] So besonders Baldass, a. a. O., S. 32.

Abb. 20. Joos-van-Cleve-Werkstatt, Jesus und Johannes
Haag, Mauritshuis

Annahme richtig sein? Die beiden heiligen Kinder in zärtlicher Umarmung erscheinen freilich als Glieder einer größeren Komposition schon bei Filippino Lippi in einer Natività des Museums zu Lille und bei Piero di Cosimo in einer Madonnendarstellung der Beattieschen Sammlung zu Glasgow[9]. Allein hier hat die Einfügung der beiden Kinder etwas durchaus Natürliches, gleichsam Selbstverständliches. Luinis Komposition macht hingegen nicht nur einen ungewöhnlichen, sondern auch einen gekünstelten und gezwungenen Eindruck. Wie ein plastisches Gebilde ist ganz im Vordergrunde die Kindergruppe angebracht; nur in losem Zusammenhange mit ihr steht dahinter die fast steif wirkende Gestalt Mariä, herabblickend und die Linke wie beschützend bewegt, und noch mehr tritt die Figur des heiligen Joseph zurück. Man hat nicht das Gefühl einer von jedem Zwang freien, völlig selbständigen Komposition Luinis. Wie ganz anders weiß derselbe liebenswürdige Künstler die beiden Kinder in Gemälden ähnlichen Vorwurfs, der Lünette von Lugano und dem Bilde der Budapester Galerie, einzuführen! Wie sind sie hier zu notwendigen Gliedern einer in sich geschlossenen und doch innerlich freien Komposition gemacht!

Nun kommt noch etwas anderes dazu. Die Kindergruppe des Luinischen Bildes in Madrid ist keineswegs ganz dieselbe wie die, welche untereinander völlig gleichlautend in jenen niederländischen und italienischen Wiederholungen erscheint. Die Stellung ist freilich ziemlich die gleiche; allein Luini hat nicht versäumt, das Motiv in seinen persönlichen Stil zu übersetzen. Noch mehr als bei der so häufig wiederholten Gruppe ist, was bei einer heiligen Familie besonders auffällt, die motivische Gleichwertigkeit der beiden heiligen Kinder betont, und es wird hier fast schwer zu erkennen, welches von den beiden Jesus oder Johannes sein soll. Auf jenem kleinen, flüchtigen Entwurf Lionardos in der

[9] Beide Bilder wiedergegeben in Berensons Studie, a. a. O.

68

Abb. 21. Lionardo, Ausschnitt aus einem Studienblatt
Windsor, Königl. Bibliothek

zu Windsor aufbewahrten Zeichnung ist dies noch ganz deutlich: Jesus sitzt
rechts und legt nur die eine Hand über den Hals des Johannes, der in lebhafter
Bewegung Christus mit beiden Händen umfängt. Ebenso ist in der häufigen
Fassung, von der wir ausgegangen sind, das Jesuskind in dem sitzenden —
diesmal links — zu erkennen. Dasselbe ist auch bei Luini offenbar der Fall; aber
hier sitzen die Kinder symmetrisch ruhig nebeneinander, und die fast stürmische
Zärtlichkeit des Johannes ist gemildert. Auch sonst ist die Gruppe lockerer, die
Händchen fassen weniger kräftig zu, die Köpfe begegnen sich nicht zum Kuß.
Die Formen der Gesichter und der Körper der Kinder zeigen hier, im Gegensatz
zu der kräftigen Naturalistik der übrigen Wiederholungen, durchaus die idealisti-
schen Neigungen von Luinis Stil.

Betrachtet man aber Luinis Komposition des Gemäldes im Prado als ein
Ganzes, so kommt es einem unmöglich vor, daß sie auf Lionardo zurückgehen
könnte. Wie er selbst einen ähnlichen Vorwurf angepackt und mit welcher Anmut
und Freiheit er ihn behandelt hat, sieht man an der berühmten »Vierge aux
Rochers« und besonders auch an einem Blatte mit vorbereitenden Studien dazu
im Metropolitan-Museum zu New York[10]. Neben solchen göttlichen Einfällen
bekommt die Gesamtkomposition von Luinis Bild etwas Unfreies und Gezwun-
genes, und nur die Gruppe der Kinder hebt sich daraus hervor als ein fremdes
Element, das ursprünglich einem Größeren angehört. Wenn nun der erste
Gedanke der Gruppe von Lionardo herrührt, wie wir aus jenem Studienblatt
in Windsor zu erkennen vermögen, so ist es durchaus wahrscheinlich, daß auch
er das Urbild der zahlreichen niederländischen und italienischen Fassungen und
auch der Umformung durch Luini geschaffen hat. Dies mag ein Gemälde oder
ein Karton von der Hand Lionardos gewesen sein, wohl ein Breitbild mit den

[10] Abgebildet bei Berenson, a. a. O.

Abb. 22. Lombardischer Schüler Lionardos
Jesus und Johannes
Hampton Court

Kindern allein. Den Hintergrund bildete wahrscheinlich eine der für den großen Meister höchst bezeichnenden Felsen- und Grottenlandschaften, und eine Andeutung davon finden wir auch schon auf jenem flüchtigen Entwurf in Windsor.

Wie ist aber das Motiv der einander küssenden Kinder nach den Niederlanden gekommen? Zumeist hält man Joos van Cleve für den Mittler, der die Komposition unmittelbar aus Mailand nach Antwerpen importiert habe, und glaubt an eine italienische Reise des Künstlers[11], was schon Carl Justi[12] als »eine keineswegs unentbehrliche, ja in mancher Beziehung unwahrscheinliche Annahme« bezeichnet hat. Wir bekennen uns auch heute noch zu dieser Meinung unseres unvergeßlichen Lehrers. Daß so manche Altarwerke des Meisters aus Genua stammen, erklärt sich leicht aus den engen Beziehungen zwischen zwei damaligen

[11] Max J. Friedländer, a. a. O., S. 114, hält eine Reise nach Genua für wahrscheinlich, während Baldass, a. a. O., S. 32, auch einen Aufenthalt in Mailand annimmt, der deutlich sichtbare Spuren im Werke des Meisters hervorgerufen hätte.
[12] Jahrbuch der preußischen Kunstsammlungen, XVI, Berlin 1895, S. 27.

Abb. 23. Bernardino Luini
Heilige Familie mit dem kleinen Johannes
Madrid, Prado

mächtigen Handelsplätzen wie Antwerpen und Genua. Auch die unleugbaren
Entlehnungen von Motiven der lombardischen Schule lassen sich ohne die Annahme eines Aufenthaltes des Künstlers in Mailand verstehen. Das wenige, was
Joos van Cleve in einer Darstellung des Abendmahles auf der Predella des Altarwerkes im Louvre von Lionardos berühmter Komposition gelernt hat, wäre auch
selbst durch den flüchtigen Anblick eines der damals schon vorhandenen Kupferstiche zu begreifen; hier liegt ja keine Nachbildung vor, sondern, wie Justi sich
ausdrückt, eine »seltsame Travestie«. Bei anderen Kompositionen, die ohne
Zweifel aus Mailand stammen, wie die sehr häufige Kirschenmadonna, läßt sich
kein Exemplar nachweisen, das unverkennbar die Handschrift Joos van Cleves
zeigt. Bei Originalen, wie es die eine der Madonnen im Kunsthistorischen Museum
zu Wien (Nr. 684) ist, vermögen wir eine Einwirkung lombardischer Kunstweise kaum zu erkennen. Endlich ist auch die Kindergruppe, die uns beschäftigt,
für die schwach gestützte Vermutung einer italienischen Reise des Künstlers ins
Treffen gezogen worden. Sie kann aber auch auf anderem Wege nach Antwerpen
gelangt sein, wie wir gleich sehen werden.

Es gibt nämlich eine bisher noch unbekannte niederländische Fassung der lieblichen Komposition (Abb. 24), welche ohne Zweifel älter ist als die Wiederholungen Joos van Cleves und seines Kreises; ein kleines Bild, auf ein Eichenbrett gemalt, 34 cm hoch, 45·5 cm breit, in der berühmten Sammlung des Herzogs von Devonshire in Chatsworth. Die Gruppe der Kinder ist hier genau die gleiche wie sonst. Sie sitzen auf dem bloßen Fußboden, nur der kleine Jesus durch ein weißes Kissen vor der Kälte des Bodens geschützt. Rechts im Hintergrunde sieht man ein niedriges Bett, worin die Knaben offenbar zusammen geschlafen haben, darüber ein Fenster; links blickt über einer Halbtür, wie sie in den Niederlanden häufig sind und besonders wohl für Kinderzimmer geeignet erschienen, eine ältere Frau mit erstaunter Gebärde der Hände in das Gemach herein, in welcher vielleicht die heilige Elisabeth, die Mutter des Johannes, oder die heilige Anna zu erkennen sein dürfte. Der italienische Gedanke ist hier in die schlichte Umgebung eines Antwerpner Bürgerhauses versetzt worden. Über den Maler dieses Bildes kann wohl kein Zweifel sein. Es ist Quinten Metsys. Zu ihm allein passen die zarte, fast schattenlose Modellierung der Körper, die pausbäckigen Kinderköpfe, von denen der des Jesus auf manchen Marienbildern des Meisters wiederkehrt, der Typus der alternden Frau im Hintergrunde, die an die zahnlückige Alte in der »Zurückweisung von Joachims Opfer«, dem linken Flügel des Sippenaltars in Brüssel, erinnert, der Innenraum mit der Holzverkleidung, den rhombenförmig geteilten Fensterscheiben, dem offenen Bett und dem Kissen darauf, welches ähnlich in einer Madonnenkomposition des Künstlers (ehemals bei Sir Wernher in London und in der Münchner Pinakothek) vorkommt. Dem Stil der Malerei nach dürfte das Bild der küssenden Kinder kaum viel nach 1515 entstanden sein.

Die kunstgeschichtliche, ja selbst die künstlerische Bedeutung Quinten Metsys' scheint uns heute eher unter- als überschätzt zu werden. Zu Rubens' Zeiten dachte man anders darüber: Metsys zählte damals zu den berühmtesten Meistern der altniederländischen Malerei, und sein Name wurde in liebevoller Erinnerung gefeiert. Heute vermag man seine Stellung zwischen zwei Welten, zwischen zwei Stilen nicht ganz zu erfassen. Sie ist innerhalb der niederländischen Entwicklung die einzige, die der Dürers — freilich eines weit Größeren — in der deutschen Kunst vergleichbar ist. Wie dieser steht Metsys nicht mehr auf dem Boden der früheren, rein handwerklichen Überlieferung seines Landes, sondern auf der Stufe einer neuen künstlerischen Kultur, welche ebenso wie die damalige humanistische Bildung, mit der ihn mancherlei Fäden verbanden, keinerlei Landesgrenzen mehr kennt. Metsys ist der erste wahrhafte Kosmopolit unter den niederländischen Künstlern. Und deshalb ist sein Verhältnis zur Kunst Italiens ein ganz anderes als das mancher seiner Vorgänger und Zeitgenossen, die, wie etwa Memling und David, einzelne von den Formen des Südens nachgeahmt haben. Metsys' gesamte Kunst, sein Stil und seine Ausdrucksweise sind ohne die Annahme der Einwirkung italienischer Kunst nicht zu erklären: sein ganzes Wesen ist davon erfüllt. Dadurch bringt er in die niederländische Malerei etwas Neues, bisher Ungeahntes.

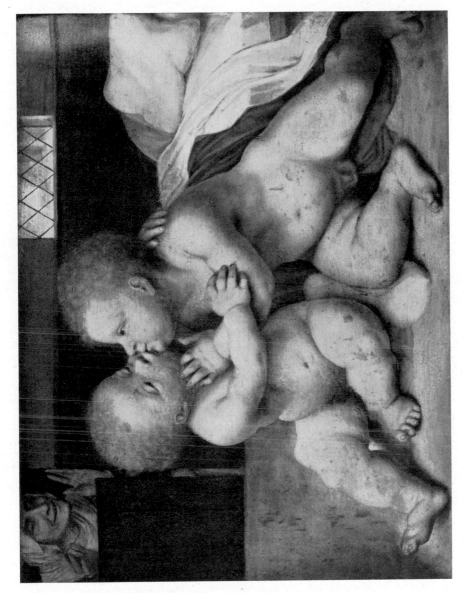

Abb. 24. Quinten Metsys, Jesus und Johannes
Chatsworth, Sammlung und Copyright of H. G. the Duke of Devonshire

Diese Dinge sind schon vor fast einem Vierteljahrhundert in ähnlichem Sinne von Walter Cohen in seinem auch heute noch lesbaren und lehrreichen Buche über Metsys[13] ausführlich besprochen und die einzelnen Gründe dieser Auffassung aufgezeigt worden. Danach kommt auch uns die Annahme einer Reise, die den Künstler ebenso wie Dürer nicht über Oberitalien hinausgeführt haben dürfte, höchst wahrscheinlich vor. Sie ist nirgends bezeugt; sie zu vermuten liegt aber nahe, da der Maler viel in humanistischen Kreisen verkehrte, in denen Italienfahrten damals schon etwas Alltägliches zu werden begannen. Irgendwo — und wir möchten am ehesten glauben: in Mailand selbst — muß Metsys mit dem Genius Lionardos oder mindestens mit einer Fülle seiner Ausstrahlungen bekannt geworden sein. Ohne lebendige Anschauung von Hauptwerken der lombardischen Kunst hätte er die fremde Weise nicht so in sich aufnehmen, nicht so mit der eigenen verschmelzen können. Wie man damals den heutigen strengen Begriff des Plagiats noch nicht kannte, so hat er auch seiner Verehrung für Lionardo bewußten Ausdruck durch gelegentliche Entlehnungen gegeben, deren sich bei ihm mehr feststellen lassen als bei Joos van Cleve. Eine solche aus der berühmten Komposition der heiligen Anna selbdritt ist durch ein Gemälde in der Raczynskischen Sammlung zu Posen schon seit langem bekannt. Kürzlich hat auch Max J. Friedländer[14] auf die Benützung Lionardoscher Vorbilder bei Metsys' Charakterstudien eines häßlichen Mannes (Abb. 25) und eines häßlichen Weibes hingewiesen, und in der Tat gibt es noch heute eine Rötelzeichnung Lionardos in Windsor[15], welche die grotesken Züge derselben Frau wiedergibt. Dazu kommt nun noch die von uns in jenem Bilde der küssenden Kinder in Chatsworth vermutete Entlehnung[16]. Nicht Joos van Cleve, der die bei ihm unverkennbaren Anregungen der lombardischen Malerei ebensogut durch Metsys' Vermittlung und durch seinen eigenen Aufenthalt in Paris erhalten haben kann wie durch eine italienische Reise, hat das schöne Motiv nach den Niederlanden gebracht, sondern sein Vorgänger Metsys, der mit seinem Vorbilde Lionardo durch viel engere Bande verknüpft gewesen ist. (1928)

---

[13] Studien zu Quinten Metsys, ein Beitrag zur Geschichte der Malerei in den Niederlanden, Bonn 1904, S. 61.

[14] Der Cicerone, XIX, 1927, S. 1.

[15] Abgebildet bei E. Hildebrand, Leonardo da Vinci, Berlin 1927, S. 323.

[16] Das Exemplar der küssenden Kinder, das Franz I. von Frankreich 1529 von einem Händler in Antwerpen kaufte (Henne, Histoire du Regne de Charles V. en Belgique, V, 1859, p. 89), kann natürlich ebensogut das von Metsys wie eine der Wiederholungen Joos van Cleves oder seines Kreises gewesen sein. Eher möchte das Metsyssche in dem schon im Inventar Margaretens von Österreich aus dem Jahre 1516 erwähnten zu erkennen sein: »Premièrement, ung tableaul de deux petits josnes enffants qui se baisent l'ung l'autre« (Cabinet de l'amateur, I, Paris 1842, p. 218).

Abb. 24 a. Willem Verhaecht, Die Sammlung des Cornelis van der Geest
Ehemals Birmingham, Lord Huntingfield

EIN STUDIENKOPF VON QUINTEN METSYS

Es gibt — im Besitze Lord Huntingfields — ein Bild, das von einem unbedeutenden Antwerpner Künstler, namens Willem Verhaecht, im Jahre 1628 gemalt worden ist, das aber für uns dadurch ein ganz besonderes Interesse hat, weil wir darauf den ganzen Kreis von Künstlern und Kunstfreunden dargestellt finden, der sich um Rubens in seinem Heimatslande geschart hat (Abb. 24 a). Wir blicken in einen Saal des Hauses des Antwerpner Liebhabers Cornelis van der Geest, desselben Mannes, dessen Züge van Dyck in einem unvergeßlich lebendigen Bildnisse, gegenwärtig in der Nationalgalerie zu London, verewigt hat. An den Wänden hängen Gemälde, die seither hochberühmt geworden sind. Auch sonst ist der Raum angefüllt mit Kunstwerken mannigfachster Art, mit Gipsabgüssen, Skulpturen, Zeichnungen und Stichen. In diesem Saale hat sich eine vornehme Gesellschaft versammelt: der Statthalter der Niederlande, Erzherzog Albert, und seine Gemahlin, die Infantin Isabella Clara Eugenia, geben, begleitet vom König Wladislaw von Polen und umgeben von einem zahlreichen Gefolge, dem Hausherrn die Ehre, seine Kunstsammlung zu besichtigen. Zu diesem Anlasse hat sich auch eine große Zahl von Künstlern eingefunden, an ihrer Spitze Rubens und van Dyck. Dem erzherzoglichen Paare wird gerade ein Bild gezeigt, das von zwei Pagen gehalten wird. Der Hausherr weist darauf hin, und Rubens gibt, wie es scheint, dazu Erläuterungen. Dieses Gemälde rührt nun nicht von einem zeitgenössischen Künstler her, es ist das Werk eines viel älteren Meisters: ein Madonnenbild von Quinten Metsys, dessen Original — nach der Photographie zu urteilen — noch im Besitze Lord Northbrooks erhalten ist und von dem eine alte Kopie im Rijksmuseum zu Amsterdam hängt.

Der Ruhm Quinten Metsys', des größten Malers, der zu Dürers Zeit in den Niederlanden gelebt hat, hatte damals einen neuen Aufschwung genommen. Künstler und Kunstfreunde blickten ehrfürchtig auf diesen großen alten Meister und auf seine innerlich tiefe Kunst zurück. Rubens selbst besaß in seiner eigenen kostbaren Kunstsammlung ein Bild seiner Hand und verschmähte es nicht, Werke des älteren Meisters zu kopieren. Quinten Metsys' glühendster Verehrer war in dieser Zeit eben jener Cornelis van der Geest; er hat, um die hundertste Wiederkehr von Metsys' Todestag zu ehren, auf seine Kosten eine Gedenktafel an der Außenseite der Antwerpner Liebfrauenkirche anbringen lassen.

Auch wir werden heute wieder der Größe Quinten Metsys' völlig gerecht. Wer je vor des Künstlers Hauptwerk, dem Altar mit der Beweinung Christi im Antwerpner Museum, gestanden hat, dem wird ein unauslöschlicher Eindruck zurückbleiben: die Tiefe der Empfindung, die in diesen lebensgroßen, sich fast aus dem Rahmen herausdrängenden, etwas steifen Gestalten mit ihrem innigen, verhaltenen Ausdruck des wahrsten Schmerzes liegt, bleibt unvergeßlich. Aber auch in dem Altare des Brüsseler Museums mit der Heiligen Sippe wird man einen liebenswürdigen, eigentümlich innigen Ausdruck stillen Glückes und Friedens mit einer vollendet zarten Harmonie von hellen, stark gebrochenen Farben zu einem Eindruck von märchenhafter Poesie vereinigt finden. Nicht weniger erfreulich erscheinen uns seine Marienbilder, seine heiligen Magdalenen und seine Halbfiguren Christi und Mariä in ihrer überaus vollendeten, an den Glanz edler Geschmeide erinnernden, kostbaren malerischen Behandlung.

Bei aller Anmut der Formengebung, bei aller Vorliebe für schöne, zarte Farben fehlt es doch Metsys' Kunst nicht an Kraft; seinen Schöpfungen ist im Gegenteil eine starke Neigung zu energischem Realismus eigen. Schon in seinem großen Altar mit der Beweinung Christi in Antwerpen stellt er dem höchst eindrucksvollen, von tiefer religiöser Empfindung erfüllten Mittelbilde in offenbar beabsichtigtem Gegensatz zwei Flügel mit fast sittenbildlich gedachten Szenen zur Seite. Diese Flügel, der eine mit der Darstellung Salomes, die dem tafelnden Herodes das Haupt des Täufers überbringt, der andere mit dem Martyrium des heiligen Evangelisten Johannes, sind voll von häßlichen, ja gemeinen Köpfen, sie dienen dem ergreifenden Schauspiel des Mittelbildes als Folie, sie erschöpfen den Inhalt menschlicher Empfindung als Ergänzung des Edlen nach der Richtung des Trivialen hin. Einen ähnlichen Gegensatz bemerkt man in dem erst in neuerer Zeit bekanntgewordenen Gemälde der Anbetung der Könige, das sich bis vor kurzem in der Sammlung des verstorbenen Herrn Rodolphe Kann in

76

QVINTINVS
METSYS·PINGE-
BAT·ANNO·1513

Abb. 25. Quinten Metsys, Bildnisstudie
Paris, Musée Jacquemart-André

Abb. 26. Quinten Metsys, Bildnisstudie
Wien, Sammlung Figdor

Paris befand: hier stehen dem edlen, lieblichen Antlitze Mariens die häßlichen, ja fast fratzenhaften Köpfe der Könige und ihres Gefolges entgegen.

Denselben realistischen Neigungen begegnen wir in einigen Sittenbildern, von denen wir den Wechsler und seine Frau im Louvre, den Verliebten Alten bei der Gräfin Pourtalès in Paris, die Betenden Heuchler in der Galerie des Fürsten Doria zu Rom und den offenbar irrtümlich so genannten »Handel ums Huhn« in der Dresdner Galerie für Originale zu halten geneigt sind. Diesen Werken durch die sittenbildliche Auffassung nahe verwandt ist das ohne Zweifel eigenhändige Bild des heiligen Hieronymus in seiner Stube in der Wiener Gemäldegalerie.

Solche Schöpfungen setzen eifrige und eindringliche Studien nach dem lebenden Modell voraus. Köpfe, wie die der beiden scheinheiligen Beter der Doriaschen Galerie in Rom, können ohne gründliche Beobachtung der Natur nicht

Abb. 27. Quinten Metsys, Bildnisstudie
Wien, Sammlung Figdor

geschaffen worden sein. Es ist deshalb kaum einem besonderen Zufalle zuzuschreiben, daß uns noch eine solche Studie nach dem lebenden Modell erhalten
geblieben ist: wir meinen die herrliche Bildnisstudie, die aus dem Besitze des
Grafen d'Oultremont in die Sammlung der Frau André in Paris gelangt und
durch die Brügger Ausstellung des Jahres 1902 in weiten Kreisen bekannt
geworden ist (Abb. 25).

Von einem gelblichweißen Grunde hebt sich das höchst charakteristische
Profil eines mit schwarzer Mütze und dunklem Pelz bekleideten alten Mannes ab;
seine Züge sind von einer überraschenden Häßlichkeit, die Nase ist dick und
nach unten gebogen, das feiste Gesicht runzlig und von Bartstoppeln bedeckt, die
wulstige Unterlippe hängt herab, die Haut sieht aus wie bräunliches Leder.
Sicherlich handelt es sich hier nicht um ein bestelltes Porträt; dagegen spricht
schon der Umstand, daß Metsys, wie Max J. Friedländer zuerst gesehen hat, das-

selbe Modell zu dem verliebten Alten auf dem Bilde der Gräfin Pourtalès benutzt hat. Zudem sind die Bildnisse des Meisters in der Liechtensteinschen Galerie in Wien, in Longford Castle und im Städelschen Institut zu Frankfurt in Stil und Anlage völlig anders und viel kunstvoller in der Komposition. Daß das Bild endlich auf Papier, nicht auf Holz gemalt ist, beweist vollends, daß es als Modellstudie gemeint war, wozu das vergängliche Material eher genügen mochte als zu einem bestellten Porträt. Noch Rubens und van Dyck haben vielfach solche Ölstudien auf Papier gemalt. Aber auch von Metsys selbst gibt es — im Besitze des Herrn Dr. Albert Figdor in Wien — zwei auf Papier gemalte weibliche Studienköpfe (Abb. 26 und 27). Es sind fein durchgeführte Ausdrucksstudien von inniger Empfindung, wie sie der Meister für einen seiner großen Altäre, wie etwa den der Beweinung Christi in Antwerpen, zu verwenden beabsichtigt haben mag.

Stolz hat Quinten Metsys auf die Bildnisstudie jenes häßlichen alten Mannes in großen Buchstaben seinen Namen gesetzt. Er war mit seiner Arbeit mit Recht zufrieden, und in der Tat hat er kaum ein Werk von größerer malerischer Vollendung geschaffen. In der Wahrheit der Darstellung menschlicher Häßlichkeit hat er freilich in seiner eigenen Schule Vorgänger genug: Jan van Eyck, den Meister von Flémalle und auch jenen ausgezeichneten Künstler, der das höchst merkwürdige, bisher dem Bauernbruegel zugeschriebene Bildnis eines Hofnarren in der Wiener Gemäldegalerie geschaffen hat. In Metsys' Zeit spürte man aber einen neuerlichen Antrieb zu den äußersten Folgerungen des Naturalismus. Lionardo, Dürer und — in den Niederlanden selbst — Hieronymus Bosch schaffen förmliche Musterkarten von physiognomischen Absonderlichkeiten. Ihre Absicht ging sicherlich nicht dahin, Karikaturen zur Belustigung in unserem Sinne hervorzubringen, ihren Bestrebungen liegt vielmehr das ernste Wollen zugrunde, alle Möglichkeiten menschlicher Gesichtszüge zu erschöpfen. Auch die Züge jenes fetten Greises haben Quinten Metsys wohl hauptsächlich aus diesem Grunde interessiert und er war sich dabei der Wahrheit des Satzes bewußt, daß Häßlichkeit in der Kunst und Häßlichkeit in der Natur zwei verschiedene Dinge seien. Dieser Satz ist so alt, daß ihn Aristoteles in seiner Poetik schon deutlich ausspricht, erklärt und begründet und daß er sicherlich den Humanistenkreisen, in denen Lionardo, Dürer und Metsys verkehrten, nicht fremd geblieben ist. Und doch gibt es heute noch Menschen, die ihn nicht kennen oder seine Wahrheit nicht anerkennen.

(1911)

Abb. 28. Dirick Vellert
Wappen der Lucasgilde von Antwerpen
Holzschnitt in der Universitätssammlung
zu Oxford

BEITRÄGE ZUR GESCHICHTE DER ANTWERPNER MALEREI IM 16. JAHRHUNDERT

Zur Einführung

Als Dürer im Jahre 1520 seine Reise nach den Niederlanden antrat, konnte es für ihn nicht zweifelhaft sein, wohin er sich wenden, wo er längeren Aufenthalt nehmen sollte. Es war fast selbstverständlich, daß er Antwerpen wählte; denn diese Stadt war dazumal schon die reichste in den ganzen Niederlanden; nicht nur als Handels-, sondern auch als Kunststadt stand sie in Nord- und Mitteleuropa ohnegleichen da. Ihren großen wirtschaftlichen Aufschwung, der sich vom Beginne des 16. Jahrhunderts an immer mehr und mehr steigerte, hatte sie nicht zum geringsten Teile dem allmählichen Verfalle Brügges zu danken. Durch die widerrechtliche Gefangenhaltung König Maximilians hatten sich's die Brügger für immer mit den Habsburgern verdorben. Schon im Juni 1488 schlägt Maximilian den damals in Brügge ansässigen fremden Kaufleuten eine Übersiedlung nach dem königstreuen Antwerpen vor, wo ihnen alle möglichen Rechte und Freiheiten zugesichert werden sollten. Wenn auch dieser Aufforderung, vielleicht aus Mangel an Vertrauen, zunächst nur Wenige gefolgt sein mögen, so war sie doch wohl der erste Anstoß zu einem Ereignisse, das sich in den folgenden Jahren vollziehen sollte. Sehr wesentlich trug auch zum Niedergange Brügges die allmähliche Versandung seines Hafens bei, die der Schiffahrt und damit auch dem Handel die größten Schwierigkeiten in den Weg legte. Antwerpen dagegen, das in allen Kämpfen neben dem benachbarten Mecheln treu zu den Habsburgern gestanden hatte, war nicht nur durch die bedeutenden Privilegien, die seinen Jahr- und Pferdemärkten gewährt wurden, für den Binnenhandel außerordentlich wichtig geworden, sondern es hatte auch, in den Jahren 1503 und 1504, die Vermittlung des portugiesischen Handels, der den überseeischen Verkehr mit dem fernen Westen in sich einschloß, gänzlich an sich gerissen. Während die Portugiesen früher ihre Waren durch italienische Häfen, besonders über Venedig, nach dem Norden gebracht hatten, war jetzt in Antwerpen ein mächtiger Hafen entstanden, der die gesamte Einfuhr überseeischer Produkte in die Niederlande und nach Deutschland besorgte. In Antwerpen wurde damals auch das Amt eines königlich portugiesischen »Faktors«, nach unseren heutigen Begriffen etwa das eines Generalkonsuls, geschaffen. Von ihm beziehen von nun an die Vertreter der großen deutschen Handelshäuser, der Fugger, Welser, Höchstätter und anderer, ihre Waren und senden sie nach Deutschland. Dieser Übergang des Welthandels nach Antwerpen hat nun auch bewirkt, daß Maximilian noch die Erfüllung seines Wunsches, den er in jenem Schreiben von 1488 ausgesprochen hatte, erleben sollte: um das Jahr 1516 übersiedeln, wie Giucciardini berichtet, alle fremden Kaufleute, die bisher in Brügge ihren Wohnsitz gehabt hatten, mit Ausnahme einiger weniger Spanier, nach Antwerpen. Damit war der Vorrang Antwerpens vor Brügge für alle Zeiten besiegelt.

Durch den Wohlstand und Reichtum, der sich dank dieser Verhältnisse bei allen Ständen entwickelt, wird der Bedarf an Kunstwerken aufs höchste gesteigert; und im Verein mit dem regen Leben und Treiben der großen Handelsstadt erzeugt dies eine Blüte der Kunst, wie sie die Niederlande bisher noch nicht gesehen hatten. Die Einfuhr von Kunstwerken aus Brüssel, die noch am Ende des 15. Jahrhunderts notwendig gewesen war, um den Bedarf Antwerpner Kunstliebhaber zu decken, wird bald überflüssig. Insbesondere entwickelt sich die Malerei hier geradezu zu einem wichtigen Industriezweige, und Antwerpner Altäre werden, wie wiederholt nachgewiesen worden ist, nach aller Herren Länder, nach Deutschland, Spanien, Portugal und Italien, ausgeführt. Um die Mitte des 16. Jahrhunderts fand Guicciardini Werke von Antwerpner Malern fast auf der ganzen Welt zerstreut. Auch für den Verkauf der Gemälde im Inlande sorgen zur Zeit der großen Jahrmärkte öffentliche Kunstmärkte, durch die der Handel mit Flügelaltären, Tafelbildern und Holzschnitzereien gewissermaßen monopolisiert wird. Diese Ausstellungen von Kunstwerken fanden anfangs unter geistlicher Obhut bei der Liebfrauenkirche statt (Onze Lieve Vrouwen Pand)[1], später in den weiten prächtigen Räumen der neuen Börse, die

[1] Van den Branden, Geschiedenis der Antwerpsche Schilderschool, Antwerpen 1883, p. 35 ff.

1531 auf dem schönsten Platze von Antwerpen erbaut worden war[2]. Sicherlich
haben diese Veranstaltungen nicht nur auf den Absatz der Bilder, sondern auch
auf die ganze Kunstübung keinen geringen Einfluß genommen. Außerdem
schickten, wie man aus van Manders Buch weiß[3], manche Antwerpner Künstler
ihre Bilder auf Provinzmärkte, wo sie reißenden Absatz fanden. Auch erhielt
im Jahre 1508 die Lucasgilde das Recht, Gemälde aller Art und Malerzubehör
in ihrem Hause zu verkaufen, wogegen die Dekane der dadurch betroffenen
Trödlergilde keinen Einspruch erhoben[4]. Seit alter Zeit war es üblich, daß die
Dekane der Malergilde zum Beweis für die Güte des verwendeten Materials das
Stadtwappen auf die Rückseite der Altarwerke einbrannten, und zwar auf das
bloße unbemalte Holz eine Hand und später nach Vollendung des Gemäldes
eine Burg, die mit der Hand zusammen das Wappen von Antwerpen bildet[5].
Dieses Kennzeichen ist wiederholt mit Nutzen zur Bestimmung der Herkunft
niederländischer Altäre verwendet worden.

Die überaus günstigen geschäftlichen Bedingungen mußten auch auf die
gesellschaftliche Stellung der Maler von Einfluß sein. Sie spielen im öffentlichen
Leben der Stadt eine hervorragende Rolle, und die alte Malergenossenschaft, die
Lucasgilde, genießt ein Ansehen, das sich mit dem unserer Künstlergenossen-
schaften nicht vergleichen läßt. Die beiden Dekane dieser Brüderschaft nahmen
an der Staatsverwaltung teil und gewannen dadurch nicht nur über ihre Mitglieder, sondern über alle, die mit der Kunst zu tun hatten, eine gewisse Ober-
hoheit. Auch die Gilde selbst blühte immer mehr und mehr. Während die Zahl
der Brüder im Jahre 1453 nur 35 betragen hatte, war sie schon im Jahre 1490
auf 212 gestiegen, und um die Wende des Jahrhunderts dürfte die Gilde nicht
weniger als 300 Mitglieder gezählt haben. Von dem Reichtum der Genossen-
schaft, der durch Erhöhung der Eintrittsgebühren noch gesteigert wurde, zeugt
das Gastmahl, das die Maler dem großen deutschen Künstler Albrecht Dürer
auf ihrer mit Wappen, Emblemen und sonstigen Zieraten prächtig geschmückten
»Stuben« gaben. Hier wurde auf reichem Silbergeschirr eines von jenen köstlichen
Mahlen aufgetischt, auf die das von Guicciardini mitgeteilte Scherzwort paßt:

»Io mi pasco in Anversa tanto bene,
Ch'io non invidio Roma, ne Athene.«

Von der größten Bedeutung sowohl für die gesellschaftliche Stellung als
auch für die Bildungsstufe der Maler ist ihr Verkehr mit den Humanisten.
Männer wie Petrus Aegidius, Cornelius Grapheus, Thomas Morus, Erasmus von
Rotterdam und andere zählen zu ihren Freunden. Mit den Humanisten saßen
die Maler in der Rhetorikerbrüderschaft der »Violieren«, die seit 1480 mit der
Lucasgilde vereinigt war, zusammen. Zu den hauptsächlichsten Aufgaben dieser

[2] Guicciardini, Descrittione di tutti i Paesi Bassi, Antwerpen 1567, p. 67.
[3] Im Leben des Jan de Hollander.
[4] Rombouts en van Lerius, De Liggeren en andere historische Archieven der Antwerpsche
Sint Lucasgilde, Antwerpen 1872, p. 70.
[5] Van den Branden, a. a. O., p. 31.

Brüderschaft gehörte die Veranstaltung von großartigen Aufführungen, Festen und Triumphzügen, bei denen alle drei Künste, Dichtkunst, Malerei und Musik, mitwirkten und ihr Bestes gaben. Schon die alljährlichen geistlichen Prozessionen werden von diesem prachtliebenden Volke mit ungeheurem Pomp und Gepränge ausgestattet. Neben der Prozession zu Ehren der Beschneidung des Herrn am Tage der Heiligen Dreifaltigkeit und des Fronleichnamstages war wohl das Prächtigste, was man an solchen Dingen in Antwerpen sehen konnte, der Umzug zu Ehren Unserer Lieben Frau, der alljährlich am ersten Sonntage nach Mariä Himmelfahrt stattfand. Da zogen in langer Reihe an dem Beschauer vorbei, in reiches Festgewand gekleidet, die weltlichen Brüderschaften, die Handwerker- und Schützengilden mit ihren Zeichen und Standarten, dazu Pfeifer, Posaunen- bläser und Trommelschläger, der Magistrat, die geistlichen Orden und Brüder- schaften und endlich der Klerus. Darauf folgte ein großes Bildwerk, das die Heilige Jungfrau darstellte, von zwanzig Personen getragen. Und hinterher kamen zahllose Wagen, die auf Schiffen lebende Bilder geistlichen und weltlichen Inhalts trugen. Da sah man zu Dürers Zeiten die Propheten, die Verkündigung Mariä, die Heiligen Drei Könige auf Kamelen und anderen seltsamen Tieren, die Flucht nach Ägypten, die heilige Margareta mit dem Drachen, umgeben von Jung- frauen, den heiligen Georg mit seinen Knechten und viele andere Heilige. Der Umzug dauerte nicht weniger als zwei volle Stunden.

Wenn schon bei den jährlichen Prozessionen eine solche Pracht entfaltet wurde, wie hoch mag es dann erst bei Festen hergegangen sein, die zur Feier von außerordentlichen Anlässen veranstaltet wurden? Der Hauptanteil an dem Arrangement fiel der Rhetorikerkammer der Violiere zu, die sich dabei der wohlwollenden Unterstützung der Behörden zu erfreuen hatte. Siege, glückliche Friedensschlüsse und Vermählungen der befreundeten Herrscher wurden durch öffentliche Schaustellungen gefeiert. Das Glänzendste von allem waren aber die Einzüge der Monarchen. So empfing man hier im Jahre 1486 mit großen Fest- lichkeiten den Kaiser Friedrich III., den römischen König Maximilian und dessen Sohn Philipp den Schönen, acht Jahre später mit gleichem Pompe Maximilian und Philipp allein. Da gab es Triumphzüge, Schauspiele und lebende Bilder zur Freude und Belustigung der Gefeierten und der ganzen Antwerpner Bevölkerung. Die höchste Staffel aber erreichte diese Festfreudigkeit in dem berühmten Einzug Karls V. im Jahre 1520. Dürer hat ihn mitangesehen und mochte sich wohl wundern über den Reichtum, über die Pracht, die hier auf solche Dinge ver- schwendet wurde. Zu beiden Seiten der Straße, durch die der Kaiser einzog, waren zwei Stock hohe, mit Malereien reich verzierte Holzlauben angebracht, auf denen geistliche und weltliche Schauspiele und lebende Bilder aufgeführt wurden. Dürer sah mit Staunen die 250 Maler und 300 Schreiner, die an diesem Riesenwerk beteiligt waren, im Antwerpner Zeughause arbeiten. Die Arbeit der Schreiner und Maler kostete allein 4000 Gulden, für diese Zeit wohl eine ungeheure Summe Geldes. Die Leitung des ganzen Festes besorgten die berühmten Humanisten Petrus Aegidius und Cornelius Grapheus, die auch ein gedrucktes Programm dazu herausgaben.

Die allgemeine Festesfreude, die so im Gefolge des Wohlstandes und Reichtums in die aufblühende Handelsstadt einzieht, drückt auch der Kunst jener Tage ihr eigenes Gepräge auf. Manche Züge der damaligen Antwerpner Malerei wären uns ohne den Einblick in diese glänzende, weltbürgerliche Umgebung ganz unerklärlich. Von jenen prächtigen Triumphen und Feierlichkeiten, von jenen Schauspielen und lebenden Bildern, die selbst bei reichen Hochzeiten, bei Fastnachtsbanketten und dergleichen Platz fanden, strömt den Malern eine gewaltige Anregung zu. Hier haben sie die kostbaren, immer etwas an Maskerade erinnernden Trachten her, die manierierten, schauspielerhaften Gebärden und die kräftige, oft grelle Farbengebung. Und die reiche, ja überladene Architektur ist in diesen Gemälden sicherlich keine andere als in jenen flüchtigen Dekorationen des Augenblicks, die uns nicht mehr erhalten geblieben sind. Kurz, das »außerordentlich barocke, oft ungenießbare Ganze«, das der berufenste Beurteiler[6] in den meisten der Antwerpner Altäre jener Zeit gefunden hat, läßt sich nicht anders als aus jenen äußeren Bedingungen erklären, die wir hier anzudeuten versucht haben.

Der frische Zug, der das öffentliche Leben durchströmt, ist für die Antwerpner Malerei der ersten drei Jahrzehnte des 16. Jahrhunderts wichtiger als die so oft hervorgehobene Aneignung des Formenschatzes der italienischen Renaissance. Im wesentlichen ist diese Kunst ja doch ein Kind nordischer Spätgotik: es ist ihr so viel Krauses, Absonderliches, Buntes und Unharmonisches eigen, wie es auf italienischem Boden nie hätte Anklang finden können. In der großen Handelsstadt, wo fortwährend Kunstwerke aller Völker zusammenströmen, vollzieht sich das Eindringen der italienischen Renaissance allmählicher und, wir können zugleich auch sagen, in erfreulicherer Weise als sonst, eben weil hier der Boden für die Aufnahme fremder Kultur besser geebnet ist. Die wenigsten von den Künstlern, die wirklichen Einfluß gewinnen, haben den geweihten Boden Italiens betreten[7]. Daher wird der Formenschatz meist nicht aus der eigenen Anschauung der italienischen Bildkunst geschöpft, sondern vorzüglich aus dem Studium italienischer Kupferstiche, die leicht nach Antwerpen gelangen konnten. Auch darf der Schatz an abgeleiteten Renaissanceformen, die in den sicherlich in Antwerpen verbreiteten Werken Dürers, Burgkmairs und auch Lucas' van Leyden zu finden waren, nicht übersehen werden.

Doch zeigt sich der Einfluß italienischer Kunst auch hier schon in einigen nicht unbedeutenden Einzelheiten, die freilich bald Gemeingut der niederländischen Malerei überhaupt werden. Die steife, gemessene Haltung der Figuren wird nun von einer freieren und lebendigeren Beweglichkeit abgelöst. Stand- und Spielbein finden ihre regelrechte Verwendung, man versucht sich in Verkürzungen, Kontraposten und Rückenansichten. Zugleich aber mit dieser größeren Freiheit der Bewegung wird vielfach die innerliche geistige Belebung aufgegeben, und bedeutungslose Gebärden kommen auf, die dieser ganzen Kunst den Eindruck des Äußerlichen, Oberflächlichen verleihen. Die Gestalten

[6] C. Justi, im Jahrbuch der preußischen Kunstsammlungen, Berlin 1895, S. 29.
[7] Vgl. auch C. Justi, a. a. O., S. 28.

erhalten oft überschlanke Proportionen, was wir vielleicht den Lehren des am Hofe des benachbarten Mecheln lebenden Jacopo de' Barbari zu danken haben. Das Nackte wird richtiger und mit mehr Liebe behandelt als vordem. Einerseits ist dies ein Verdienst der Proportionsstudien, die nun wohl auch in den Niederlanden Eingang finden; andererseits geben auch die öffentlichen Schaustellungen manche Gelegenheit, das Nackte kennenzulernen, da hier, wie wir aus einer Äußerung Dürers an Melanchthon schließen können, auch wenig verhüllte weibliche Schönheiten zu sehen waren. Eine eigentümliche Vermengung von Antikem und Modischem finden wir in den Trachten, die einen überreichen Faltenwurf von kostbaren Stoffen zeigen, so daß oft das Gewand mit der Hand zusammengerafft werden muß, damit es nicht am Boden schleift. Diese seltsamen Gestalten werden nun auch zu freieren Kompositionen gruppiert, und allenthalben wird die herkömmliche, symmetrische Weise als veraltet betrachtet und über Bord geworfen.

Am bedeutendsten zeigt sich der Einfluß der Renaissance in den von den Künstlern dieser Zeit mit großer Vorliebe in ihren Bildern verwendeten Bauwerken und kunstgewerblichen Gegenständen. Doch hat auch hier das struktive Element sehr häufig den Charakter der Spätgotik, während in der Ornamentik die italienischen Formen schon die größte Rolle spielen. Jene Putten mit lebenden Blumen- und Früchtengehängen, die das früheste Beispiel italienischer Einwirkung sind und zuerst in Brügge auftauchen, stammen wohl ursprünglich aus Padua und fanden vielleicht über Venedig ihren Weg in die Niederlande. Auch in Antwerpen wird dieses Motiv zur Ausschmückung der Architektur in der mannigfachsten Weise verwendet. Dazu kommen aber noch alle möglichen anderen Renaissanceformen: Säulen mit korinthischen Kapitälen, die oft seltsam der gotischen Architektur angepaßt werden, Pilaster mit Grotesken, Trophäen und dergleichen, Delphine, auf denen Knäblein reiten, Frauengestalten mit Fischleibern, statuenartige Kriegerfiguren mit Schild und Speer und Medaillons mit Bildnissen römischer Kaiser. Endlich müssen hier die Renaissanceruinen erwähnt werden, die ohne Zweifel auf keinen Geringeren als auf Andrea Mantegna zurückgehen. Sie finden besonders in den zahllosen Darstellungen der Anbetung der Heiligen Drei Könige aus dieser Zeit und Schule eine wahrhaft begeisterte Aufnahme. Eine genaue Untersuchung würde sicherlich ergeben, daß den meisten dieser Architekturen italienische Kupferstiche, wie etwa die Mantegnas und Nicolettos da Modena, zugrunde liegen. Bei dem sogenannten Meister des heiligen Ägidius, dessen Herkunft und Aufenthalt vorläufig noch rätselhaft sind, wurde ja auch die Entlehnung einer solchen Architektur aus Bramantes großem Kupferstich nachgewiesen[8].

Wenn wir den Versuch wagen wollen, ein Bild der Entwicklung der Antwerpner Historienmalerei etwa in den Jahren 1500—1530 zu entwerfen, so stoßen wir gleich auf ungeheure Schwierigkeiten. Es ist, als ob über diesen Dingen ein Schleier läge, dessen Zipfel wir wohl manchmal zu lüften vermögen,

[8] Vgl. M. J. Friedländer, Ausstellung von Kunstwerken des Mittelalters und der Renaissance, Berlin 1899, S. 11.

der uns aber immer noch den größten Teil des Bildes verhüllt. Wir haben dank der Erschließung der Archive der Lucasgilde und anderer Quellen eine große Anzahl von Künstlernamen, deren Werke uns aber fehlen; und andererseits finden wir in den verschiedensten Sammlungen Gemälde, deren Herkunft aus Antwerpen uns nicht zweifelhaft scheint, deren Urheber jedoch nicht bekannt sind. Ja selbst die vierzigjährige Tätigkeit des Mannes, dessen gewaltigen Einfluß wir fast in allen Werken dieser Schule entdecken, die Lebensarbeit des großen Q u i n t e n M e t s y s , vermögen wir nicht zu überblicken. Nur aus dem kleinen Zeitraum von 1503 bis 1519 kennen wir von ihm beglaubigte und datierte Werke. Für die zwölf vorhergehenden und die zwölf nachfolgenden Jahre sind wir ganz auf Vermutungen angewiesen. Waagen hat versucht, wenigstens die frühe Zeit seiner Tätigkeit aufzuhellen, ein Versuch, der lange unbeachtet geblieben ist, bis Justi und Scheibler die Richtigkeit von Waagens feinen Beobachtungen öffentlich anerkannt haben. Auch mir scheinen die beiden edlen Marienbilder des Brüsseler Museums (Nr. 540 und 643) von keinem anderen herzurühren, als von Quinten Metsys; sie sind wohl noch im letzten Jahrzehnt des 15. Jahrhunderts entstanden, worauf die rein gotischen Bauformen hindeuten; und doch verrät die Tiefe des religiösen Ausdruckes zugleich mit einigen unbedeutenden, aber bezeichnenden Einzelheiten überzeugend die Hand des großen Meisters. Diesen beiden Jugendwerken reiht sich ein Bild des Germanischen Museums an, von dem bisher noch kaum die Rede gewesen ist: Maria mit dem Kinde, hinter der vier schwebende Engel ein weißes Tuch halten (Nr. 75). Während hier der Zusammenhang mit jenen frühen Brüsseler Bildern im Kopftypus Mariä und in der Bildung des weißgekleideten Kindes völlig klar wird, gemahnt dieses treffliche Werk auch schon sehr an die späteren Werke, besonders an die im Jahre 1503 entstandenen Flügel des Altarschreines zu Valladolid, die Justi[9] entdeckt hat. Das Nürnberger Bild dürfte daher etwa gegen Ende des 15. Jahrhunderts entstanden sein.

Schon diese Jugendwerke, die noch einen bescheidenen, sozusagen bürgerlichen Eindruck machen und nichts von dem späteren Glanz und Reichtum in Farbe und Komposition ahnen lassen, haben ohne Zweifel auf ihre Zeitgenossen stark eingewirkt. Davon zeugen eine Anzahl von Werken anonymer Meister, die sich an diese Epoche von Quintens Entwicklung enge anschließen und denselben Stil zum Teil noch bis in das dritte Jahrzehnt des 16. Jahrhunderts hinein fortführen. Dahin gehört zum Beispiel der Maler der Heiligen Familie der Gavetschen Sammlung, die 1897 zu Paris versteigert wurde (Nr. 751)[10]; von derselben Hand dürfte wohl auch die Maria mit dem Kinde in der Münchner Pinakothek (Nr. 132, derzeit Schleißheim) herrühren, ein Werk, das freilich durch Übermalung sehr gelitten hat. Von einem anderen nicht unbedeutenden Meister,

[9] C. Justi, Der Altarschrein des Lizenziaten Gonzalez in S. Salvador zu Valladolid, im Jahrbuch der preußischen Kunstsammlungen, VIII, Berlin 1887, S. 24.

[10] Vgl. M. J. Friedländer, a. a. O., S. 20. — Die heilige Magdalena, die aus der Mansischen Sammlung in Lucca in die Berliner Galerie (Nr. 574D) gelangt ist, scheint mir jedoch eher von Quinten Metsys selbst herzurühren.

der die Tiefe religiöser Empfindung, die aus Metsys' frühen Arbeiten spricht, mehr ins Zarte und Zierliche gewendet hat, rührt ein Altar her, dessen Tafeln sich zum größten Teile in München befinden. Es sind dies die Heilige Dreifaltigkeit, die Heilige Jungfrau auf dem Halbmonde, der heilige Rochus (auf der Rückseite die heilige Anna selbdritt in Grisaille) in der Münchner Pinakothek (Nr. 141—143) und der heilige Sebastian (auf der Rückseite der heilige Lukas in Grisaille) im Germanischen Museum zu Nürnberg. Derselbe Künstler hat, wie ich glaube, auch die beiden Flügel mit der heiligen Agnes und dem Evangelisten Johannes im Besitze von Herrn A. von Carstanjen in Berlin gemalt, vorzügliche Bildchen, die Kenner wie Ludwig Scheibler und M. J. Friedländer des Pinsels Meister Quintens selbst für würdig gehalten haben. In denselben Kreis gehört auch das Joachim Patinir zugeschriebene große Bild mit der Schmerzensmutter, umgeben von sechs Medaillons, in der Brüsseler Galerie (Nr. 300). Die Verehrung der Mutter Gottes von den Sieben Schmerzen läßt sich gerade in der Antwerpner Lucasgilde mit Sicherheit nachweisen: nicht nur erwarb diese Gilde im Jahre 1495 vom Papste eine Bulle, die die Einrichtung einer Bruderschaft zu Ehren Unserer Lieben Frau von den Sieben Schmerzen (broederschap van Onse Lieve Vrouwen van Seven Ween) bestätigte, deren Feste in Antwerpen mit großer Feierlichkeit in der Kapelle des heiligen Lukas abgehalten werden sollten, sondern sie hatte auch in ihrem Hause als Gegenstück zu einem heiligen Lukas eine Tafel aufgehängt, die die Schmerzensmutter darstellte, umgeben von sieben Tabernakeln mit den Sieben Schmerzen Mariä[11]. Nun hat schon Fétis darauf aufmerksam gemacht, daß das Brüsseler Gemälde auf einem der Medaillons das Wappen der Lucasgilde trägt. Nach dem eben angedeuteten Zusammenhange kann es also nicht zweifelhaft sein, daß auch dieses Werk, ebenso wie das urkundlich erwähnte, im Auftrage der Antwerpner Malergilde entstanden ist.

Tiefer ins 16. Jahrhundert führt uns die Tätigkeit eines Malers, den ich nach seinem Hauptwerke den M e i s t e r d e s H a r r a c h s c h e n F l ü g e l a l t a r s nennen möchte. Bei ihm spürt man schon in der Landschaft eine starke Einwirkung Joachim Patinirs, während die Figuren noch einen ziemlich altertümlichen Charakter zeigen. Das Triptychon der gräfl. Harrachschen Galerie (Nr. 51) enthält im Mittelbilde die Kreuzigung, auf dem rechten Flügel die heilige Helena und auf dem linken Maria mit dem Kinde und der heiligen Elisabeth[12]. Ähnliche Darstellungen der Kreuzigung, die sich alle durch den gleichen wahren, schlichten Ausdruck des Schmerzes und durch die

---

[11] Van den Branden, a. a. O., p. 81.

[12] Dieses Werk stammt merkwürdigerweise aus der Galerie Erzherzog Leopold Wilhelms (1659). In dem Verzeichnisse dieser Sammlung (Jahrbuch, Bd. I, S. CXLI) ist es unter Nr. 548 beschrieben: »Mehr ein Altarstuckh mit zwey Flüglen von Öhlfarb auf Holcz, warin Christus der Herr zwischen den zween Schächern am Creütz hangt, dabey auf der rechten Seithen stehet die Muetter Gottes, auf der linckhen der heyl. Johannes vnndt bey denn khniedt die heyl. Maria Magdalena; auf dem rechten Flügel siczt unser liebe Fraw mit dem Kindtlein vnndt die heyl. Elisabeth, vnndt auf dem linckhen stehet die heyl. Elena mitt dem Creütz in den Händten. — In einer vergulden Ramen, hoch 8 Spann 4 Finger vnndt 5 Spann 9 Finger braith. — Original von Holbain.«

vorzügliche, nur aus wenigen Figuren bestehende Komposition auszeichnen, finden sich auch in anderen Sammlungen, so eine Tafel in der fürstlich Liechtensteinschen Galerie in Wien (Nr. 730), wovon eine mäßige Kopie in der Münchner Pinakothek (Nr. 140, derzeit nicht ausgestellt) aufbewahrt wird; die schönste von allen besitzt die Nationalgalerie zu London (Nr. 715, jetzt Quinten Massys genannt)[13]. Dazu kommt noch eine kleine Beweinung Christi im Louvre (Nr. 2203, Legat der Madame Sevène), die sicherlich von derselben Hand herrührt. Das späteste Beispiel der Kunst dieses merkwürdigen Meisters scheint mir das Triptychon des Brüsseler Museums (Nr. 583) zu sein, das im Mittelbilde wieder die Kreuzigung und auf den Flügeln die Bildnisse der Stifter und ihrer Kinder darstellt. Nach der Übereinstimmung mit diesen Porträten rührt auch das Stifterbildnis der Londoner Nationalgalerie (Nr. 1081) von demselben Künstler her. Endlich steht ihm in der Ausführung die bekannte Beweinung Christi der Münchner Pinakothek (Nr. 139; jetzt 539) nahe, während die bedeutende Komposition dieses Gemäldes allem Anschein nach auf ein Urbild des Quinten Metsys selbst zurückgeht.

Alle diese Werke, deren Zahl sich leicht vermehren ließe, stehen noch völlig abseits von jener Strömung, die etwa um das Jahr 1510 die Antwerpner Malerei ergreift und deren Ursachen wir oben zu schildern versucht haben. Schon in den beiden berühmten großen Flügelaltären des Quinten Metsys aus den Jahren 1509 und 1511 kann man den Keim einer solchen Bewegung erkennen, wenn auch die gewaltige künstlerische Kraft dieses Meisters ihn noch völlig vor jeder Übertreibung bewahrt. Reichtum und Pracht, sei es in den Kostümen oder in den Architekturen oder in der Komposition, bilden fortan das malerische Ziel der Antwerpner Kunst. Wie weit Quinten Metsys hier mitgegangen ist, können wir heute nicht mehr sagen, da uns aus späterer Zeit keine größeren Historienbilder seiner Hand mehr erhalten sind. In den Figuren der Versuchung des heiligen Antonius im Prado, die kaum vor 1515 gemalt worden sein kann, da die Landschaft von Patinir herrührt, der erst 1515 in die Antwerpner Lucasgilde eingetreten ist, glaubt man einen leisen Anflug von Manieriertheit zu erkennen. Es scheint, als hätte er sich dem neuen Stil gegenüber wohl zögernd verhalten aber nicht ablehnend. Schwerlich ist er, der vertraute Freund der Humanisten, an den neuen Formen der Renaissance achtlos vorübergegangen. Davon zeugt schon die uns erhaltene Beschreibung eines seiner spätesten Werke, der dekorativen Ausschmückung seines eigenen Hauses (1528). Hier hatte der Meister sicherlich keine Ursache, dem Modegeschmack zu opfern, wenn es nicht aus persönlicher Überzeugung geschah; und doch verwendete er in diesen Freskomalereien jenes beliebte Motiv der Renaissance, Putten mit Medaillons, Blumen und Girlanden.

Besser als in den Schöpfungen des Hauptes der ganzen Schule vermögen wir in den Werken seiner Schüler und Nachfolger das Auftreten des neuen Stiles zu erkennen. Der glücklichste und zugleich einflußreichste Vertreter der Jüngeren

[13] Auf den Zusammenhang der eben genannten Werke hat mich schon vor Jahren mein verehrter Lehrer Geheimrat Justi aufmerksam gemacht.

ist ohne Zweifel der sogenannte Meister des Todes Mariä, in dem man vor einigen Jahren, wie ich glaube, mit vollem Rechte den in Antwerpner Urkunden dieser Zeit häufig vorkommenden J o s s e   v a n   C l e v e erkannt hat. Die große Beliebtheit und Fruchtbarkeit dieses Malers, von der die Verbreitung seiner Werke im Auslande und die Zahl von Wiederholungen seiner Kompositionen zeugen (manche seiner Darstellungen findet man ein dutzendmal wiederholt), erklärt sich aus seinem bereitwilligen, aber dabei doch etwas zurückhaltenden Eingehen auf den Modegeschmack und aus seinem eigenen ganz besonders liebenswürdigen Geschmack, der nirgends störende Manieriertheit zuläßt. Er hat Werke geschaffen, die zu seiner Zeit wohl allen gefallen haben und heute noch den meisten gefallen. Weniger Erfreuliches findet man in den zahlreichen Arbeiten seiner Zeitgenossen und Schüler[14]. Der Kempner Altar Adrians van Overbecke, der Reinholdaltar der Marienkirche zu Danzig und die Tafeln des sogenannten Meisters von Linnich zeugen davon, wie leicht dieser Stil bei geringeren Kräften in Manier ausarten konnte. Ein Alters- und Schulgenosse des Meisters vom Tode Mariä mag wohl auch der in Portugal tätige Fray Carlos[15] sein, der freilich in seinen bekannten Werken die eben genannten Arbeiten weit übertrifft: nach unserer heutigen Kenntnis dürfte er wohl eher dieser Schule als der von Haarlem zuzuteilen sein; dafür sprechen schon, abgesehen von Kennzeichen des Stiles, die regen Handelsbeziehungen zwischen Antwerpen und Portugal. Fray Carlos könnte vielleicht doch mit jenem Karle identisch sein, der 1505 in die Antwerpner Lucasgilde eintritt.

Was aber diese Schule an Absonderlichkeiten, die oft fast die Grenzen der Karikatur streifen, zu leisten imstande war, das sieht man erst an einer Gruppe von Bildern, die man sich gewöhnt hat, unter dem Sammelnamen H e r r i   m e t   d e   B l e s zusammenzufassen. Diese in allen Galerien Europas zerstreuten Werke veranschaulichen uns am besten das Niveau des damaligen handwerksmäßigen Betriebes der Antwerpner Malerei. Aus der ganzen Masse solcher Bilder ragt kaum e i n e künstlerische Persönlichkeit von wirklicher Bedeutung hervor. Man begegnet hier den verschiedensten Einflüssen: Mabuses prächtige Anbetung der Könige bei Lord Carlisle, die wohl noch während seines ersten Aufenthaltes in Antwerpen entstanden ist, bildet das Urbild jener zahllosen Darstellungen desselben Gegenstandes, die in diesem Kreise vorkommen. Daneben erkennt man leicht Einwirkungen von Künstlern wie Quinten Metsys, Josse van Cleve, ja auch Dürer und Lucas van Leyden.

Es kann wohl kein Zweifel darüber bestehen, daß eine ganze Reihe von Künstlern d i e Werke geschaffen hat, die man jetzt gemeiniglich unter dem e i n e n Namen Herri met de Bles verzeichnet. Wenn auch nicht das Haupt der Schule, so doch der merkwürdigste und zugleich der abenteuerlichste von allen diesen Meistern ist wohl der Maler der mit der Aufschrift »Henricus Blesius« bezeichneten Anbetung der Könige in der Münchner Pinakothek (Nr. 709). Die-

---

[14] Vgl. darüber C. Justi im Jahrbuch der preußischen Kunstsammlungen, Berlin 1895, S. 29.
[15] Vgl. C. Justi, Die portugiesische Malerei des 16. Jahrhunderts, im Jahrbuch der preußischen Kunstsammlungen, IX, Berlin 1888, S. 144.

selben überschlanken, aufgeputzten aber dabei doch mit sicherer Hand gezeichneten Figuren, dieselben phantastischen Bauten, dieselben noch stark unter Patinirs Einfluß stehenden Landschaften kehren in den beiden Flügelaltären mit der Anbetung der Könige als Mittelbild im Antwerpner Museum (Nr. 208—210), im Prado zu Madrid (Nr. 1171, jetzt 1361) und in der Enthauptung Johannis des Täufers der ehemaligen Sammlung Hainauer in Berlin wieder. Wie sollen wir aber diese Werke mit den späteren Landschaften Herris met de Bles zusammenreimen, von denen allein in den alten Quellen die Rede ist? Wie sollte ein Künstler auf einmal eine sichere, wenn auch manierierte Kunst im Figurenzeichnen verlernt haben, um plötzlich so erbärmliche Gestalten zu zeichnen, wie wir sie auf dem durch van Mander beglaubigten Bilde »Der Krämer und die Affen« in der Dresdner Galerie und auf den Landschaften der Wiener Galerie und des Museums zu Neapel sehen, wie sollte er mit einem Schlage die prächtigen Ruinen von Renaissancepalästen durch ärmliche Hütten und verfallene Burgen ersetzt haben? Eine solche Wandlung scheint kaum glaublich. Dazu kommen noch andere Bedenken: die künstlerische Handschrift dieser Landschaften, wie sie sich besonders im Baumschlage deutlich zeigt, stimmt ganz und gar nicht zu der jener Historienbilder; der ausgesprochene Charakter jener Darstellungen der Anbetung der Könige weist mit voller Sicherheit auf Antwerpen als den Ort der Entstehung hin; und doch fehlt in den Antwerpner Künstlerlisten jegliche Erwähnung eines Künstlers des Namens Herri met de Bles. Und auch van Mander weiß von solchen Dingen nichts zu erzählen. Ist nach alledem der Schluß zu gewagt, die Münchner Inschrift, die nicht tief im Farbenkörper sitzt, sondern sich plastisch abhebt, sei eine Fälschung, die vielleicht nur durch das Käuzchen veranlaßt worden ist? Nach meiner Ansicht, die ich hoffe, im Verlauf dieser Studien ausführlicher begründen zu können, haben wir kein Recht, den Namen Herri met de Bles mit der Bildergruppe, die uns hier beschäftigt, in Verbindung zu bringen.

Damit fällt auch der Glaube an die große Zahl von Schülern und Nachfolgern, die dieser mythische Herri met de Bles gehabt haben müßte. Der Meister der Münchner Anbetung der Könige ist nur einer unter den vielen, die einen bestimmten Stil der Antwerpner Malerei vertreten. Es war ein verhängnisvoller Irrtum, daß man hier in der allgemeinen Verwandtschaft der Schule das Verhältnis von Lehrer zu Schüler hat erkennen wollen. Freilich förderte diesen Irrtum der Umstand, daß vielen solchen Werken das Gepräge handwerksmäßigen Betriebes aufgedrückt ist.

Es kann nicht unsere Aufgabe sein, die ganze Gruppe von Kunstwerken, die hier in Betracht kommen, in völlig neue Ordnung zu bringen; dies wäre die Arbeit vieler Jahre und vieler Reisen, eine Arbeit freilich, die doch einmal geleistet werden muß. Nur einige flüchtige Andeutungen seien uns noch gestattet.

Wie gesagt, ist in diesem Kreise der häufigste Vorwurf der der Anbetung der Heiligen Drei Könige. Solche Darstellungen, meist Flügelaltäre, die diesen Gegenstand im Mittelbilde enthalten, finden sich in den Galerien zu Avignon, München (Nr. 147, derzeit Schleißheim), Brüssel (Nr. 577), Karlsruhe (Nr. 145, die Flügel dazu in Basel, Nr. 77 und 78) und Wien (Nr. 662), um nur einige davon zu nennen. In allen diesen Arbeiten erkennt man leicht die Hände verschiedener Maler, die freilich mehr Handwerker als Künstler gewesen sind. Nirgends läßt sich aber mit Sicherheit eine wirkliche Abhängigkeit von jenen angeblichen Jugendwerken Herris met de Bles nachweisen. Bei dem Umstande, daß gerade in diesem Kreise oft dieselbe Komposition mehrmals vorkommt, sollte man glauben, daß es einmal gelänge, zu diesen Kopien ein Original von der Hand des Künstlers zu finden, dem man den Namen Herri met de Bles gegeben hat. Dies ist aber bisher keineswegs gelungen. Beispiele solcher Wiederholungen sind der Flügelaltar des Palazzo Bianco zu Genua, dessen Mittelbild fast ganz getreu nach dem des Triptychons der Dresdner Galerie (Nr. 806^A)[16] kopiert ist, und die Tafel mit der Anbetung der Könige in der Münchner Pinakothek (Nr. 159, dort fälschlich Bernard van Orley zugeschrieben, derzeit in Schleißheim), die nichts anderes ist als eine genaue Kopie nach dem Mittelbilde des Triptychons des Brüsseler Museums (Nr. 54, unter dem Namen Jan Swarts). In beiden Fällen hat das Original ganz und gar nichts mit dem falschen Bles zu tun.

Dazu kommt noch, daß manche Arbeiten dieser Gruppe einen deutlich altertümlicheren Stil zeigen als die bisher dem Bles zugeschriebenen. Von einem Maler, der Quinten Metsys noch sehr nahesteht und in der Architektur fast reine Gotik verwendet, rühren die Heilige Sippe der Münchner Pinakothek (Nr. 129) und die heilige Magdalena der Londoner Nationalgalerie (Nr. 719) her. Diesem verwandt ist ein Künstler, dessen Werke zu den vorzüglichsten der ganzen Schule gehören und neben Zügen, die noch an Quinten Metsys erinnern, schon von der Einwirkung von Meistern, wie Lucas van Leyden und Mabuse, zeugen. Sein Hauptwerk ist das schöne Temperabild mit der Verkündigung der Sibylle in der Wiener Akademie (Nr. 568)[17]. Daran schließen sich die Tafel mit den Heiligen Konstantin und Helena in der Galerie zu Schleißheim (Nr. 31), die Handzeichnung mit Bathseba im Bade in der Albertina[18], das große Triptychon der Brüsseler Galerie (Nr. 560), das im Mittelbilde Christus bei Simon dem Pharisäer vorstellt, die Berufung des Matthäus in Windsor (unter Mabuses Namen) und endlich vielleicht das männliche Bildnis des Städelschen Institutes zu Frankfurt (Nr. 113, Quinten Metsys zugeschrieben).

Die vorliegenden Bemerkungen machen nicht den Anspruch darauf, ein vollständiges und wahres Bild der Entwicklung der Antwerpner Historienmalerei in den ersten Jahrzehnten des 16. Jahrhunderts zu geben, was heute noch ein Ding der Unmöglichkeit wäre, sondern sie haben nur den Zweck, die Schwierigkeiten, die uns auf diesem Gebiete entgegentreten, aufzuzeigen und die Fragen anzudeuten, deren Lösung in den nun folgenden einzelnen Untersuchungen versucht

[16] Über diese Bildergruppe vgl. die Mitteilungen Ed. Flechsigs und M. J. Friedländers in Woermanns Katalog der Dresdner Galerie von 1900.

[17] C. Justi (Jahrbuch der preußischen Kunstsammlungen, 1895, S. 29, Anm.) hat diesen Meister zuerst der Antwerpner Schule zugeteilt, während neuerdings Franz Dülberg (Die Leidener Malerschule, Berlin 1899, S. 89) in ihm einen Nachfolger des Cornelis Engelbrechtsz erkennen wollte.

[18] Schönbrunner und Meder haben schon in ihren »Handzeichnungen aus der Albertina« (Bd. IV, zu Nr. 439) den Zusammenhang dieser Zeichnung mit dem Bilde der Akademie erkannt.

werden soll. Wenn auch dabei manche Teile eines älteren, morschen Gebäudes niedergerissen werden müssen, ohne daß gleich an derselben Stelle neu aufgebaut werden kann, so hoffen wir doch, daß sich allmählich auf den Trümmern des alten ein neues Gebäude in voller Klarheit erheben wird.

Der erste Aufsatz dieser Folge soll einem Künstler gewidmet sein, von dem sich mit urkundlicher Gewißheit nachweisen läßt, daß er zu den angesehensten Antwerpner Künstlern der hier behandelten Zeit gehört hat.

Der wahre Name des Meisters D ★ V.

Nicht ohne Grund haben wir an die Spitze dieser Studien die Abbildung eines Holzschnittes gesetzt, der sich in der Universitätssammlung zu Oxford befindet (Abb. 28). Das kräftige, fast derb geschnittene Blatt, das durch die Verkleinerung bei der Wiedergabe einen etwas zu zierlichen Charakter erhalten hat, stellt, was merkwürdigerweise bisher noch nicht erkannt worden ist, das Wappen der Lucasgilde von Antwerpen vor[19]. Es ist ein prächtiges Beispiel nördlicher Renaissanceornamentik. Hier merkt man noch nichts von der späteren Verwilderung der Formen; in dem Geschmack, der das Ganze beherrscht, erkennt man Züge, bei denen einem Dürers ornamentale Schöpfungen in den Sinn kommen, die ja immer das Größte bleiben werden, was die Renaissance im Norden hervorgebracht hat.

In der Mitte unseres Holzschnittes sehen wir das bekannte Wappen der Antwerpner Malergilde, ein Schild mit drei kleinen Schildern darin, gehalten von einem geflügelten Stier, dem Sinnbilde des heiligen Lukas. Die reiche dekorative Umrahmung zeigt rechts und links je ein freistehendes Wappenschild, und zwar links den flandrischen Löwen und rechts das Wappen der Stadt Antwerpen unter österreichischer Herrschaft. Darunter liest man die Devise, die die Lucasgilde seit der 1480 erfolgten Vereinigung mit der Rhetorikerbruderschaft der »Violiere« führte: · WT · IONSTEN · VERSAEMT (aus Neigung vereinigt); darunter das Zeichen des Meisters, ein D und ein V mit einem fünfzackigen Stern darüber. Das Ganze wird bekrönt von einem Medaillon, das den kaiserlichen Doppeladler mit Krone und Goldenem Vließ enthält. Daneben steht der Wahlspruch Kaiser Karls V.: PLVS OVLTRE und darüber die Jahreszahl 1526[20].

Der Zeichner des Holzschnittes, der Monogrammist D ★ V, ist uns durch

[19] Beschrieben bei Passavant, III, p. 24. Maße 186 : 122 mm.

[20] Von diesem Holzschnitte war bisher nur der einzige Abdruck in Oxford bekannt, den wir oben beschrieben haben. Wie mir nun Herr Campbell Dodgson freundlichst mitteilt, hat das Britische Museum vor kurzem ein zweites Exemplar aus einer Exlibris-Sammlung erworben. Dieses Blatt ist dadurch merkwürdig, daß es hundert Jahre nach der Entstehung des Holzschnittes gedruckt ist. Unter der Darstellung, die mit der des Blattes in Oxford völlig übereinstimmt, steht nämlich in großen Buchstaben gedruckt H. D. N. 1626. Herr Dodgson hält es nicht für unmöglich, daß auch das Oxforder Blatt desselben Datums ist. In diesem Falle wären wir dem anonymen Nachdrucker zu größtem Danke verpflichtet dafür, daß er das Blatt, das vielleicht sonst ganz verlorengegangen wäre, durch seinen Nachdruck bis auf unsere Zeit gebracht hat.

eine Anzahl von Kupferstichen bekannt, die sein Zeichen tragen und ihn nach Lucas van Leyden als den bedeutendsten niederländischen Kupferstecher dieser Zeit erkennen lassen. Vergeblich hat man aber bisher nach seinem Namen und seiner Herkunft gesucht. Hinderlich war dabei die »seit unvordenklicher Zeit«, wie schon Nagler sagt, überlieferte Annahme, der Meister müsse Dietrich vom Stern oder, nachdem man ihn als Niederländer erkannt hatte, D i r c k v a n S t a r e n geheißen haben. Diese Vermutung gründete sich auf die falsche Deutung des Sternes, der zwischen den beiden Buchstaben D und V steht, dem aber schwerlich eine größere Wichtigkeit als die eines wappenartigen Zierates zukommt: ebenso unwahrscheinlich ist es auch, daß das V an dieser Stelle als v a n gelesen werden sollte.

Da also die alte Erklärung bei näherem Zusehen sich als unhaltbar erweist, liegt einer neuen nichts im Wege. Anhaltspunkte geben der Stil, der mit Sicherheit nach Antwerpen als den Ort der Entstehung hinweist, und andererseits der Umstand, daß sich in verschiedenen Sammlungen Europas Vorzeichnungen für G l a s g e m ä l d e gefunden haben, die mit demselben Monogramm bezeichnet sind wie jene Kupferstiche. Es war daher der richtige Weg, wenn Ratgeber den Namen des Künstlers unter den Antwerpner Glasmalern jener Zeit, die Guicciardini erwähnt, hat suchen wollen. Doch ging er in der Wahl fehl, indem er wegen der Ähnlichkeit mit dem herkömmlichen Namen »Dirck van Staren« in dem Stecher mit dem Monogramm D ★ V den Glasmaler Dirick Stas van Campen zu erkennen glaubte. Meiner Meinung nach läge es viel näher, den Meister D ★ V mit D i r i c k J a c o b s F e l a e r t zu identifizieren, einem Glasmaler, den Guicciardini eben neben jenem Dirick Stas anführt und als besonders tüchtigen Meister von hervorragender Erfindungsgabe bezeichnet. Danach wäre das Monogramm so aufzulösen, daß das D, wie in den früheren Erklärungen, den Vornamen Dirick bedeutete, das V den Zunamen Velaert, den der Italiener nach dem Klange leicht für Felaert nehmen mochte[21], und endlich müßte der Stern als bedeutungsloses oder wappenartiges Füllsel betrachtet werden.

Diese Vermutung, für die ich schon mancherlei andere kleine Beweisgründe gefunden zu haben glaubte, wäre aber den Weg aller unbewiesenen Vermutungen gegangen, wenn mir nicht eben jener Holzschnitt mit dem Wappen der Lucas-gilde zu Hilfe gekommen wäre. Die »Liggeren« der Antwerpner Gilde berichten nämlich, daß in demselben Jahre 1526, aus dem a u c h der Holzschnitt stammt, Dirick Jacobssone (Felaert) Dekan der Gilde gewesen sei. Ja noch mehr! Zu demselben Jahre 1526 findet sich ein Vermerk, der besagt, der derzeitige Dekan Dirick Jacobssone habe für die Gilde eine artige Devise entworfen und gezeichnet, die man auf einen Quartbogen abdrucken ließ[22]. Daß dieses Blatt

[21] Auch den Niederländern dieser Zeit unterlief manchmal eine Verwechslung der Buchstaben F und V. Einen Beweis dafür gibt uns das Antwerpner Triptychon in der Schleißheimer Galerie (Nr. 28), wo statt Ave Maria AFE MARIA zu lesen ist.

[22] »Item, Dieric Jacobsone (Felaert) Deken op dat pas, ordineerde ende maecte een ardiche devyse die men druct de groote van de viere in't blat pampiers«. Ph. Rombouts en Th. van Lerius, De Liggeren en andere historische Archieven der Antwerpsche Sint Lucasgilde, Antwerpen 1872, p. 108.

94

aber nichts anderes ist als unser Holzschnitt mit dem Wappen der Antwerpner Lucasgilde, darüber kann kein Zweifel bestehen, ebensowenig wohl auch darüber, daß ich mit meiner Vermutung recht hatte, und daß d e r M e i s t e r D ⋆ V u n d D i r i c k J a c o b s s o n e F e l a e r t (oder besser Velaert) e i n e u n d d i e s e l b e P e r s o n s i n d.

Dazu stimmt auch alles, was wir aus urkundlichen Nachrichten von der Laufbahn Diricks Jacobssone erfahren[23]. Im Jahre 1511 wird er gleichzeitig mit Josse van Cleve, dem Meister vom Tode Mariä, Freimeister der Lucasgilde zu Antwerpen. 1512 nimmt er einen Sohn einer gewissen Katherine van den Berghe, 1514 Hennen Doghens als Lehrlinge auf. 1518 wird er zum Dekan der Gilde erwählt. Als Dürer auf seiner niederländischen Reise sich in Antwerpen aufhielt, muß Dirick schon ein wohlhabender und angesehener Mann gewesen sein[24]. Er wird bald mit Dürer bekannt und schickt ihm im September 1520 eine besondere rote Farbe, die man damals in Antwerpen aus neuen Ziegelsteinen gewann. Diesen Dienst und vielleicht auch andere Gefälligkeiten, von denen wir nichts Näheres wissen, entgilt Dürer dadurch, daß er dem Meister Dirick im Februar 1521 seine Apokalypse und die sechs Knoten zum Geschenke machte. Die Beziehungen dauerten fort; denn am 21. Mai 1521 gibt der Antwerpner Glasmaler dem großen deutschen Künstler ein köstliches Festmahl, wobei dieser von der versammelten, ansehnlichen Gesellschaft sehr gefeiert wurde. Es ist nicht unwahrscheinlich, daß Dürer auch mit Diricks ehemaligem Schüler Hennen Doghens verkehrt hat[25]. Über die weitere Lebensgeschichte des Meisters erfahren wir noch einiges aus den Gildenbüchern: 1525 werden Hennen van de Velde und Hennen van Coellen (Köln) als seine Schüler genannt. 1526 wird er, wie wir schon gesehen haben, wieder Dekan der Gilde. Später nimmt er noch zwei Lehrlinge auf, und zwar 1528 Joos Peters und 1530 Jan van Selck. Dieser Jan van Selck ist wohl ein und dieselbe Person mit jenem »Giovanni di Zele d'Utrecht«, den Guicciardini unter den bedeutendsten Glasmalern seiner Zeit erwähnt. Endlich geht noch aus den Rechnungen der Liebfrauenkirche zu Antwerpen hervor, daß Dirick Jacobssone im Jahre 1539 oder 1540 ein Glasgemälde für diese Kirche geliefert habe[26].

Daß Dirick Jacobssone hauptsächlich Glasmaler war, beweisen nicht nur diese urkundlichen Nachrichten, sondern auch die zahlreichen, mit seinem Zeichen D ⋆ V versehenen Vorzeichnungen zu Glasgemälden, die uns in verschiedenen Sammlungen erhalten sind. Bezeichnete größere Glasgemälde habe ich bisher nicht

[23] Die Urkunden über ihn hat zuerst Pinchart in seinen Anmerkungen zur französischen Ausgabe des Werkes von Crowe und Cavalcaselle (p. CCXCIX ff.) in den richtigen Zusammenhang gebracht.

[24] Doch war er damals nicht Dekan der Lucasgilde, wie Lange und Fuhse (Dürers Handschriftlicher Nachlaß, S. 127, Anm. 7) irrtümlich angeben.

[25] Vgl. Pinchart, a. a. O., p. CCCII.

[26] »Item, betaelt ende gegeven de knechten van Dierycke Jacobs, voer drinckgelt van den gelaese gemaect voer de kerckmasters, aen den preckstoel, t'samen III sc«. Rombouts en Van Lerius, a. a. O., p. 75, Anm.

kennengelernt; doch, glaube ich, darf man hoffen, daß sich bei einer gründlicheren Durchsicht der in belgischen Kirchen noch vorhandenen Glasgemälde auch solche finden werden, die man dem Meister nach dem Stile mit Sicherheit wird zuschreiben können. M. J. Friedländer[27] glaubte seinen Stil in den Glasmalereien der Kapelle zu Cambridge wiederzuerkennen, ein Hinweis, der mir sehr beachtenswert erscheint. Leider war es mir bisher nicht möglich, diese Vermutung zu überprüfen.

Ein einziges Glasgemälde von der Hand Meister Diricks vermag ich den Lesern in Abbildung vorzuführen (Abb. 29). Das merkwürdige Werk, dessen Kenntnis ich der Liebenswürdigkeit des Herrn Geheimrats Lippmann verdanke, befindet sich im Besitze der Frau Ottilie Goldschmidt-Przibram in Brüssel. Es ist eine kreisrunde Glasscheibe von der Art, wie sie im 16. Jahrhundert allgemein und besonders auch in Deutschland zur Ausschmückung der Fenster verwendet wurden. Die Darstellung ist auf den Glasgrund mit schwarzer Farbe gezeichnet und macht im ganzen völlig den Eindruck einer Federzeichnung. Der Gegenstand ist der Triumph der Zeit nach Petrarca, und es läßt sich mit größter Wahrscheinlichkeit annehmen, daß unsere Scheibe zu einer Folge gehört hat, die auch die übrigen fünf Triumphe Petrarcas enthielt. Solche Folgen kommen ja auch sonst nicht nur in der italienischen, sondern auch in der niederländischen Kunst dieser Zeit vor[28].

Auf den ersten Blick erkennt man, daß dem Meister bei seinem Triumph der Zeit verschiedene italienische Vorbilder vorgelegen haben. Doch hat er die einzelnen entlehnten Motive mit großem Geschick zu einer hübschen, abgerundeten Komposition vereinigt. Auf einem stattlichen aber plumpen Wagen, der von weißen Hirschen gezogen wird, steht die Personifikation der Zeit, ein kleines, gebrechliches, weißbärtiges Männlein, das sich trotz der Flügel, die es an den Schultern trägt, auf Krücken stützt. Am Rande des Wagens, dessen Aufsatz mit einer Art Fries von Sanduhren geschmückt ist, sitzt ein reichgekleideter Jüngling, der durch eine Sanduhr, die ihm seltsamerweise als Kopfputz dient, wohl als Sinnbild der Stunde bezeichnet werden soll. Dieser »Knabe Lenker« wendet sich mit abwehrender Gebärde einer Frauensperson zu, die hinter den beiden Hirschen sichtbar wird und sich erschreckt zur Flucht zu wenden scheint. Sollte dies die Personifikation des Ruhmes sein, die »Fama«, die auf anderen Darstellungen dieses Gegenstandes, durch die Macht der Zeit vernichtet, unter dem Gespanne liegt? Rechts von dem Wagen und hinter ihm sieht man das Volk sich drängen. Schwierig zu deuten sind die drei Figuren des Vordergrundes, die neben dem Wagen einherschreiten. Der Mann rechts, die größte Figur der ganzen Darstellung, ist durch nichts anderes als durch einen mit Flügeln geschmückten Helm charakterisiert. Man denkt unwillkürlich an Mercurius, der hier in seiner Eigenschaft als χθόνιος oder ψυχοπόμπος ganz

---

[27] Ausstellung von Kunstwerken des Mittelalters und der Renaissance, Berlin 1899, S. 19.

[28] Ich verweise hier nur auf die sechs Gobelins, die sich im Besitze des Wiener Kunsthistorischen Museums befinden und im I. Bande des Jahrbuches der kunsthistorischen Sammlungen in Wien (Inv.-Nr. CII) veröffentlicht worden sind.

Abb. 29. Dirick Vellert, Der Triumph der Zeit (Glasscheibe)
Brüssel, Sammlung Frau Ottilie Goldschmidt-Przibram

wohl an seinem Platze wäre[29]. Was soll aber der etwa vierzehnjährige Knabe bedeuten, der in der linken Hand eine Kanne hält und mit der rechten ein kleines Kind führt? Ich muß gestehen, daß ich für diese beiden Figuren trotz eifrigen Suchens keine Erklärung habe finden können.

So lebendig und frisch uns die ganze Darstellung erscheint, so ist sie doch in der Hauptsache und in einzelnen Teilen altitalienischen Überlieferungen entlehnt. Schon die weißen Hirsche, die den Wagen ziehen, begegnen uns in der florentinischen Kunst des 15. Jahrhunderts, wo für jeden einzelnen der Triumphe Petrarcas bestimmte Tiere typisch geworden sind, und zwar für die

---

[29] Diese Attribute waren der Renaissance wohlbekannt; vgl. Otto Jahn, Aus der Altertumswissenschaft, S. 350.

Abb. 30

Florentiner Meister des 15. Jahrhunderts, Ausschnitt aus dem Triumph
der Zeit (Kupferstich)

Liebe weiße Pferde, für die Keuschheit weiße
Einhörner, für den Tod schwarze Büffel, für
den Ruhm weiße Elefanten, für die Zeit
weiße Hirsche und für die Ewigkeit die Sym-
bole der Evangelisten. Die wichtigste Quelle
des Vorwurfes ist denn auch ein anonymer
florentinischer Kupferstich des 15. Jahrhunderts, der zu einer Folge von Triumphen
Petrarcas gehört, die in frühester Zeit bald
Sandro Botticelli, bald Baccio Baldini zugeschrieben worden sind (Passavant, V, p. 72,
Nr. 77). Dieses Urbild ist öfter kopiert worden, so in der venezianischen Ausgabe des
Petrarca von 1490, in einer mailändischen von
1494 und in einer deutschen Folge von Holzschnitten, die kürzlich mit gutem Recht für eine

Arbeit Wolgemuts erklärt worden ist[30]. Trotzdem ist es nicht wahrscheinlich,
daß Meister Dirick diese Zwischenstufen für seine Darstellung benützt hat;
denn sie hat manche Züge mit dem florentinischen Original gemein, die in den
eben genannten Kopien fehlen. Daß ein älterer italienischer Kupferstich von
einem Antwerpner Künstler benützt wurde, hat ja auch für diese Zeit nichts
Befremdliches mehr. Übereinstimmend ist zunächst der Wagen mit seinem Aufsatz, die beiden weißen Hirsche und besonders auch die Art, wie die Stränge
an dem Wagen befestigt sind. Dies sind aber nur ganz allgemeine Ähnlichkeiten,
während das die Zeit verkörpernde Männlein, wie aus unserer Abbildung 30
erhellt, ganz getreu im Gegensinne nach dem entsprechenden Figürchen der
älteren Darstellung abgezeichnet ist.

Einen echt italienischen Charakter haben auch die beiden Gestalten des
Vordergrundes, jener Mann, der uns an Merkur erinnert hat, und jener Knabe
mit der Kanne in der Hand und dem Kranz in den Haaren. Diese haben aber
nichts mit Florenz zu tun; sie sind vielmehr, worauf mich Wickhoff freundlichst
aufmerksam macht, genaue Kopien nach Figuren aus Mantegnas Triumphzug
Cäsars. Wahrscheinlich haben dem Meister die Kopien von Giovanni Antonio
da Brescia (Bartsch, XIII, p. 321, Nr. 7 und 8) vorgelegen, aus denen wir die
entsprechenden Gestalten für die nebenstehenden Abbildungen 31 und 32 entnommen haben. Die Übereinstimmung ist ganz vollkommen; ja selbst der
Flügelhut, der bei Mantegna der entsprechenden Figur fehlt, kehrt bei einer
anderen Gestalt desselben Stiches wieder[31].

[30] Vgl. Valerian von Loga im Jahrbuch der preußischen Kunstsammlungen, XVI, Berlin
1895, S. 236.
[31] Mantegnas Triumph Cäsars hat auch Bernard van Orley wenige Jahre später in seinem
Flügelaltar mit den Prüfungen Hiobs von 1521 im Brüsseler Museum benützt; vgl. R. Graul,
Beiträge zur Geschichte der dekorativen Skulptur in den Niederlanden (Beiträge zur Kunstgeschichte, N. F. X, Leipzig 1889), S. 14.

Abb. 31 und 32. Mantegna, Ausschnitte aus dem Triumphzug Caesars
Kopien von Giov. Ant. da Brescia (Kupferstich)

Die Inschrift eines Steintäfelchens, das rechts im Vordergrunde auf dem Boden liegt, besagt, daß die Glasscheibe oder wenigstens die Vorzeichnung dazu am 21. April 1517 vollendet worden ist. Wir befinden uns also hier in einer Zeit, wo hauptsächlich durch Mabuses Einfluß italienische Formen in alle Gebiete der niederländischen Kunst einzudringen beginnen. Es gibt Schöpfungen von Mabuse aus den Jahren 1516 und 1517, die schon völlig im italienischen Stile gehalten sind. In der Geschichte der Antwerpner Malerei ist aber jedenfalls dieser Triumph der Zeit eines der frühesten Zeugnisse für die Übernahme italienischer Motive. Daß unser Künstler, wie sich nachweisen ließ, als sklavischer Nachahmer einer fremden Kunst auftritt, dürfen wir ihm nicht verübeln. Denn, wenn große Künstler wie Dürer es nicht verschmäht haben, italienische Kupferstiche zu kopieren, so kann es uns nicht wundernehmen, daß dieser Meister vom Stern, der schließlich kein Stern erster Größe ist, Dinge benützt, die damals auch den nordischen Künstlern schon als die höchsten Leistungen der ganzen Welt erschienen.

Die gewöhnliche Bezeichnung des Meisters, die wir fast auf allen seinen späteren Arbeiten wiederfinden, fehlt noch auf diesem Jugendwerke. Doch sehen wir auf den Zierbändern, die die beiden Waden des Mannes mit dem Flügelhut umspannen, Inschriften, deren Betrachtung sich wohl lohnt. Auf dem linken Beine steht DIRICK, auf dem rechten VELLE(RT). Hier haben wir also einen neuen urkundlichen Beweis, daß jene Vermutung das Richtige getroffen hat und daß der Meister D ★ V kein anderer ist als jener D i r i c k J a c o b s - s o n e V e l l e r t, wie wir jetzt den Namen nach der Orthographie des Künstlers selbst schreiben müssen.

Einen Ersatz für die verlorenen oder verschollenen Glasgemälde bieten uns die mit den Buchstaben D ★ V versehenen Handzeichnungen, die, wie gesagt, zum größten Teile auf den ersten Blick als Vorlagen für Glastafeln oder Glasfenster erkannt werden können. Die meisten von ihnen stellen runde Scheiben vor, in der Art der eben besprochenen. Sie sind fast alle von gleicher Größe und haben einen Durchmesser von etwa 28—29 cm. Ausschließlich ist bei ihnen die Federzeichnung verwendet, die meist noch mit Tusche oder violetter Farbe angelegt ist. Die Strichführung ist sehr gewandt und sozusagen ausgeschrieben, wenn auch manche Umrisse etwas Zittriges und dadurch Manieriertes haben. Der Stil ist frei und locker und hält zwischen peinlicher Ausführung und breiter Behandlung richtig Maß. Darum nehmen diese Handzeichnungen unter den ähnlichen gleichzeitigen Arbeiten einen hervorragenden Rang ein.

Eine Anzahl von solchen runden Blättern lassen sich zu ähnlichen Folgen zusammenstellen, wie sie bei dem deutschen Künstler Jörg Breu, dessen Tätigkeit mit der unseres Meisters Dirick manche Analogie zeigt, nachgewiesen worden sind[32]. Offenbar dienten diese Zyklen dazu, die Fenster eines Zimmers oder auch eines ganzen Wohnhauses zu schmücken. Leider sind wir nicht so glücklich, eine vollständig erhaltene Folge von der Hand Dirick Vellerts nachweisen zu können. Aber überall begegnen wir einzelnen Teilen von Folgen. Wir haben schon darauf hingewiesen, daß der Triumph der Zeit höchstwahrscheinlich zu einem Zyklus von sechs Scheiben gehört hat. Etwas Ähnliches läßt sich von einer Reihe von Handzeichnungen vermuten.

Zu einer Folge aus der Geschichte Mosis scheinen mir die nachstehenden Blätter zu gehören:

1. M o s e s u n d d e r b r e n n e n d e D o r n b u s c h, bezeichnet und datiert vom 31. März 1523, im Kupferstichkabinett zu Berlin. Im Vordergrunde rechts sitzt Moses, der die Schuhe ablegt und zu der Erscheinung Gottvaters aufblickt, die über dem brennenden Dornbusch links sichtbar wird. In der reichen landschaftlichen Umgebung sieht man weidende Schafe. Der Künstler hat hier die beiden aufeinanderfolgenden Handlungen, die auf älteren Darstellungen, wie auf dem Bilde des Dirck Bouts in der Sammlung Rudolf

[32] Vgl. Friedrich Dörnhöffer im XVIII. Bande des Jahrbuches der kunsthistorischen Sammlungen in Wien, 1897.

Abb. 33. Dirick Vellert, Moses und der brennende Dornbusch
(Handzeichnung). Berlin, Kupferstichkabinett

Abb. 34. Dirick Vellert, Der Zug der Israeliten durch das
Rote Meer (Handzeichnung). Weimar, Museum

Kann in Paris, nebeneinander geschildert werden, recht glücklich in eine zusammengezogen (Abb. 33).

2. Der Zug der Juden durch das Rote Meer, bezeichnet und datiert 1523, im Museum zu Weimar. Im Vordergrunde links schreitet Moses einher an der Spitze der Juden, die dem Meere glücklich entkommen sind. Rechts im Hintergrunde versinken die Pferde und Wagen Pharaos im Meere; er selbst erscheint zu Pferde, die Krone auf dem Haupte, die Hände ringend, bis zum Sattel im Wasser versunken. Auch hier scheint der Maler zwei verschiedene Handlungen in einer Darstellung vereinigt zu haben. Denn in den Personen, die Moses begleiten, dürften wohl seine Gattin Zipora und seine beiden Kinder, die ihm sein Schwager Jethro, der Krieger mit der Lanze, zuführt (2. Mos. 18, 1), zu erkennen sein (Abb. 34).

3. Moses zeigt den Juden die Gesetztafeln, bezeichnet und datiert vom 25. November 1523, im Museum zu Weimar. Moses steht am Abhange des Berges Sinai und erklärt dem versammelten Volke, das um ihn herum gelagert ist, die Gesetztafeln (Abb. 35).

Da alle diese durch treffliche Komposition und reiche Ausbildung des Landschaftlichen ausgezeichneten Blätter aus einem und demselben Jahre stammen, so liegt die Vermutung nahe, daß sie zu einer Folge gehört haben, deren Zahl wir jedoch nicht mehr zu bestimmen vermögen.

Das gleiche ist der Fall bei einem Zyklus von Darstellungen aus dem Leben Christi, der offenbar zu dem eben beschriebenen in naher Beziehung steht:

4. Die Versuchung Christi, bezeichnet, aber nicht datiert, im Museum zu Weimar. In einer gebirgigen Landschaft steht Christus in würdevoll abwehrender Gebärde dem Teufel gegenüber, der ihm den Stein entgegenhält, der durch das Machtwort Christi zum Brote werden soll (Abb. 36). Dasselbe dem Evangelium entnommene Motiv des Steines, das auf anderen Darstellungen fehlt, kommt auch sonst in der Antwerpner Kunst dieser Zeit vor, wie z. B. auf dem Altarflügel des sogenannten Meisters von Linnich im Germanischen Museum zu Nürnberg (Nr. 66). Der Teufel ist hier sehr phantastisch herausgeputzt, hat Hörner auf dem Haupte, Flügel an den Schultern, Vogelklauen und Vogelfüße und einen langen Schwanz, auf dem ein Hahn sitzt und pickt. In den fernen Wolken sieht man Christus und den Teufel einer Bergspitze zuschreiten, rechts im Hintergrunde liegt Jerusalem. Die Darstellung stimmt fast genau mit dem Kupferstiche des gleichen Gegenstandes (B. 5) aus dem Jahre 1525 überein. Nach dem Stile, der dem der eben erwähnten Blätter ganz nahe verwandt ist, muß diese Zeichnung jedoch in das Jahr 1523 gesetzt werden. Dafür sprechen auch schon die nun folgenden datierten Blätter desselben Zyklus.

5. Die Bergpredigt, bezeichnet und datiert vom 25. November 1523, im Museum zu Weimar. Christus sitzt, umgeben von seinen zwölf Jüngern, auf der Spitze des Berges; das Volk hört, um den Fuß des Berges gelagert, andächtig zu (Abb. 37). Auffällig ist, daß die Komposition dieses Blattes mit der des früher genannten, das Moses mit den Gesetztafeln zeigt, fast völlig übereinstimmt; noch auffälliger ist aber, daß beide Zeichnungen, wie wir den Inschriften

Abb. 35. Dirick Vellert, Moses zeigt den Juden die Gesetztafeln
(Handzeichnung). Weimar, Museum

Abb. 36. Dirick Vellert. Die Versuchung Christi (Handzeichnung)
Weimar, Museum

entnehmen, an einem Tage entstanden sind. Ich glaube, der Schluß ist nicht zu gewagt, daß unsere beiden Folgen zusammengehören und ursprünglich einen Zyklus mit Paralleldarstellungen aus dem Leben Mosis und Christi gebildet haben. Gerade die Gesetzgebung und die Bergpredigt kommen schon in den metrischen Inschriften des Elpidius Rusticus nebeneinander vor, und auch in den Freskomalereien der Sixtinischen Kapelle erscheinen sie als Gegenstücke[33].

Wie die übrigen Blätter der beiden Reihen zusammengehört haben, läßt sich nicht mehr feststellen, da zu den vorhandenen Darstellungen die entsprechenden Gegenstücke verlorengegangen zu sein scheinen.

6. Christus und der Hauptmann von Kapernaum, bezeichnet und datiert vom 29. November 1523, im Museum zu Weimar. Links eilt, in reiche, modische Tracht gekleidet, der hilfesuchende Hauptmann herbei. Rechts steht Christus, dem eine Schar von Jüngern folgt. Den Hintergrund bildet eine schöne Landschaft mit Gebäuden in gemäßigtem Renaissancegeschmack. Links sieht man zwei Krieger im Gespräche, die offenbar zum Gefolge des Hauptmannes gehören (Abb. 38).

Aus demselben Jahre 1523 stammen zwei Zeichnungen, die wahrscheinlich zu einer Folge der Geschichte Davids gehören:

7. David erschlägt Goliath, bezeichnet, aber nicht datiert, in der Albertina zu Wien. David kniet über dem niedergestürzten Riesen und schwingt ein gewaltiges Schwert gegen das Haupt Goliaths. Manche Einzelheiten, die auf den eben beschriebenen Blättern aus dem Jahre 1523 wiederkehren, machen es wahrscheinlich, daß auch diese Zeichnung in dasselbe Jahr gehört. Die Rüstung Goliaths stimmt in den Formen genau mit der Jethros auf dem »Zuge der Juden durch das Rote Meer« überein. Auch in der Landschaft findet man viel Verwandtes.

8. Davids Flucht aus dem Fenster, bezeichnet und datiert 1523, in der Albertina zu Wien. David, unbewaffnet und ganz ähnlich gekleidet wie auf der Darstellung des Kampfes mit Goliath, wird von seiner Gattin Michal an einem Stricke, der merkwürdigerweise über eine Rolle zu laufen scheint, aus dem Fenster eines großen, schloßartigen Gebäudes herabgelassen. Vorne eilen die Krieger Sauls, mit Lanzen und Gewehren bewaffnet, herbei (Abb. 39). Diese Zeichnung gehört zu den schönsten, die wir von Dirick Vellert haben, und zeichnet sich besonders durch gute dekorative Wirkung, ja sogar durch eine gewisse Größe des Stiles aus.

In eine etwas spätere Zeit fallen drei vorzügliche Blätter, von denen ich glaube, daß sie zu einem Zyklus des Lebens Mariä gehört haben mögen:

9. Die Geburt Mariä, bezeichnet mit einem fünfzackigen Stern, der in einem Medaillon der Verzierung des Betthimmels angebracht ist, nicht datiert, im Museum zu Weimar. Diese prächtige aber unvollendete Zeichnung zeigt uns sehr deutlich die Arbeitsweise des Künstlers. Er zeichnet zunächst die Umrisse der Komposition mit leichten, feinen Federstrichen und belebt die

[33] Vgl. E. Steinmann im Jahrbuch der preußischen Kunstsammlungen, XVI, 1895, S. 190.

Abb. 37. Dirick Vellert, Die Bergpredigt (Handzeichnung)
Weimar, Museum

Abb. 38. Dirick Vellert, Christus und der Hauptmann
von Kapernaum (Handzeichnung). Weimar, Museum

Innenflächen besonders in den Gesichtern und in der Gewandung durch kleine Punkte und Strichelchen. Hierauf wird das Ganze nochmals mit gröberen Federstrichen behandelt und erst dann mit Tusche laviert. Diese Technik entspricht vollkommen der des Kupferstechers, der zuerst die Umrisse mit leichter Nadel auf die Platte bringt und dann mit der Ausführung der Einzelheiten beginnt. Der Zusammenhang zwischen den Kupferstichen und den Zeichnungen des Meisters wird nirgends klarer als gerade bei diesem Blatte. Die Handlung geht in einem reichen Innenraume im Geschmacke maßvoller Renaissancearchitektur vor sich. Auf einem Prachtbette ruht die heilige Anna, die von zwei Frauen gelabt wird. Im Vordergrunde wird das Kind zum erstenmal gebadet. Rechts strömen durch eine Türe die neugierigen Gevatterinnen mit ihren Kindern herbei. Durch einen Torbogen blickt man ins Freie, wo in weiter Ferne und ganz flüchtig die Begegnung unter der Goldenen Pforte dargestellt ist. Beachtenswert ist das Hausaltärchen mit der Gestalt eines Heiligen über dem Schranke rechts. Die Perspektive der Architektur ist genau konstruiert und der Augenpunkt durch einen kleinen Kreis links am Vorhange des Bettes angegeben (Abb. 40).

10. Die Geburt Christi, bezeichnet, aber nicht datiert, im Museum zu Weimar. Das ebenfalls nicht ganz vollendete Blatt zeigt eine recht gedrängte Komposition: unter einer Ruine im Renaissancestil, die von musizierenden Engelein umflattert wird, kniet Maria anbetend vor dem sehr klein gebildeten Christuskinde, das auf Stroh in einer Steinkrippe liegt. Um die Krippe herum knien drei verehrende Engel und der heilige Josef mit der Laterne. Rechts und links eilen die Hirten herbei. Auch hier ist die Perspektive konstruiert: über dem Kopfe Mariä sieht man die Horizontlinie und darin, durch ein Kreuzchen bezeichnet, den Augenpunkt. Verschiedene Federstriche, die zusammen Rhomben bilden, beweisen, daß der Künstler auch den Steinboden perspektivisch konstruieren wollte. Die Zeichnung ist durch einige starke Schmutzflecke leider sehr entstellt (Abb. 41).

11. Die Anbetung der Könige, bezeichnet und datiert 1532, in der Albertina zu Wien (abgebildet bei Schönbrunner und Meder, Handzeichnungen alter Meister, III, Nr. 312). Die Komposition ist hier noch dichter gehäuft als bei dem vorhergehenden Blatte. Maria zeigt ältliche Züge, die etwas an Dürers Madonnentypus erinnern. Sie sitzt mit dem Kinde unter einem halbzerstörten Strohdach, und die Heiligen Drei Könige bringen teils kniend, teils stehend ihre Geschenke dar. Dahinter sieht man den heiligen Josef mit dem Hut in der Hand. Den übrigen Teil des Blattes füllen das Gefolge der Könige, das aus einer großen Zahl von Kriegern besteht, und Renaissanceruinen, in denen zwei Engelein ihr Wesen treiben. Auf den Stützbalken des Strohdaches findet man durch Kreuzchen die beiden Augenpunkte bezeichnet, nach denen die Architekturen konstruiert sind. Die Zeichnung stimmt stilistisch in allen möglichen Einzelheiten so sehr mit den beiden eben genannten überein, daß wir kaum daran zweifeln können, daß auch jene in dasselbe Jahr 1532 und wohl zu derselben Folge gehören wie dieses datierte Blatt. Einen äußeren Anhaltspunkt, der diese

Abb. 39. Dirick Vellert, Davids Flucht aus dem Fenster
(Handzeichnung). Wien, Albertina

Abb. 40. Dirick Vellert, Die Geburt Mariä (Handzeichnung)
Weimar, Museum

Vermutung stützt, bietet die Form der Bezeichnung: während auf fast allen anderen Blättern der fünfzackige Stern deutlich zwischen den beiden Buchstaben D und V steht, sind sowohl auf der »Geburt Christi« in Weimar als auch auf der »Anbetung der Könige« in Wien die Buchstaben D und V ganz dicht unter die beiden fast wagrechten Strahlen des Sternes gerückt, so daß das ganze Monogramm wie zusammengeschoben erscheint. Außerdem ist es auffallend, daß auf allen drei Zeichnungen perspektivische Behelfe sich bemerkbar machen, während solche sonst auf keiner anderen Zeichnung vorkommen, obwohl der Künstler, wie sich mit Sicherheit nachweisen läßt, immer und überall die Architektur genau konstruiert hat.

Außer diesen Blättern, die sich mit ziemlich großer Wahrscheinlichkeit zu Reihen gruppieren ließen, finden sich noch in verschiedenen Sammlungen andere, vereinzelte Vorzeichnungen zu runden Glasscheiben, bei denen sich keine Zusammengehörigkeit nachweisen läßt:

12. Die heilige Anna selbdritt mit der heiligen Barbara und einem geistlichen Stifter, bezeichnet, nicht datiert, im Britischen Museum zu London. Das leider stark abgeriebene Blatt zeigt links auf einem Thron die heilige Anna mit dem Jesuskinde und daneben Maria sitzend. Vor ihnen kniet ein Geistlicher, der von der hinter ihm stehenden heiligen Barbara, die in der Linken einen Palmenzweig hält, dem Jesuskinde empfohlen wird. Im Hintergrunde rechts kommt der Turm, das Attribut der heiligen Barbara, zum Vorschein (Abb. 42). In dieser Zeichnung bemerkt man eine gewisse Unsicherheit der Linienführung, die zusammen mit dem Zuviel an Strichen und Strichelchen, die oft nicht am rechten Fleck sitzen, den Anfänger verrät. Da auch die Architektur noch fast rein gotisch ist, so haben wir wohl ein Recht, in dieser Arbeit ein Jugendwerk des Meisters, etwa aus den Jahren 1510—1515, zu erkennen. In keinem anderen uns bekannten Werke Dirick Vellerts, auch nicht in dem Triumph der Zeit von 1517, zeigt sich eine so ungeübte Hand. Trotzdem wird die Echtheit unserer Zeichnung durch bestimmte Eigentümlichkeiten der Formengebung, die besonders in den Köpfen zu finden sind, ganz außer Frage gestellt. Die Bezeichnung ist etwas ungewöhnlich, da hier der Stern sechs statt, wie auf allen übrigen Signaturen, fünf Zacken hat. Auch das Format dieses Blattes ist bedeutend kleiner als das der übrigen: es hat nur 227 mm im Durchmesser.

13. Die Marter Johannis des Evangelisten, bezeichnet, aber nicht datiert, im Kupferstichkabinett zu Berlin. Die Handlung spielt vor den Mauern einer Stadt. Links im Vordergrunde kniet Johannes betend in dem mit siedendem Öl gefüllten Kessel; zwei Knechte sind damit beschäftigt, das Feuer mit Blasebalg und Schürhaken anzufachen. Rechts sieht man den Kaiser Domitianus zu Pferde, umgeben von Gefolge (Abb. 43). Neben dem Torbogen steht in deutlichen Lettern die Inschrift P L. Was bedeuten diese Buchstaben? Hätte nicht Dirick Vellert links unten sein gewohntes Zeichen angebracht, so dächte man wohl an eine Künstlerinschrift, und wir wären vielleicht so glücklich, einen neuen Monogrammisten P L in die Kunstgeschichte einführen zu können. Die richtige

Abb. 41. Dirick Vellert, Die Geburt Christi (Handzeichnung)
Weimar, Museum

Abb. 42. Dirick Vellert, Die heilige Anna selbdritt mit der
heiligen Barbara und einem geistlichen Stifter (Handzeichnung) London, British Museum

Abb. 43. Dirick Vellert, Die Marter des Evangelisten Johannes (Handzeichnung)
Berlin, Kupferstichkabinett

Erklärung liegt auf der Hand, wenn man die Verse liest, die unter der Darstellung angebracht sind:

> Johannes die Apostel Gods wtvercoren,
> Mits des keysers Domitianus thoren,
> Wordt hier om dwoird Gods aen de Porte Latine
> In heete olie gesoden, sonder pijne.

Die Buchstaben P L bedeuten also nichts anderes als Porta Latina, als welche eben das Stadttor auf unserer Darstellung bezeichnet werden soll.

Es ist ein Fall, der wohl zur Vorsicht in der Annahme von Künstlerinschriften mahnt. Diese vortreffliche Zeichnung steht dem Stil nach dem Blatte mit der Flucht Davids aus dem Fenster in der Albertina am nächsten und dürfte daher wohl auch im Jahre 1523 oder nur um weniges später entstanden sein.

14. Hanna bringt den kleinen Samuel in das Haus des Herrn zu Silo, bezeichnet und datiert vom 28. August 1523, in der Albertina zu Wien. In einer weiten, reichen Renaissancehalle steht vor einem Opfertisch, von dem eine mächtige Kerze emporragt, links eine Frau mit andächtig gefalteten Händen. Von ihr weg läuft ein kleiner Knabe von 2 bis 3 Jahren auf den rechts stehenden, mit einer mitraähnlichen Haube geschmückten Hohenpriester zu, der ihn zu segnen scheint. Links wird von zwei Jünglingen ein junger Stier herbeigeschleppt, der offenbar geopfert werden soll. Außer diesen Figuren sind noch andere Personen in dem weiten Raume zerstreut, zum Teil im Gespräch begriffen; sie greifen keineswegs in die Handlung ein. Daß die oben angegebene Deutung dieser bisher noch unerklärten Vorstellung richtig ist, lehrt ein Vergleich mit der folgenden Stelle aus dem ersten Buche Samuelis (I, 23—25): »Und (Hanna) brachte ihn (Samuel) mit sich hinauf, nachdem sie ihn entwöhnt hatte, mit drei Farren, mit einem Epha Mehl, und einer Flasche Wein, und brachte ihn in das Haus des Herrn zu Silo. Der Knabe aber war noch jung. Und sie schlachteten einen Farren und brachten den Knaben zu Eli.« Wenn auch dieser Vorwurf in der altniederländischen Malerei sonst nicht vorzukommen scheint, so ist wohl seine Aufnahme in den Gedankenkreis der damaligen Kunst daraus zu erklären, daß er als eine leicht verständliche, alttestamentarische Parallele zur Darbringung Jesu im Tempel oder auch zum Sakrament der Firmung aufgefaßt worden sein mag.

15. Ein König läßt Gefangene enthaupten, bezeichnet, aber nicht datiert, im Städelschen Institut zu Frankfurt am Main. Links sitzt auf einem reichverzierten Thronsitze ein König mit Krone und Szepter, umgeben von Gefolge und Trabanten. Rechts im Vordergrunde werden einige unbewaffnete Männer, vielleicht Priester, wie man aus der Tonsur eines der Gefallenen schließen möchte, von bewaffneten und gepanzerten Kriegern mit Schwertern erschlagen (Abb. 44). Die Erklärung dieser Darstellung ist recht schwierig. Wahrscheinlich ist es, daß der Gegenstand dem Alten Testament entnommen ist. Doch ist mir keine Bibelstelle in Erinnerung, die ganz unserer Zeichnung entspräche. Am ehesten könnte vielleicht die Szene gemeint sein, wo Saul durch den Verräter Doeg achtzig Priester töten läßt (I Sam. 22). Doch ist auch diese Deutung nur ein Notbehelf, weil in der Bibel die Hinrichtung der Priester nur von einem einzigen, nämlich von Doeg, besorgt wird, während auf unserer Zeichnung mehrere an dem Henkerwerk beteiligt erscheinen. Dem Stil nach ist dieses Blatt den Zeichnungen aus dem Jahre 1523 am meisten verwandt, es wird wahrscheinlich nicht viel später fallen.

Den genannten Rundblättern reihen wir noch eine kleine Anzahl von Hand-

Abb. 44. Dirick Vellert, Ein König läßt Gefangene enthaupten
(Handzeichnung). Frankfurt, Städelsches Institut

zeichnungen anderen Formates an, von denen die beiden folgenden ebenfalls für
die Zwecke der Glasmalerei bestimmt sind:

16. Die Weihe eines Bischofs, Vorzeichnung zu einem fünf-
teiligen Glasfenster, bezeichnet und datiert 1525, in der Albertina zu Wien
(hoch 417, breit 540 mm). Die zusammenhängende Darstellung wird von vier
Fensterteilungen unterbrochen, die sie in fünf Teile, und zwar in ein größeres
Mittelstück und je zwei kleinere, gleich große Seitenstücke scheiden. Außerdem
sind die einzelnen Glasstücke durch wagrechte und senkrechte rote Striche
angegeben. Vor einem reichgeschmückten Altar, dessen Mittelbild die Heilige
Jungfrau mit dem Jesuskinde, von Wolken getragen und von Engeln umgeben,
darstellt, setzt ein älterer, in vollem Ornat gekleideter Bischof einem jüngeren,
sitzenden Geistlichen die Bischofsmütze aufs Haupt. Rechts daneben liest ein
alter Bischof, mit der Mitra auf dem Haupte und dem Pedum in der Hand, die
Messe aus einem großen Buche, das von einem jungen Geistlichen gehalten wird.
Die Bischofsstäbe des Neugekrönten und des Weihenden werden von Laien
getragen. Viele Geistliche, die zum Teil Kerzen, große Fackeln und das Räucher-
gefäß halten, sind bei der feierlichen Handlung zugegen. Neben dem Altare
bemerkt man einige Edelleute, von denen der eine rechts von seinem Falkenjäger
begleitet wird. Die Architektur der Kapelle, in der die Szene spielt, zeigt edle,
maßvolle Renaissanceformen, die die dekorative Wirkung des Ganzen erhöhen

Abb. 45. Dirick Vellert, Die Weihe eines Bischofs (Handzeichnung)
Wien, Albertina

Abb. 46. Dirick Vellert, Totentanzdarstellung (Handzeichnung)
Berlin, Kupferstichkabinett

(Abb. 45). Welcher Heilige unter dem jungen Bischofe, der die Weihen empfängt,
zu verstehen ist, läßt sich nicht mit voller Sicherheit sagen. Nicht unwahrscheinlich ist es, daß der heilige Thomas a Becket gemeint ist. Eine ähnliche Darstellung
seiner Weihe zum Erzbischof von Canterbury, wohl ein Jugendwerk Mabuses,
befindet sich (unter dem Namen Jans van Eyck) bekanntlich im Besitze des
Herzogs von Devonshire. Wenn sich wirklich Glasgemälde von der Hand
Dirick Vellerts, wie aus der oben erwähnten Annahme M. J. Friedländers hervor-

114

gehen würde, in englischen Kirchen
nachweisen ließen, so läge die Vermutung nahe, daß auch das Glasgemälde, das unser Entwurf vorstellt, für die Ausfuhr nach England bestimmt war, wo der heilige
Thomas a Becket sicherlich am
meisten verehrt wurde.

17. Totentanzdarstel-
lung, Vorzeichnung zu einer
oben abgerundeten Glastafel,
fälschlich »H. Aldergraff« bezeichnet, nicht datiert, seit kurzem im
Kupferstichkabinett zu Berlin (hoch
368, breit 197 mm). Der Sinn des
Ganzen ist jedenfalls der, daß ein
Prasser in Gesellschaft seiner Weiber bei Mahl und Musik vom Tode
ereilt wird. Der vornehm gekleidete Jüngling ist beim Anblick des
geflügelten Gerippes, das ihn mit
dem Pfeile zu durchbohren droht,
verzweifelt zu Boden gesunken.
Reste des Festmahles, eine Schüssel
mit einem Huhn darauf, ein Messer, ein Stück Brot, ein Becher,
eine Kanne und eine Leier, liegen
auf dem Erdboden herum. Weiter hinten entfliehen eilends die
Festgenossinnen des Schlemmers
(Abb. 46). Diesen Vorwurf, der
dem in jener Zeit außerordentlich
beliebten Stoffe des Totentanzes
entnommen ist, hat der Künstler
mit großer Lebendigkeit erzählt.
Daß in der Tat Dirick Vellert der
Urheber des Blattes ist, das be-

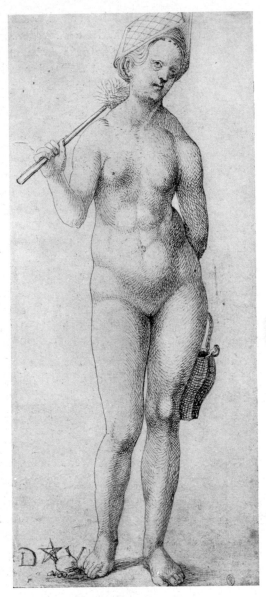

Abb. 47. Dirick Vellert, Nackte Bademagd
(Handzeichnung). Paris, Louvre

weisen einige bezeichnende stilistische Eigentümlichkeiten, besonders auch die
merkwürdige Art, wie die Hände gezeichnet sind und wie die Modellierung
der Gesichter durch kleine hakenförmige Striche erreicht ist. Die phantastische
Gestalt des geflügelen Todes findet ihre Analogie in der Figur des Teufels in
der obenerwähnten »Versuchung Christi«. Wann das Blatt entstanden ist, läßt
sich nicht mit Bestimmtheit sagen; doch dürfte es aller Wahrscheinlichkeit nach
in die spätere Zeit der Tätigkeit des Künstlers fallen.

18. **N a c k t e B a d e m a g d**, nicht lavierte Federzeichnung, bezeichnet, ohne Datum, in der Handzeichnungssammlung des Louvre zu Paris (hoch 282, breit 124 mm). Es ist eine gute Aktfigur eines wohlgebildeten Mädchens von ziemlich langen Proportionen. Das Haar ist von einer Haube bedeckt; in der erhobenen Rechten hält sie den Badequast, in der herabhängenden Linken einen Eimer (Abb. 47). Daß hier eine Bademagd dargestellt ist, wird klar durch den Vergleich mit Dürers Handzeichnung in der Kunsthalle zu Bremen (Lippmann 101). In dieser Darstellung eines Frauenbades ist die Magd ebenfalls völlig unbekleidet und trägt nur auf dem Kopfe eine Haube, die offenbar die Haare vor dem Bespritzen mit Wasser schützen soll. Daß in der älteren deutschen Kunst gerade die Bademädchen hauptsächlich als Aktmodelle verwendet wurden, ja daß man sogar im Mittelalter der Eva statt des Feigenblattes den Quast oder Wedel, das Attribut des Bademädchens, an dem der Maler das Nackte kennengelernt hatte, beigab, geht aus Julius von Schlossers Ausführungen im XIV. Bande des Jahrbuches der kunsthistorischen Sammlungen in Wien (S. 271) hervor. Daher dürfte auch unsere Zeichnung einfach als eine Studie nach dem Nackten aufzufassen sein; sie ist ein Beweis dafür, daß jene Gepflogenheit sich noch bis in das 16. Jahrhundert hinein erhalten hat. Dabei muß die Möglichkeit offengelassen werden, daß hier eine Vorstudie zu einer Darstellung der Bathseba im Bade vorliegt. Dieser Gegenstand kommt auch sonst in der Antwerpner Kunst dieser Zeit vor, wie z. B. auf der oben- (S. 92) erwähnten Handzeichnung des »Meisters der Verkündigung der Sibylle« in der Albertina[34]. Das liebevoll behandelte Blatt, das, nebenbei bemerkt, vortrefflich erhalten ist, ist auch darum merkwürdig, weil es die einzige bekannte Handzeichnung Dirick Vellerts ist, die nicht als direkte Vorlage zu einem Glasgemälde gelten kann[35].

Während die Handzeichnungen des Meisters bisher fast gar keine Beachtung gefunden haben[36], sind seine Kupferstiche und Radierungen nie völlig in Vergessenheit geraten. Unter dem falschen Namen des »Dirck van Staren« sind sie noch heute allen Liebhabern und Kennern der graphischen Künste

[34] Die lebensgroße Darstellung der Bathseba im Museum zu Stuttgart möchte ich hier nicht nennen, obwohl sie Max Bach (Kunstchronik, N. F. VIII, S. 417) Quinten Metsys zugeschrieben hat. Meiner Ansicht nach ist dieses Bild weder von Metsys noch überhaupt Antwerpner Ursprungs, sondern gehört wirklich, wie Waagen schon ganz richtig erkannt hat, zu den spätesten Werken, die wir von Hans Memling haben.

[35] Eine unbezeichnete Handzeichnung im Besitze des regierenden Fürsten zu Liechtenstein müßte hier genannt werden, wenn die auf Überlieferung beruhende Bestimmung das Richtige träfe. Doch haben schon Schönbrunner und Meder, als sie das Blatt in ihren »Handzeichnungen aus der Albertina und anderen Sammlungen« (Bd. I, Nr. 34) veröffentlichten, dem Namen »Dirk van Star« ein Fragezeichen beigefügt. Eine genaue Untersuchung des Originals hat ergeben, daß dieser Zweifel berechtigt war: die Zeichnung ist das Werk eines gleichzeitigen Antwerpner Künstlers, der allerdings Dirick Vellert verwandt aber auch von Dürer und den deutschen Kleinmeistern beeinflußt erscheint.

[36] Nur Georg Rathgeber erwähnt einige davon in seinen Annalen der niederländischen Malerei, Formschneide- und Kupferstecherkunst, Gotha 1844.

wohlbekannt. Bartsch verzeichnet in seinem »Peintre-Graveur« 19 Blätter, die alle das Monogramm des Künstlers tragen und meistens auch genau datiert sind. Außerdem führt noch Nagler in seinen Monogrammisten einen Kupferstich an, der den heiligen Christoph vorstellt, ein Blatt, das sich ehemals in der Ottleyschen Sammlung befunden haben soll, heute aber verschollen zu sein scheint.

Dirick Vellerts Tätigkeit als Kupferstecher und Radierer umfaßt die Jahre 1522 bis 1544. Vielleicht gaben ihm die großen Erfolge, die Dürer und Lucas van Leyden mit ihren Kupferstichen in Antwerpen hatten, die erste Anregung, sich auch auf diesem Felde zu versuchen. Denn bald nach der Anwesenheit Dürers beginnt er zu stechen, freilich vorläufig noch in kleinem Format. Das früheste Blatt, das wir von ihm kennen, der »Knabe mit dem Delphin« (B. 13), ist vom 16. August 1522 datiert. In dasselbe Jahr fallen noch weitere vier Blätter: die »Eva« vom 19. August (B. 1), der »Bacchus« vom 14. September (B. 12), die »heilige Anna selbdritt« vom 31. Dezember (B. 7) und endlich das »Wappen mit dem Landsknecht« (B. 18). Alle diese Arbeiten zeugen in der Technik von einem starken Einfluß des Lucas van Leyden. Da dieser im selben Jahre in Antwerpen weilte, wie wir aus urkundlichen Nachrichten wissen[37], so scheint es nicht unmöglich, daß Dirick Vellert von ihm in den Anfangsgründen des Kupferstiches unterwiesen worden ist. Die Verwandtschaft der Stiche des sogenannten Dirck van Staren mit Lucas' Arbeiten ist schon wiederholt bemerkt worden, und man hat ihn vielleicht aus keinem anderen Grunde zu einem Holländer gemacht. Durch die Anwesenheit des Lucas van Leyden in Antwerpen erklärt sich dieser Umstand aber zur Genüge, auch wenn wir nicht an ein wirkliches Verhältnis von Lehrer und Schüler denken wollen. Jedenfalls gab es damals in den ganzen Niederlanden keinen Menschen, bei dem man die Kupferstecherkunst besser hätte erlernen können als bei Lucas van Leyden. Die Einwirkung dieses Künstlers wird besonders klar in dem Verfahren, das Dirick Vellert für den größten Teil seiner graphischen Arbeiten anwendet. Nur ganz wenige seiner Blätter sind reine Grabstichelarbeiten oder reine Radierungen; die meisten sind mit Hilfe einer Kombination der Grabsticheltechnik und der Ätzung hergestellt. Der Vorgang dabei ist, wie es scheint, der folgende: die Hauptumrisse und die gröbere Modellierung der Innenflächen werden von der Radiernadel besorgt und die feineren Einzelheiten darauf mit dem Grabstichel nachgetragen. Die Technik dieser Blätter, die ich im folgenden nur aus Verlegenheit als Kupferstiche bezeichne, weil wir eben keinen Ausdruck für dieses gemischte Verfahren haben, entspricht völlig der oben (S. 104 f.) beschriebenen Entstehungsart der Handzeichnungen unseres Meisters. Der erste, der die Ätzung im Verein mit der Grabstichelarbeit anwendet, ist kein anderer als Lucas van Leyden, dessen Blätter »Der Tod Abels« (B. 12), »Der betende David« (B. 29), »Die heilige Katharina« (B. 125) und der »Kaiser Maximilian« (B. 172), alle aus dem Jahre 1520, in dieser Technik hergestellt sind. Es ist

[37] Vgl. Rombouts en van Lerius, De Liggeren en andere historische Archieven, p. 99 (zum Jahre 1522): Lucas de Hollandere, scildere.

daher höchst wahrscheinlich, daß Dirick Vellert sein Verfahren, das er schon zwei Jahre später als Lucas anwendet, wirklich unmittelbar von diesem größten niederländischen Kupferstecher übernommen hat.

In den fünf genannten Blättern zeigt sich Meister Dirick noch nicht im vollen Besitze der technischen Mittel; etwas Unsicheres und Gequältes haftet ihnen fast allen an, viele kleine Strichelchen und Pünktchen bewirken — nicht immer glücklich — die Modellierung. Als vortreffliche Kompositionen verdienen aber die folgenden Stiche hervorgehoben zu werden: Eva, die dem kleinen Kain den Apfel zeigt, während ganz im Hintergrunde Adam, im Schweiße seines Angesichts pflügend, sichtbar wird (B. 1), und Maria mit dem Kinde und der heiligen Anna, im Hintergrunde der heilige Josef bei der Zimmermannsarbeit (B. 7). Weniger gelungen erscheinen der Knabe mit dem Delphin (B. 13), eine Darstellung, für die ich keine sichere Erklärung weiß, und der auf dem Fasse reitende Bacchus (B. 12), ein Vorwurf, der wohl einem italienischen Kupferstich, wie etwa dem des Giovanni Antonio da Brescia (Bartsch, XIII, p. 327, Nr. 17), entlehnt ist. Neben diesen biblischen und mythologischen Darstellungen hat der Meister in demselben Jahre auch eine kleine ornamentale Arbeit geschaffen: das Wappen mit dem Landsknecht (B. 18). Das Format, ein auf die Spitze gestelltes Quadrat, ist eigenartig und das zierliche Figürchen des Kriegers in Rückenansicht von guter dekorativer Wirkung. Das Wappen selbst ist viergeteilt und enthält in den vier Feldern zwei Balken und zwei fünfzackige Sterne. Unwillkürlich kommt man auf den Gedanken, daß dies vielleicht das Wappen des Künstlers selbst ist; denn ebenderselbe fünfzackige Stern trennt, wie wir gesehen haben, in dem gewöhnlichen Zeichen des Meisters seine beiden Anfangsbuchstaben. Dazu kommt noch, daß dasselbe Wappen uns noch ein anderes Mal in seinen Werken begegnet: das von einer nackten Frauengestalt gehaltene Wappen von 1525 (B. 19), das wie ein Gegenstück zu dem eben besprochenen aussieht und damit Form und Größe gemein hat, ist zweigeteilt und zeigt auf der einen Seite dasselbe Wappen, wie es auch der Landsknecht hält, und auf der anderen eine Raute, umgeben von drei ebenfalls fünfzackigen Sternen (Abb. 52). Wenn also das Wappen mit der männlichen Figur das des Künstlers selbst ist, so können wir mit großer Wahrscheinlichkeit in dem Allianzwappen mit dem weiblichen Schildhalter das seiner Frau erkennen. Ich glaube, der Hinweis auf diese Wappenzeichnungen gibt wohl die natürlichste Erklärung für den Stern, der in der Bezeichnung des Künstlers zwischen den Buchstaben D und V steht. Als ein Teil des Wappens ist er hier völlig an seinem Platze, ganz ebenso wie auf gleichzeitigen Künstler- und Druckerzeichen die Hausmarke die beiden Anfangsbuchstaben des Namens voneinander scheidet.

Schon das folgende Jahr 1523, das, wie wir gesehen haben, auch auf dem Gebiete der Handzeichnungen ein ganz besonders fruchtbares und glückliches gewesen ist, bringt uns einen Kupferstich, der zu den schönsten und vollendetsten Schöpfungen des Meisters gehört (Abb. 48). Es ist der »Fischzug Petri«, datiert vom 30. Mai 1523 (B. 3). Der Darstellung liegt hier nicht, wie in Raffaels Teppichen, die ausführliche Fassung des Evangeliums Lucae (5, 1—11) zugrunde,

Abb. 48. Dirick Vellert, Der Fischzug Petri
(Kupferstich)

sondern die davon abweichende, knappe Erzählung des Evangeliums Matthaei
(4, 18—20), womit die des Evangeliums Marci (1, 16—18) fast völlig übereinstimmt: »Als nun Jesus an dem Galiläischen Meer ging, sahe er zwei Brüder,
Simon, der da heißt Petrus, und Andreas seinen Bruder; die warfen ihre Netze
in das Meer, denn sie waren Fischer. Und er sprach zu ihnen: Folget mir nach;
ich will euch zu Menschenfischern machen. Bald verließen sie ihre Netze und
folgten ihm nach.« Deshalb sitzt hier Christus nicht wie bei Raffael mit im
Boote, sondern er steht segnend am Ufer des Meeres und wendet sich zu den
im Boote befindlichen Brüdern, die das Netz aus dem Wasser ziehen. Den
weiteren Fortgang der Handlung hat der Künstler in den winzig kleinen Figuren
des Hintergrundes dargestellt: der Kahn liegt verlassen am Ufer, und Christus
enteilt, gefolgt von seinen beiden neugewonnenen Jüngern. Die Landschaft ist
auf diesem Blatte von einem wahrhaft berückenden Reiz, die wenigen Figuren
sind vortrefflich in dem Raume verteilt, und der ganze Vorgang wird schlicht

und dabei doch lebendig erzählt. Die Ätzung ist ziemlich kräftig, und nur wenige Einzelheiten scheinen mit dem Grabstichel nachgetragen zu sein. Die gewöhnliche Bezeichnung finden wir hier zweimal angebracht, das eine Mal an dem unteren Rande, das andere an der Steuerseite des Schiffes, wo sie ursprünglich im Gegensinne stand, welchen Irrtum eine nachträgliche Verbesserung nicht ganz beseitigt hat.

In demselben Jahre ist noch ein anderes hübsches Blatt entstanden: »Christus und die Samariterin am Brunnen« (B. 6). Es ist viel zarter behandelt und vielleicht noch etwas früher anzusetzen als der eben besprochene Fischzug Petri. Auch hier ist die Landschaft besonders reizend.

Endlich fallen in dieses Jahr 1523 auch die ersten Versuche des Künstlers in der reinen Radierung. Dahin gehören der »Schlafende Mann« vom 10. Oktober (B. 15), der »Trommler mit dem Knaben« vom 14. Oktober (B. 17) und vielleicht auch das undatierte Blatt mit dem »Goldschmied« (B. 14). Aus späterer Zeit kennen wir nur ein einziges, das ohne Hilfe des Grabstichels hergestellt ist, den »betrunkenen Krieger« vom 8. März 1525 (B. 16). Alle diese Arbeiten sind von sehr kleinem Format, nähern sich aber im Stile trotzdem durch breite Behandlung mehr den Handzeichnungen. Die gegenständliche Erklärung ist bei ihnen recht schwierig; eins scheint mir sicher, daß sie nämlich nicht als reine Sittenbilder aufgefaßt werden können. Offenbar liegt einem jeden Blatte ein bestimmtes Erzählungsmotiv zugrunde, dessen Quelle wir heute nicht mehr wissen. Es ist nicht unmöglich, daß die Stoffe zu diesen Radierungen den Rhetorikerfestspielen entnommen sind, die von der mit der Lucasgilde vereinigten Kammer der Violiere alljährlich aufgeführt wurden. Dann könnte zum Beispiel der sogenannte »Goldschmied« (B. 14) eine Art Illustration zu dem Festspiel »Der Schmied von Cambron« sein, das im Jahre 1509 in den »Liggeren« der Malergilde erwähnt und gerühmt wird[38].

Das Hauptblatt des folgenden Jahres ist ohne Zweifel die vom 3. Oktober 1524 datierte »Maria mit dem Kinde und der heilige Bernhard« (B. 8). Die feine Zeichnung und schlichte Haltung der Figuren vereinigen sich hier mit den wunderbar zarten und geschmackvollen Verzierungen der reichen Renaissancearchitektur zu einer Wirkung von fast märchenhaftem Reiz. Nicht ganz auf derselben Höhe stehen die beiden anderen Arbeiten des Jahres 1524, die »Venus auf dem Meere« vom 20. Oktober (B. 11) und die »heilige Elisabeth« vom 15. November (B. 10). Es sind Blätter von sehr kleinen Maßen, und an ihrer Herstellung hat offenbar der Grabstichel den größten Anteil.

Das Jahr 1525 bringt uns außer der Radierung »Der betrunkene Krieger« (B. 16) und dem »Wappen mit der Frau« (B. 19), welche beide schon erwähnt worden sind, und außer der »Versuchung Christi« vom 11. April (B. 5), in deren Komposition wir eine verbesserte Auflage jener Handzeichnung des gleichen Gegenstandes im Museum zu Weimar erkennen können, eine Darstellung der Szene des Evangeliums Matthaei (14, 25—31), wo Petrus dem auf dem Meere wandelnden Christus entgegenläuft, von einem Windstoß entmutigt zu versinken

[38] Rombouts en van Lerius, a. a. O., p. 72.

droht und durch Christi Hilfe gerettet wird (datiert vom 30. Dezember; B. 4).
In technischer Hinsicht gehört dieses Blatt zu den wenigst gelungenen Arbeiten
des Meisters, und auch die Handlung selbst ist nicht verständlich genug dargestellt. Man glaubt dem Künstler nicht, daß Christus wirklich fest auf dem
Wasser steht, und damit ist der Kern der Erzählung vernichtet. Die Schwierigkeit, die auch hier nicht überwunden ist, erklärt die Seltenheit des gleichen Stoffes
in der niederländischen Malerei dieser Zeit; die meisten anderen Künstler, wie
z. B. Herri met de Bles in der Staffage einer seiner Landschaften im Neapler
Museum, wählen die verwandte Erzählung des Evangeliums Johannis (21, 4—7),
wo Christus am Ufer steht und Petrus auf ihn zuschwimmt. Das Blatt »Christus
auf dem Meere« mag ebenso wie der »Fischzug Petri« (B. 3) besonders unter
den Mitgliedern der Gilde der Fischhändler Anklang gefunden haben, ja es ist
nicht unmöglich, daß solche Darstellungen von vornherein für diese Gilde
geschaffen wurden, deren Schutzpatron der heilige Petrus war. Einen Anhaltspunkt für diese Annahme bieten die Gegenstände eines bei van Mander[39] und
Descamps[40] beschriebenen, von Jan van der Elburcht für die genannte Gilde
gemalten Altars, der noch im vorigen Jahrhunderte auf seinem alten Platze in
der Kathedrale zu Antwerpen stand, heute aber verschollen zu sein scheint.
Hier war als Hauptbild der Fischzug Petri dargestellt; die Predella enthielt drei
Bildchen: in der Mitte die Kreuzigung Christi, auf der einen Seite die Schiffs-
predigt, auf der anderen Petrus zu Füßen Christi am Meeresufer[41].

Daß einzelne Blätter des Meisters wirklich im Auftrage einer bestimmten
Bruderschaft oder als Geschenk für eine solche geschaffen und wohl an die
Mitglieder verteilt wurden, wird klar aus der Betrachtung des einzigen Stiches,
der uns aus dem folgenden Jahre 1526 erhalten ist. Dieser ist in jeder Beziehung
eines seiner vollendetsten Werke und reiht sich würdig der Madonna mit dem
heiligen Bernhard an. Dargestellt ist der heilige Lukas, die Madonna malend
(datiert vom 28. Juli; B. 9). Das alte, in der niederländischen Malerei sehr
häufige Motiv ist hier auf das glücklichste behandelt; alles vereinigt sich dabei
zu einer vollendet harmonischen Wirkung. Da Dirick Vellert in demselben Jahre,
wie wir gesehen haben, zum zweitenmal Dekan der Lucasgilde war, so ist es klar,
daß er dies Meisterstück für die Mitglieder der Gilde bestimmt hat, denen er
wohl so für seine Wahl am besten seine Dankbarkeit bezeugen konnte.

Diesem Blatte, zu dem er in dem Jahre, das doch offenbar durch die
Geschäfte des Dekans überbürdet war, noch Zeit gefunden hatte, folgt in seinem
graphischen Schaffen eine Pause von vielen Jahren. Offenbar hatte er jetzt mit
Aufträgen für Glasgemälde und dergleichen so viel zu tun, daß ihm für solche
Nebenarbeiten keine Zeit mehr blieb. Erst 1544 greift er wieder zum Grabstichel

---

[39] Ausgabe von 1604, fol. 205 recto.

[40] Voyage pittoresque de la Flandre et du Brabant, Paris 1769, p. 141.

[41] Das letztgenannte Bildchen scheint mit einem Patinir zugeschriebenen Werke identisch
zu sein, das Herr Kenneth Muir Mackenzie auf der Leihausstellung des Burlington Fine Arts
Club von 1892 unter Nr. 40 ausgestellt hatte. Auch hier wird die Handlung nach dem
Evangelium Johannis erzählt.

und zur Radiernadel, um ein großes Blatt zu schaffen, das, wie in einem Kompendium vereinigt, alles zeigen sollte, was er auf diesem Gebiete zu leisten vermochte. Seine »Sintfluth« (B. 2) ist, wenn man sie nicht gerade mit der überwältigenden Darstellung Michelangelos vergleichen will, eine ganz vortreffliche Arbeit. Sie enthält nicht weniger als achtzig Figuren. Das wirre Durcheinander des erschütternden Weltereignisses, die verzweifelnden Gebärden und Handlungen der Unglücklichen, die wilde Gewalt der Wasserfluten hat der Meister, soweit es seine mehr auf das Äußerliche gehende Begabung zuläßt, mit gutem Glück zu schildern versucht. Eine regelrechte Komposition gibt es da nicht; die einzelnen Gruppen sind wie zufällig auf den Raum verstreut. Aber der Künstler mochte sich wohl vorstellen, daß er nichts Regelrechtes schaffen durfte, wo es galt, etwas Regelloses darzustellen. Für ihn ist es die Hauptaufgabe, die ohnmächtigen Rettungsversuche der einzelnen zu schildern: da klammern sich manche an ein Faß, einen Balken, ein Pferd, ein Boot; da versuchen einige den First eines Daches zu ersteigen, andere klettern an den Gerüsten eines im Bau begriffenen Hauses empor; da trägt ein Mann sein Weib aus den Fluten heraus, ein anderer hält sein fast lebloses Kind in den Armen; da sieht man eine Mutter ihrem Kinde die Brust reichen, um es noch vor dem Hungertode zu retten, während es ja doch dem Tod durch Ertrinken geweiht ist; da werden Menschen bei der Tafel, ja selbst bei Tanz und Spiel von den todbringenden Wellen überrascht. Im Hintergrunde sieht man die Arche Noe schwimmen, und eine Anzahl von Verzweifelten trachtet, an ihr emporzuklettern. Alle diese Gruppen sind in einer schönen, weiten Landschaft verstreut. Am höchsten sind die Fluten auf der rechten Seite des Bildes gestiegen, wo ein prasselnder Regenguß sich aus einer schweren Regenwolke entlädt; hier stehen die Erdgeschosse der Häuser völlig unter Wasser, während links im Hintergrunde ein Gebäude sichtbar ist, das von den Fluten bisher noch verschont worden ist (Abb. 49). Im ganzen ist die Wirkung des Blattes unruhig und verwirrend; aber gerade dies scheint mir, wie gesagt, vom Künstler beabsichtigt zu sein. Die Behandlung der vielen nackten Körper zeugt wohl in der Freiheit der Bewegungen von einem gewissen Einflusse italienischer Kunstweise; sieht man aber näher zu, so entdeckt man, daß unser Meister selbst in dieser späteren Zeit frei ist von einer sklavischen Nachahmung der Italiener, daß er noch viele Merkmale zu eigen hat, die auf die alten, guten Überlieferungen der niederländischen Schule zurückgehen. Zu der akademischen Gespreiztheit und zu der verallgemeinernden Bildung der Akte, wie sie sich in den gleichzeitigen und wenig späteren Schöpfungen eines Heemskerck oder Floris zeigen, hat sich Dirick Vellert auch in diesem letzten Werke, das wir von ihm kennen, nicht verstiegen. Ein starker Rest niederländischer Ursprünglichkeit ist ihm auch hier geblieben.

Neben diesen Kupferstichen und Radierungen gibt es noch zwei Holzschnitte, die Dirick Vellerts Monogramm tragen und offenbar nach seinen Zeichnungen hergestellt sind. Beide stammen aus demselben Jahre 1526. Den einen, der das Wappen der Antwerpner Künstlergilde darstellt, haben wir am Eingange unserer Erörterungen ausführlich besprochen (Abb. 28). Der andere, der

Abb. 49. Dirick Vellert, Die Sintflut (Kupferstich)

123

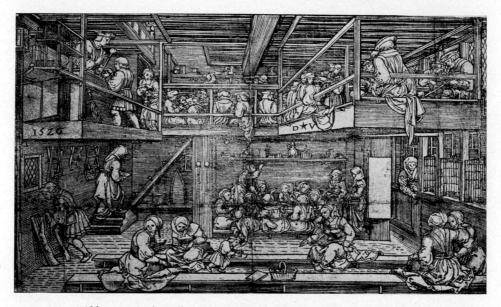

Abb. 50. Dirick Vellert, Knaben- und Mädchenschule (Holzschnitt)
London, British Museum

nur in einem einzigen Exemplar bekannt ist, das in der Kupferstichsammlung des
Britischen Museums aufbewahrt wird[42], stellt eine Schule für Knaben und
Mädchen dar (Abb. 50). Wir blicken in einen Innenraum, der durch eine Art
Galerie wagrecht in zwei ungefähr gleiche Hälften geteilt wird. Unten sehen
wir in einem Alkoven um einen Tisch Mädchen herumsitzen, die lernen, schreiben
und Handarbeiten machen; weiter vorne sitzen auf zwei langen Bänken einige
wartende Frauen, zum Teil ebenfalls mit häuslicher Arbeit beschäftigt; ein kleiner
Knabe von etwa fünf Jahren scheint hier seine ersten Schreibversuche zu machen.
Eine Holztreppe führt zur Galerie empor, auf der eine große Anzahl von
lernenden und arbeitenden Knaben verschiedenen Alters sichtbar ist. Links sieht
man den Lehrer auf dem Katheder, mit seinem Attribut, einem kochlöffelartigen
Stabe; die Rute lehnt, vorläufig noch ungebraucht, an dem Katheder. Vor ihm
steht ein Knabe, der seine Aufgabe aufsagt. Die sehr lebendige Darstellung ist
voll von sittenbildlichen Zügen, die wir der Aufmerksamkeit der Kulturhistoriker
empfehlen. Manches scheint uns ohne die genaueste Kenntnis des damaligen
Lebens kaum erklärlich. Meister Dirick, der hier so sehr von seiner gewöhnlichen
Art abweicht, daß wir ohne das beglaubigende Meisterzeichen nur mit Mühe
seine Hand darin erkannt hätten, zeigt sich in diesem kleinfigurigen Sittenbilde
als ein Vorläufer des wenig späteren, begabten Malers, den man gemeiniglich
den »Braunschweiger Monogrammisten« nennt und der sicherlich ebenfalls in
Antwerpen ansässig gewesen ist, wenn er auch kaum, wie man vermutet hat, mit
Jan Sanders van Hemessen identisch sein dürfte.

[42] In Naglers Monogrammisten ist er als Bestandteil der Ottleyschen Sammlung erwähnt
und ungenau beschrieben (unter Nr. 23). Passavant hat ihn nicht gekannt.

Abb. 51. Dirick Vellert, Flügelaltar mit der Anbetung der Könige
Ehemals Berlin, Sammlung F. Lippmann

Daß Dirick Vellert auch in Öl gemalt hat, das macht schon die Stelle in Dürers Tagebuch wahrscheinlich, wo erzählt wird, Meister Dirick habe Dürer ziegelrote Farbe zum Geschenk gemacht. Nun ist es auch dem Scharfblicke M. J. Friedländers gelungen, ein Ölbild aufzufinden, das ohne Zweifel von der Hand des bisher sogenannten Dirck van Staren herrührt[43]. Es ist dies ein stattlicher Flügelaltar im Besitze des Herrn Geheimrats Friedrich Lippmann in Berlin, der ihn vor wenigen Jahren aus Wiener Privatbesitz erworben hat. Das Mittelbild stellt die Anbetung der Könige vor, der linke Flügel die Anbetung der Hirten und der rechte die Ruhe auf der Flucht nach Ägypten. Die Abbildung enthebt mich einer genauen Beschreibung der Komposition (Abb. 51). Sie bietet auch nichts Außergewöhnliches: die Darstellung der Anbetung der Könige schließt sich jenen gleichzeitigen Antwerpner Arbeiten an, die heute gemeiniglich als Jugendwerke Herris met de Bles ausgegeben werden, übertrifft sie aber weitaus an zeichnerischer und malerischer Durchbildung; am nächsten verwandt sind der Schleißheimer Altar (Nr. 28) und das Triptychon der Dresdner Galerie (Nr. 806^A). Eigenartiger sind die Flügel: besonders die Anbetung der Hirten ist sehr reizvoll komponiert; die Art, wie das hockende und die beiden schwebenden Engelchen zur Füllung des Raumes verwendet sind, zeugt von des Meisters Geschmack und Erfindungsgabe. In der Figur der säugenden Maria auf dem rechten Flügel ist der Ausdruck ruhigen, friedlichen Mutterglücks ganz vortrefflich gelungen; störend wirkt hier nur die etwas manierierte Gestalt des früchtepflückenden heiligen Josef. Das Ganze macht einen hellen, freundlichen Eindruck: kühle, klare Töne wiegen vor, und die Farbenharmonie setzt sich hauptsächlich aus Blau, Gelb und Weiß zusammen. Die Malweise ist ziemlich dünn und leicht flüssig, und man sieht an vielen Stellen, besonders in den Gesichtern und überhaupt im Nackten, Kohlenstriche und -schraffen durchschimmern, die die Modellierung dieser Teile bewirken. Gerade an solchen Einzelheiten der Zeichnung erkennt man, daß Friedländers Bestimmung völlig berechtigt ist. Man vergleiche nur die Durchbildung der Köpfe, besonders des Gesichtes Mariä auf den beiden Flügeln, die eigentümlich gespreizte Bewegung der Hände, die Faltengebung, die nackten Engelchen, das Gefolge der Könige im Hintergrunde des Mittelbildes, die Formen der Renaissancearchitektur mit dem, was wir in den gesicherten Kupferstichen und Handzeichnungen des Meisters kennengelernt haben, und man wird sich davon überzeugen, daß kein anderer als Dirick Vellert der Urheber dieses Triptychons sein kann. Das liebenswürdige Werk, in dem sich auch der gute Geschmack des Künstlers nicht verleugnet, dürfte wohl den Zwanzigerjahren des 16. Jahrhunderts seine Entstehung verdanken.

Ein anderes Werk, das mit unserem Meister aufs engste zusammenhängt, ist ein Flügelaltar im Prado zu Madrid (Nr. 2202, jetzt 1931). Das Mittelbild enthält eine fast in allen Teilen getreue Wiederholung des Kupferstiches »Maria mit dem Kinde und dem heiligen Bernhard« (B. 8), die Flügel stellen Szenen aus

---

[43] Ausstellung von Kunstwerken des Mittelalters und der Renaissance aus Berliner Privatbesitz, Berlin 1898, S. 18.

dem Leben des heiligen Paulus vor. Von vornherein läge wohl die Annahme nahe, daß das Mittelbild nur eine Kopie nach dem Stiche unseres Meisters wäre[44]; doch machen es bestimmte stilistische Merkmale, die sich gerade an den Flügeln beobachten lassen, wahrscheinlich, daß das Ganze doch eine eigenhändige Arbeit Dirick Vellerts ist.

Dirick Vellert zeigt sich in allem, was wir von ihm kennengelernt haben, zwar nicht als ein Künstler ersten Ranges, aber doch als eine bemerkenswerte Erscheinung; in seinen Arbeiten verkörpern sich gerade die Richtungen und Strömungen jener Tage für unser Auge sichtbarer als in den Schöpfungen der großen Meister, die das Niveau zeitgenössischer Kunst weit übersteigen. Seine Werke zeichnen sich fast alle, wie schon Guicciardini bemerkt hat, durch eine ganz besonders glückliche Erfindung aus, eine Eigenschaft, die ihnen für immer eine hervorragende Stellung in der Geschichte der niederländischen Kunst einräumt. Auch in seinen Stoffen ist er sehr vielseitig. Wie fast alle seiner Zeitgenossen entnimmt er den größten Teil seiner Vorwürfe der Bibel und der Heiligenlegende; doch bringt er auch hier manches Neue und sucht mit Vorliebe entlegenere Motive auf. Manchmal versteigt er sich, wie wir gesehen haben, selbst in das Gebiet antiker Mythologie und altitalienischer Dichtung. Endlich haben wir von ihm eine Anzahl von sittenbildlichen Darstellungen und dekorativen Entwürfen kennengelernt, so daß man wohl mit Recht sagen kann, er habe so ziemlich den gesamten Stoffkreis der Kunst seiner Zeit beherrscht. Sowohl in der Komposition als auch in einzelnen Figuren finden wir bei ihm jene Freiheit und Beweglichkeit, die, wie gesagt, in diesen Tagen in die Antwerpner Malerei einzudringen beginnt. Die Verhältnisse seiner Figuren, denen man es anmerkt, daß der Meister den menschlichen Körper nach dem Nackten studiert hat, sind ziemlich lang, aber doch weit entfernt von den übertrieben schlanken Proportionen, die wir in den ihm sonst sehr verwandten gleichzeitigen Antwerpner Arbeiten finden, deren Mehrzahl bisher der Jugendzeit Herris met de Bles zugeschrieben worden ist. Die Köpfe sind nicht unedel, haben aber oft einen allgemeinen, etwas leeren Ausdruck; nur in einigen wenigen Frauenköpfen erreicht er einen Hauch von jener Tiefe der Empfindung, die die Gesichter eines Quinten Metsys beseelt. Die Gewandung ist reich, ohne doch überladen zu erscheinen. Für die Heiligen, besonders für Christus und Maria, wählt er die einfachen, weitfaltigen Gewänder ohne weiteren Schmuck, wie sie in den Zwanzigerjahren des 16. Jahrhunderts allgemein in Antwerpen üblich sind. Offenbar hat das Studium antiker und italienischer Kunst die nördlichen Künstler darauf gebracht, die Hauptfiguren der Heiligen durch eine besondere Tracht von den in das modische, reiche Kostüm jener Tage gehüllten Nebenpersonen zu unterscheiden. Der Behandlung der Tracht entspricht die der Architektur. Auch hier verfällt er nicht dem allgemeinen Fehler der Übertreibung. Er geht von der Gotik aus, um sich bald voll und ganz der Renaissance zu ergeben. Seine Bauten

[44] Gerade dieses Blatt ist auch von einem gleichzeitigen Kupferstecher, dem Meister S, kopiert worden, eine Kopie, die, wie es scheint, noch nicht beschrieben ist.

sind aber einfacher, organischer und, was die Hauptsache ist, geschmackvoller als die der meisten Zeitgenossen. In der Landschaft kann er nicht ohneweiters als ein Nachtreter Joachim Patinirs angesehen werden. Obwohl er mit diesem Begründer der eigentlichen Landschaftsmalerei manches gemein hat, weisen doch seine Landschaften durch ihren breiteren, mehr dekorativen Charakter auf eine spätere Entwicklungsstufe hin. Der Augenpunkt liegt meistens schon ziemlich tief, nicht viel über der horizontalen Halbierungslinie des Bildes. Der Baumschlag ist rundlich und etwas klobig und gibt die individuellen Formen ebensowenig wieder wie die durchgehend knorrige Behandlung der Baumstämme.

Die Erkenntnis, daß der sogenannte Dirck van Staren, den man früher bald nach Holland, bald nach Brüssel versetzt hat, der Antwerpner Schule angehört, ist für die Geschichte der niederländischen Malerei nicht ohne Bedeutung. Das von M. J. Friedländer entdeckte Triptychon läßt ihn mit Sicherheit als einen Vertreter jener Gruppe von Künstlern erscheinen, die die angeblichen Jugendwerke Herris met de Bles geschaffen haben. Die oben ausgesprochene Annahme, daß diese Maler zum größten Teil der in den ersten Jahrzehnten des 16. Jahrhunderts mächtig aufblühenden Antwerpner Schule zuzuteilen seien, findet darin einen neuen Beweis, daß einer aus diesem großen Kreise, unser Dirick Vellert, sich mit Bestimmtheit in Antwerpen lokalisieren läßt. Auch manche Schöpfungen, die man sich früher gerne in Brüssel entstanden gedacht hat, wie etwa der Schleißheimer Altar (Nr. 28) und das Triptychon der Brüsseler Galerie (Nr. 54), werden durch einen Vergleich mit Dirick Vellerts Flügelaltar mit größerer Wahrscheinlichkeit als Arbeiten der Antwerpner Schule bezeichnet werden können. Ich glaube auch, daß die genaue Untersuchung solcher Zusammenhänge ergeben wird, daß dem Brüsseler Bernard van Orley, einem Künstler, den man heute stark überschätzt, nicht die bedeutende Stellung eines Schuloberhauptes zukommt, sondern daß er gerade von Antwerpner Künstlern, wie Dirick Vellert, sein Bestes gelernt hat. Man kann wohl sagen, daß etwa vom Jahre 1515 an Antwerpen in künstlerischer Hinsicht Brüssel gegenüber nicht mehr der nehmende, sondern fast nur mehr der gebende Teil ist. Endlich scheint es mir ein nicht unwichtiges Ergebnis unserer Untersuchung zu sein, daß sie eine neue Stütze ist für die von C. Justi und E. Firmenich-Richartz unabhängig voneinander ausgesprochene Annahme, der vielgenannte Meister vom Tode Mariä sei identisch mit dem Antwerpner Maler Josse van Cleve. Die Ähnlichkeit zwischen den Werken dieses Künstlers und denen des sogenannten Dirck van Staren im Stil, in den Einzelformen, ja in der ganzen Auffassung ist unbefangenen Augen nie verborgen geblieben; sie ist so groß, daß sie nur durch die engste örtliche Zusammengehörigkeit erklärt werden kann. Und in der Tat treten Josse van Cleve und Dirick Vellert im Jahre 1511 zugleich in die Antwerpner Lucasgilde ein, wo sie bis gegen Ende der Dreißigerjahre nebeneinander tätig sind. Durch das jahrelange Zusammenleben findet allein die Verwandtschaft ihrer Werke eine genügende Erklärung.

Dies mögen wohl die wichtigsten Resultate sein, die sich aus einem kleinen Funde ergeben haben, von dem wir hoffen und wünschen, daß er geeignet sein möge, ein wenig das Dunkel zu erhellen, das noch über diesem merkwürdigen Abschnitte der Geschichte der Kunst liegt. Und schließlich dürfte es wohl manchen Leser nicht verdrießen, Näheres über die Tätigkeit eines Künstlers erfahren zu haben, den unser großer Albrecht Dürer persönlich gekannt und geschätzt hat.

(1901)

Abb. 52. Dirick Vellert
Das Wappen mit der Frau
(Kupferstich)

EINE VERMUTUNG ÜBER DEN MEISTER S

Während meiner Beschäftigung an dem heute mit der Albertina vereinigten Kupferstichkabinett der ehemaligen Hofbibliothek vor mehr als einem Vierteljahrhundert ist mir eine kleine Vermutung in den Sinn gekommen, die ich hier in Kürze vortragen möchte als einen bescheidenen Beitrag zur Festfeier der wissenschaftlichen Anstalt, der auch ich viel zu danken habe. Trotz der langen Zeit, die seit jener anregenden und lehrreichen Tätigkeit an einer so großen und vielseitigen graphischen Sammlung verflossen ist, konnte diese Vermutung von mir nicht auf festeren Grund gestellt werden, weil mich andere Studienwege davon ablenkten und weil mir eine genaue Durchsuchung der Bestände der Kupferstichkabinette Europas bisher nicht möglich gewesen ist. Ich lege sie heute doch vor, weil solche Hypothesen nicht selten dem Forscher auf einem besonderen Gebiete von Nutzen sein können.

Es handelt sich um die Frage nach dem Namen eines niederländischen Kupferstechers aus der ersten Hälfte des 16. Jahrhunderts, jenes Meisters S, den Friedrich Lippmann mit gutem Recht einen »Kleinmeister von vlämischem Typus« genannt hat. Das Werk dieses Künstlers wird von Jaro Springer[1] auf nicht weniger als 400 Blätter geschätzt, die zum Teil mit dem Buchstaben S bezeichnet sind, zum andern aus stilistischen Gründen demselben Monogrammisten oder seiner Werkstatt zugeschrieben werden. Der Eindruck, den wir daraus gewinnen, ist nicht der einer überragenden künstlerischen Persönlichkeit. Obwohl es dem Meister ein wenig an Kraft, Eigenart und Erfindungsgabe mangelt, so bestechen doch seine Stiche durch die Feinheit und Zartheit der Ausführung, sie haben etwas von dem Reiz ziselierter Goldschmiedearbeiten, sie sind gefällig und müssen auch wohl zu ihrer Zeit gefallen haben.

Die allgemeine Annahme, der Künstler sei seines Zeichens ein Goldschmied gewesen, ist völlig berechtigt, da sie sich nicht nur durch den Stil der Arbeiten, sondern auch durch die große Anzahl von Ornamentstichen und nielloartigen Blättern leicht begründen läßt. Ebenso richtig wird als Zeit seiner Tätigkeit das erste Drittel des 16. Jahrhunderts angenommen. Hingegen beruht die Behauptung, der Arbeitsort des Meisters und seiner Werkstatt sei die Stadt Brüssel gewesen, auf schwankenden Grundlagen. Wenn gesagt wird, einige von den Kupferstichen enthielten Inschriften im Brüsseler Dialekt, so müßte es wohl der

---

[1] Monatshefte für Kunstwissenschaft, I, 2, 1908, S. 800.

Untersuchung durch einen berufenen Sprachforscher vorbehalten bleiben, ob dies wahr ist und ob es überhaupt eine solche, von der anderer südniederländischer Städte gänzlich abweichende, besondere Brüsseler Mundart gegeben hat. Ein anderer Grund, der für den Ursprung der Stiche in der älteren Literatur angeführt wird, ist sicherlich noch weniger einleuchtend: auf einem Blatte, das Pyramus und Thisbe vorstellt, sieht man die Brunnenfigur eines Pißmännchens, und dies soll das Wahrzeichen von Brüssel sein. Wenn auch die berühmt gewordene, 1619 von Jerôme Duquesnoy geschaffene Bronzestatuette des Manneken-pis, an deren Stelle heute eine Kopie steht, eine ältere Steinarbeit desselben Vorwurfs ersetzt haben soll, so ist doch wohl nicht einzusehen, warum die Stadt Brüssel am Anfange des 16. Jahrhunderts das alleinige Vorrecht einer solchen Darstellung besessen haben sollte. In der Tat ist dieses Motiv auf Bildern, die ohne Zweifel aus Antwerpen stammen und dem Kreise des in dieser Hafenstadt tätigen Joachim Patinier zugehören, besonders häufig.

Nach Antwerpen, nicht nach Brüssel weist nun wirklich der Stil der Stiche des Meisters S und seiner Werkstatt. Schon Ludwig Kaemmerer[2] hat auf die Beziehungen zu den Arbeiten des Meisters des Todes Mariä hingewiesen, in dem seither der in Antwerpen wirkende Joos van Cleve erkannt worden ist. »Fast möchte man«, sagt er, »an ein und dieselbe Werkstatt glauben, wenn der Stecher in der Darbringung des Christkindes (P. 61) dasselbe kleine Klappaltärchen mit den Gestalten des Moses und eines Heiligen verwendet, das auch unter dem Hausrat des Münchener Todes der Maria uns begegnet.« Noch schwerer als solche einzelne Beobachtungen wiegt die allgemeine Verwandtschaft des Stils des Meisters S mit dem der Gruppe der sogenannten Antwerpner Manieristen[3]. Hier wie dort finden wir dieselben bizarren, gezierten und gewollt bewegten Gestalten, dieselben reichen und seltsamen Kostüme, dieselbe krause und unverstandene Renaissanceornamentik und -architektur mit den sich in diesem Krimskrams tummelnden kleinen Engelsgestalten. Gerade zu den mehr handwerksmäßigen und daher besonders typischen Erzeugnissen dieser Gruppe von Malern haben die Kupferstiche des Meisters S die nächsten Beziehungen.

Daß dieser, wie manche andere Kunsthandwerker, auf selbständige Erfindung der Kompositionen nicht immer Wert legte, beweist eine größere Anzahl von Kopien, die sich unter seinen Blättern haben

Abb. 53
Meister S
Messerscheide
(Kupferstich,
P. 288)

[2] Jahrbuch der preußischen Kunstsammlungen, XI, Berlin 1890, S. 159.
[3] Über diese vgl. Max J. Friedländer, Jahrbuch der preußischen Kunstsammlungen, XXXVI, 1915, S. 65, und Bibliothek der Kunstgeschichte, herausgegeben von H. Titze, 3. Bändchen, Leipzig 1921.

nachweisen lassen[4]. Von Dirick Vellert, dem ihm überlegenen Antwerpner Meister, hat er die Madonna mit dem heiligen Bernhard nicht nur ganz kopiert, sondern auch die Architektur dieses Blattes in dem Hintergrunde seines Ecce homo (P. 152) verwendet. Daß er daneben nach Lucas van Leyden, nach Dürer, nach italienischen Niellen kopiert hat, spricht sicherlich nicht gegen seinen Aufenthalt in Antwerpen, der reichen Handelsstadt, wo damals so viele Waren und darunter auch Kunstwerke aus aller Herren Länder zusammenströmten.

Nach alledem scheint sich unter dem bisher namenlosen Meister S ein Goldschmied zu verbergen, der in dem ersten Drittel des 16. Jahrhunderts in Antwerpen eine recht umfangreiche Tätigkeit entwickelte und hier wahrscheinlich auch eine große Werkstatt unterhielt. Unter den Antwerpner Künstlern nun, die Dürer auf seiner niederländischen Reise kennenlernte, tritt uns nur die Gestalt eines einzigen bedeutenden Goldschmiedes entgegen, die des Meisters Alexander, der den deutschen Künstler kurz nach dessen Ankunft zum Speisen einlud, von ihm, offenbar als Gegengabe, die vier neuesten Kupferstiche erhielt und endlich mit vielen anderen an einem köstlichen Festessen teilnahm, das Dirick Vellert im Mai 1521 Dürer zu Ehren gab. Dieser Meister Alexander, den Dürer als einen stattlichen, reichen Mann bezeichnet, ist ohne Zweifel dieselbe Person wie der Goldschmied A l e x a n d e r v a n B r u g s a l, der 1505 oder 1506 das Antwerpner Bürgerrecht erhält, 1516 Freimeister der Antwerpner Sankt-Lucas-Gilde wird und einen Sohn des gleichen Namens und desselben Berufes hat, der seinerseits 1537 die Freimeisterschaft erwirbt, offenbar nachdem er bis dahin in der Werkstatt des Vaters tätig gewesen war. Von dem Ansehen, das dieser Alexander van Brugsal genoß, zeugt der Umstand, daß er mit anderen Antwerpner Goldschmieden nach dem Tode des Kaisers Maximilian I. berufen wurde, die Schätzung von dessen Juwelen vorzunehmen. 1530 wird er noch in Urkunden genannt, 1545 ist er schon verstorben, da in diesem Jahre seine Witwe erwähnt wird. Verschiedene Akten aus den Antwerpner Archiven[5] beweisen, daß Meister Alexander als wohlhabender Mann, als welchen ihn ja auch Dürer schildert, sein Geld in verschiedener Weise anlegte und unter anderem auch ein Haus für sich und seine Familie erwarb, nicht aber, wie man früher annahm, daß er Wuchergeschäfte betrieb und sich durch Verleihen von Geld zu hohen Zinsen große Einkünfte verschaffte. Die Herausgeber der »Liggeren« der Antwerpner Lucasgilde, Rombouts und van Lerius, machen ihn zu einem Deutschen, weil er aus Bruchsal in Bayern stamme, eine Annahme, die seither in Lexiken wiederholt nachgeschrieben wurde, die aber unbegründet ist. Abgesehen davon, daß Bruchsal nicht in Bayern, sondern in Baden liegt, kommt uns die Meinung wahrscheinlicher vor, daß unter den verschiedenen Schreibungen des Wortes Brugsal, Brouxal, Brouchssal, Bruchselles, Bruessele, Brouschal u. s. w. nichts anderes als Brüssel zu verstehen sei; in den Rechnungen Karls V. lautet der Name in der Tat Bruxelles. Meister Alexander ist also wohl ein Antwerpner Künstler, der aus einer Brüsseler Familie stammt.

[4] E. Waldmann, Mitteilungen der Gesellschaft für vervielfältigende Kunst, 1910, S. 1.
[5] Vgl. die Urkundennachweise im Anhang, S. 134—135.

Abb. 54. Meister S, Christus vor Herodes (Kupferstich, P. 115)

Wie dem auch sei, so muß er, obwohl sich meines Wissens Goldschmiedearbeiten seiner Hand oder Werkstatt nicht nachweisen lassen, ohne Zweifel seiner
Kunst nach kein Deutscher, sondern ein Niederländer gewesen sein; dafür spricht
sein langer Aufenthalt in Antwerpen, und auch Dürer deutet nirgends an, daß
es sich um einen seiner Landsleute handle. Wie aber läßt sich der Name dieses
Alexander von Brüssel mit dem Buchstaben S vereinigen, mit dem jene Kupferstiche bezeichnet sind? Nach dem Gebrauche des 16. Jahrhunderts kann ein

einzelner Buchstabe wohl nur den Vor-, nicht den Familiennamen bedeuten. S müßte also nichts anderes vorstellen als die niederländische Form des Namens Alexander, die auch, um nur ein Beispiel zu nennen, bei einem anderen süd-niederländischen Künstler derselben Zeit, dem Miniator Alexander Bening, hie und da vorkommt? Sander, Sandres oder Sanders konnte sich Meister Alexander ebensogut nennen, wie die Ungarn noch heute ihre Alexander als Sándor bezeichnen und wie umgekehrt jener klassisch gebildete schottische Baron in einem der berühmtesten Romane Walter Scotts den Namen seines Haushofmeisters Mr. Saunders Saunderson scherzhaft, aber richtig mit Alexander ab Alexandro übersetzt.

URKUNDENNACHWEISE.

Die folgenden Auszüge aus Akten der Antwerpner Archive verdanke ich neben anderen wertvollen Hinweisen der ganz besonderen Liebenswürdigkeit und Gefälligkeit des Herrn F e r n a n d D o n n e t, Sekretärs der Académie Royale d'Archéologie de Belgique in Antwerpen. Geben sie auch keinerlei Auf-schlüsse über die künstlerische Laufbahn des Meisters Alexander, so erfahren wir doch daraus mancherlei über seine finanziellen Transaktionen, die ihn wohl als einen anscheinend wohlhabenden Mann erkennen lassen, nicht aber als einen Wucherer, als welcher er in der älteren Literatur auf Grund einer nicht ganz ver-läßlichen Mitteilung Léon de Burbures häufig dargestellt wird. Die übrigen urkundlichen Nachrichten, denen sich nun die von Herrn Donnet gesammelten anfügen, findet man in Alexandre Pincharts Recherches sur la vie et les travaux des graveurs de médailles, de sceaux et de monnaies des Pays-Bas, I, p. 147, in desselben Gelehrten Anmerkungen zur französischen Ausgabe von Crowe und Cavalcaselles Buch über die altniederländische Malerei, 1865, p. CCXCVII, und in Alexandre Hennes Histoire du Règne de Charles V en Belgique, V, 1859, p. 99. Zu den im folgenden mitgeteilten Auszügen ist zu bemerken, daß der Familienname des Meisters in ganz verschiedener Rechtschreibung vorkommt und daß er selbst erst nach 1516 als Meister (meester) bezeichnet wird, sonst aber fast immer als Goldschmied (goudsmit), hie und da auch als Kaufmann (coopman).

5. September 1504. Gabriel van Doerninck verkauft dem Alexander van Bruchssal, Goldschmied, ein in der Zierick-Straße gelegenes Haus, genannt »den sleutel« (zum Schlüssel).

13. Juli 1506. Alexandre de Bruchsselles, Kaufmann, erklärt, von Godefroid de Volder eine Rente zurückerstattet erhalten zu haben.

1512. Alexander van Bruessele, Goldschmied, erstattet als Bevollmächtigter des Bernard Floer, Glasmachers in London, der Metzgergilde eine Rente zurück.

30. Mai 1516. Alexander van Brouschal, Goldschmied, verkauft dem Jean Leu, Getreideverkäufer in Valenciennes, drei am »Goddaert« gelegene kleine Häuser.

9. Mai 1519. Meister Alexander van Brouschal, Goldschmied, erhält von Jean Le Gran, Kauf-mann in Valenciennes, den Preis der verkauften Häuser am »Godaert«.

7. Juli 1522. Meister Alexander van Bruessel, Goldschmied, verkauft dem Erbert Boermester, Kaufmann, eine Rente auf die Stadt Antwerpen.

1522. Meister Alexander van Brouxstal, Goldschmied, verkauft dem Henri Holswiler eine

Hypothek auf einen Grund, der dem Italiener Thomas Bombelli gehört (einem sehr reichen genuesischen Seidenhändler, der Zahlmeister der Erzherzogin Margarete von Österreich war und zu den vertrautesten Freunden und Gönnern Dürers während seines Aufenthaltes in den Niederlanden zählte).

1530. Hans Moldre erklärt, Alexander van Brugsal 100 Pfund Rente zu schulden, für geliehenes Geld, als Garantiesumme und für gelieferte Waren.

25. August 1545. Jeanne van Parys, Witwe des Alexander van Bruchsal, ihre Söhne Alexander und Bernard und ihre Tochter Catherine, Frau des Pierre Petitpas, verkaufen dem Herman Hermans van Berghen op Zoom das Haus »den sleutel« in der Zierick-Straße.

25. August 1545. Dieselben verkaufen ein kleines Haus, das hinter dem obenerwähnten gelegen ist.

1552 stirbt Jeanne van Parys, die Witwe Meister Alexanders.

1554. Vier ehrenwerte Zeugen erklären, daß die drei Kinder Alexander van Brugsals die Stadt verlassen haben, daß sie ehrenwert waren, daß ihre Eltern von sehr guten Sitten und Ruf gewesen seien und daß ihre Abreise mit Zustimmung der Obrigkeit erfolgte.

(1926)

EIN NEUGEFUNDENES WERK
JAN VAN SCORELS

(DARSTELLUNG IM TEMPEL)

Auf einer Ausstellung des Wiener Versteigerungsamtes (Dorotheum) im Jahre 1910 erweckte ein Bild, das von dem Sachverständigen dieser Anstalt der Regensburger Schule, der Richtung Altdorfers, zugeschrieben worden war, unsere besondere Aufmerksamkeit. Der Gegenstand des stattlichen Gemäldes war die Darstellung Christi im Tempel in einer eigenartigen und merkwürdigen Auffassung (Abb. 55). Besonders reizvoll war daran die reiche, konsequent durchgeführte und Übertreibungen vermeidende Renaissancearchitektur mit Pilastern, Tonnengewölbe, Kuppel, Nischen, auffallend schönen, in gelber Farbe gemalten Goldornamenten und ungewöhnlich fein und geistreich wiedergegebenen Statuen und Reliefs in Bronze und Stein. Machte schon die Architektur durch ihre folgerichtige und gemäßigte Art eine Entstehung des Bildes in Deutschland unwahrscheinlich, so paßten zu einem solchen Ursprung schon ganz und gar nicht die perspektivisch höchst geschickt angeordneten kleinen Figuren, die deutlich die Hand eines Niederländers, der bei den Italienern gelernt haben mußte, verrieten. Wilhelm Bode war der erste, der — nur nach der kleinen Wiedergabe des Bildes im Versteigerungskataloge — die niederländische Art und den Stil J a n v a n S c o r e l s darin erkannte. Da auch wir die Urheberschaft Scorels für sehr wahrscheinlich hielten, haben wir das interessante Bild für die Wiener Galerie, die bisher noch kein Werk dieses Meisters besessen hatte, um einen mäßigen Preis erworben. Sehr erfreut waren wir aber, als wir kurz nach dem Ankaufe dasselbe Bild unter der großen Zahl von Gemälden Scorels, die van Mander in seinem »Schilderboek« erwähnt, mit folgenden Worten ausführlich beschrieben fanden: »Ick can niet verswijgen, dat te Haerlem by d'Heer Geert Willemsz. Schoterbosch, is van hem een uytnemende stucxken, daer Maria Christum in den Tempel den Simeoni, offert, waer te sien is een heerlijcke Metselrije met een cierlijck verwelf, daer veel vergults oft gulden vercieringhen met der verwe zijn gedaen, dat wonder heerlijck staet, en is daer beneffens seer aerdigh van beeldekens, die seer bevallijck te sien zijn.« (Van Mander ed. Floerke, I, p. 278). Es kann wohl kein Zweifel darüber bestehen, daß unser Bild mit dem von van Mander erwähnten identisch ist. Der Stil der Figuren ist hier völlig derselbe wie in den späten Werken Scorels; man vergleiche zum Beispiel die mit dem Namen des Künstlers und der Jahreszahl 1530 bezeichnete Kreuzigung Christi im Provinzialmuseum zu Bonn, die Anbetungen der Könige

Abb. 55. Jan van Scorel, Die Darstellung Christi im Tempel
Wien, Kunsthistorisches Museum

ebenda (aus der Wesendonkschen Sammlung, von Walter Cohen bekannt gemacht in der Zeitschrift für bildende Kunst, N. F. XXI, 1909, S. 61) und im erzbischöflichen Museum zu Utrecht, David und Goliath in der Dresdner Galerie und die heilige Magdalena im Rijksmuseum zu Amsterdam. Die Farbenwirkung ist in unserm Bilde ganz von den Goldverzierungen der Architektur bedingt, die van Mander in seiner Beschreibung besonders hervorhebt; die goldgelbe Farbe kehrt in den Gewändern der Figuren mehrfach wieder und beherrscht und erwärmt das ganze Bild. In der Komposition erscheint uns hier der Meister geschickter, in den Figuren liebenswürdiger und weniger manieriert als sonst. Das neugefundene Bild bestätigt das Urteil Guicciardinis, der Scorel einen Meister nennt, der in der Architektur ebenso hervorragend gewesen sei wie in der Malerei und der aus Italien viele Erfindungen und neue Malweisen nach Hause gebracht habe. Auch in der Geschichte des Architekturstückes, die in Hans Jantzen einen feinsinnigen Darsteller gefunden hat[1], möchte das Bild eine Rolle zu spielen geeignet sein.

(1910)

[1] Das niederländische Architekturbild, Leipzig 1909.

EIN NEUGEFUNDENES GEMÄLDE
JAN VAN SCORELS

(RUTH UND NAEMI)

Die Abteilung altholländischer Gemälde des Wiener Kunsthistorischen Museums, worunter sich schon von alters her so hervorragende Werke befunden haben, wie Geertgens tot Sint Jans beide Flügel mit der Beweinung Christi und der Geschichte der Gebeine Johannis des Täufers und Jacob Cornelisz' Hieronymusaltar, konnte erfreulicherweise in der letzten Zeit durch einige Stücke bereichert werden, die geeignet sind, den alten Bestand zu ergänzen. Allgemein bekannt ist das liebenswürdige, durch die naiv poetische Art der Erzählung reizvolle Gemälde der Geburt Christi von dem sogenannten Meister der Virgo inter virgines, das aus der Somzéeschen Sammlung in Brüssel (versteigert 1904) stammt und auch in Max J. Friedländers grundlegendem Aufsatz über diesen Meister (Jahrbuch der preußischen Kunstsammlungen, 1910, S. 66, Nr. 5) aufgenommen und abgebildet ist. Während dieses Bild im Tauschwege gegen zwei für Dänemark interessante Porträte erworben werden konnte, gelangte durch ein wertvolles Legat des allzufrüh verstorbenen, vortrefflichen Wiener Kunstgelehrten Oswald von Kutschera ein zweites Werk Marten van Heemskercks in die Sammlung, ein mittelgroßes Gemälde mit der Darstellung der Gefangennahme des Liebespaares Mars und Venus, interessant und anziehend durch die kunstvolle Komposition, die lebendig anschauliche Erzählung und die eigentümlich bizarre Formengebung der reifen Zeit dieses heute mehr als früher geschätzten Künstlers (abgebildet bei Hans Tietze, Wiener Jahrbuch für bildende Kunst, V, 1922, S. 51). Endlich wurde aus dem Wiener Kunsthandel ein neues Werk von Heemskercks Lehrer Jan van Scorel erworben, das den Gegenstand dieser Zeilen bildet. Es ist das zweite von der Hand dieses Meisters, das die Galerie besitzt. Die Erwerbung des wichtigen Gemäldes der »Darstellung Christi im Tempel« mit der reichen goldverzierten Architektur, in der man Bramantes ersten Bau von St. Peter hat wiedererkennen wollen, war im Jahre 1910 vorangegangen. Über diese Entdeckung, die durch die Erwähnung des Bildes in van Manders Schilderbock bestätigt wurde, haben wir damals in der Zeitschrift »Der Cicerone« (II, 1910, S. 589) berichtet.

Der Gegenstand des neuen Bildes Scorels ist dem Buche Ruth entnommen, welches — nach Goethes Worten — »bey seinem hohen Zweck, einem König von Israel anständige, interessante Voreltern zu verschaffen, zugleich als das lieb-

lichste kleine Ganze betrachtet werden kann, das uns episch und idyllisch überliefert worden ist«. Trotz der Vorliebe der Holländer für Vorwürfe aus dem
Alten Testament, einer Vorliebe, die schon seit dem Anfange des 16. Jahrhunderts beobachtet werden kann, kommt dieser Stoff, der mit seiner köstlichen
Schilderung des Landlebens dem Maler manchen Anreiz hätte bieten können, in
dieser frühen Zeit, so viel wir zu sehen vermögen, kaum irgend sonst vor; uns
wenigstens ist kein altniederländisches Bild dieses Gegenstandes bekannt, und,
abgesehen von Holzschnitten und Kupferstichen, können wir den Vorwurf erst
am Anfange des 17. Jahrhunderts in einem ziemlich frühen Gemälde Claes
Moyaerts im Berliner Museum (Nr. 1451) nachweisen, worin die Szene dargestellt
ist, wie Ruth sich vor Boas, der mit seinen Schnittern bei seinem Felde steht, de-
mütig und dankbar niederwirft. In Scorels Wiedergabe der schönen biblischen Erzählung bildet dieselbe Szene nebst der Schilderung des Kornschnittes nur den
Hintergrund des Bildes, wo sie sich mit der reichen landschaftlichen Umgebung
von dunkeln, knorrigen einzelnen Bäumen, dichten Wäldern, ferner im Blau des
Himmels verschwimmenden Anhöhen, Bauten und phantastisch gebildeten Felsen
bei leichter, fast skizzenhafter Andeutung der Staffage zu voller Harmonie ver-
bindet. Es ist eine von jenen Landschaften des Meisters, auf die Carl Justis
feinsinnige Charakteristik (Jahrbuch der preußischen Kunstsammlungen, II,
1881, S. 195) vortrefflich paßt: »Man sieht es seinen Landschaften an, daß bei
ihm Detailstudien aus dem Pflanzenreich (wie bei jedem echten Landschafter) eine
Jugendpassion gewesen sein müssen. Insonderheit muß er in Studien alter Baumstämme (wie Salvator Rosa) irgendeinmal das höchste Glück der Nachahmung
gefunden haben. Es gibt wenig Bilder, wo er nicht, in der Mitte des Vordergrundes etwa, einen knorrigen Stamm hinpflanzt, an dessen vom Regen ab-
gespülten Wurzeln er seinen Helden ein Ruheplätzchen ausgesucht hat. Bald ist
es ein altersmatter Patriarch, aus dessem dürren Geäst als später Trieb ein
Fächer grünen Gezweigs hervorragt, wie die mit der letzten Kraft empor-
gehaltene Fahne des versinkenden Lebens; bald ein einsames Eichenbäumchen,
dessen zierliche Krone die hellblaue Luft durchschneidet. Überhaupt aber kann
er sich in keiner Historie, und nur selten selbst im Bildnis versagen, in einer
immer eigentümlichen, oft reichen poetisch kompositionellen Szenerie sich land-
schaftlich gleichsam gütlich zu tun.«

Von dem reizvollen Hintergrunde mit dem wogenden Kornfeld hebt sich
die Hauptszene ab, die sich Scorel aus der biblischen Erzählung ausgewählt hat:
eine Unterredung zwischen Ruth und ihrer Schwiegermutter Naemi. »Und Ruth,
die Moabitin, sprach zu Naemi: Laß mich aufs Feld gehen, und Ähren auflesen,
dem nach, vor dem ich Gnade finde. Sie aber sprach zu ihr: Gehe hin meine
Tochter.« Durch prächtige Gewänder gibt der Künstler seinen Figuren eine
gewisse Art von poetischem Zauber, in den ihm, dem fein gebildeten Geistlichen,
das Alte Testament gehüllt erschienen sein mag. Auf Felsenstücken am Fuße
eines Eichenbaumes mit knorrigen Zweigen sitzt, mit weißem Turban und halb-
rotem Brokatmantel bekleidet, die alte, silberhaarige Naemi, die ihre Linke
sprechend und ratend erhoben hat und ihr fein, aber scharf geschnittenes Profil

140

Abb. 56. Jan van Scorel, Ruth und Naemi
Wien, Kunsthistorisches Museum

der vor ihr in der Mitte des Bildes stehenden ebenmäßig schönen Gestalt ihrer Schwiegertochter Ruth zuwendet. Diese, mit einer prunkvollen Goldhaube und reichem, blauschillerndem, mit Goldfransen besetzten Kleide geschmückt, wendet ihr liebliches Antlitz der Schwiegermutter zu, während sie mit der linken Hand nach dem Felde hinweist. Zum dritten Male kehrt endlich die Figur der Ruth wieder in einer Szene, die rechts im Mittelgrunde nahe vom Bildrande unter einer Art von Zelt spielt. Hier ist der Augenblick wiedergegeben, da Boas von seinem Schlafe auf dem Felde erwacht, die Moabitin zu seinen Füßen findet und zu ihr spricht: »Gesegnet seist du dem Herrn, meine Tochter; du hast eine bessere Barmherzigkeit hernach getan, denn vorhin, daß du nicht bist den Jünglingen nachgegangen, weder reich, noch arm...«

Während Scorel durch die Vereinigung mehrerer Szenen auf e i n e m Bilde und durch den feinen Schmelz des Farbenauftrags deutlich zeigt, wie ihn manche Fäden noch mit der altniederländischen Überlieferung verbinden, erweist er sich doch auch in diesem Bilde als der aus Italien zurückkehrende Neuerer, als der »Lanteeren-drager en Straet-maker onser Consten in den Nederlanden«, als welchen ihn nach van Manders Bericht Frans Floris und andere Künstler bezeichnet haben sollen. Damals erschien die Nachahmung italienischer und antiker Art als das Heil für die niederländische Kunst, während die Kunstanschauung des 19. Jahrhunderts darin ein Unheil erblickte und den Anhängern dieser Richtung den mit einem leicht verächtlichen Beigeschmack verbundenen Namen der Manieristen verlieh. Wir denken heute anders darüber, ohne die Bezeichnung geändert zu haben, und sehen hier nicht mehr einen Verfall, sondern ein naturgemäßes Weiterschreiten der künstlerischen Entwicklung. Ja, wir glauben uns verpflichtet, die Überlegung anzustellen, ob diese ganze Stilwandlung, dieses auffallende Phänomen nicht noch mehr aus dem Bedürfnis der niederländischen Kunst nach einer Neugestaltung, als aus der gewaltsamen und übermächtigen Einwirkung der großen Meister der italienischen Renaissance zu erklären sei. Sicherlich war es das Schicksal der niederländischen Malerei, sich mit dieser Großmacht abzufinden. Als aber Jan Gossaert, genannt Mabuse, und nach und neben ihm Jan van Scorel als Pfadfinder des neuen Geschmacks auftraten, fanden sie die sie umgebende Kunstwelt nicht unvorbereitet: Zugleich mit den großen geistigen Strömungen, zu denen Reformation und Humanismus gehören, war schon eine Verweltlichung des religiösen Ausdrucks und selbst der Gegenstände der Malerei eingetreten, und man bemerkt überall das allgemeine Bedürfnis nach Befreiung von der früheren Befangenheit, nach größerer Ungebundenheit der Bewegung, nach neuen Formen, nach einem den spätgotischen Neigungen entsprechendem Reichtum in Ornament und Architektur. Am deutlichsten sieht man dieses Streben in der bizarren Erscheinung der Vorarbeiten, den sogenannten Antwerpner Manieristen, weil es hier, in einem örtlich und zeitlich beschränkten Kreise, durchaus an ganz hervorragenden Individualitäten fehlt, die sich weit über die Stufe des Handwerklichen hätten erheben können.

Ganz anders liegt aber der Fall bei Künstlern von persönlicher Bedeutung, wie es Mabuse und Scorel sind. S i e haben Italien gesehen, sie wissen, worauf es ankommt, und es ist etwas wie eine Art von aus Innen heraus erfolgter Befreiung ihres künstlerischen Wesens förmlich über sie gekommen, was mehr wiegt, selbst als das Streben nach einer bisher unbekannten Formen- und Farbenschönheit, nach neuen Stellungen und Bewegungen, nach Wiedergabe von Einzelheiten aus dem ornamentalen Reichtum der Antike und der Renaissance. Sie sind als Niederländer ausgezogen und zurückgekehrt, doch aber zugleich etwas anderes geworden: W e l t b ü r g e r mit einem ganz anderen, freieren Gesichtskreis. Um das zu begreifen, was wir damit meinen, braucht man nichts anderes, als zwei Gemälde nebeneinander zu halten: die beiden Darstellungen der heiligen Magdalena, die eine von Scorels Lehrer Jacob Cornelisz van Amsterdam aus der ehemaligen Kaufmannschen Sammlung in Berlin und die andere weit berühmtere von Scorel im Rijksmuseum zu Amsterdam. Die Aufgabe war die gleiche: die Halbfigur der Heiligen, die mit beiden Händen ihr Salbgefäß hält, und doch wie verschieden ist die künstlerische Behandlung und Auffassung, obwohl zwischen dem aus dem Jahre 1519 — kurz nach Scorels Lehrzeit — datierten Werke des Lehrers und dem höchstwahrscheinlich noch vor 1530 entstandenen des Schülers nicht mehr als ein Jahrzehnt liegt! Da die Innerlichkeit der Empfindung, welche die frühere niederländische Malerei ausgezeichnet hatte, auch bei Jacob Cornelisz schon erloschen ist, bleibt bei s e i n e r in das modische Gewand seiner Zeit gekleideten Magdalena nur mehr der Eindruck von Steifheit und Unfreiheit übrig, wozu noch beiträgt, daß die Gestalt sich von dem Hintergrund, den eine bespannte Wand und ein Fenster mit einem Ausblick ins Freie bildet, nur wenig abhebt, und daß sich die auch hier schon vorhandenen Renaissancemotive in sehr äußerlicher Weise auf Nebendinge, wie ein Relief mit kämpfenden Männern am Fenster und die Formen des goldenen Halsschmucks und des gläsernen Salbgefäßes der Heiligen, beschränken. Wie anders wirkt nun Scorels Darstellung desselben Vorwurfs auf uns ein! Wir haben hier das Werk eines Künstlers vor uns, der das Wesentliche von Raffaels reifem Stil nicht eigentlich nachahmt, sondern vollkommen erfaßt und erkannt hat. Obwohl das Motiv im Grunde kein anderes ist, als das seines Lehrers Jacob Cornelisz, herrscht hier eine Freiheit der künstlerischen Mittel, die bisher in den Niederlanden etwas Unerhörtes gewesen ist. In dem fein geschnittenen Köpfchen, das den Blick dem Beschauer zuwendet, in der bis zu den Knien wiedergegebenen, in reiches Gewand gehüllten Gestalt, in der Wendung des Körpers, in den rundlichen Formen der Umrisse zeigt sich ein edler Schwung, der ohne das Studium italienischer, zumal raffaelischer Kunstweise nicht denkbar ist. Dazu sitzt diese Magdalena vor einer Landschaft, ja mehr noch als die Madonnen und die heilige Katharina Raffaels oder etwa die Schönen eines Palma Vecchios, lebt sie i n der Landschaft.

Auch unsere Darstellung von Ruth und Naemi, die offenbar aus derselben Schaffenszeit des Künstlers herrührt, zeigt ganz ähnliche Eigentümlichkeiten des Stiles. Die Hauptfigur mit ihren feinen, denen der Magdalena verwandten Gesichtszügen und ihrer statuarischen Haltung, die der antiken Vorschrift des Stand- und Spielbeins abgelauscht ist, und die sitzende Gestalt der Naemi sind auch hier mit dem landschaftlichen Hintergrunde aufs engste zu einer harmonischen Einheit verbunden. Und noch mehr als bei den Italienern, die den landschaftlichen Hintergrund oft mit Nebenszenen bevölkern, die mit der Hauptdarstellung nichts zu tun haben, leben die kleinen Figürchen in und bei dem Kornfeld in der Landschaft und sind von ihr untrennbar geworden. Ein Bildganzes ist hier erstanden, von einer Einheitlichkeit der Wirkung, wie sie die Niederlande vor jener Wandlung, die wir die Anfänge des Manierismus zu nennen pflegen, noch nicht gekannt haben.   (1923)

JAN VAN AMSTEL

I.

Jan van Amstel, Aertsonne, genannt de Hollander, niederländischer Maler, geboren um 1500 zu Amsterdam, erscheint am 13. November 1527 vor dem Magistrat von Antwerpen in Vertretung seiner Frau Adriana van Doornicke, der Tochter eines Antwerpner Malers und Schwägerin des Malers Peter Coeck van Aelst, wird 1528 Freimeister der Lucasgilde daselbst und erhält 1536 das Bürgerrecht von Antwerpen. Um 1540 muß er gestorben sein, da seine Witwe schon am 24. Jänner 1544 in ihrer zweiten Ehe mit dem Maler Gillis van Coninxloo d. Ä. einen Sohn (den bekannten Gillis van Conninxloo d. J.) zur Welt bringt. — Van Mander erwähnt Jan van Amstel als ausgezeichneten Landschaftsmaler, der sowohl in Öl als auch in Wasserfarbe arbeitete, emsig die Natur beobachtete, aber nicht sehr produktiv war, und deutet an, daß Peter Bruegel d. Ä. von diesem Künstler eine technische Eigentümlichkeit, das Stehenlassen der Untermalung, übernommen habe.

Von den Werken Jan van Amstels ist keines mehr mit Sicherheit nachzuweisen; doch sprechen manche Gründe dafür, daß er mit dem sogenannten Braunschweiger Monogrammisten identisch sein könnte. Vor allem läßt sich das Monogramm (Abb. 58), das sich auf der »Speisung der Fünftausend« im Braunschweiger Museum (Abb. 57) befindet, am leichtesten in die Buchstaben J. v. AMSL auflösen; darnach enthielte das Monogramm fast den vollen Namen des Künstlers. Auch die Zeit der Tätigkeit des Monogrammisten, die Wilhelm Bode mit gutem Recht in das zweite Viertel des 16. Jahrhunderts verlegt, paßt zur Lebenszeit Jan van Amstels, der 1527—1540 nachweisbar ist. Ebenso stimmt der Ort der Tätigkeit beider Künstler überein. Auch der Monogrammist ist nach dem allgemeinen Eindruck ein Holländer; seine Werke weisen aber zugleich deutliche Beziehungen zur Antwerpner Schule auf: seine Landschaft ist im gewissen Sinne eine Fortbildung der Patinierschen, seine Figuren haben viel Ähnlichkeit mit den kleinen Gestalten in den Hintergründen von Jan van Hemessens Bildern (vgl. besonders dessen Bilder in Brüssel von 1536 und in Karlsruhe, die den Anlaß dazu geboten haben, daß der Monogrammist von vielen Seiten mit Hemessen identifiziert wurde), eine ziemlich nahe Stilverwandtschaft mit Cornelis Metsys ist nicht zu verkennen, und endlich ist die Landschaft Herris met de Bles offenbar von der des Monogrammisten beeinflußt. Auch eine merkbare Stilwandlung des Monogrammisten ließe sich leicht durch den Einfluß erklären, den der Romanist Peter Coeck auf seinen Schwager Jan van Amstel ausgeübt haben könnte.

In alten Quellen scheint eine Verwechslung Jan van Amstels mit Aert Claeszon, genannt Aertgen van Leyden, vorzukommen. Unter dem Namen des Letztgenannten erscheint in Rubens' Nachlaß die Darstellung eines Bordells, ein Vorwurf, der nicht zum Stoffgebiete Aertgens paßt, wohl aber zu dem des Monogrammisten, von dem wir einige solche Darstellungen kennen (z. B. in Berlin und Frankfurt). Hymans hat schon diese Verwechslung vermutet, die in unserem Zusammenhange noch viel wahrscheinlicher wird. Auf dieselbe Verwechslung deuten die Beschreibungen zweier Bilder hin, die van Mander als die besten Werke Aertgens erwähnt und als gut gemalt bezeichnet, während er sonst sagt, daß die Bilder Aertgens etwas liederlich und ungefällig gemalt seien: das eine ist ein kreuztragender Christus, gefolgt von einer großen Menschenmenge, Maria, den heiligen Frauen und den Jüngern, das zweite eine Darstellung Abrahams, wie er sich, von Isaak begleitet, an den Ort des Opfers begibt, das im Hintergrunde vollzogen wird. Diese beiden Bilder dürften wohl mit den beiden Stücken identisch sein, die der Louvre von der Hand des Monogrammisten besitzt (vgl. Abb. 59).

Daß der Monogrammist kein reiner Landschaftsmaler ist, als welchen van Mander Jan van Amstel schildert, ist wohl kein schlagender Grund gegen die hier vorgeschlagene Identifizierung; denn in der ersten Hälfte des 16. Jahrhunderts hat es sicherlich noch keine Landschaften ohne Staffage gegeben. Van Mander berichtet auch, daß Jan van Amstel Himmel und Luft darzustellen nicht müde wurde, und gerade darin ist der Monogrammist für seine Zeit ganz besonders geschickt.

Nach van Mander hat Peter Bruegel d. Ä. eine malerische Eigentümlichkeit Jan van Amstels, das Stehenlassen des Grundes, übernommen, und in der Tat haben der Monogrammist und der alte Bruegel die Gewohnheit gemein, die braune Untertuschung an einzelnen Stellen (besonders der Landschaft) nicht zu bedecken und so mitwirken zu lassen. Auch die charakteristischen Brombeerranken im Vordergrunde der Landschaft dürfte Bruegel vom Monogrammisten übernommen haben. Endlich kann man nicht übersehen, daß die kleinfigurigen Darstellungen Bruegels, wenn auch künstlerisch unendlich höher stehend, doch gegenständlich viel von der Auffassung des Monogrammisten haben; man denke nur an Bruegels Kreuztragung im Wiener Kunsthistorischen Museum (Abb. 60), die ohne Zweifel von Bildern des Monogrammisten, wie der Kreuztragung im Louvre (Abb. 59) und dem Einzug Christi in Jerusalem im Stuttgarter Museum, abhängig ist. Wenn Jan van Amstel und der Braunschweiger Monogrammist, wie wir glauben möchten, wirklich eine Person wären, so würde sich Bruegels Vertrautheit mit den Werken des Monogrammisten dadurch erklären, daß er diese nirgends besser hätte kennenlernen können, als im Hause Peter Coecks, der zugleich der Schwager Jan van Amstels und der Lehrer und Schwiegervater Bruegels war.   (1907)

Abb. 57. Jan van Amstel, Die Speisung der Fünftausend
Braunschweig, Landesmuseum

II.

Braunschweiger Monogrammist wird ein namenloser niederländischer Maler genannt nach seinem mit dem beistehenden Monogramm bezeichneten Hauptwerke, der »Speisung der Fünftausend« im Museum zu Braunschweig (Abb. 57). Wilhelm Bode war der erste, der eine Abb. 58. Anzahl von Bildern unter dem Namen des Braunschweiger Monogrammisten zusammenstellte. Schon nach dieser Zusammenstellung ergibt sich mit Sicherheit, daß der Meister im zweiten Viertel des 16. Jahrhunderts tätig gewesen ist, und zwar höchst wahrscheinlich in Antwerpen; seiner Geburt nach dürfte er aber wohl ein Holländer sein.

Sein besonderes Fach sind kleinfigurige Darstellungen biblischer Stoffe, die er in das Gewand zeitgenössischer Volksszenen kleidet, daneben auch eigentliche Sittenbilder, wobei er Schilderungen von öffentlichen Häusern, Spielhöllen und dergleichen bevorzugt. Von biblischen Gegenständen stellt er gerne Szenen aus der Leidensgeschichte Christi dar: den Einzug Christi in Jerusalem, die Kreuztragung Christi (Abb. 59), das Ecce homo und ähnliches. In solchen Vorwürfen ebenso wie auch in dem genannten der Speisung der Fünftausend (Abb. 57) hat er reiche Gelegenheit, sittenbildliche Züge einzuflechten und den Hauptgegenstand mit einer Unzahl von Szenen aus dem Volksleben seiner Zeit zu umgeben. Er versteht es, seine vielen kleinen Figürchen außerordentlich geschickt und ungezwungen zu gruppieren; in der Perspektive zeigt er sowohl durch die vollendete Darstellung der Landschaft, die gegen den Hintergrund zu immer feiner und zarter wird, als auch durch die vortreffliche Verkürzung der gegen den Horizont zu immer kleiner werdenden Figürchen eine Meisterschaft, die in dieser Zeit einzig ist. Ebenso fortschrittlich beweist er sich in der sehr freien und natürlichen Bewegung der einzelnen Gestalten, die, obwohl sichtlich von italienischer Kunst beeinflußt, doch noch einen echt niederländischen Charakter haben. Selten geht die lebendige Beweglichkeit seiner Figuren über das Maß des Natürlichen hinaus. Die kunstgeschichtliche Bedeutung des Meisters liegt einerseits darin, daß er der wichtigste und wohl auch der älteste in einer Gruppe von Künstlern ist, zu der besonders auch Cornelis Metsys und Herri met de Bles gehören, und die eine nicht unwesentliche Rolle in der Entwicklungsgeschichte der niederländischen Malerei, besonders der Landschaft und des Sittenbildes, spielt, andererseits darin, daß er für gewisse Seiten der Kunst Peter Bruegels d. Ä. der hervorragendste Vorläufer ist.

Von einigen Seiten, zuerst von O. Eisenmann, ist der Braunschweiger Monogrammist mit Jan van Hemessen identifiziert worden, wie wir glauben, mit Unrecht. Die Figuren im Hintergrunde einzelner Bilder Hemessens zeigen allerdings eine ziemlich nahe Stilverwandtschaft mit den Gestalten des Monogrammisten; doch erklärt sich diese Ähnlichkeit leicht dadurch, daß beide Künstler derselben Schule angehören und offenbar gleichzeitig in derselben Stadt, in Antwerpen, tätig gewesen sind. Die Figuren Hemessens sind außerdem manierierter und noch bewegter als die des Braunschweiger Monogrammisten, und Hemessens Landschaft ist auch in seinen frühen Bildern, um die es sich hier handeln würde,

Abb. 59. Jan van Amstel, Kreuztragung Christi
Paris, Louvre

schwer und klebt am Vordergrunde, während gerade die feine Luftperspektive, das Zurückweichen der Gründe, eine der bezeichnendsten Eigentümlichkeiten des Braunschweiger Monogrammisten ist. Das auf dem Braunschweiger Bilde der Speisung der Fünftausend angebrachte Monogramm (Abb. 58), das vielfach, neuerdings auch noch von Graefe, völlig unrichtig wiedergegeben worden ist, stimmt im übrigen schlecht zu dem Namen Jan Sanders van Hemessen, da es vor allem sicher kein H enthält. Wir haben deshalb geglaubt, von dieser Identifikation abgehen zu müssen und den Versuch gemacht, die Vermutung zu begründen, der Braunschweiger Monogrammist sei identisch mit J a n v a n A m s t e l, genannt de Hollander.

Ohne eine vollständige Liste der Werke des Braunschweiger Monogrammisten aufstellen zu wollen, nennen wir die folgenden Bilder, die ihm wohl mit Sicherheit zugeschrieben werden können: Amsterdam, Rijksmuseum: Ecce homo. — Berlin, Kaiser-Friedrich-Museum: Ausgelassene Gesellschaft; bei Herrn Direktor Dr. Max J. Friedländer: Christus bei Martha, Bruchstück eines größeren Gemäldes. — Braunschweig, Landesmuseum: »Speisung der Fünftausend« (Abb. 57) und »Juda und Thamar«. — Frankfurt a. M., Städelsches Institut: Ausgelassene Gesellschaft. — Paris, Louvre: »Kreuztragung« (Abb. 59) und »Abrahams Opfer«. —

Rom, Palazzo Doria: Kreuztragung; Sammlung Enrichetta Castellani (versteigert April 1907): Ecce homo (bezeichnet Claeshaen, was wohl schwerlich als Künstlersignatur zu deuten ist). — Stuttgart, Museum: Einzug Christi in Jerusalem. — Wien, Sammlung des Grafen Lanckoroński: Spielhölle.

Von der Beliebtheit des Meisters zeugen zahlreiche Kopien und Nachahmungen, die in verschiedenen Sammlungen noch erhalten sind. Von diesen Nachahmungen möchten wir nur e i n e besonders hervorheben: die Landschaft mit der Kreuztragung Christi von Herri mit de Bles in der Wiener Akademie (bezeichnet mit dem Käuzchen). Hier hat Bles die Figuren frei nach dem Bilde des Braunschweiger Monogrammisten im Palazzo Doria in Rom kopiert, und auch die übrigen Landschaften Bles' beweisen, daß er die Bilder des Braunschweiger Monogrammisten genau gekannt und studiert hat.   (1910)

BRUEGEL UND DER URSPRUNG SEINER KUNST

Vielleicht der größte Schatz, den die Wiener Galerie besitzt, ist die Reihe von fünfzehn eigenhändigen und hervorragenden Gemälden Peter Bruegels des Älteren, des sogenannten Bauernbruegel. Kein Museum der ganzen Welt kommt in dieser Hinsicht der Wiener Galerie auch nur nahe. Denn da es überhaupt im ganzen nicht viel mehr als dreißig Gemälde gibt, die dem alten Bruegel mit Sicherheit zugeschrieben werden können, so besitzt das Wiener Museum von ihm fast so viel Bilder wie die übrigen Sammlungen der Welt zusammengenommen. Zudem sind noch die fünfzehn Stücke der Wiener Galerie manchen von den im Auslande befindlichen Gemälden Bruegels an künstlerischem Wert überlegen. Man kann also nicht ohne Grund sagen, Wien besitze die bedeutendere Hälfte von allen erhaltenen Bildern Bruegels. Diesen Reichtum haben wir der Kunstliebe habsburgischer Fürsten zu danken. Die Mehrzahl der Bilder stammt aus den Sammlungen Kaiser Rudolphs II. in Prag und Erzherzog Leopold Wilhelms in Brüssel. Diese hochgestellten Personen waren feine Liebhaber und sie haben Bruegels Werke sicherlich hauptsächlich ihres Kunstwertes wegen gesammelt. Daneben kommt aber auch der Umstand in Betracht, daß, wie wir noch sehen werden, gerade Bruegel und die Richtung, von der er seinen Ausgang genommen hat, dem höfischen Geschmack von alters her ganz besonders entgegengekommen sind.

In der reichen Sammlung der Wiener Galerie sind fast alle Gattungen der Malerei, die der große Künstler gepflegt hat, durch bezeichnende Beispiele vertreten. Wir finden hier seine religiösen Historienbilder, die er meist mit vielen sittenbildlichen Zügen umgibt, seine allegorischen Darstellungen, die uns fast phantastisch anmuten, denen er aber immer ganz reale Motive unterlegt, seine bildlichen Wiedergaben von Sprichwörtern und sprichwörtlichen Redewendungen, seine eigentlichen Sittenbilder, zu denen auch die Bauernstücke gehören, denen er seinen Namen verdankt, und endlich seine Landschaften, unter denen auch das Winterstück und die Marine auffallen, die später zu eigenen Gattungen der Malerei innerhalb des großen Gebietes der Darstellung der Landschaft geworden sind. Nur von einem einzigen Felde, das der Meister mit einiger Vorliebe gepflegt hat, vom Höllenstück, weist die Galerie kein Beispiel auf.

Bevor wir die Wiener Gemälde im einzelnen betrachten, wollen wir uns die Frage stellen: Wie ist Bruegel zu dieser unerschöpflichen Vielseitigkeit und zu dieser ungeheuren Größe des Stils gelangt, die in der Zeit, da der Künstler gelebt hat, kein anderer erreicht hat als er? Dieses Problem gehört zu den schwierigsten auf dem gesamten großen Gebiete der Geschichte der Kunst. Wir wollen versuchen, der Lösung dieses Problems etwas näher zu kommen, als dies bisher geschehen ist. Dabei kommt es uns zugute, daß man sich gerade in der letzten Zeit sehr viel und ernstlich mit Bruegel beschäftigt hat; besonders muß auf die vorzüglichen Verzeichnisse seiner Werke hingewiesen werden, die René van Bastelaer und Georges Hulin aufgestellt haben[1], und die allen Untersuchungen über Bruegels Kunst als Grundlage werden dienen müssen.

Wenig bieten uns für die Beantwortung der wichtigen Frage die alten Quellen: von ein paar Urkunden abgesehen, sind wir allein angewiesen auf die knappe Biographie des Malers Karel van Mander, der am Anfange des 17. Jahrhunderts — also fast ein halbes Jahrhundert nach Bruegels Tod — uns das Leben der niederländischen Maler geschildert hat. Daraus erfahren wir einiges über den Werdegang des Künstlers und, was uns besonders wichtig ist, über seinen Lehrer.

Peter Bruegel — zum Unterschiede von seinem gleichnamigen Sohne — der Ältere genannt, wurde in dem Dorfe Bruegel oder Brögel in der Nähe der kleinen Stadt Brée in der limburgischen Campine geboren. Von diesem Orte führt Bruegel den Namen, der sich auf ein großes Geschlecht von Malern fortgepflanzt hat. Das Geburtsjahr Bruegels ist nicht bekannt. Man nimmt gewöhnlich an, er sei etwa zwischen 1528 und 1530 geboren, doch wäre auch ein früheres Datum möglich, da er auf den von ihm noch erhaltenen Bildnissen wohl als ein Mann etwa von fünfzig Jahren erscheint, während er nach jener Annahme im Alter von 39 bis 41 Jahren gestorben sein müßte.

Als Bruegels Lehrer nennt uns van Mander Peter Coeck von Aelst. Peter Coeck, ein Schüler Bernaert van Orleys, gehört, wie sein Lehrer, zu jenen niederländischen Malern, die das Heil ihres Schaffens in einer Nachahmung der italienischen und der antiken Kunst erblickten. Er war in Italien, in Rom gewesen und hatte dort nach den antiken Monumenten gezeichnet. Ein vielseitiger Mann, Maler und Architekt zugleich, malte er in Öl- und in Wasserfarbe und zeichnete Kartone für Wandteppiche. Auch schriftstellerisch war er tätig: er gab einen Auszug aus Vitruv und eine vlämische Übersetzung des italienischen Architekturlehrbuches von Serlio heraus. An den Dekorationen zum Einzuge Philipps II. in Antwerpen im Jahre 1549 hatte er einen wichtigen Anteil. Daß er die offizielle Kunst vertrat, geht daraus hervor, daß er sowohl Dekan der Antwerpner Malergilde, als auch Hofmaler Kaiser Karls V. und von dessen Schwester Marie von Ungarn, der Statthalterin der Niederlande, war. Er ist in Brüssel im Jahre 1550 gestorben.

[1] René van Bastelaer et Georges H. de Loo, Peter Bruegel l'ancien, son oeuvre et son temps, étude historique suivie des catalogues raisonnés, Brüssel 1907. — René van Bastelaer, Les Estampes de Peter Bruegel l'ancien, Brüssel 1908. — Außerdem vergleiche man noch Henri Hymans, Pierre Brueghel le Vieux, Gazette des Beaux-Arts, 3e pér., III, 1890, und Axel L. Romdahl, Pieter Brueghel der Ältere und sein Kunstschaffen, Jahrbuch der kunsthistorischen Sammlungen in Wien, XXV, Wien 1905.

Bald nach Coecks Tode trat Bruegel in die Werkstatt Hieronymus Cocks ein, des ersten großen Verlegers von Kupferstichen in den Niederlanden. Auch Cock war in Italien gewesen und hatte von Rom den Gedanken mitgebracht, einen großen Kupferstichverlag in Antwerpen zu gründen. Die wichtigsten Artikel von Cocks Verlag waren auch nun in der Tat italienische Landschaften und Veduten, wie auch große Stiche nach italienischen Meistern, besonders — um nur ein Beispiel zu nennen — Giorgio Ghisi Mantovanos Blatt nach Raffaels Schule von Athen. Daneben pflegte er aber auch die niederländische Kunst und trieb einen einträglichen Handel mit Öl- und Temperabildern.

Bruegels Verbindung mit Hieronymus Cock dauerte fast bis an sein Ende. Er lieferte für ihn eine Reihe von köstlichen Federzeichnungen als Vorlagen zu Stichen, teils Landschaften, Veduten und Marinen, teils figürliche Darstellungen religiösen, sittenbildlichen, allegorischen oder sprichwörtlichen Inhalts.

Inzwischen war Bruegel im Jahre 1551 Freimeister der Lucasgilde in Antwerpen geworden. Auch er unternahm bald darauf, wie sein Lehrer Coeck und sein Geschäftsfreund Cock, eine Reise nach Italien. Nach seiner Rückkehr lebte er ein Jahrzehnt in Antwerpen. Dann heiratete er im Jahre 1563 die Tochter seines alten Lehrers Coeck, die er, wie van Mander sagt, als kleines Mädchen auf den Armen getragen hatte, und übersiedelte mit ihr nach Brüssel, wo Coecks Witwe, eine geschickte Miniaturmalerin, wohnte. Hier starb er im Jahre 1569.

Von einigen Anekdoten und Bilderbeschreibungen van Manders abgesehen, ist dies alles, was wir aus den Quellen über Bruegels Laufbahn erfahren. Wären sämtliche Werke des Meisters verloren und hielten wir uns deshalb nur an das, was uns die Quellen berichten, so müßten wir glauben, Italien wäre in seiner Kunst die entscheidende Macht gewesen. Er ist Schüler eines begeisterten Freundes italienischer Kunst, selbst ein Italienfahrer wie die meisten seiner Berufsgenossen von Mabuse an, tätig in der Werkstatt eines Kunstverlegers, der selbst in Italien gewesen war und sein Geschäft nach italienischem Vorbilde eingerichtet hatte. Und auch alle Kunst, die ihn umgibt, steht unter dem Einflusse italienischer Art. Denn schon seit dem Anfange des Jahrhunderts macht sich die Nachahmung italienischer und antiker Weise in den Niederlanden geltend. Die altniederländische, von den Brüdern van Eyck begründete, auf treueste Naturbeobachtung ausgehende Richtung war im Absterben und hatte noch in dem großen Quinten Metsys einen letzten ungeahnten Höhepunkt erreicht. Gleichzeitig aber spürt man schon den Einfluß Italiens und der Antike, zuerst nur in den Architekturen der Bildhintergründe, dann in der Behandlung der immer lebhafter bewegten Figuren und besonders des Nackten, dessen Darstellung nun als das Ziel der höchsten Kunstbestrebungen erscheint. Zu den ersten Bahnbrechern dieser Richtung gehört, neben Mabuse, Bernaert van Orley, dessen E n k e l s c h ü l e r Bruegel sein soll; zur nächsten Generation, die diese Richtung weiter ausbildet, ist Peter Coeck zu zählen, dessen S c h ü l e r Bruegel sein soll, und der Vollender dieser Tendenzen ist Bruegels Zeitgenosse Frans Floris, der angesehenste Maler des damaligen Antwerpen, vor allem ein Darsteller des Nackten, dessen Historienbilder etwa den Arbeiten der sogenannten florentinischen Manieristen, eines Vasari oder Bronzino, entsprechen.

Wer aber einmal auch nur flüchtig einige von Bruegels Werken angesehen hat, wird nun zugeben, daß es ganz unmöglich ist, den großen Meister in die eben besprochene künstlerische Entwicklung, die durch die drei Namen Orley, Coeck und Floris verkörpert wird, in irgend einer Weise einzureihen. Und gerade der größte Gegensatz besteht zwischen den Werken Bruegels und denen jenes Frans Floris, der sein Zeitgenosse war, noch dazu mit ihm in einer Stadt lebte und daher mit ihm auf der gleichen Stufe künstlerischer Entwicklung stehen müßte. Weder in der Wahl der Stoffe, noch im Stil von Malerei und Zeichnung haben beide Künstler auch nur das geringste gemein.

Es ist nun nicht zu leugnen, daß Bruegel im stärksten Gegensatz zur Modemalerei seiner Zeit steht, und es sieht fast so aus, als ob bei Bruegel der Gang der künstlerischen Entwicklung abbräche, als ob er außerhalb der Entwicklung stünde, die nicht nur die niederländische Kunst, sondern auch die von ganz Europa in dieser Zeit beherrscht. Dies wäre eine ganz außerordentliche Erscheinung, für die wohl in der gesamten Geschichte der Kunst kaum eine Analogie zu finden wäre.

Man hat sich bisher nicht sonderlich bemüht, dieses kunstgeschichtliche Wunder aufzuklären. Einige Versuche sind aber doch in dieser Richtung schon gemacht worden. Zunächst hat man auf die Angabe van Manders hingewiesen, Bruegel sei ein B a u e r n s o h n gewesen. Daraus wollte man die Kraft, die Urwüchsigkeit, die Bodenständigkeit von Bruegels Kunst erklären. Allein es ist sehr wahrscheinlich, daß hier ein pragmatischer Irrtum van Manders vorliegt: nach der ganzen Art der Geschichtsschreibung jener alten Zeit ist es ihm natürlich, aus dem Maler der Bauern einen B a u e r n zu machen. Es ist für uns übrigens ziemlich gleichgültig, ob Bruegel bäurischen Ursprungs war oder nicht, ebenso gleichgültig, wie die Frage, ob Dürer ein Ungar war oder nicht. Wir halten nicht viel von solchen Abstammungstheorien. Aber ebenso sicher, wie Dürer ein Deutscher war oder wenigstens geworden war, als er seine unsterblichen Werke schuf, so ist Bruegel ein Städter gewesen und kein Bauer, als er seine Bauernstücke malte. Als Städter besucht er mit seinem Freunde Frankert, dem Nürnberger Kaufmann und Mitglied der Antwerpner Rhetorikergesellschaft, Bauernfeste und Kirmessen, um hier seine Studien zu machen; ja er soll sich manchmal in Bauerntracht verkleidet haben, um unbemerkt beobachten zu können. Hätte er noch Verwandte auf dem Lande gehabt, so würde es kaum einer solchen Verkleidung bedurft haben.

Es steht im Zusammenhange mit dieser Auffassung Bruegels als Bauern, daß man auch den volkstümlichen Charakter seiner Kunst übermäßig betont hat. Bruegel der Bauer soll nicht nur Bauern, sondern auch f ü r Bauern gemalt haben. Hier finden wir den pragmatischen Irrtum van Manders noch weiter fortgebildet. Es ist aber kein Zweifel, daß das Bauernstück nicht für das Volk, sondern für den Städter, ja sogar zuerst für den Hof geschaffen worden ist. Ebenso erfreut sich ja auch das moderne Bauernbühnenstück der größten Beliebtheit in den großen Städten, und es ist anderseits die Beobachtung gemacht worden, daß das gemeine Volk auf der Bühne lieber Fürsten und Adel, überhaupt die höheren Stände dargestellt sieht, als seinesgleichen.

Der Wahrheit näher kommt der Gedanke eines hervorragenden Kenners[2], Bruegel habe für seine Zeitgenossen eine relativ niedrig stehende Kunst vertreten; er wäre den Malern des hohen Stils, wie Floris, nicht gleichgestellt gewesen, etwa wie Shakespeare in der Literatur seiner Zeit nicht zünftig gewesen ist oder wie Hokusai den japanischen Malern seiner Epoche nachgestellt wurde. Wir werden sehen, daß die Gattung der Malerei, von der Bruegel seinen Ausgang nahm, in der Tat eine geringere Gattung war, obwohl sie in ihren Anfängen höfischen Ursprungs gewesen war.

Im übrigen ist zur Erklärung von Bruegels Stil und Stoffen schon manches beigetragen worden. Man hat mit Recht darauf hingewiesen, daß der Künstler, der auf ihn den größten Einfluß gewonnen hat, der altniederländische Maler H i e r o n y m u s   B o s c h gewesen ist, der aber aus chronologischen Gründen nicht sein Lehrer gewesen sein kann. Anderseits ist der Nachweis erbracht worden, daß Bruegel sich in manchen seiner Stoffe mit denen der Vorführungen der Rhetorikerfeste berührt[3]. Mag nun hier Gemeingut vorliegen oder auch Bruegel in diesen Fällen der Entlehner sein, so muß dieser Zusammenhang uns begreiflich erscheinen. Denn Bruegel war ohne Zweifel mit mehreren Mitgliedern der Antwerpner Rhetoriker-Kammer befreundet, vor allem mit dem schon erwähnten Kaufmann Frankert, der Bruegel zur Seite gestanden haben mag, wie der Nürnberger Humanist Pirckheimer seinem großen Freunde Dürer.

Um aber den Wurzeln von Bruegels unvergleichlicher Kunst etwas näher zu kommen, möchten wir versuchen, einen flüchtigen Blick darauf zu werfen, wie sich das Sittenbild in den Niederlanden vor dem Auftreten Bruegels entwickelt hat, und ferner den Nachweis zu führen, daß einerseits eine große Anzahl von Bruegels Stoffen ihren Ursprung der höfischen Kunst und Kultur verdankt, und daß anderseits auch Bruegels Stil ausgeht von der alten Technik der Wassermalerei auf Leinwand, die ebenfalls als Surrogat der Gobelintechnik höfischen Ursprungs ist. In diesen Elementen glauben wir die Grundlagen der Kunst Bruegels zu erkennen.

Das Sittenbild, das heißt die Darstellung eines alltäglichen Vorgangs im Rahmen eines Bildes, ist niederländischen Ursprungs und seine Entstehung geht zurück auf zwei kunstgeschichtlich wichtige Tatsachen: einerseits auf das allgemeine Streben nach einem realistischen Stil, ein Streben, das, wie Max Dvořák nachgewiesen hat, zuerst in der französischen Kunst des 14. Jahrhunderts auftritt und bald zur Tendenz des ganzen Abendlandes wird, anderseits auf die allmähliche Trennung der profanen Gegenstände von den heiligen, woraus sich später — erst n a c h Bruegel — die Scheidung der Gattungen der

[2] Max J. Friedländer, Pieter Bruegel der Ältere. Berlin, Photographische Gesellschaft, 1904.
[3] René van Bastelaer, in der Einleitung zu dem oben angeführten großen Werke über den Künstler. Hier findet man auch eine Reihe von wichtigen Erklärungen von Bruegels allegorischen und sprichwörtlichen Gegenständen.

Malerei entwickelt, die in der holländischen Kunst des 17. Jahrhunderts zuerst zur vollen Ausbildung gelangt.

Während in der früheren Tafelmalerei sittenbildliche Züge nur episodisch vorkommen, so pflegt schon der große Gründer der altniederländischen Malerschule, Jan van Eyck, ebenso wie sein Zeitgenosse Roger van der Weyden, das r e i n e Sittenbild. Wir wissen dies zwar nur aus den literarischen Quellen, da kein Werk dieser Art mehr erhalten geblieben ist. Doch steht die Tatsache fest, und deren Wirkung erkennen wir in einem bekannten Bilde von Petrus Christus, einem Schüler Jan van Eycks, bei Baron Oppenheim in Köln. Es ist eine Darstellung des heiligen Eligius, worin der Künstler in der vollendeten Wiedergabe einer Goldschmiedewerkstatt ein echtes Sittenbild geschaffen hat.

Nach der Zeit Jan van Eycks begegnet uns, so weit wir wenigstens sehen können, nicht bald ein eigentliches Sittenbild. Erst zwei Generationen später schafft der geniale Hieronymus Bosch[4], von dem noch im weiteren als von dem wichtigsten Vorläufer Bruegels die Rede sein wird, abgesehen von den vielen genrehaften Zügen in seinen religiösen, allegorischen und sprichwörtlichen Kompositionen, eine ganze Reihe von eigentlichen Sittenbildern, von denen uns die meisten in den alten Inventaren der spanischen Schlösser begegnen: die Disputation des Mönchs mit den Ketzern, der Tanz nach der Weise von Flandern, die Hochzeit, Fasching und Fasten, das Strafgericht, die Hexe, der Hexenmeister, der Mann auf dem Eise, der Hirt mit seinen Schafen u. a. Erhalten ist uns zum Beispiel auf dem Außenflügel des großen allegorischen Triptychons des sogenannten Heuwagens in Madrid die große Figur eines auf der Straße dahinwandernden und mit einem Stocke bewaffneten Bauern, im Hintergrund eine niederländische Landschaft mit Landleuten, die zur Musik des Dudelsacks tanzen, mit Wegelagerern, die über den Koffer eines an einen Baum gebundenen Wanderers herfallen, dabei auch der Schrecken jener herrenlosen Zeit, der Galgen. Dies alles sind Stoffe, die uns schon in die nächste Nähe Bruegels bringen, und auch die malerische Ausführung ist von einer Vollendung, die Bruegel vorausahnt.

Bald nachdem Bosch aufgetreten war, findet das Sittenbild eine weitaus größere Verbreitung; wir finden es vor allem schon in vollkommener Ausbildung bei Lucas van Leyden und bei Quinten Metsys. Der Letztgenannte ist der Schöpfer einer besonderen Gattung des Sittenbildes in lebensgroßen Halbfiguren; es ist dies freilich eine Richtung, die auf Bruegel keinen weiteren Einfluß gewonnen hat.

Eine zweite Gattung, die uns wichtiger erscheint, tritt in dieser Zeit zum ersten Male hervor: d a s k l e i n f i g u r i g e S i t t e n b i l d, das wohl seine Entstehung den kleinen Volksszenen der Hintergründe von Hieronymus Boschs, Quinten Metsys' und Joachim de Patiniers Bildern verdankt. Der Schöpfer dieses kleinfigurigen Sittenbildes ist ein anonymer Künstler, den wir nach Bodes Vorgang den Braunschweiger Monogrammisten nennen und der, wie wir ver-

[4] Carl Justi, Miscellaneen aus drei Jahrhunderten spanischen Kunstlebens, II, Berlin 1908, S. 61: Hieronymus Bosch.

Abb. 60. Peter Bruegel d. Ä., Die Kreuztragung Christi
Wien, Kunsthistorisches Museum

mutet haben, mit dem im zweiten Viertel des 16. Jahrhunderts in Antwerpen tätigen Jan van Amstel, genannt de Hollander, identisch sein dürfte[5]. Ganz wie später Bruegel (Abb. 60) macht dieser geistreiche Künstler schon aus seinen Historienbildern wahre Volksszenen aus dem Leben seiner Zeit und schildert zum Beispiel die Kreuztragung Christi (Abb. 59) wie die Hinrichtung eines Verbrechers, die ja damals als eine Art Volksfest betrachtet wurde. Auch seine eigentlichen Sittenbilder sind höchst wahr und lebendig. Dieser Künstler, dessen Einfluß in den Werken einer ganzen Reihe von Antwerpner Malern gegenwärtig erscheint, ist ohne Zweifel neben Bosch einer der wichtigsten Vorläufer Bruegels, und, wenn ihn auch Bruegel schwerlich persönlich gekannt hat, so hat er ohne Zweifel manches von seinen Werken gesehen. Ist jener Monogrammist wirklich mit Jan von Amstel identisch, so wäre er ein Schwager Peter Coecks von Aelst gewesen und Bruegel könnte in Coecks Hause genug Bilder seiner Hand gesehen und studiert haben.

Obwohl uns schon ein Blick auf die Geschichte und Entwicklung des Sittenbildes im 15. und 16. Jahrhundert einige Grundlagen von Bruegels Kunst ergibt, so bleibt doch bei der Vielseitigkeit dieser Kunst noch manches unaufgeklärt. Besonders notwendig ist es, den Wurzeln der nicht sittenbildlichen Stoffe und ihrer Auffassung durch Bruegel — wenigstens in einzelnen Beispielen — nachzugehen. Im allgemeinen wird bei der Behandlung der religiösen Stoffe auf das merkwürdige Nebeneinander von Ernst und Humor hinzuweisen sein. Dieses Nebeneinander ist nun nicht eine Erfindung Bruegels, auch nicht ein Einfall, den er etwa seinem ihm in dieser Hinsicht sehr ähnlichen Vorläufer Hieronymus Bosch entlehnt hat, sondern es ist die mittelalterliche Auffassung religiöser Gegenstände überhaupt. Dieses Nebeneinander von Ernst und Humor findet sich schon in den ältesten Mysterien, jenen geistlichen Schauspielen, die im Mittelalter unser modernes Theater ersetzten. Hier ist auch schon die für Bruegel bezeichnende Umrankung biblischer Gegenstände mit sittenbildlichen, ja auch humoristischen Zügen vorhanden.

Auch das Höllenstück mit seinen vielen phantastischen Zügen, das Bruegel mit Hieronymus Bosch gemein hat, kommt schon als ein beliebter Stoff in den Mysterien vor. Dem mittelalterlichen Teufel haftet trotz der Furcht, die selbst die aufgeklärtesten Geister vor ihm hatten, immer etwas Lächerliches an. Hier knüpft die Mysterienbühne an, und ebenso auch die bildliche Darstellung der Hölle von Bosch an. Auch Bruegel folgt dieser Tradition und erfüllt seine Höllenbilder mit phantastischen und realistischen Zügen mannigfachster Art. Als Beispiel von Bruegels Darstellung höllischen Spuks mag uns die Geschichte vom heiligen Jakob und dem Zauberer Hermogenes (Abb. 61) dienen[6]. Hier ist der Teufel- und Hexenspuk so vollständig als möglich beisammen. Besonders merkwürdig ist eine Einzelheit: in der rechten Ecke finden wir eine Hexenküche dargestellt: der große siedende Kessel mit den Meerkatzen, die darum

---

[5] Allgemeines Lexikon der bildenden Künstler, herausgegeben von U. Thieme und F. Becker, I, Leipzig 1907, S. 423.

[6] René van Bastelaer, Les Estampes de Peter Bruegel l'Ancien, Nr. 117.

Abb. 61. Peter Bruegel d. Ä., Der heilige Jakob und der Zauberer Hermogenes
(Kupferstich von Cock; Bastelaer 117)

herumsitzen, und der mächtige Schornstein, der der auf einem Besen reitenden
Hexe als Eingang dient, sind hier wie in Goethes »Faust« zu sehen. Goethe ist
sicherlich bei seiner »Hexenküche« auf diese uralten Vorstellungen zurückgegangen,
ja es ist sogar möglich, daß er indirekt auf Bruegels Darstellung fußt. Denn
Franz Wickhoff[7] hat es wahrscheinlich gemacht, daß Goethe bei seiner Szene ein
anonymes holländisches Bildchen des 17. Jahrhunderts in der Dresdner Galerie
als Vorbild benutzt hat. Und da dieses Bild, wie alle niederländischen Hexen-
darstellungen des 17. Jahrhunderts, auf Bruegel zurückgeht, so ist also offenbar
Goethe von Bruegel indirekt angeregt worden.

Bei Goethe erscheint uns dieser Spuk phantastisch und volkstümlich, wir
müssen uns aber hüten, Bruegels Darstellung ähnlich aufzufassen. Die Vorstellungen vom Höllenwesen waren damals durch die Macht der Kirche den
Fürsten, dem Adel, den Bürgern und dem Volke gemein. Die lateinische Aufschrift beweist schon, daß Bruegel dabei, wie bei den meisten seiner Stiche, nicht
an das Volk gedacht hat. Aber nicht nur dies, Bruegel hat auch wirklich an
Hölle und Teufel geglaubt, wie alle seine Zeitgenossen. Wenn er auch Humor
in seine Darstellungen eingeflochten hat, so liegt dies an der lebendigen Auffassung dieser Dinge, wie sie auch die kirchlichen Mysterien vertraten, nicht
aber etwa an satirischem Unglauben. Wären Bosch und Bruegel nicht gläubig

[7] Franz Wickhoff, Jahreshefte des Österreichischen Archäologischen Institutes, I, 1898, S. 107.

gewesen, so wären ihre Werke nicht an den Höfen ihrer Zeit geschätzt und beliebt gewesen[8]. Ketzerische Bilder wären an diesen Stellen unmöglich gewesen.

Ähnlich sind auch die religiös-allegorischen Stoffe aufzufassen, die Bruegel in einer Reihe von Stichen des Cockschen Verlages behandelt hat. Es ist nun höchst bezeichnend, daß gerade diese Stoffe alten höfischen Ursprungs sind. Wir führen nur ein paar Beispiele an. Das biblische Beispiel von den Fünf klugen und den Fünf törichten Jungfrauen, das Bruegel in einer seiner schönsten Kompositionen dargestellt hat[9], muß als Bühnenstoff an den Höfen bekannt gewesen sein, denn nach Brantôme gab Königin Elisabeth von England ein Ballett im Geschmack der Mysterien, wobei ihre Hofdamen die Klugen und Törichten Jungfrauen mit ihren gefüllten und leeren Lampen vorstellten. In einer Serie von vierzehn Stichen[10] hat Bruegel die Allegorien der Sieben Todsünden und der Sieben Tugenden behandelt. Die Laster und Tugenden sind nun einer der beliebtesten Gegenstände auf höfischen Gobelins, seitdem Philipp der Kühne von Burgund eine solche Serie bestellt hatte. Auch schon beim Einzuge Karls VII. in Paris im Jahre 1437 kamen ihm auf verschiedenen Tieren die Sieben Tugenden und die Sieben Todsünden in prachtvollen Gewändern entgegengeritten[11].

Das Narrenfest, das merkwürdigerweise geistlichen Ursprungs ist und von manchen als ein Nachklang der alten römischen Saturnalien aufgefaßt wird, hat Bruegel in einem köstlichen Blatte dargestellt, das den Humor dieser Art in klassischer Weise wiedergibt[12]. Schon ihr religiöser Ursprung hat diese Narrenfeste an den Höfen beliebt gemacht; es gibt noch einen gereimten Bestätigungsakt Philipps des Guten aus dem Jahre 1454 für ein solches Fest, das von der Gesellschaft der Narrenmutter (la mère folle) zu Dijon gefeiert wurde, der selbst die höchsten Spitzen der Gesellschaft angehörten[13]. Auch hier möchten wir auf eine kleine Einzelheit aufmerksam machen: in der Mitte des Blattes sieht man ein paar Narren, die sich an der Nase fassen. Dieses uralte Motiv, auf das auch sprichwörtliche Redewendungen in verschiedenen Sprachen zurückgehen, wie unser Ausdruck, »jemanden an der Nase führen«, hat Goethe im Faust, in der Szene in Auerbachs Keller, in heiterer Weise verwertet.

Ebenfalls einen alten höfischen Vorwurf behandelt Bruegel in einem Stiche, der den Krämer vorstellt, wie er im Schlafe von den Affen geplündert wird[14].

[8] Man erinnere sich daran, daß Margarete von Österreich ein Bild von Bosch besaß und ihr Bruder, Philipp der Schöne, bei ihm ein großes Altarwerk mit dem Jüngsten Gericht bestellt hat, daß ferner König Philipp II. und Kaiser Rudolf II. die eifrigsten Sammler, der eine von Boschs, der andere von Bruegels Werken waren. Über den Vorwurf des Atheismus gegen Bosch und die geistlichen Verfechter seiner Frömmigkeit vergleiche man die lehrreichen Ausführungen Carl Justis (a. a. O., II, S. 88).

[9] René van Bastelaer, a. a. O., Nr. 123.

[10] René van Bastelaer, a. a. O., Nr. 125—138.

[11] Floegel, Geschichte des Grotesk-Komischen, bearbeitet von F. W. Ebeling, Leipzig 1887, S. 264.

[12] René van Bastelaer, a. a. O., Nr. 195.

[13] Floegel, Geschichte des Grotesk-Komischen, S. 326.

[14] René van Bastelaer, a. a. O., Nr. 148.

Abb. 62. Oktoberbild aus dem Stundenbuch des Herzogs von Berry
Chantilly, Musée Condé

Schon im Jahre 1375 konnte man diesen Gegenstand auf einer Wandmalerei im Schlosse von Valenciennes sehen, und eine Pantomime, die anläßlich der Hochzeit Karls des Kühnen mit Margarete von York im Jahre 1468 aufgeführt wurde, behandelte denselben Stoff. Das älteste erhaltene Kunstwerk, das diesen Vorgang enthält, ist der berühmte burgundische Emailbecher der ehemals Thewaltschen Sammlung, jetzt im Besitze Pierpont Morgans; es ist wahrscheinlich derselbe Becher, der sich schon 1464 in der Schatzkammer Pieros de' Medici in Florenz befunden hat[15]. Auch ein Vorgänger Bruegels, Herri met de Bles, hat diesen Stoff als Staffage auf einer seiner Landschaften, gegenwärtig in der Dresdner Galerie, verwendet. Zur Zeit van Manders, der gerade dieses Bild gekannt hat, ist dem Gegenstande im protestantischen Holland eine Deutung gegeben worden, wonach es sich um eine Verspottung des Papsttums handeln würde. Van Mander bezweifelt selbst diese Deutung, und wir haben gesehen, daß der Stoff viel älter ist als die lutherischen Reformationskämpfe. Auch wäre an den Höfen sicherlich ein so religionsfeindlicher Gegenstand nicht geduldet worden. Es handelt sich wohl nur um die Verbildlichung eines Sprich- oder Scherzwortes, das etwa dem Sinne unseres Sprichwortes von der Katze und den Mäusen entsprochen haben dürfte.

Nicht nur solche religiöse oder allegorische Vorwürfe, sondern auch die Monatsdarstellungen Bruegels und seine Jahreszeitenbilder, von denen die bei Cock erschienenen Stiche die herrlichen Kompositionen des Frühlings und des Sommers wiedergeben[16], sind im Grunde höfischen Ursprungs. Es ist begreiflich, daß an den Höfen das künstlerische Interesse an dem Landleben, an dem Tun und Treiben des Bauern früher erwachte, als bei dem Bürgertum der Städte. Da die Fürsten einen guten Teil des Jahres auf ihren Schlössern verbrachten, stand ihnen das Landleben nahe. So sehen wir nun die Vorliebe für die Darstellungen ländlicher Gegenstände frühzeitig an den Höfen erwachen, und es ist sicherlich kein Zufall, daß die erste vollendete sittenbildliche Behandlung des ländlichen Daseins in der Dichtung an einem Hofe entstanden ist: wir meinen jene derb realistische, dabei aber höchst reizvolle und poetische Schilderung des Landlebens, wie sie kein Geringerer als Lorenzo Magnifico in seiner Nencia da Barberino gegeben hat, die in der Literatur des ausgehenden 15. Jahrhunderts ziemlich einzig dasteht.

Aber schon lange vorher, schon am Anfange des 15. Jahrhunderts, hatte der neu geschaffene naturalistische Stil uns in den Kalenderillustrationen der illuminierten Gebetbücher des Herzogs von Berry Schilderungen des Landlebens gegeben, wie sie vollendeter kaum in späterer Zeit geschaffen worden sind. Besonders das Bild des Oktobers[17], das uns das Eggen des Stoppelfeldes und das Streuen der Wintersaat zeigt, im Hintergrunde ein mächtiges Schloß, vor dessen

---

[15] Diese wichtigen Angaben entnehmen wir einem vorzüglichen Vortrage A. Warburgs, Sitzungsberichte der Berliner Kunstgeschichtlichen Gesellschaft, 1905, S. 9.

[16] René van Bastelaer, a. a. O., Nr. 200 und 201.

[17] Abgebildet auch bei Max Dvořák, Das Rätsel der Kunst der Brüder van Eyck. Jahrbuch der kunsthistorischen Sammlungen in Wien, XXIV, 1904, Taf. XXVIII.

Mauern Spaziergänger lustwandeln, läßt uns die ganze höfische Freude am Landleben erkennen (Abb. 62).

Von diesen Kalenderillustrationen gehen nun die gewaltigen Monatsbilder
Bruegels aus, die die Wiener Galerie besitzt und die wir noch näher betrachten
werden. Es gibt aber noch eine andere spezifisch höfische Kunst, in der dieselbe
Vorliebe für eine realistische Darstellung des ländlichen Daseins herrscht und
von der ebenfalls die Fäden zu Bruegels Stil hinführen: es ist dies die an den
Höfen seit dem 14. Jahrhundert zur Ausschmückung ganzer Zimmer höchst
beliebte Kunst der W a n d t e p p i c h e , der Gobelins. In diesen Wandteppichen
finden wir vielleicht die ersten realistischen Darstellungen sittenbildlicher Art.
Jagende und angelnde Damen und Herren, Hirten und Schäferinnen spielen in
dieser Kunstgattung schon seit ihrer Entstehung eine Rolle neben Darstellungen
von arbeitenden Landleuten, Holzhackern und Weinbauern. Es gibt eine ganze
Reihe von niederländischen Teppichen, die Holzhacker in höchst naturalistischer
Bildung bei ihrer Arbeit zeigen[18]. Wir heben davon besonders das Bruchstück
eines solchen Teppichs (Abb. 63) hervor, das nach Warburgs begründeter Vermutung vielleicht zu einem von Philipp dem Guten in den Sechzigerjahren
des 15. Jahrhunderts bestellten Bettumhang gehören könnte. In der gesamten
Kunst des 15. Jahrhunderts gibt es kaum ein Kunstwerk, das in der ganzen
Empfindung und im besonderen in der Auffassung der plumpen bäurischen
Gebärden Bruegels Bauernbildern (Abb. 64) so nahe steht wie dieser Teppich,
der genau hundert Jahre vor der Zeit seines Schaffens entstanden ist.

Nun führt, so überraschend es auch klingen mag, von diesen niederländi-
schen Erzeugnissen burgundischer Hofkunst ein gerader Weg zu Bruegels
Schöpfungen. Es ist der Weg, den uns die Geschichte einer nicht unwichtigen
Kunstgattung zeigt, die uns heute nur in wenigen Beispielen mehr erhalten ist.
Wir meinen die profane Wasserfarbenmalerei auf Leinwand, die, wie es scheint,
gleichzeitig mit dem vornehmeren Wandschmuck der Gobelins entsteht und mit
Recht als deren billigeres Surrogat bezeichnet worden ist. Diese Technik, ent-
weder Eitempera oder Leimfarbe auf ganz feiner ungrundierter Leinwand —
Dürer nennt solche Bilder »gemalte Tüchlein« — ist uralt und ihre Anfänge
gehen ohne Zweifel auf die Zeit v o r der Erfindung der niederländischen
Technik der Ölmalerei auf Holz zurück. Schon von Jan van Eyck kannte man
eine Darstellung einer Otternjagd auf Leinwand, und von Roger van der
Weyden wird im besonderen berichtet, er habe für manche Häuser in Brügge
ganze Zimmer mit solchen gemalten großen Leinwanden wie mit Wandteppichen
geschmückt. Von dem Weiterleben dieser Art von Wanddekoration gibt fast
jede Seite von van Manders Buch Kunde. Sehr viele hervorragende Ölmaler, wie
z. B. Joachim de Patinier, Lucas van Leyden, Jan van Scorel haben auch nebenbei
in dieser Technik gearbeitet. Wie solche Leinwandbilder an den Höfen neben
den Wandteppichen verwendet wurden, davon hören wir manche Einzelheit aus
den Inventaren der mediceischen Paläste in Florenz und auch der Villa Careggi

[18] Hierüber vergleiche man den grundlegenden Aufsatz A. Warburgs über »Arbeitende
Bauern auf burgundischen Teppichen«, Zeitschr. für bildende Kunst, N. F. XVIII, 1906, S. 41.

Abb. 63. Burgundisch um 1460, Holzhackende Bauern (Bruchstück eines Wandteppichs)
Paris, Musée des Arts décoratifs

Abb. 64. Peter Bruegel d. Ä., Reisig sammelnde Bauern (Ausschnitt aus dem »Düsteren Tag«)
Wien, Kunsthistorisches Museum

im 15. Jahrhundert[19]. Vielfach wurden hier diese Bilder als Türstücke, Supraporten, gebraucht und daneben haben sie, wie nachweislich in den Niederlanden, wohl auch hier als Kaminstücke gedient. Aus derselben Quelle erfahren wir auch Näheres über den Stoffkreis dieser Dekorationsstücke, und schon Jacob Burckhardt fiel es auf, daß hier für Italien die ersten gemalten Beispiele des Sittenbildes, des Tierstückes, des Stillebens und der Vedute vorliegen. Unter den flandrischen Leinwandbildern des mediceischen Besitzes finden sich zum Beispiel sechs Halbfiguren nach der Natur, ein Gelage, zwei lachende Köpfe, eine allegorische Figur der Fasten verspottet von trinkenden und tafelnden Menschen, ein Frauenbad, ein Tanz u. a. m. Daneben sah man dort schon eigentliche Tierstücke, Stilleben, Veduten und Marinen. Für die Landschaft, wofür die Technik besonders geeignet schien, ist sie auch wohl bald in Italien verwendet worden: beim Morellischen Anonimo werden wenigstens große Landschaften in Gouache auf Leinwand von Domenico Campagnola erwähnt.

Beweist schon der nachweisbare Export solcher Leinwandbilder nach Italien ihre große Verbreitung im 15. Jahrhundert, so finden wir eine wahre Massenfabrikation davon im 16. Jahrhundert in den Niederlanden. Besonders wurden diese Leinwandbilder in Mecheln erzeugt, wo — nach van Manders freilich ein wenig übertriebener Angabe — nicht weniger als 150 Werkstätten solcher Wasserfarbenmaler (waterververschilders) bestanden, und ebenso in Courtrai, wo es ebenfalls auch eine große Menge von Werkstätten dieser Art gab. Aber auch in Antwerpen begegnen uns Maler, die, wie ein gewisser Hans de Duytscher oder Singher, ganze Säle mit landschaftlichen Leinwandbildern ausschmückten.

Der Betrieb in diesen Werkstätten war wohl zum Teil recht handwerksmäßig. Es bestand die Gepflogenheit, die einzelne Leinwand durch verschiedene Hände gehen zu lassen: der eine Maler malte Kopf und Hände, der andere Gewänder oder Landschaften oder dekorative Zutaten. Auch gab es ein normales Format, in dem offenbar die Leinwand fabrikmäßig hergestellt wurde: das einfache »doeck« (Tuch). Verwendete man — offenbar aneinander genäht — zwei solcher Tücher, so hieß es ein »dobbelen doeck« (ein doppeltes Tuch); verwendete man vier solcher Tücher, so hieß es ein »tweedobbelen doeck« (ein zweimal doppeltes, also vierfaches Tuch). Endlich wurde für kleinere Bildformate das Tuch in die Hälfte oder in das Vierteil geschnitten und so entstanden »halffdoecxkens« (halbe Tücher) oder »quaertken doecxkens« (viertel Tücher). Die zum Schmuck des Schornsteins über dem Kamin verwendete Leinwand nannte man ein »schouwdoeck«, ein Kaminstück[20].

Leider sind uns von dieser ganzen großen Kunstgattung — wenn wir allein die berufsmäßige Wasserfarbenmalerei, nicht die gelegentliche Ausübung dieser

[19] Vgl. E. Müntz, Les collections des Médici, Paris 1888. Dazu Jacob Burckhardt, Beiträge zur Kunstgeschichte von Italien, Basel 1898, S. 319 und 360; ferner A. Warburg, außer in den schon erwähnten Aufsätzen, im Jahrbuch der preußischen Kunstsammlungen, 1902, S. 207, und in den Sitzungsberichten der Berliner Kunstgeschichtlichen Gesellschaft, 1901, S. 45.

[20] Die vorliegende Darstellung ergibt sich aus der Kombination verschiedener Nachrichten van Manders mit den von J. van den Branden im Antwerpsch Archievenblad, XXI und XXII, mitgeteilten Inventaren alter Antwerpner Gemäldesammlungen.

Abb. 65. Frans Verbeeck, Versuchung des heiligen Antonius
Wien, Kunsthistorisches Museum, Vorrat der Gemäldegalerie

Technik, wie sie auch in Deutschland bei Dürer und in Italien z. B. bei Mantegna
begegnet, in Betracht ziehen — nur wenige Beispiele mehr erhalten: die Unbilden nordischer Witterung haben größtenteils die feine Leinwand und die
dünne ungrundierte Farbe zerstört, andererseits scheint es uns möglich, daß
einige Stücke dieser Art durch Überziehen mit öligen Firnissen ihren Charakter
verloren haben und nun in den Sammlungen als Ölbilder gelten. Doch sind
uns noch einige wohlerhaltene Beispiele aus dem 15. und 16. Jahrhundert
bekannt.

Es ist nun kein Zweifel, daß gerade das Stoffgebiet dieser Kunstgattung
alle profanen Gegenstände der Malerei umfaßt hat, die vorher in den Wandteppichen behandelt worden waren. Und da uns nun auch solche Stoffe hauptsächlich in Bruegels Werken begegnen, so kommt es uns ganz wahrscheinlich
vor, daß er in der Tat mit dieser niedrigeren Kunstgattung begonnen hat, daß
er zuerst W a s s e r f a r b e n m a l e r gewesen ist. Dafür spricht einerseits der
Umstand, daß, trotz der Spärlichkeit von Bruegels Werken überhaupt, uns
doch noch eine Anzahl von seinen Arbeiten in dieser vergänglichen Technik
erhalten ist. Anderseits hat aber auch nachweislich sein bedeutendster Vorgänger,
Hieronymus Bosch, eine große Anzahl von solchen Leinwandbildern geschaffen,
die uns aus den Beschreibungen der Inventare der Kunstsammlungen König
Philipps II. von Spanien[21] bekannt sind und deren Gegenstände zum großen
Teile mit denen Bruegels übereinstimmen. Und gerade von demselben Hieronymus Bosch gehen auch den Gegenständen nach die berufsmäßigen Wasserfarbenmaler aus. Unter den Leinwandmalereien der Antwerpner Kunstsamm-

[21] Mitgeteilt von Carl Justi, Jahrbuch der preußischen Kunstsammlungen, X, 1889, S. 141.

167

lungen des 16. und 17. Jahrhunderts[22] finden wir dargestellt die Versuchung des heiligen Antonius, Bauernhochzeiten, einen Seesturm, Landschaften, Städteansichten, einen Streit zwischen Bauern, die Geschichte des heiligen Martin — alles Gegenstände, die uns zum Teil bei Bosch, zum Teil bei Bruegel begegnen. In der Tat sind auch noch Werke dieser Art erhalten geblieben. Von einem Mitgliede der Mechelner Malerfamilie Verbeeck rührt z. B. ein Temperabild auf Leinwand in der Wiener Galerie her: es ist dies die Lucas van Leyden irrtümlich zugeschriebene Versuchung des heiligen Antonius (Abb. 65)[23].

Wir denken uns nun Bruegels Bildungsgang so: er hat zuerst bei einem Wasserfarbenmaler gelernt, der vielleicht ein Schüler Hieronymus Boschs war, ist als Wasserfarbenmaler in Peter Coecks Werkstatt eingetreten, der selbst vielfach in Wasserfarben malte und zu seinen großen dekorativen Unternehmungen Mitarbeiter benötigte, die in dieser Technik geschickt waren. Hier in Antwerpen hat nun Bruegel, wie es scheint, hauptsächlich mit Landschaften angefangen, vielleicht aber auch schon einen Teil seiner Kenntnis des Figürlichen mitgebracht. Für den Verkauf seiner Wasserfarbenbilder konnte ihm der Verleger Cock behilflich sein, der ja auch mit dieser Kunstgattung Handel trieb. Nun gibt es in der Tat eine Reihe von Werken Bruegels in dieser Technik, die die ganze uns bekannte Zeit seines Schaffens umfassen: das früheste ist die noch sehr altertümliche Anbetung der Könige, die aus der Sammlung Fétis 1909 in das Brüsseler Museum gelangt ist, es folgt das etwa gleichzeitige Fragment der Darstellung des heiligen Martin im Wiener kunsthistorischen Museum, und aus der Spätzeit des Meisters stammen die beiden herrlichen Bilder des Neapler Museums, das Gleichnis von den Blinden (Abb. 5), das uns trotz der meisterhaften großartigen Komposition und der unvergleichlichen Charakteristik doch durch die flächenhafte Art der Malerei in gewissem Sinne noch an jenen Wandteppich mit den Holzhackern (Abb. 63) erinnert, und die köstliche Allegorie der menschlichen Unredlichkeit (Abb. 6). Diese beiden Bilder hängen nun aufs engste mit Schöpfungen Hieronymus Boschs zusammen: das Gleichnis von den Blinden hat Bosch ebenfalls in einem verlorengegangenen Leinwandbilde (Abb. 4) behandelt, und die Allegorie der Unredlichkeit hat in der Komposition die größte Ähnlichkeit mit dem Bilde des Verlorenen Sohnes von Bosch (Abb. 3) aus der Sammlung des Herrn Dr. Figdor in Wien[24].

[22] Antwerpsch Archievenblad, XXI, pp. 296, 309, 316, 327, 330, 333, 342, 348, 365, 448; XXII, p. 46.

[23] Georges Hulin (in seinem mit René van Bastelaer gemeinschaftlich verfaßten großen Werke über Bruegel, p. 385) schreibt das Bild Jan Verbeeck zu. Doch möchten wir auch auf die Erwähnung eines Bildes in einer Antwerpner Kunstsammlung (1628) hinweisen: »Item, een Sint Anthonis Temptatie, op doeck, van Frans Verbeeck« (Antwerpsch Archievenblad, XXI, p. 333). Derselbe Frans Verbeeck hat auch in seinen von van Mander erwähnten Wasserfarbenbildern ähnliche Stoffe behandelt wie Bruegel. Dahin gehört auch »Een schilderije, schoolmeester, waeterverwe, van den ouden Verbeeck«, erwähnt in einer Antwerpner Privatsammlung von 1622 (a. a. O., p. 318).

[24] Veröffentlicht im Jahrbuch der preußischen Kunstsammlungen, XXV, 1904.

Nun sind nicht nur die Leinwandbilder, sondern auch die Ölbilder Bruegels ein deutlicher Beweis dafür, daß er von jener alten Kunstgattung ausgegangen ist. Auffallend ist bei allen seinen Bildern und auch bei den Meisterwerken der Wiener Galerie das merkwürdige Fehlen der malerischen Werte, der sogenannten valeurs, bei einer so vollendeten malerischen Technik, wie sie Bruegel besessen hat. Das Helldunkel, das ja schon seit Lionardo da Vinci in der gesamten europäischen Malerei eine Hauptrolle spielt, mangelt seinen Bildern, die Figuren haben etwas Flächenhaftes, und die Perspektive wird mehr durch die Zeichnung als durch die malerische Modellierung bewirkt. Diese Eigentümlichkeit, die sicherlich kein Fehler ist, sondern den Bildern sogar eine gewisse unnachahmliche Größe des Stils verleiht, hängt mit der Herkunft des Bruegelschen Stils von dem der flächenhaften Wandteppiche und deren Surrogat, den Leinwandbildern, zusammen. Hierzu kommt noch ein zweites: die meisten Bilder Bruegels — und damit fast auch die ganze Reihe seiner Bilder in der Wiener Galerie — haben auffallenderweise ein Breitformat von ganz bestimmten Maßen, so daß es fast den Anschein hat, als gehörten sie alle zu einer einheitlichen Serie. Dieses Format, das in der Technik der Ölmalerei auf Holz keinerlei Begründung hat, ist nun kein anderes, als das Normalformat der Leinwande der Wasserfarbenmaler, von dem wir früher gesprochen haben[25]. Bruegel, der als Wasserfarbenmaler angefangen hat, hat eben das Format seiner früheren Kunstgattung auch in den Ölgemälden auf Holz beibehalten, und damit scheint uns der Beweis erbracht, daß Bruegels Kunst in ihren Wurzeln zurückgeht auf jene Leinwandmalerei und damit auch zugleich auf die alte höfische Kunst der Wandteppiche. So erklärt sich der ausgesprochen altertümliche Zug, der seiner Kunst eigen ist. Freilich für das viele Neue, ewig Neue, das seine Kunst uns gebracht hat, gibt es keine andere Erklärung als die seiner unvergleichlich großen und unnachahmlich genialen künstlerischen Persönlichkeit.   (1910)

[25] Dieses Format, etwa 120 : 170 cm, haben zum Beispiel folgende Temperabilder auf Leinwand: die Lucas van Leyden zugeschriebene Verkündigung der Sibylle in der Akademie in Wien, drei den Verbeeck nahestehende Bilder im Germanischen Museum zu Nürnberg (Nr. 530—532), Bruegels Anbetung der Könige der ehemaligen Sammlung Fétis in Brüssel u. a. m. Andere Bilder dieser Art sind freilich stark beschnitten.

DER TOD MARIÄ

EIN NEU ENTDECKTES GEMÄLDE PETER BRUEGELS D. Ä.

In Rubens' Werkstatt scheint die Gepflogenheit aufgekommen zu sein, zum Zwecke der Übersetzung von Kompositionen großer Gemälde in den Kupferstich kleine, grau in Grau gemalte Bildchen (Grisaillen) anzufertigen. Diese Aufgabe fiel zumeist den Gehilfen des Meisters zu, und in der Zeit des größten Betriebes der Werkstatt vor allem keinem Geringeren als van Dyck, von dessen Hand unserer Meinung nach, die übrigens die vorherrschende ist, die fast farblose Skizze des Wunderbaren Fischzuges in der National Gallery zu London herrührt, während eine offenbar ähnliche Wiedergabe der Amazonenschlacht, welche Bellori erwähnt, verschollen zu sein scheint. Diese Gewohnheit fand ihre Fortsetzung in den Vorarbeiten zu van Dycks großem gestochenen Porträtwerk, der Ikonographie, und hier haben — freilich, wie es scheint, neben großen Öl-gemälden und Handzeichnungen — solche Grisaillen, teils von van Dyck selbst, teils von seinen Gehilfen oder den Stechern ausgeführt, als Vorlagen für die einzelnen Kupferstiche der Folge gedient. Auch von manchen großen Kompositionen hat van Dyck selbst oder etwa ein Stecher kleine Reduktionen geschaffen, wofür als Beispiel die Grisailleskizze zur Verzückung des heiligen Augustinus, früher bei Lord Northbrook, jetzt bei Colnaghi in London, genannt sei. Endlich gibt es von van Dyck auch noch eigenhändige, höchst geistreiche, grau in Grau gemalte Entwürfe zu seinen farbigen großen Gemälden, wobei keinerlei Absicht einer Reproduktion durch den Stich vorhanden gewesen zu sein scheint.

Die Grisaille tritt sehr früh in der Geschichte der niederländischen Malerei auf, und zwar als Teil der Flügelaltäre. Dies ist schon bei dem Genter Altare der Brüder van Eyck der Fall, und wenig später wird es zur allgemeinen Sitte, daß die Außenseiten der Flügel — also die, welche der Beschauer bei geschlossenem Altar zu sehen bekommt — grau in Grau gemalt wurden. Möglich ist es, daß, wie Max J. Friedländer vermutet, der Ursprung dieser Gewohnheit in der der plastischen Altäre liegt, wobei »zuerst wirkliches Bildwerk im Mittelschrein, auf den Türen aber, die nicht durch starke Belastung in ihrer Beweglichkeit behindert werden sollten, Scheinplastik, hervorgebracht durch die Kunst der Maler«, angenommen werden müßte. Dabei bleibt es freilich merkwürdig, daß jene Grisaillen Nachahmungen von weißem Steinbildwerk sind, während wohl für den Altarschrein nur an bemaltes Holz gedacht werden kann. Wie dem auch sei, so erhält sich die Sitte der grau in Grau gemalten Außenseiten der Flügel im ganzen 16. Jahrhundert und sie begegnet uns selbst noch in Rubens' Anfängen, wie zum Beispiel in den um 1609 entstandenen Orgelflügeln der Liechtensteinschen Galerie zu Wien (Band I, Abb. 15 und 16) und in den Außenseiten der Flügel der Auferstehung in der Antwerpner Kathedrale. Wie aber ist Rubens darauf gekommen, die Grisaille als Vorlage für die von ihm herausgegebenen Kupferstiche zu verwenden? Hier scheint uns eine äußere Anregung vorgelegen zu sein, die Rubens einem von ihm hochverehrten Vorgänger, Peter Bruegel d. Ä., zu danken hatte.

Rubens besaß, wie das Inventar seines Nachlasses beweist, in einer Reihe von Werken Bruegels ein grau in Grau gemaltes Bild, das den Tod der Heiligen Jungfrau vorstellte. Mit Recht hat Georges Hulin de Loo angenommen, daß diese Grisaille dem Kupferstich desselben Gegenstandes von Philipp Galle als Vorlage gedient hat. Nach der Unterschrift des Blattes erscheint als Besteller — »für sich und seine Freunde« — der berühmte Geograph Abraham Ortelius (1527—1598), der das Original besessen zu haben scheint, ja es von dem Künstler selbst erworben haben könnte.

Daß ein Gemälde dem Stiche zugrunde liegt, geht unzweifelhaft aus den Versen der Unterschrift hervor (»picta tabella manu«), und daß der Kupferstich das Gemälde in demselben Sinne, nicht im Gegensinne wie sonst wiedergegeben haben muß, ist eine feine Beobachtung Hulins, die sich wohl unter anderem darauf gründet, daß die Figur des Heiligen Ritters über dem Kamin ihr Schwert richtig in der rechten Hand hält. Bis vor kurzem waren wir noch auf solche Vermutungen angewiesen, heute aber finden wir sie vollauf bestätigt durch die Entdeckung des Originals selbst, welche wir einem der feinsinnigsten Sammler Englands, Lord Lee of Fareham, zu danken haben.

Es kann kein Zweifel darüber herrschen, daß uns in dem hier abgebildeten, mit wenigen schwachen Andeutungen von Farbe in Grisailletechnik gemalten kleinen Gemälde (auf Eichenholz, 36 : 54·5 cm) der Sammlung Lord Lees das Stück vorliegt, das Philipp Galle für Ortelius gestochen und das Rubens seines Besitzes für würdig erachtet hat. Wie eine Kopie nach dem Kupferstich aussieht, das sehen wir aus dem einzigen gemalten Exemplar dieser Komposition, das noch vor kurzem bekannt war und das 1909 mit der Sammlung Edouard Fétis' in Brüssel (Nr. 11, auf Holz, 84 : 111 cm) versteigert wurde. Mit welcher platten Deutlichkeit ist hier jede Einzelheit ohne Rücksicht auf das Ganze der Komposition und der Lichtführung wiedergegeben, wie ausdruckslos sind hier die Mienen der Dargestellten! Aber selbst der vortreffliche und höchst sorgfältig behandelte Stich Philipp Galles, der wohl noch zu Bruegels Lebenszeiten entstanden sein dürfte, erscheint kalt, nüchtern und empfindungsarm neben dem kleinen Bilde der Sammlung Lord Lees. Aus diesem strahlt uns erst der ganze schöpferische Geist des großen Bruegel entgegen. Vor ihm ist schon der Gegenstand des Todes Mariä in der niederländischen Malerei wiederholt behandelt worden. Hugo van der Goes hat allein drei bedeutende Kompositionen dieses Vorwurfs geschaffen, Joos van Cleve zwei sehr bekannte, denen er seinen Notnamen verdankt hatte, und im weiteren Verlaufe des 16. Jahrhunderts haben auch Pieter Aertsen und Michiel van Coxcie das Thema wieder aufgenommen. In allen diesen Darstellungen, so sehr sie auch an künstlerischem Wert und Tiefe der Auffassung verschieden sind, ist die Anzahl der um das Sterbebett der Jungfrau versammelten Leidtragenden auf die Zwölfzahl der Apostel beschränkt, und ebenso ist es in der deutschen Kunst derselben Zeiten. Bruegel macht daraus etwas ganz anderes, neues.

Nach zwei Richtungen hin erscheint er hier als Pfadfinder, Bahnbrecher, Vorläufer späterer Kunst: seine Probleme sind einerseits die Beherrschung der Massen der Gestalten, andererseits die Gestaltung des Raums und des Helldunkels. Nicht mehr ein Dutzend Gestalten, sondern eine sich drängende Schar von mehr als dreißig Teilnehmenden umgibt das Sterbelager. Keiner von ihnen ist mit sich selbst oder mit nebensächlichen Dingen beschäftigt, alle sind ausschließlich von einer Empfindung beherrscht: von der Trauer um die Dahinscheidende. Durch die Menge der Anwesenden, unter denn sich Männer verschiedenen Alters, aber auch Frauen und Kinder finden, wird zum Ausdruck gebracht, daß es sich nicht um eine beliebige Person handelt, sondern um eine, die in der Welt etwas bedeutet und vielen etwas gegolten hat. Im übrigen wird diese Todesstunde durchaus als natürlicher Vorgang geschildert. Eine Frauengestalt — wohl Magdalena — hält der Sterbenden das Kissen, ein Greis — wohl Petrus — reicht ihr die Totenkerze. Vorn rechts läutet ein kniender Mönch das Stundenglöcklein. Vielleicht die merkwürdigste Gestalt des ganzen Bildes ist die des Jünglings, der vorne links sitzt — mit geschlossenen Augen, offenem Munde und gefalteten Händen. Wir glauben nicht fehl zu gehen, wenn wir darin den Lieblingsjünger Christi und Vertrauten seiner Mutter, den heiligen Johannes den Evangelisten, zu erkennen glauben, der sich, von der Krankenpflege und den Nachtwachen erschöpft und fröstelnd am Kamin niedergelassen und durch den Schlaf, der ihn in seinem geschwächten Zustande überkommen haben mag, die Todesstunde der von ihm innigst verehrten Mutter Gottes versäumt hat, was er beim Erwachen sicherlich mit Wehmut und Schrecken bemerken wird. In der Vereitlung der Teilnahme eines der Hauptleidtragenden liegt ein eigenartiger, feiner Zug: Bruegel liebt es auch sonst, uns von der bitteren Ironie des Lebens und des Schicksals zu erzählen.

Klar und greifbar ist der Raum wiedergegeben, in dem die Szene spielt. Ein lebhaftes Feuer brennt in dem Kamin, an dem ein Schürhaken lehnt und vor dem eine Katze schnurrend liegt. Ein wahres Stilleben von Gefäßen und Gegenständen, die an dem langen Krankenlager gebraucht worden sein mögen, bedeckt einen runden Tisch in der Mitte; daneben liegt auf einem dreibeinigen Stuhl ein Buch, und selbst die Pantoffel der Bettlägerigen fehlen nicht. An dem Bettrande, dessen Schmalseite dem Beschauer zugekehrt ist, lehnt vor der Sterbenden auf einem Kissen ein Kruzifix, und davor steht auf einer Truhe ein Weihwasserkessel mit einem Wedel darin. Nicht weniger als vier Lichtquellen erhellen das Dunkel des Raumes: der Feuerbrand im Kamin, zwei qualmende Kerzen über der Eingangstüre, durch die das Volk hereinströmt, ein fast ganz

Abb. 66. Peter Bruegel d. Ä., Der Tod Mariä
London, Sammlung Lord Lee of Fareham

173

abgebranntes Licht auf dem runden Tisch und endlich das der langen Kerze, die der Dahinscheidenden von Petrus dargereicht wird und die mit übernatürlicher Leuchtkraft das ganze Himmelbett erhellt. Das von einer weißen Haube und weißem Nachtgewand umgebene, hagere und dabei edle Antlitz der Jungfrau hebt sich nicht wie auf Galles Kupferstich von einer Art von scharf begrenztem, kreisrundem Heiligenschein ab, sondern die ganze Gestalt der Sterbenden mit ihrer nächsten Umgebung ist in ein Meer von weißem, weichem Licht getaucht. Durch den Zauber und die Kraft der Beleuchtung macht Bruegel das ganz in die rechte Ecke gerückte Bett der Maria zum geistigen Mittelpunkt des ganzen Bildes. Wenn es auch in der vorangehenden niederländischen Kunst nicht an Versuchen der Helldunkelwirkung fehlt, so ist doch vor dem Schaffen Rembrandts niemals eine solche Vergeistigung der Lichtführung angestrebt oder gar erreicht worden wie in diesem schlichten, grau in Grau gemalten Bildchen.

Zugleich ist aber auch die innerliche Ergriffenheit des Künstlers bei der Behandlung des Stoffes ein Beweis dafür, daß ihm, den man so gerne als Freigeist oder mindestens als Protestanten darzustellen gewohnt ist, die Verehrung der Jungfrau Maria noch immer nicht fremd gewesen ist. Die dem Kupferstich hinzugefügten, etwas holprigen lateinischen Verse, die sicher dem Besteller Ortelius, wahrscheinlich aber auch dem Maler selbst bekannt gewesen sein dürften, scheinen uns für diese Auffassung zu zeugen. Sie sagen ungefähr so viel, als hier folgt: »Als Dich, Jungfrau, in das Reich Deines einzigen Sohnes einzutreten verlangte, welche Freuden erfüllten da Deine Brust! Was erschien Dir süßer, als aus diesem irdischen Kerker zu wandern nach den hohen Tempeln des erwünschten Reiches! Als Du die heilige Menge verließest, deren Schutz Du gewesen warst, wie traurig und zugleich wie froh sah Dich Deines Sohnes und Deine fromme Anhängerschar scheiden! Was war ihr erfreulicher, als daß Du herrschetest, was betrüblicher, als daß sie Deines Antlitzes entbehren sollte! Der Rechtschaffenen frohe Gebärden und Mienen der Wehmut zeigt dem Künstler die mit der Hand gemalte Tafel.« Eine solche Mischung von Trauer und Freude glaubt man in den Zügen der Leidtragenden zu lesen, sie liegt Bruegels Auffassung von Religion und Menschlichkeit durchaus nahe. Das Pathos hat er aber ganz dem Zauber seines Helldunkels überlassen, und neben seiner Behandlung des Vorwurfs hat selbst die desselben Gegenstandes durch Rembrandt in seiner Radierung aus dem Jahre 1639 fast etwas künstlich, phantastisch und theatralisch Aufgeputztes.

Dieses Gemälde der Sammlung Lord Lees ist unserer Meinung nach eines von den wenigen, unzweifelhaft echten Werken des unvergleichlichen Meisters, die in den letzten Jahren, in welchen es an irrigen Zuschreibungen nicht gefehlt hat, entdeckt worden sind, zugleich aber auch eines, das trotz den kleinen Maßen und dem Mangel an Farbe uns seine große Kunst von einer neuen Seite sehen läßt. Es ist rechts unten mit dem Namen des Künstlers in der auf Gemälden üblichen Form BRVEGEL bezeichnet, und darunter glaubten wir auf dem Original noch Reste einer Jahreszahl entnehmen zu können, die aber nicht deutlich lesbar sind. Dem Stil nach gehört das Werk ohne Zweifel in die reife

Zeit des Meisters, um 1564, und Gemälden wie etwa der Kreuztragung Christi im Kunsthistorischen Museum zu Wien (Abb. 60) und der Anbetung der Könige in der National Gallery zu London scheint es uns am nächsten zu stehen. Schwerlich dürfte es die einzige Grisaille sein, die Bruegel geschaffen hat; aus manchen Kupferstichen und gemalten Repliken möchte man auf andere Werke in dieser Technik schließen, von denen wir die Hoffnung nicht ganz aufgeben wollen, daß sie uns durch ebenso glückliche Funde zurückgegeben werden möchten, wie es der ist, zu dem wir hier Lord Lee beglückwünschen durften.

(1930)

HANS MALER VON ULM, MALER ZU SCHWAZ

Hermann Dollmayr hat sich noch kurz vor seinem allzufrühen Tode mit einer Arbeit über den Maler Hans von Schwaz beschäftigt. Leider haben sich in seinem Nachlasse keinerlei Aufzeichnungen über diesen Gegenstand gefunden; doch ist uns das wichtige Bild, das den Ausgangspunkt seiner Untersuchungen bilden sollte, dank der Freundlichkeit des Herrn Hofrates August Schäffer, bekanntgeworden und wir sind in der glücklichen Lage, es im Jahrbuche der kunsthistorischen Sammlungen, wo es auch nach Dollmayrs Absicht in Reproduktion erscheinen sollte, den Forschern zugänglich machen zu dürfen.

Den Namen Hans von Schwaz hat Max J. Friedländer[1] zuerst einem anonymen Bildnismaler aus dem Kreise Bernhard Strigels gegeben, einem Künstler, dessen Arbeiten vor Friedländer schon Kennern wie Ludwig Scheibler, Robert Vischer und Theodor von Frimmel aufgefallen waren. Friedländer hat nun das Werk des Meisters am vollständigsten zusammengestellt und unter den 26 Bildnissen, die seine Liste umfaßt, besonders auch auf ein unscheinbares, aber zweifellos von derselben Hand herrührendes in der Galerie Lord Ellesmeres im Bridgewater House zu London (Friedländers Liste, Nr. 5) aufmerksam gemacht, das ein für die Frage nach dem Namen des Urhebers höchst wichtiges Monogramm enthält: es sind die Buchstaben H und M, als Monogramm verbunden, darunter die Buchstaben MZS nebst der Jahreszahl 1523. Dies widerspricht völlig Theodor von Frimmels Hypothese, der in dem anonymen Künstler den aus Urkunden bekannten Hofmaler Ulrich Tieffenbrunn erkennen wollte. Friedländer stellte nun selbst die sorgfältig begründete Vermutung auf, der »Monogrammist, dessen nachgewiesene Arbeiten in die Zeit zwischen 1519 und 1525 (1529?) fallen, sei der urkundlich genannte Hans, Maler von Schwaz, der zwischen 1500 und 1510 dem Kaiser Max verschiedene Wiederholungen von Fürstenbildnissen lieferte«. Er liest also das Monogramm Hans M . . . . Maler zu Schwaz und fügt hinzu: »Die Hypothese wird aufhören, Hypothese zu sein, sobald in Schwaz ein Maler Hans nachgewiesen ist, dessen Familien- oder Zuname mit ‚M‘ beginnt.«

Diesen Nachweis vermögen wir nun mit Hilfe des erwähnten Bildes[2] zu führen, das sich im Besitze Seiner Exzellenz des Grafen Franz Thun befindet,

[1] Repertorium für Kunstwissenschaft, XVIII, 1895, S. 411, und XX, 1897, S. 362.
[2] Auf Holz, 65 cm hoch, 59 cm breit.

Abb. 67. Hans Maler, Bildnis des Anton Fugger
Tetschen, Sammlung Franz Graf Thun

dem wir für die gütige Erlaubnis der Reproduktion zu größtem Danke verpflichtet sind (Abb. 67). Es ist eines der vorzüglichsten Bilder, die wir von diesem
Meister besitzen. Dargestellt ist jener Anton Fugger, auf dessen Bildnisse von
der Hand desselben Künstlers in der Kaufmannschen Sammlung in Berlin (Friedländer, Nr. 15), im großherzoglichen Schlosse in Mannheim (Friedländer, Nr. 16)
und im Museum von Bordeaux (Friedländer, Nr. 25) schon Friedländer aufmerksam gemacht hat[3]. Die Haltung und die Tracht sind fast dieselben wie
auf dem Berliner Bilde, das vom 10. März 1525 datiert ist; nur sieht man

[3] Vgl. Gemälde des 14. bis 16. Jahrhunderts aus der Sammlung Richard von Kaufmann,
Berlin 1901, Taf. XXXVIII.

Abb. 68. Hans Maler, Bildnis eines Mannes
Wien, Kunsthistorisches Museum

hier den ganzen Oberkörper des Mannes und, was auf Bildnissen des Meisters
Hans selten vorkommt, auch die Hände. Die Linke liegt auf dem Degenknauf,
die Rechte legt sich an die Schaube. Beide Hände sind, wie dies Friedländer
auch bei den Frauenhänden des Meisters bemerkt hat, besonders wohlgestaltet
und sehr gut gezeichnet.

Anton Fugger, geboren am 10. Juni 1493, gestorben am 14. September 1560,
ist eines der hervorragendsten Mitglieder der berühmten Augsburger Bankiers-
familie[4]. Nach dem Tode seines Onkels Jakob Fugger, des Reichen, des eigentlichen Gründers der Weltmacht des Fuggerschen Hauses, übernahm er gemeinsam
mit seinem älteren Bruder Raimund die Führung des großen Handelsgeschäftes
und wurde dadurch der finanzielle Berater Karls V. und Ferdinands I. An allen
wichtigeren finanziellen Transaktionen seiner Zeit nahm er bedeutenden Anteil und bewährte sich dabei als feiner Diplomat und als kluger Kaufmann

[4] A. Stauber, Das Haus Fugger, Augsburg 1900.

178

Abb. 69. Hans Maler, Ferdinand I.
Wien, Kunsthistorisches Museum

zugleich. 1526 verlieh Karl V. den beiden Brüdern den Grafenstand, 1530 weitere
wichtige Privilegien. In Antons Hause in Augsburg, das durch seine Pracht
berühmt war, verkehrten viele Künstler und Gelehrte. Zu seinen Freunden
zählten Humanisten wie Konrad Peutinger und Erasmus von Rotterdam; der
letztgenannte hat ihm sogar eine Ausgabe von Xenophons Hieron zugeeignet.
Der Augsburger Bankier war also kein trockener Geldmann, sondern hatte für
das geistige Leben seiner Zeit volles Interesse. Solche Eigenschaften lassen sich,
wie uns scheint, an den Zügen unseres Bildnisses erkennen; der lebhafte Ausdruck
der Augen verrät zugleich feine Bildung und weltmännische Klugheit. Dabei
möchte man aus der sehr aufrechten Haltung des Dargestellten auf eine gewisse
Art vornehmen, würdevollen Stolzes schließen.

Auf die Beziehungen des Meisters Hans von Schwaz zur Familie der Fugger,
die in Schwaz große Bergwerke unterhielten, hat schon Friedländer aufmerksam
gemacht. Von diesen Beziehungen zeugen außer den Bildnissen Antons das seines

Vetters Ulrich (gestorben 1525) im Besitze des Fürsten Fugger-Babenhausen in Augsburg (Friedländer, Nr. 13) und das des Fuggerschen Faktors Matthäus Schwarz (von 1526) im Pariser Privatbesitz (Friedländer, Nr. 23).

Auf der Rückseite unseres Bildes findet man in schöner, klarer Antiqua die folgende wichtige Inschrift, die die schöne Vermutung Friedländers in überraschender und schlagender Weise bestätigt:

— ANNO DOMINI M.D.XXIIII PRIMA IVLY
ANTONIVS FVGGER
ETATIS SVE ANNORVM XXXI DIERVM XXI:

Darunter das Wappen; unten am Bildrande die weitere Inschrift

HANS MALER VON VLM MALER ZVO SCHWATZ.

Der Familienname des Malers scheint also — eine merkwürdige Übereinstimmung mit seinem Berufe — »Maler« gewesen zu sein, denn sonst wäre die Wiederholung des Wortes »Maler« in der Inschrift mindestens überflüssig. Auch das M in dem Monogramm des Bildes im Bridgewater House (Friedländer, Nr. 5) spricht dafür. Noch wertvoller vielleicht ist die Angabe der Herkunft des Meisters: »von Ulm«. Den Kennern, die den Meister nach Schwaben versetzt haben[5], gibt die Inschrift völlig recht. Obwohl wir in der Frage nach der k ü n s t l e r i s c h e n Herkunft des Meisters erst völlig klar sehen werden, wenn sich ein Historienbild von seiner Hand wiedergefunden haben wird, so ist doch schon nach dem Stile seiner Bildnisse, auch abgesehen von der eben besprochenen Inschrift, eine Zugehörigkeit zur Ulmer Schule kaum zweifelhaft. Hans Maler ist wahrscheinlich ebenso wie der vielleicht etwas ältere Bernhard Strigel, mit dessen Werken die seinen am meisten Verwandtschaft zeigen, aus Zeitbloms Werkstatt hervorgegangen. Weniger Beziehungen zeigt Meister Hans zu seinem wohl wenig jüngeren Schulgenossen Martin Schaffner.

Hans Maler scheint hauptsächlich in den Kreisen reicher Handelsherren tätig gewesen zu sein. Eine solche Persönlichkeit möchten wir auch in dem energisch und charaktervoll aussehenden Manne erblicken, dessen Brustbild die Gemäldegalerie in Wien besitzt (Friedländer, Nr. 2). Es ist im Jahre 1521, also wenige Jahre vor dem Bildnisse Anton Fuggers, entstanden und gehört wie dieses zu den hervorragendsten und bezeichnendsten Arbeiten des Meisters (Abb. 68). Man erkennt hier leicht den Stil des Meisters an der strengen Zeichnung, die die Umrisse stark betont, und an der Behandlung der Augen, der Brauen, der Haare und des Pelzwerkes. Höchst lebendig hebt sich hier der Kopf von dem hellgrünen Grunde ab. Gerade solche helle Hintergründe sind auf Bildnissen des Meisters häufiger als der dunkle des Fuggerschen Porträts.

Urkundlich ist auch die Tätigkeit Hans Malers für den kaiserlichen Hof nachgewiesen. Was er für Maximilian gemalt hat, davon läßt sich leider nichts

[5] »S c h w ä b i s c h erscheint der Meister Hans. Mehr an Ulm und Memmingen als an Augsburg und auch an Nördlingen wird der Beobachter gemahnt.« Friedländer, Repertorium, XVIII, S. 421.

mehr nachweisen. Doch sind uns noch Bildnisse Ferdinands I. und seiner Gemahlin Anna von seiner Hand erhalten. Ein Profilbild des jungen Ferdinand besitzt die Galerie der Uffizien zu Florenz (Friedländer, Nr. 10), ein anderes Porträt desselben das Städtische Museum zu Rovigo (Friedländer, Nr. 11). Wiederholt hat er auch die Königin Anna gemalt, und ein Farbenholzschnitt mit dem Bildnis dieser Fürstin (Friedländer, Nr. 20) geht sicherlich auf eine Zeichnung des Meisters Hans zurück. Endlich kommen Gegenstücke mit den Bildnissen des königlichen Ehepaares vor, und zwar im Gotischen Hause zu Wörlitz (zuerst von Frimmel unserem Meister zugeschrieben, Friedländer, Nr. 3 und 4) und in der ehemaligen Kuppelmayrschen Sammlung in München (Friedländer, Nr. 21 und 22). Nach den wohl nicht ganz gleichzeitigen Inschriften sind diese Bildnisse im Jahre der Vermählung des Paares (1521) entstanden. Von dem Bildnisse Ferdinands besitzt die Wiener Galerie, worauf mich zuerst mein Freund Camillo List aufmerksam gemacht hat, eine von Friedländer übersehene Replik, die bisher als Bildnis Karls V. von Strigel bezeichnet worden ist (Nr. 1427, Abb. 69). Auch in diesem Stücke ist die Hand Hans Malers nicht zu verkennen, wenn auch offenbar die häufige Wiederholung derselben Darstellung eine trockenere und weniger kräftige Behandlung verursacht hat, als sie dem Meister sonst eigentümlich ist.   (1906)

EIN BRIEF HANS MALERS
AN ANNA VON UNGARN

Aus dem Statthaltereiarchiv zu Innsbruck.

Durch die Güte der Witwe Hermann D o l l m a y r s, Frau Therese Dollmayr, sind wir in die Lage gesetzt worden, als Nachtrag zu dem Aufsatze über
Hans Maler von Ulm, Maler zu Schwaz (siehe Jahrbuch der kunsthistorischen
Sammlungen in Wien, XXV, S. 245), eine Urkunde zu veröffentlichen, die der
genannte ausgezeichnete Forscher entdeckt hat und deren Abschrift, nebst einem
leider nicht weit gediehenen Bruchstücke einer Studie über Hans Maler, von
seiner Witwe bei Gelegenheit neuerlicher Nachforschungen in seinem Nachlasse
wiedergefunden worden ist. Die im Innsbrucker Staathaltereiarchive (unter der
Signatur »Kunstsachen«) aufbewahrte Urkunde ist ein Gesuch Hans Malers,
das offenbar an niemand anderen gerichtet ist als an Anna von Ungarn, die
Gemahlin Ferdinands I., die Hans Maler spätestens 1523, im Jahre ihres Ein-
zuges in Tirol, gemalt hat (vgl. M. J. Friedländer, Repertorium für Kunstwissenschaft, XVIII, S. 413, Nr. 4). Der schwäbische Maler beklagt sich bei
seiner hohen Herrin darüber, daß ihm für zehn Bilder und Kopien, abgesehen
von anderen Kleinigkeiten, die er nicht rechne, statt hundertundfünfzig Gulden
nur hundert ausbezahlt worden seien, und bittet um den restlichen Betrag. Welche
Gemälde unten den »10 pild«, die der Künstler für die Königin »gemalt und
konterfet« hat, zu verstehen sind, dies läßt sich natürlich heute nicht mehr sagen.
Es scheint uns aber wahrscheinlich, daß unter diesen Stücken einige von den
Bildnissen Ferdinands I. und seiner Gemahlin gewesen seien, von denen Repliken
heute nicht selten sind. Nach den Jahreszahlen dieser erhaltenen Bildnisse zu
schließen, dürfte der undatierte Brief wohl etwa in die Jahre 1523 bis 1526
fallen. Wie uns Archivdirektor Professor Dr. Michael Mayr in Innsbruck mitteilt, trägt das Gesuch auf der Rückseite den Erledigungsvermerk n i c h i l, der
beweist, daß die Bitte des Malers nicht erfüllt worden ist.

Bei dieser Gelegenheit sei uns gestattet — ebenfalls als eine Art von Nachtrag zu dem obenerwähnten Aufsatze — die Vermutung auszusprechen, daß
uns in einem Bildnisse Marias von Burgund, das sich in der Wiener Gemäldegalerie (Abb. 70) befindet, eines von den Porträten dieser Fürstin erhalten sei,
die im Jahre 1510 urkundlich als Werke Hans Malers erwähnt werden (im
Jahrbuch der kunsthistorischen Sammlungen in Wien, II, 2, Regest Nr. 997;
vgl. dazu ebenda Regg. 621, 623, 624 und Friedländer, a. a. O., XVIII, S. 420).
Der Stil des Meisters ist hier freilich noch nicht völlig entwickelt und auch

dadurch, daß es sich um die Kopie eines fremden Vorbildes handelt, etwas verschleiert. Allein
für die Hand Hans Malers
scheint uns eine Eigentümlichkeit
mit Sicherheit zu sprechen: es ist
dies die sehr merkwürdige Form
der Augenbrauen, deren einzelne
krause Härchen mit spitzem Pinsel aneinandergereiht sind und
die fast die Gestalt von Ähren
annehmen. Dieses stilistische
Merkmal findet sich auf allen bisher bekannten Arbeiten Hans
Malers aus seiner späteren Schaffenszeit und scheint uns bei
keinem anderen deutschen Maler
derselben Zeit vorzukommen.

Der Wortlaut des vorher erwähnten Briefes ist folgender:

Durchleuchtigiste künigin,
gnedigiste frau etc. Ich bin der
underthenigisten zuversicht, eur.
kün. gnad sei noch wol ingedenkh
des zuesagens, so mir dieselb ge-
thon, nämlich als ich auf eur kün.
gnaden erfordern und begeren
10 pild gemalt und konterfet,
darzu ander clain ding, welhes
ich nit rait, gemacht hab und als-

Abb. 70. Hans Maler, Maria von Burgund
Wien, Kunsthistorisches Museum

dann eur kün. gnaden undertheniglichen angezaigt, das ich von ainem pild nit
minder als 15 guldin nemen müg, auch der bezalung allain von eur kün. gnad
warten wölle, darauf mir dann dieselb daran zu sein, das ich gewislich bezalt
werde, zu mermalen gnediglich zugesagt und mich vertröst hat, deshalben ich
sölhe pild gemacht. Aber gnädigiste frau, als angezaigte 10 pild an ainer suma
anderhalb hundert guldin reinisch treffen zu machen, haben mir die herrn nit mer
als hundert guldin daran bezalt. Wie eur kün. gnad wais, steen mir noch fünfzig
guldin aus. Darzu, gnedigiste frau, so clag ich eur kün. gnad, das ich dardurch
meiner werchstat halben zu Schwaz zu grossem nachtail komen pin und, dieweil
ich eur kün. gnad hie gearbait, wol dreimal als vil, als angezaigte suma trifft, ver-
saumbt auch nun zum drittenmal sölher schuld halben herkomen und das mein
dardurch verzert und in schuld mich geschlagen, die ich dann nit wais zu bezalen,
wo ich nit meines ausstenden lons entricht würde, und über sölhs das mein ein-
gepüesst, des ich mich in kainen weg versehen hette sonder zusambt meiner

belonung ainer vererung mich vertröst, wiewol ich eur kün. gnaden nach allem meinem vermügen zu dienen mich gefreüt hab und noch allzeit mit underthenigistem gehorsamen vleiss ganz geren thuen wil. Und bit darauf eur kün. gnad ganz düemüetiglichen, die welle jetzo gnediglichen daran sein und verfüegen, damit ich vor derselben hinzug angezaigter fünfzig guldin, so mir an meinem lon zu bezalen noch aussteen, entricht werde. Thue mich eur kün. gnaden hierinn mit allem underthenigen und gehorsamen vleiss ganz düemüetiglichen bevelhen. Eur kün. gnaden underthenigister, gehorsamer maister Hanns Maler, maler zu Schwaz. (1907)

DÜRERS BILDNIS EINER VENEZIANERIN
AUS DEM JAHRE 1505

Der Musiker Karl Friedrich Zelter hat in seinem bekannten und viel gelesenen Briefwechsel mit Goethe über künstlerische Dinge manches gesagt, was zu erkennen und zu erfassen nur einem so lebhaften und beweglichen Geiste, wie er es war, möglich gewesen ist, und zwar im steten schriftlichen und mündlichen Gedankenaustausch mit einem unendlich größeren und umfassenderen, der seine Freunde mit einem Überflußhorn von Anregungen zu überschütten pflegte. Einige wenige knappe Worte, die Zelter über die Bedeutung der seit dem Anfange des 16. Jahrhunderts allgemein üblich werdenden Reisen nördlicher Künstler und Dichter nach Italien hinwirft, dringen tiefer in das Problem ein als manche gelehrte Abhandlung. »Dürer, Hackert, Goethe und wer noch«, sagt er, »haben ihr Talent in Italien gestärkt und gefestet, und wer nichts dahin nimmt, wird nichts zurückbringen.«

Ohne Zweifel liegt das Wesentliche solcher Italienfahrten darin, daß nur der dabei zu gewinnen vermag, der selbst etwas auf den Weg mitführt. Welche Zwecke haben aber die ersten unter den reisenden Künstlern mit ihrem Unternehmen verfolgt? Diese Frage muß bei den beiden Reisen Dürers nach Italien im Jahre 1495 und in den Jahren 1505 bis 1507 für uns von ganz besonderem Interesse sein; denn Dürer ist ohne Zweifel einer der frühesten, wenn nicht der erste unter den großen nördlichen Künstlern, die im Zusammenhang mit ihrem Berufe nach Italien gegangen sind. Wenn wir uns auch daran erinnern, daß ein niederländischer Maler wie Roger van der Weyden lange vorher, schon im Jahre 1450, dem Jubeljahre, in Rom erschien, so lag hier doch offenbar allein ein religiöser Beweggrund vor, und von einer Einwirkung südlicher Weise spürt man in der Kunst des Meisters nichts, wenn man von der Äußerlichkeit gestellter Aufgaben absieht.

Das Reisen war Dürer schon nach seiner Familienüberlieferung nicht fremd. Sein Vater, ein kunstreicher Goldschmied, war aus dem fernen Ungarn nach Deutschland gewandert und hatte sich lange in den Niederlanden bei den großen Meistern seines Faches aufgehalten. Es war auch der Vater, der seinen Sohn gleich nach dem Ende seiner Lehrlingszeit auf Reisen schickte: Albrecht Dürer d. J. hat mehr als vier Jahre (1490—1494) auf der Wanderschaft in Deutschland und in der Schweiz verbracht und nachweislich in Kolmar, Basel und Straßburg gearbeitet. Bei dieser Reise hat er sicherlich nicht nur studiert, sondern auch durch verschiedene Arbeiten, zumal für den Holzschnitt, sich seinen Lebensunterhalt verdient. Einen andern Zweck verfolgte wohl der junge Künstler, als er sich nicht lange nach seiner Rückkehr und seiner bald darnach erfolgten Hochzeit nach Italien begab. Es ist unwahrscheinlich, daß er hier Arbeit und Gewinn suchte, was ihm wohl als einem unberühmten Fremden schwer gefallen wäre. Was ihn nach Italien zog, war ohne Zweifel etwas anderes: er wollte sehen, lernen und studieren. Eine Bildungsreise eines Künstlers war freilich damals etwas ganz Neues; vorangegangen waren die Humanisten, Dichter und Schriftsteller, für die schon früh Italien mit seinen Universitäten und seinem gelehrten Studium des Altertums das Land der Sehnsucht war. Gerade damals weilte der junge Nürnberger Willibald Pirkheimer, der, ein Altersgenosse Dürers, mit ihm wohl von Jugend auf bekannt war und später sein Freund wurde, in Italien, und es mag sein, daß der junge Künstler durch das Beispiel des Patriziersohnes angeregt wurde, den er auch wohl in Venedig oder Padua angetroffen haben wird. Sicherlich aber war die Begierde Dürers, Italien und italienische Kunst zu sehen, durch den gelegentlichen Anblick italienischer Stiche und Handzeichnungen auf das stärkste angefacht worden.

Wir wissen wenig von dieser ersten italienischen Reise des Künstlers, deren Annahme ja selbst nicht mehr ist als eine wohlbegründete Vermutung, und wir können auch nicht sagen, ob er mehr einem dunkeln Drange folgend als mit bestimmten Absichten des Studiums nach dem Süden gewandert ist, ob ihm zu dieser frühen Zeit schon die Überlegenheit der Italiener in der Darstellung des Nackten und in der Perspektive ebenso stark zum Bewußtsein gekommen war, wie er sie später anerkannt hat[1]. Die Sehnsucht nach der Antike hat ihn schwerlich nach Italien geführt[2]; sonst hätte er getrachtet, auch nach Rom zu kommen. Gelegentliche Anregungen vorzüglich nach gegenständlicher Richtung hin sollen dabei sicherlich nicht geleugnet werden, und daß ihm Mantegnas erregte Auffassung der Antike und später selbst des unbedeutenden Jacopo de' Barbaris Proportionsstudien etwas bedeutet haben, beweisen manche seiner Werke, die er nach dieser Reise geschaffen hat[3]. Doch behält in gewissem Sinne der alte holländische Maler und Künstlerbiograph Karel van Mander[4] recht, wenn er von Dürer sagt, er habe sich, ebenso wie seine Vorgänger, im eigenen Lande bemüht, in all seinem Schaffen der Natur nachzustreben, ohne aber zu trachten, das Schönste aus dem Schönen zu wählen und herauszusuchen, wie es

[1] In den Vorschriften für eine Widmung der Proportionslehre: »Das sechst, daß ich die Walchen fast lob in ihren nacketn Bildern und zuvor in der Perspettiva.« Lange und Fuhse, Dürers schriftlicher Nachlaß, Halle 1893, S. 254.

[2] Hierzu vergleiche man die gründlichen Ausführungen Erwin Panofskys in seiner interessanten Schrift »Dürers Stellung zur Antike«, Wien 1922. Nach dem Urteil dieses Forschers »war es der nordischen Kunst vollkommen unmöglich, von sich aus einen Zugang zur Antike zu finden«.

[3] Eine umsichtig zusammenfassende Darstellung dieser Beziehungen hat kürzlich Gustav Pauli in seiner Studie über »Dürer, Italien und die Antike« (Vorträge der Bibliothek Warburg, I, Leipzig 1921/22, S. 51) gegeben.

[4] K. van Mander, ed. H. Floerke, München und Leipzig 1906, I, S. 84.

von alter Zeit her mit großem Verständnis die Griechen und Römer getan hätten, was in den antiken Bildwerken deutlich erkennbar sei und den Italienern schon früh die Augen geöffnet habe. Freilich ist das Urteil dieses Vertreters des Manierismus für uns insofern keineswegs ganz zutreffend, als er Dürer wie eine Art von Autodidakten betrachtet und dabei vergißt, daß der große, der umfassende Künstler, wie die Biene aus den mannigfaltigsten Blumen, seine Nahrung überall nimmt, wo er sie auch finden mag. Neben den äußeren Umständen werden daher Dürer ohne Zweifel zu seinen Reisen auch tief innerliche Anlässe bewogen haben, worunter die Sehnsucht, die gesamte Kultur seiner Zeit kennenzulernen und zu erfassen, sicherlich der wichtigste gewesen ist.

Solche Dinge haben mitgespielt, als Dürer sich zu einer zweiten italienischen Reise entschloß. Diesmal galt es nicht mehr zu lernen und zu studieren; Dürer, der von der Verbreitung seines gedruckten Werkes in Italien gehört hatte, suchte hier Aufträge und Bestellungen, die er vor allem in der reichen Handelsstadt Venedig zu finden hoffte. Es lag ihm daran, nicht nur als Kupferstecher und Zeichner für den Holzschnitt, sondern auch als Maler neue Erfolge zu erringen. Er fühlte in sich die Kraft, den Venezianern auf ihrem eigensten Gebiete, der Farbe, nachzufolgen und hier sich mit ihnen zu messen. Seit dem Gemälde der Anbetung der Könige (heute in den Uffizien zu Florenz; Abb. 82), das er 1504 wahrscheinlich im Auftrage Friedrichs des Weisen von Sachsen gemalt hatte, war ihm, so viel wir wissen, keine andere Bestellung auf diesem Gebiete zuteil geworden. Und ohne Bestellung hat er nicht sehr viel gemalt, vermutlich aus materiellen Gründen; damals war er wohl kaum noch in der Lage, wie etwa Bellini, Gemälde aus eigener Laune heraus (di sua fantasia) zu schaffen. Nachrichten aus den Kreisen der zahlreichen deutschen Kolonie in Venedig mögen ihm Aussichten eröffnet haben, die sich zu dieser Zeit in seinem Vaterlande nicht boten. In der Tat war damals oder später, als er schon in Venedig weilte, von einem Antrag der venezianischen Regierung, der Signoria, unter der günstigen Bedingung eines hohen Jahresgehalts[5], die Rede, so erstaunlich dies auch heute klingen mag; und der Neubau des im Winter 1504—1505 abgebrannten Kaufhauses der Deutschen mag in ihm Hoffnungen auf Aufträge erweckt haben, die sich später in glänzender Weise erfüllen sollten.

Die Aussicht auf eine erhöhte, lohnende m a l e r i s c h e Betätigung scheint also Dürer nach Venedig geführt zu haben, nicht die Absicht, den Vertrieb seiner graphischen Arbeiten vor den Nachstichen Marcantons zu schützen, wie dies Vasari — schon aus chronologischen Gründen unrichtig — behauptet. Nicht als Graphiker — das hatte er nicht nötig — sondern als M a l e r wollte er sich in Venedig, der Stadt der Maler, durchsetzen. Im wesentlichen bleibt freilich der Beweggrund der Reise geschäftlich. Trotzdem macht dieser zweite Aufenthalt in Venedig in Dürers künstlerischer Entwicklung mehr Epoche als der

---

[5] Dürer bezeugt dies selbst in einem Brief, den er vor dem 17. Oktober 1524 an den Nürnberger Rat gerichtet hat: »Item so haben mich die Herrschaft zu Venedig vor neunzehn Jahrn bestellen und alle Jahr zweihundert Dukaten Provision geben wöllen.« Lange und Fuhse, Dürers schriftlicher Nachlaß, Halle 1893, S. 63.

erste. Immer voll von größter Lernbegierde, zeigt er doch ganz andere Interessen als vor einem Jahrzehnt, da er zum ersten Male in Italien weilte. Er sucht nicht mehr nach entlegenen Stoffen, die er auch in Venedig kaum hätte entdecken können. Seinem Freunde Pirkheimer, der sich für sein Studierzimmer ein italienisches Historienbild wünscht, berichtet er, die Italiener malten immer ein und dasselbe, und er, Pirkheimer, wisse mehr, als sie malten. Von einer Absicht, nach Florenz zu gehen, wo Dürer solche Dinge hätte finden können, ist nicht die Rede, und die Antiken Roms locken ihn auch diesmal nicht, obwohl er einmal flüchtig daran denkt, im Gefolge Kaiser Maximilians nach der Ewigen Stadt zu gehen. Seine Studieninteressen sind wenige mehr und ganz positive: Proportionslehre und Perspektive. Wegen einer Kunst »in heimlicher Perspektive« — wie er selbst sagt — will er einen Mann in Bologna besuchen; doch wissen wir nichts Näheres über die Ausführung dieses Planes bei Gelegenheit von Dürers Aufenthalt in Bologna.

Das Wichtigste aber ist etwas, dessen er sich selbst kaum ganz bewußt gewesen sein dürfte, und doch muß es als das eigentliche Ergebnis dieser seiner zweiten italienischen Reise gelten. Es ist das Herauswachsen aus der an sich großartigen, einerseits mehr nach dem Gegenständlichen gerichteten, anderseits in den Formen noch krausen Spätgotik zu einer Art von nördlicher Renaissance, worin sich nördliches Wesen, ohne doch seinen ihm ureigenen Charakter zu verlieren, mit italienischer Anschauung und Kunstweise verschlingt. Der erhöhten inneren Freiheit, die mit der vorübergehend gewonnenen äußeren zusammenhängt, entsprechen Eigentümlichkeiten des Bildaufbaues, die damals im Norden unbekannt, ja unerhört gewesen sind: harmonische Ruhe und wohl abgewogene Symmetrie, wobei aber das Streben nach Formenschönheit sich noch immer in gewissen Grenzen hält und das Charakteristische, Lebendige nicht überwältigt.

Dazu kommt noch etwas anderes. Wie wir gesehen haben, geht Dürer nach Venedig nicht als Graphiker, sondern als Maler, und in der Tat ist ein weiteres Ergebnis dieses Aufenthalts eine überraschende Entwicklung seines malerischen Empfindens. Ein wahrer Farbenjubel ist über ihn gekommen, und die Grundstimmung der in Venedig geschaffenen Gemälde ist eine Freudigkeit, die sich mit der heiteren Laune während seines Aufenthalts in dieser Stadt vergleichen läßt. Das Hauptwerk darunter, das Rosenkranzfest, das Dürer einige Monate nach seiner Ankunft in Venedig zu Anfang des Jahres 1506 in Angriff nahm und nach seinem eigenen Zeugnis in fünf Monaten zu Ende malte, ist heute freilich in einem keineswegs tadellosen Zustande erhalten. Ursprünglich für die von den Deutschen benützte und nahe von ihrem Kaufhause gelegene Kirche S. Bartolommeo gemalt, hat es manche Wanderungen durchgemacht, war lange Zeit in kaiserlichem Besitz und kam schließlich, schon damals stark beschädigt, in das Stift Strahow zu Prag. Nach Dürers eigenem stolzen Bericht urteilte man darüber in Venedig, ein besseres Marienbild sei nicht im Lande und ein erhabeneres, lieblicheres Gemälde habe man nicht gesehen. Dürer triumphiert hier als Maler. Und in der Tat, wenn man das Bild heute betrachtet, kann man sich trotz der Zerstörung mancher Teile von der ursprünglichen Schönheit der Farbe eine zureichende Vorstellung bilden; denn es trennen sich deutlich große Flächen echter alter Malerei von den, wie es scheint, nach dem Abspringen der ursprünglichen Farbe verkitteten und dann von neuerer Hand übermalten, leider ziemlich zahlreichen und umfänglichen Stellen, zu denen unter andern auch der Kopf der Madonna, das ganze Christuskind und der lautenschlagende Engel gehören[6]. Betrachtet man nun die wohlerhaltenen Stellen einzeln — ohne Rücksicht auf die Gesamtwirkung, die immerhin nicht wenig gestört ist —, so erhebt sich hier Dürers Farbe zu einem Glanz, zu einem Schimmer, zu einer Leuchtkraft, wie er sie früher, selbst in dem farbig so ansprechenden Gemälde der Anbetung der Könige, nicht gekannt hat. Immer noch verleugnet er nicht die echt nördliche, echt deutsche Freude an der Einzelheit, das Bestreben, die Schönheit in der Vielheit zu zeigen, wenn er auch durch die den Italienern nachgebildete strenge und wohl abgewogene Symmetrie das Ganze als Einheit zusammenfaßt. Allein die Farbe ist ihm gerade hier die Hauptsache, er bleibt darin ganz er selbst und im wesentlichen frei von Einflüssen der venezianischen Maler, auch Giovanni Bellinis, den er hoch verehrt und noch immer trotz seinem Alter für den größten hält. Wenn er sich mit dem vollendeten Bilde seinem Freunde Pirkheimer gegenüber brieflich teils ernst, teils scherzhaft brüstet, so ist immer von der Farbe die Rede. Die Tafel selbst läßt dem Freunde sagen, sie sei gut und schön von Farben.

Der gleiche heitere, strahlende, festliche Glanz der Färbung wie in den wohlerhaltenen Teilen des Rosenkranzfestes tritt uns in der in demselben Jahre entstandenen Madonna mit dem Zeisig im Berliner Museum entgegen. In diesem für die Hausandacht geschaffenen kleinen Bilde ist noch mehr Jubel, mehr Freudigkeit; hier konnte sich der Künstler noch freier ergehen als in der großen Altartafel. Die Komposition ist — etwas künstlich — bewegt, durch lebendige Beziehungen der Kindlein höchst wirksam; merkwürdigerweise tritt hier in dem gehäuften Vielerlei der krausen Falten der Gewandung und der Mäschchen Geist und Geschmack der Spätgotik wieder mehr hervor.

Die klassische Ruhe und Symmetrie des Rosenkranzfestes scheint Dürer nicht ganz vom Herzen gekommen zu sein. Kaum anders wäre ein Bild zu verstehen, von dem er selbst bekennt, dergleichen habe er noch nie gemacht: Christus unter den Schriftgelehrten, heute in der Barberinischen Galerie zu Rom (Abb. 71). Wie wenn es eine Improvisation wäre, bezeichnet er es selbst als eine Arbeit von fünf Tagen. Und doch beweisen einige besonders schöne Handzeichnungen, die als

---

[6] Dieser Befund, der sich aus der Untersuchung des Originals ergibt, stimmt mit dem Berichte eines Augenzeugen überein, den Joseph Neuwirth (Albrecht Dürers Rosenkranzfest, Leipzig und Prag 1885, S. 35) wiedergibt, ebenso auch mit den folgenden Beobachtungen eines Kenners wie Max J. Friedländer (Albrecht Dürer, Leipzig 1921, S. 112): »Stellenweise ist die Tafel wirklich übermalt, im besonderen die Madonna und das Christuskind, das übrige jedoch hat wenig gelitten, hat den ursprünglichen Charakter in weiten Flächen.« Berichtigend muß leider die begründete Befürchtung hinzugefügt werden, daß schwerlich unter den Übermalungen jemals die echte, ursprüngliche Malerei zutage treten wird, da es sich, nach der Glätte dieser Teile und auch nach jenem Berichte zu schließen, fast ausschließlich um K i t t s t e l l e n handelt.

Studien für einzelne Teile gedient haben (Abb. 91 und 92), daß er das Werk mit derselben Sorgfalt vorbereitet hat wie die beiden anderen in Venedig entstandenen Gemälde. In einer Zeit der Vorliebe für das rein Malerische wird man darin aber nur das Zeichnerische anerkennenswert finden wollen. Dazu kommt noch, daß die ursprüngliche Farbenwirkung sich bei dem gegenwärtigen Zustand des Bildes kaum mehr ermessen läßt.

Dies erklärt aber noch nicht ganz das heftige Mißfallen, das alle, die über Dürer geschrieben haben, über dieses jedenfalls höchst merkwürdige Werk ganz unverhohlen geäußert haben. Wir sollten doch einem Künstler wie Dürer gegenüber eher versuchen zu begreifen, zu erklären als zu tadeln, zu verdammen. Es liegt offenbar eine tiefere künstlerische Absicht zugrunde, der wir nachzugehen, die wir zu erkennen versuchen müssen. Auf italienischem Boden schafft hier Dürer in dem ausgesprochenen Willen, etwas durchaus Neues, ja Absonderliches zu geben, ein Werk, das sich auf den ersten Blick als das eines Nordländers verrät. Und wenn auch verwandte Halbfigurenkompositionen sich schon lange vorher in Oberitalien, besonders in einem frühen Werke Mantegnas und in Gemälden der Schule Lionardos nachweisen lassen, wenn auch der Kopf des bartlosen Alten rechts von Christus an Charakterstudien eben desselben Lionardo erinnert, wenn uns auch in der damaligen venezianischen Kunst eine, freilich ganz andere, Form des Halbfigurenbildes begegnet, so kann doch niemand verkennen, daß hier in dem rücksichtslosen Naturalismus, zu dem sich Dürer in den eng um die liebliche Gestalt Christi gedrängten Köpfen der Schriftgelehrten bekennt, eine künstlerische Gesinnung und Anschauung liegt, die Italien völlig fremd ist und nur aus dem nördlichen Wesen hervorgegangen sein kann. Bewußt — ohne Zweifel — verläßt hier Dürer die italienisch-antike Ruhe und Einfachheit, die in Venedig herrschende Gemessenheit, und ebenso bewußt stellt er sich in Gegensatz zu allem, was ihn damals umgab. Auch die höchst lebhafte, ja drastische Art des Erzählens entfernt sich völlig von der gesamten Kunstweise des damaligen Venedig mit der durchgängigen Darstellung des ruhigen Seins.

Es ist sicherlich ein Zufall, wir können aber sagen: ein innerlich begründeter, daß sich, soweit wir zu sehen vermögen, vier Hände, die ebensosehr das geistige als das sinnliche Zentrum der Komposition bilden, nur einmal wiederfinden, und zwar bei einem anderen großen Deutschen, bei Michael Pacher in seiner Vermählung Mariä im Kunsthistorischen Museum zu Wien. Und in keinem andern Sinne mag es als ein zufälliges Zusammentreffen gelten, daß die nächsten Analogien für Dürers Komposition dieses Bildes ebenfalls im Norden zu finden sind. Wie schon Ludwig Baldass[7] gelegentlich bemerkt, hat der geniale Niederländer Hieronymus Bosch mehrere Halbfigurenbilder mit einem ähnlichen Gedränge von physiognomischen Besonderheiten mit derselben — von Wölfflin gerügten — »völligen Gesetzlosigkeit der Kopfrichtungen« geschaffen, wofür die Kreuztragung im Museum zu Gent und Christus vor Pilatus im Museum zu Princeton in Amerika[8] die bezeichnendsten Beispiele bilden. Ob Dürer solche

[7] Jahrbuch der preußischen Kunstsammlungen, XXXVIII, Berlin 1917, S. 194.
[8] Veröffentlicht von Alland Marquand, Princeton University Bulletin, XIV, Nr. II, p. 41.

Abb. 71. Dürer, Christus unter den Schriftgelehrten
Rom, Galleria Barberini

Werke gekannt hat, läßt sich nicht mit Sicherheit sagen, wenn auch nicht mehr als fünfzehn Jahre später in einer venezianischen Privatsammlung schon eine ganze Reihe von Bildern von Hieronymus Bosch[9] zu sehen war, was beweist, daß dieser Künstler selbst in Venedig geschätzt wurde. Wie dem auch sei: Dürer hat hier ohne Zweifel demselben nördlichen Empfinden Ausdruck gegeben und damit die Bahn betreten, die von dem Realismus der Skulpturen gotischer Kathedralen ausgehend bis zu Peter Bruegel d. Ä. führt; er ist hier für seine eigene Kunst auf einen Nebenweg gelangt, nicht aber auf einen Abweg, wie seine Biographen behaupten. Wer sich in diese konzentrierte, ausdrucksvolle Art der Erzählung, die die Kunst späterer Zeit vorahnen läßt, in diese kräftigen Gegensätze von Charakterköpfen verschiedener Lebensalter, in das psychologisch feine Spiel der Hände vertieft, wird hier ein Meisterwerk finden, nicht ein Kuriosum. Nebenbei bemerkt hat der großartige Greisenkopf mit dem langen Bart rechts vorne denselben herrlichen Schwung, den ein Jahrhundert später auch Rubens aus Italien nach Hause gebracht hat.

[9] Notizia d'opere di disegno publicata e illustrata da D. Jacopo Morelli, ed. per cura di Gustavo Frizzoni, Bologna 1884, p. 196 und 197.

Bedeutet der Christus unter den Schriftgelehrten in gewissem Sinne in Dürers Schaffen eine Art von Rückschlag nach der Richtung nördlicher spätgotischer Formen und Anschauungen hin, so sind die beiden Tafeln mit Adam und Eva, heute im Prado zu Madrid, in der Hauptsache ganz erfüllt von der Freiheit und Beweglichkeit der nackten Gestalten der italienischen Renaissance. Auch eine Formenschönheit herrscht hier vor, die der deutschen Kunst bisher noch unbekannt gewesen ist. Die Einwirkung Italiens scheint uns in diesen 1507, offenbar in der letzten Zeit seines Aufenthalts in Venedig entstandenen Gemälden mehr allgemeiner, grundsätzlicher Art zu sein; Einflüsse einzelner Künstler, wie etwa Peruginos[10], vermögen wir darin nicht zu erkennen. Höchstens möchte Antonio Rizzos Adam im Dogenpalaste für das Motiv des tiefatmend geöffneten Mundes eine gewisse Anregung geboten haben[11].

Auch in der Darstellung des Nackten fehlt es nicht an einem realistischen Widerspiel zu diesen im wesentlichen idealistisch empfundenen Gestalten. Wir denken an die in demselben Jahre und noch in Venedig gemalte merkwürdige Halbfigur einer halbnackten alten Vettel mit ungeordnetem Haar, grinsendem, zahnlückigem Munde und herabhängender Brust, in beiden Händen einen Sack mit Gold haltend, die sich auf der Rückseite eines männlichen Bildnisses in der Wiener Galerie befindet, gemeiniglich als Allegorie des Geizes gedeutet, die Dürer als geheime Rache gegen den wenig freigebigen Besteller des Porträts hinzugefügt haben sollte, vielleicht aber eher als Sinnbild der Eitelkeit und Vergänglichkeit menschlicher Habe, als Vanitas zu erklären und dann wohl sicherlich im Einverständnis mit dem Dargestellten gemalt (Abb. 72). Merkwürdigerweise ist gerade diese Auffassung eines nackten alten Frauenkörpers zu derselben Zeit in Oberitalien nichts Unerhörtes. Ähnliches findet man nicht in der Malerei, wohl aber in der Plastik, und zwar in den in verschiedenen Exemplaren vorkommenden paduanischen Holz- und Bronzestatuetten einer nackt dasitzenden, greisen Frau und in der aus gleichem Ursprunge stammenden Bronze einer unbekleideten, auf einem Widder reitenden Hexe, einer Gruppe, die in neuester Zeit von Leo Planiscig[12] Andrea Riccio zugeschrieben worden ist. Solche Dinge mögen hier Dürer zugleich mit der ihm innewohnenden naturalistischen Neigung die Anregung zu jener seltsamen Gestalt geboten haben, deren breite, offenbar ohne Vorzeichnung improvisierte malerische Wiedergabe vielleicht von allem, was er in Venedig geschaffen hat, am meisten an die Malweise der großen Venezianer erinnert.

Sicherlich ist es eine erstaunliche Tatsache, daß es in einer Stadt, wo der alte Bellini zugleich mit der jüngeren Generation, mit Giorgione, Tizian und Palma wirkte, dem eingewanderten Deutschen nicht an Bestellungen gefehlt hat. Von

[10] Besonders hat Gustav Pauli (a. a. O., S. 64), der überhaupt unseres Erachtens in der Annahme von Einflüssen einzelner italienischer Künstler auf Dürer zu weit geht, bei der Figur Adams Anlehnungen an Gestalten Peruginos festzustellen geglaubt.

[11] Gustav Pauli, a. a. O., S. 64.

[12] Venezianische Bildhauer der Renaissance, Wien 1921, S. 89 f. (Abb. 83—87).

Abb. 72. Dürer, Vanitas (Rückseite des männlichen Bildnisses Abb. 74)
Wien, Kunsthistorisches Museum

sechs Bildern, wahrscheinlich kleineren Umfangs, die er mitgebracht hatte, waren
schon wenige Wochen nach seiner Ankunft alle mit einer einzigen Ausnahme
verkauft. Und der Erfolg des Rosenkranzfestes war so groß, daß Dürer seinem
Freunde Pirkheimer schreiben konnte, er habe, um bald heimzukehren, nach
Beendigung der Altartafel um mehr als 2000 Dukaten Arbeit ausgeschlagen,
was wohl ein wenig übertrieben sein mag. Nur einige Bildnisaufträge hielten

Abb. 73. Dürer, Bildnis eines deutschen Kaufherrn
Hampton Court

ihn noch fest. In der Tat hat er ohne Zweifel während seines venezianischen
Aufenthalts eine größere Anzahl von Porträten gemalt, von denen aber manche
zugrunde gegangen sein müssen. Heute gibt es nicht mehr als ein halbes Dutzend
gemalter Bildnisse. Von den drei männlichen darunter muß man von dem im
Palazzo Rosso zu Genua ganz absehen, weil es ganz barbarisch überschmiert
erscheint und vielleicht das einzige Echte, was sichtbar, nur mehr die Bezeichnung
des Künstlers mit der Jahreszahl 1506 ist. Dagegen gehören die beiden anderen
zu den vorzüglichsten Werken Dürers auf diesem Gebiete, und er zeigt hier, wie
viel er in Venedig an höherer Freiheit, an Kraft der Charakteristik, ja an
Menschenkenntnis gewonnen hat. Es sind nicht mehr Personen, sondern Typen
aus dem menschlichen Dasein gegriffen. Volles Leben springt uns aus den Zügen
des nüchternen, temperamentlosen deutschen Kaufherrn, der auch auf dem
Rosenkranzfest vorkommt, mit den fast schläfrigen kleinen Augen, der hervor-

Abb. 74. Bildnis eines jungen Mannes
Wien, Kunsthistorisches Museum

tretenden Nase und den schlichten blonden Haaren aus dem Jahre 1506, heute
in Schloß Hampton Court bei London (Abb. 73), entgegen, ebenso wie aus den
derberen des willenskräftigen jungen Mannes mit den fast stechenden, rundlich
gewölbten Augen, der stumpfen Nase, den sinnlichen Lippen und den krausen
rötlichen Locken (auf dessen Rückseite die vorhererwähnte alte Frau mit dem
Geldsack zu sehen ist), aus dem Jahre 1507, in der Wiener Galerie (Abb. 74).

Abb. 75. Dürer, Bildniszeichnung einer windischen Bäuerin
Ehemals englischer Privatbesitz

Den gewaltig lebendigen Ausdruck der Persönlichkeit, die doch dabei zum Repräsentanten eines Lebensberufs, eines Temperaments wird, mag Dürer vielleicht ähnlichen Leistungen eines Antonello da Messina, der ein Vierteljahrhundert vorher in Venedig gewirkt hat, zu verdanken haben.

Was aber noch wichtiger ist als eine solche kaum merkbare Einwirkung, ist der Umstand, daß Dürer in Venedig in der großen Gesellschaft, die er in dieser Hauptstadt fand, ganz unvergleichlich an Welt- und Menschenkenntnis zugenommen hat. Er verkehrt mit Edelleuten, Gelehrten, Musikern, Geigern und Lautenschlägern, Kunstkennern, mit deutschen Kaufherren, mit Italienern, die sich zwar meist als unverläßlich in Handel und Wandel, aber doch auch hie und da als artige Gesellen entpuppen, weniger mit den Malern, die ihm aufsässig sind und von denen nur der alte Bellini ihn schätzt und sich seiner annimmt. Seine erhöhte Weltläufigkeit meint Dürer, nichts anderes, wenn er selbst

Abb. 76. Dürer, Bildniszeichnung einer venezianischen Frau
Wien, Sammlung Hermann Eißler

sagt, er sei in Venedig ein Edelmann (gentiluomo) geworden. Dazu kommt noch
der Verkehr mit den italienischen Frauen, die ihm bald als Modelle gegenüber-
stehen, bald zum Bildnis sitzen, die aber ohne Zweifel auch für die Persönlichkeit des berühmten deutschen Künstlers mit den schönen, männlichen Zügen
schwerlich ganz unempfänglich gewesen sein dürften. Unter den Modellen, die
ihn so interessiert haben, daß er sie als Vorwürfe für ausgeführte Zeichnungen
wählte, erwähnen wir hier nur die charakteristisch häßliche, verschmitzt
lächelnde windische Bäuerin aus dem Jahre 1505, eine feine Federzeichnung in
einer für Dürer ungewöhnlichen strichelnden Technik, die fast an die Bruegel-
scher Landschaftszeichnungen erinnert, in englischem Privatbesitz (Abb. 75), die
derbknochige, behäbig vor sich hinblickende venezianische Frau mit dem kleinen
Käppchen aus demselben Jahre, eine großartig kräftige Kreidestudie, im Besitze
des Herrn Dr. Hermann Eißler in Wien (Abb. 76), und jene stolz aufblickende,

Abb. 77. Dürer, Bildniszeichnung einer Venezianerin
Wien, Albertina

jugendlich schöne Venezianerin, eine Tuschzeichnung auf blauem Papier (Lippmann, Nr. 510), ganz den übrigen Zeichnungen zum Rosenkranzfest verwandt
und eher eine verworfene Studie zur heiligen Maria dieses Bildes als eine Vor-
arbeit zur Eva[13], in der Albertina (Abb. 77).

Gemalte weibliche Bildnisse sind bisher nur zwei bekannt gewesen, die
sich beide im Berliner Museum befinden: Das eine, bedeutendere (Abb. 78)
zeigt das Brustbild einer höchst sympathischen, nicht mehr ganz jungen Frau
mit tiefliegenden Augen, kräftiger Nase und ebensolchem Kinn, mit glattem,
gescheiteltem Haar, das auf dem Hinterkopfe mit einem Netze bedeckt ist
und aus dem an beiden Seiten schmale Löckchen heraushängen, einen goldenen

[13] Nach H. Wölfflin, Albrecht Dürer, I. Aufl., München 1905, S. 143, wird »eine direkte
Beziehung zwischen dem Kopf der Eva und dieser Zeichnung anzunehmen sein«. Bei Max
J. Friedländer (Albrecht Dürer, Leipzig 1921, S. 119) erscheint dieses Blatt schon als »Studie
zur Eva von 1507«, wozu wir unsere Zustimmung glauben versagen zu müssen.

198

Abb. 78. Dürer, Bildnis einer Venezianerin
Berlin, Kaiser-Friedrich-Museum

Schmuck um den Hals, in dekolletiertem, mit Mäschchen besetztem Kleide, in dessen Saum die Initialen A D eingestickt sind — merkwürdigerweise die Anfangsbuchstaben von Dürers Namen. Leider ist die Erhaltung des Bildes keineswegs tadellos, es ist, besonders im Kopf, stark übergangen und die Umrisse sind nachgezogen. Besonders auffallend ist der Hintergrund, der wie eine glatte Meeresfläche mit nur weich vom Himmel sich trennendem Horizont aussieht, in dieser Form kaum aber ganz ursprünglich sein kann. Trotzdem oder vielleicht gerade dieses Zustandes wegen hat das Bild einen eigenartigen Zauber, der hauptsächlich in der Weichheit und Unbestimmtheit liegt, Eigenschaften, die aber nicht ganz zu Dürers Stil passen. Was völlig wohl erhalten ist, wie Teile des Schmuckes und der Gewandung, besonders die Mäschchen, macht Dürers Urheberschaft unzweifelhaft. Ebenso sicher ist nach der Tracht in der Dargestellten eine Venezianerin zu erkennen; an Agnes Dürer mit ihren damals schon scharf gewordenen Zügen ist gar nicht zu denken.

Abb. 79. Dürer, Bildnis eines jungen Mädchens
Berlin, Kaiser-Friedrich-Museum

Ebenso wie dieses Bildnis in der letzten Zeit von Dürers venezianischem Aufenthalt entstanden ist das zweite der Berliner Galerie (Abb. 79), das vom Jahre 1507 datiert ist und schon von einer Inventarnotiz aus dem ersten Drittel des 17. Jahrhunderts als in Venedig gemalt bezeichnet wird. Es ist das Brustbild eines sehr jungen, fast knabenhaft aussehenden Mädchens, mit ein wenig erstaunten Augen aus dem Bilde herausblickend, das Köpfchen von blonden kurzen Locken eingerahmt, mit rotem Barett, an dem eine Edelsteinagraffe hängt, und rotem Kleid mit breitem grünem Besatz. Auf Pergament gemalt, scheint dieses liebenswürdige Bildnis mehr eine Gelegenheitsarbeit zu sein, in der gleichwohl der jugendliche Liebreiz des nicht besonders hübschen Mädchens voll zum Ausdruck kommt.

Zu diesen beiden weiblichen Porträten ist in jüngster Zeit ein drittes hinzugekommen, das, bisher völlig unbekannt, dank besonders glücklichen Umständen für die Gemäldegalerie des Kunsthistorischen Museums hat erworben werden können (siehe das Titelbild des vorliegenden Bandes). Ohne Zweifel ist dieses weitaus das schönste von den drei gemalten Porträten venezianischer Frauen, die von Dürers Hand erhalten geblieben sind. Es strahlt förmlich von Jugend und Liebe. Die Dargestellte ist nicht gerade eine ebenmäßige, regelrechte Schönheit. Aber die Züge des etwa zwanzigjährigen Mädchens mit den dunklen Augen, der fein gebogenen Nase und dem kräftigen, etwas sinnlich aufgeworfenen Mündchen, die hohe Stirne und die fein geschwungenen, zarten Wangen, umrahmt von lieblichen goldenen Löckchen, haben einen ganz eigenartigen Reiz. Die wunderbare, wie mit dem feinsten Pinsel zeichnende Behandlung dieser Löckchen erinnert an die bekannte, gut beglaubigte Anekdote, wonach Dürer, von Bellini um einen dieser Pinsel gebeten, womit er solche Haare male, dem alten Meister einen ganz gewöhnlichen groben Pinsel vorwies, worüber dieser außer Fassung geriet. Das Hinterhaupt wird von einem kleinen Haarnetz von Goldfäden in feinster Arbeit bedeckt, um den freien Hals hängt ein reizender Schmuck, eine Schnur aus doppelt gereihten kleinen Perlen und dazwischen Glaspasten oder Halbedelsteinen. Das viereckig ausgeschnittene Kleid, an dessen beiden Seiten das weiße Hemd zum Vorschein kommt, ist karminrot mit rombenförmig aufgenähten Goldborten; an der linken Seite ist eine tief olivgrüne Masche angebracht, der auf der rechten eine gleiche entspricht, die aber nicht ausgeführt, nur bis zur Untermalung gediehen ist und daher hellbraun erscheint. Das entzückende Mädchenbild hebt sich von einem tiefschwarzen Hintergrunde ab.

Erfreulich ist auch, daß der Erhaltungszustand dieses kleinen Meisterwerks vortrefflich ist: bis auf einen unbedeutenden Sprung des Brettchens, der senkrecht durch das Haarnetz nach unten geht, und ganz unwesentliche winzige Fehlstellen ist das Bild ganz in seinem ursprünglichen Zustande erhalten und die Farben haben nicht das geringste von ihrer Leuchtkraft eingebüßt. Auffallend bleibt dabei, daß, wie schon vorhin angedeutet wurde, das Gemälde offenbar niemals ganz vollendet worden ist. Nicht nur ist der sichtbare Teil der rechten Schulter der Dargestellten, das Gewand mit dem Mäschchen, nicht vollkommen ausgeführt, sondern auch die Modellierung des Fleisches in Gesicht, Hals und Brust von einer solchen Zartheit und Dünnheit der Malerei, daß man annehmen muß, Dürer hätte zur allerletzten Vollendung stellenweise vielleicht noch einige feine Lasuren darüber gelegt. Dieser Zustand des Gemäldes hat für uns einen eigenen Reiz, weil wir — trotz der durchaus harmonischen und ausgeglichenen Wirkung des Ganzen, die kaum den Gedanken an etwas Unfertiges aufkommen läßt — glauben, Dürer bei seiner Arbeit belauschen, ihm gleichsam über die Schulter blicken zu können. Wie aber ist es zu erklären, daß das Werk so weit gediehen ist, daß es in wenigen Stunden hätte fertig gebracht werden können, und doch vom Meister so stehen gelassen wurde, wie wir es heute vor uns sehen? Ein solcher Vorgang ist bei einem bestellten Bildnis kaum wahrscheinlich, weil der Besteller oder die Bestellerin die Vollendung dringend verlangt und den Maler nicht kurz vor dem Ziele hätte aufhören lassen. Eine

Unterbrechung der Arbeit etwa durch eine plötzliche Abreise kann auch nicht angenommen werden; denn das Porträt stellt nach der Tracht ohne jeden Zweifel eine Venezianerin vor und trägt in der Mitte oben neben Dürers bekanntem Monogramm die Jahreszahl 1505, ist also in den ersten Monaten seines Aufenthalts in Venedig entstanden.

Ein solches Stehenlassen eines Bildes kommt wohl bei Künstlern vor, wenn es sich um eine Studie handelt, woran aber bei der ungeheuer sorgfältigen Ausführung hier nicht zu denken ist, oder wenn die nächsten Familienmitglieder zum Porträt sitzen und dringende Aufträge den Maler die weitere Arbeit ad calendas graecas verschieben lassen, wie dies zum Beispiel bei Rubens' Gruppenbild seiner Gattin Helene Fourment mit ihren Kindern, heute im Louvre zu Paris, geschehen ist (vgl. Band I, Abb. 75). Aber auch davon kann hier nicht die Rede sein, denn wir sehen ja eine anmutige junge Venezianerin vor uns, nicht eine biedere Nürnbergerin wie Dürers gestrenge Frau Agnes, deren Züge wir aus manchen Zeichnungen ihres Gemahls genau kennen. Wir werden daher nicht zu kühn sein, ja kaum fehlgehen, wenn wir die dargestellte höchst liebenswürdige Person in Kreisen suchen, in denen eine flüchtige Begegnung, ein längeres, aber doch nicht dauerndes Verweilen ebenso möglich ist wie ein plötzliches Abbrechen der vertrauten Beziehungen. Wie in jenen Schönen, die Palma Vecchio und Tizian gemalt haben, glauben wir hier eine Kurtisane erkennen zu können, auf die Gefahr hin, dem lieblichen Modell Dürers damit Unrecht zu tun. In der Art, wie der Künstler in diesem Bilde den Pinsel führt, meint man fast etwas von Liebe zu spüren.

Wer so empfindsam ist, sich den großen Meister in den Kreisen der damaligen venezianischen Halbwelt nicht denken zu können, dem mag entgegnet werden, daß Dürers kinderlose Ehe nicht das gewesen ist, was wir eine gute, eine glückliche Ehe nennen. Freilich ist es fast anmaßend, sich in solchen Dingen selbst bei Mitlebenden ein sicheres Urteil zuzutrauen, und vollends bei Verstorbenen und längst Vergangenen sind die selbst der Mitwelt meist verborgenen Bande zwischen Mann und Frau schwer zu erkennen. Eine Xanthippe, als welche Agnes Dürer von der Kunstgeschichtsschreibung und selbst von der Dichtung[14] bis über die Zeit der Romantik hinaus geschildert wird, ist sie wohl nicht gewesen, aber auch sicherlich nicht die rechte Künstlersfrau. Moriz Thausing, der verdiente erste wissenschaftliche Biograph Dürers, ist romantischer gewesen als die Romantikerzeit, da er, vor einem halben Jahrhundert, Dürers Frau als die vortrefflichste Gattin, ja als eine Schönheit mit beredten Worten pries. Soweit wir völlig unparteiisch zu urteilen vermögen, hatte sie nicht allzu große Vorzüge. Aus guter, recht wohlhabender Familie stammend, war sie höchst anständig, fromm, sparsam und tüchtig, auch in ihrer Jugend nicht ganz ohne Reiz. Allein ebenso wie sich ihre Züge mit zunehmendem Alter verschärften und verdickten, so scheint es ähnlich auch mit ihren Charaktereigenschaften gegangen zu sein. Immer mehr mag die innere Nüchternheit ihres Wesens

---

[14] Als Beispiel sei das ein wenig dilettantische Drama in zwei Aufzügen »Albrecht Dürers Tod« von F. A. Gelbcke, Leipzig 1836, genannt.

hervorgetreten sein, ihre Beschränktheit, ihre Gewinnsucht, ihre Eifersucht gegen Dürers geistig hoch über ihr stehenden Umgang, ihr Mangel an Verständnis den hohen künstlerischen Zielen ihres Mannes gegenüber[15]. Sicherlich nicht mit Unrecht sagt Dürers vertrautester Freund Pirkheimer kurze Zeit nach des Künstlers Tode: »Es sind ja sy vnd ir schwester nit pubin, sonder, wie ich nit zveyfel, der eren from vnd ganz gotsfurchtig frauen, es solt aber eyner lieber eyn pubin, die sich sunst freundlich hielt, haben, dann solch nagent argewenig vnd kiefend from frauen, pey der er weder tag noch nacht rue oder frid haben kont.«

Innerlich war die Ehe nicht glücklich, äußerlich aber wurde sie aufrecht erhalten, weil das zu dieser Zeit überhaupt nicht anders ging und weil irgend eine Art von Trennung Dürers strengen religiösen Überzeugungen widersprochen haben würde. Mildernde Umstände mögen aber auch der Frau zugebilligt werden. Es mußte ein Konflikt entstehen zwischen dem kleinstädtischen, kleinbürgerlichen Wesen, in dem Agnes Dürer ganz aufging, und dem großstädtischen, weltmännischen Dasein, das der Künstler selbst durchaus mit jenem zu vertauschen wünschte. Vom Standpunkt der häuslichen und wohl auch hausbackenen Frau aus war für Dürer die größte Gefahr der vertraute Umgang mit Pirkheimer, der, seitdem er Witwer geworden war, sich dem weiblichen Geschlecht keineswegs abgeneigt zeigte und — um nur eins zu nennen — auch einen unehelichen Sohn in die Welt setzte. Bei manchen Stellen der Briefe, die Dürer seinem Freunde Pirkheimer aus Venedig schrieb, besonders bei den derben Späßen, von denen in unverkennbarer Lieblosigkeit auch Frau Agnes nicht verschont blieb, glaubt man zwischen den Zeilen lesen zu können, Dürer habe an dem Junggesellenleben seines Vertrauten nicht nur als Zuschauer teilgenommen. Und in Venedig, wohin ihm die Frau nicht gefolgt war, hat er sicherlich ein völlig freies, ungebundenes Leben geführt, und ohne Rücksicht auf die Weiber wäre seine auffallende Eitelkeit nicht zu erklären, die sich in der großen Freude an neuerworbenen Gewandstücken, in dem Besuch einer Tanzschule, ja selbst in der Beobachtung eines grauen Härchens, das dem fünfunddreißigjährigen Künstler gewachsen war, mit völliger Deutlichkeit ausspricht. Auch die Furcht vor jener schrecklichen Krankheit, die damals fast noch mehr verheerend wirkte als heute und manche der Edelsten der Nation, wie zum Beispiel Ulrich von Hutten, dahinraffte, darf in diesem Zusammenhange nicht unbeachtet bleiben.

Wichtiger als die Rücksicht auf die landläufige Moral muß dem Künstler der Gewinn an innerer Freiheit sein. Aus der Enge des bürgerlichen, häuslichen Lebens strebt er nach einem fessellosen, erhöhten Dasein. Wenn die reizvolle Person, die auf dem neugefundenen Bilde dargestellt ist, Dürer auf diesem Wege etwas geholfen hat, indem sie ihm Stunden, Tage, Wochen seines venezianischen Aufenthalts verschönt hat, so wird ihr die Geschichte der Kunst nicht anders als dankbar sein können. Soviel wir heute sehen können, ist dieses Werk der Liebe das erste Gemälde, das Dürer in Venedig geschaffen hat; es stammt aus dem

[15] Hier stimmen wir ganz mit Gustav Paulis Ansichten in seinem vortrefflichen Aufsatz »Die Bildnisse von Dürers Gattin« (Zeitschr. f. bild. Kunst, N. F. XXVI, 1915, S. 69) überein.

Jahre 1505, aus dem sonst kein anderes seiner Hand bekanntgeworden ist. Der volle Jubel der ersten Eindrücke des fremden Bodens steckt darin, und trotzdem merkt man kaum irgend etwas von dem Einflusse der zeitgenössischen venezianischen Malerei. Dabei ist das Bildnis nicht nur zeichnerisch — das ist ja bei Dürer selbstverständlich — sondern auch malerisch von der höchsten Vollendung, ja vielleicht das Beste, was er farbig gestaltet hat.

Dürer ist in der Tat nicht nach Venedig gegangen, um malen zu lernen, sondern um zu zeigen, was er als Maler zu leisten vermochte. Das kleine Bild »Maria mit dem Kinde« aus dem Jahre 1503 im Kunsthistorischen Museum in Wien (Abb. 80) beweist, mit seiner feinen Harmonie in Weiß und Gelb — wie Whistler sagen würde —, daß er seinen Farbengeschmack von zu Hause nach Italien mitgebracht hat. Und gleich nach seiner Ankunft vermochte er mit dem jetzt wiederentdeckten Bildnisse inmitten einer Umgebung, worin von der ganzen damaligen Welt am meisten malerisch gedacht, empfunden und geschaffen wurde, den Nachweis zu erbringen, daß auch er als Maler voll genommen zu werden wünsche, was er nach Vollendung des Rosenkranzfestes selbst in diese Worte faßte:

»Und ich hab auch die Maler all geschtillt, die do sagten, im Stechen wär ich gut, aber im Molen west ich nit mit Farben umzugehen. Itzt spricht Idermann, sie haben schoner Farben nie gesehen.«   (1923)

Abb. 80. Dürer, Maria mit dem Kinde
Wien, Kunsthistorisches Museum

204

DÜRERS GEMÄLDE DES HEILIGEN HIERONYMUS

Über keine Epoche in Dürers Schaffen sind wir so wohl unterrichtet wie über die Zeit seines Aufenthaltes in den Niederlanden, der nur einige Tage weniger als ein Jahr gedauert hat. Was er hier gezeichnet und gemalt hat, finden wir fast alles in dem Tagebuch, das er zu dieser Zeit führte, aufs genaueste verzeichnet. Wenn man bedenkt, wie sehr der große Künstler während seines Aufenthaltes in den Niederlanden durch Reisen, Besichtigungen von Sehenswürdigkeiten, Festmähler, Einladungen, Besuche, durch seinen Verkehr mit Künstlern, Musikern, Gelehrten und reichen Kaufleuten in Anspruch genommen wurde, so muß uns die Menge künstlerischer Arbeit ganz erstaunlich erscheinen. Mehr als hundert Bildnisse hat er hier gezeichnet, von denen etwa die Hälfte große, ausgeführte Kohlezeichnungen waren. Daneben fand er Zeit zu allerlei Gelegenheitsarbeiten: für Margarete von Österreich entwarf er zwei historische Kompositionen auf Pergament, für den Leibarzt dieser Fürstin einen Bauriß zu einem Hause, das dieser erbauen wollte, für die Gilde der Goldschmiede Skizzen zu weiblichem Kopfschmuck, für die der Maler eine Zeichnung mit unbekanntem Zweck, für die Kaufleutezunft einen sitzenden heiligen Nikolaus, für den reichen genuesischen Kaufmann Tommaso Bombelli Karnevalsmasken, eine Fassadendekoration und drei Degengriffe, für die Augsburger Bankierfamilie der Fugger ebenfalls Fastnachtsmasken, für den Maler Joachim de Patinier, offenbar zur Staffage seiner Landschaften, einige Gestalten des heiligen Christoph; endlich zeichnete er das Wappen der österreichischen Adeligen Wilhelm und Wolf von Rogendorff und das des Nürnbergers und Organisten in kaiserlichen Diensten Lorenz Staiber auf den Holzstock.

Aber auch die Summe von Dürers m a l e r i s c h e r Tätigkeit während seines Aufenthalts in den Niederlanden darf man nicht zu gering anschlagen. Verschiedene Stellen des Tagebuches beweisen, daß er sich auch mit diesem Kunstzweige eifrig beschäftigt hat. Bald nach seiner Ankunft in Antwerpen hat ihm der schon erwähnte Landschaftsmaler Patinier Farben und seinen Knecht zum Farbenreiben geliehen, und am Ende seines Aufenthaltes in den Niederlanden erwies ihm ein Brüsseler Maler, wahrscheinlich der Hofmaler Margaretens von Österreich, Bernaert van Orley, denselben Dienst, als er das Porträt des Königs von Dänemark malen sollte. Auch in der Zwischenzeit hat er wiederholt Farben gekauft, so auf Empfehlung des Kupferstechers und Glasmalers Dirck

Vellert eine rote Farbe, die man in Antwerpen aus Ziegelsteinen gewann. Ein anderes Mal bezahlt er eine Unze guter Ultramarinfarbe mit Kunstblättern seiner Hand von dem hohen Werte von zwölf Gulden. In seinem Tagebuch verzeichnet er verschiedene kleinere Gemälde, die er teils in Öl, teils in Leimfarben auf Leinwand, einer Technik, die er selbst mit dem Ausdruck »gemaltes Tüchlein« bezeichnet, gemalt hat; sie dienten ihm meist zu Geschenken an Gönner und Freunde. Wir hören von einem Marienbild, einem toten liegenden Christus, einer heiligen Dreifaltigkeit, einem Kindsköpflein, das er zweimal, und einem Veronikatuch, das er viermal gemalt hat. Von diesen kleinen Bildern hat sich leider nichts mehr erhalten. Dagegen sind wir so glücklich, das wichtigste religiöse Gemälde, das Dürer während seines Aufenthaltes in den Niederlanden gemalt hat, noch zu besitzen. Es ist der heilige Hieronymus im Museum zu Lissabon, von dem wir unseren Lesern die erste völlig gelungene Reproduktion vorführen können, die uns eine ausgezeichnete Vorstellung von diesem Meisterwerke zu geben vermag (Abb. 81). Bei den früheren Wiedergaben hat der etwas verschmutzte Zustand des Bildes, das vortrefflich erhalten ist, erschwerend gewirkt. Auch störte ein schlecht und auffallend zugedeckter Sprung, der vertikal durch die linke Ecke der Mütze des Greises zwischen Auge und Nase hinabführte. Seither ist das Bild in verständnisvoller Weise gereinigt worden, wobei auch die Übermalung des Sprunges beseitigt und durch vorsichtige Ergänzung ersetzt wurde.

Es ist kein Zufall, daß das köstliche Bild sich in Portugal befindet, wo es in unseren Tagen zuerst von Carl Justi entdeckt wurde. Dürer hat es für einen Portugiesen gemalt. Im März 1521 merkt er in seinem Tagebuch an: »Ich hab ein Hieronymus mit Fleiß gemalt von Ölfarben und geschenkt dem Ruderigo von Portugal, der hat der Susanna ein Dukaten zu Trinkgeld geben.« Rodrigo Fernandez, der als Nachfolger des mit Dürer befreundeten Francisco Brandan 1528 Faktor — etwa so viel wie: Generalkonsul — der portugiesischen Nation in Antwerpen war und sich im selben Jahre hier ein prächtiges Haus kaufte, gehört jenem Kreise von reichen und kunstsinnigen portugiesischen Kaufleuten an, in dem Dürer mit besonderer Vorliebe verkehrt zu haben scheint. Von dieser Seite wurden ihm unzählige Geschenke, Freundlichkeiten und Gefälligkeiten zuteil. Gerade Rodrigo Fernandez ist einer der liebenswürdigsten und gefälligsten von Dürers portugiesischen Gönnern; er machte dem Künstler und seiner Frau allerlei Dinge zum Geschenk, von denen er wußte, daß sie ihnen Freude machen würden: verschiedene Sorten Tuch, ein geschmücktes, das heißt wohl mit Agraffe oder Schaumünze versehenes Barett, drei Papageien, mancherlei Kuriositäten aus Indien, an denen Dürers Herz besonders hing, darunter »kalekutische« Tücher und Federn, große Nüsse, einen Zedernbaum, einen Bisamknopf, Korallen u. dgl. Sehr eifrig scheint er für Dürer während dessen Krankheit gesorgt zu haben: er schickt ihm starken Wein, Austern, Zuckerwerk, Kompott und Latwergen. Auch lädt er Dürer einige Male zu Tische ein. Die beiden großen portugiesischen Gulden im Werte von je zehn Dukaten, die er Dürer im März 1521 schenkt, könnten wohl als Bezahlung für das Bild des heiligen Hieronymus

Abb. 81. Dürer, Der heilige Hieronymus
Lissabon, Museum

aufgefaßt werden, ebenso wie Dürers Frau bei diesem Anlaß einen goldenen Ring im Werte von mehr als fünf Gulden, und, wie wir gesehen haben, Dürers Magd Susanna einen Dukaten zum Geschenk erhielt. Dürer erwidert seinerseits — abgesehen von dem Bild des heiligen Hieronymus — alle diese Freundlichkeiten dadurch, daß er Rodrigo Stiche und Holzschnitte von seiner Hand im Werte von fünf Gulden schenkt und ihn selbst mit dem Pinsel schwarz und weiß auf graues Papier porträtiert.

Das Ölbild des heiligen Hieronymus, von dem wir freilich nicht wissen, ob es von Anfang an als Widmung für Rodrigo Fernandez gedacht war, hat Dürer jedenfalls mit größter Liebe und Sorgfalt geschaffen. Ein Beweis dafür ist eine Anzahl von ungewöhnlich fleißig durchgeführten Studien dazu, die sich erhalten haben. Es sind dies Blätter, die alle vom Jahre 1521 datiert sind und dieselbe Technik zeigen wie die eben genannte Porträtzeichnung Rodrigos; weißgehöhte Pinselzeichnungen auf violett — wohl ursprünglich grau — gefärbtem Papier. Die hervorragendste von diesen Studien ist das berühmte Brustbild eines alten Mannes, der sein Haupt auf die rechte Hand stützt, in der Albertina zu Wien, mit der Aufschrift: »der man was alt 93 jor und noch gesund und fermuglich zu antorff.« In dem Bilde hat sich Dürer ziemlich genau an diese Studie gehalten: er hat nur den Kopf etwas schiefer gestellt, die Finger der Hand etwas anders geordnet und läßt die in der Zeichnung herabsehenden Augen lebhaft aus dem Bilde heraus den Beschauer anblicken. Denselben Kopf finden wir dargestellt in einer Zeichnung der gleichen Technik im Berliner Kupferstichkabinett: die Haltung ist hier etwas anders, die Augen blicken aus dem Bilde heraus, die stützende Hand fehlt. Möglich wäre es, daß diese Studie entstanden wäre, bevor Dürer die Darstellung des Greises als heiliger Hieronymus geplant hatte. Vielleicht bezieht sich darauf eine Tagebuchanmerkung Dürers vom Januar 1521, worin er sagt, er habe drei Stüber einem Manne gegeben, den er porträtiert habe. Drei weitere sehr sorgfältige Studien besitzt die Albertina zu dem Totenkopf, zu der auf den Totenschädel hinweisenden Hand, daneben auf demselben Blatte zur Haltung des Heiligen, und zu dem Lesepult mit dem aufgeschlagenen Buche und den darunterliegenden Bänden.

Daß Dürer für das bedeutendste religiöse Gemälde, das er in den Niederlanden schuf, die Gestalt des heiligen Hieronymus zum Vorwurf wählte, ist an sich nicht auffallend. Er selbst hatte den weltabgeschiedenen, gelehrten, würdigen Greis schon wiederholt in Kupferstichen, Holzschnitten und Zeichnungen dargestellt und für die Schilderung der stillen, beschaulichen Tätigkeit des Heiligen teils in zerklüfteter Wildnis, teils in seiner von warmem Lichte durchfluteten Studierstube unübertreffliche und unvergleichliche Fassungen erfunden, wobei wir hier nur an den wundervollen Kupferstich von 1514, den sogenannten »Hieronymus im Gehäus«, zu erinnern brauchen. Auch sonst kann Hieronymus als der Heilige des Jahrhunderts gelten, das das »Cogita mori« beständig im Schilde führte, und in der Tat ist seine Gestalt gleich häufig in der niederländischen und deutschen wie auch in der italienischen Kunst dieser Zeit. Daß aber Dürer für den ihm wohlvertrauten Gegenstand eine für sein Schaffen ganz neue

Form, die des Halbfigurenbildes, wählte, dazu muß wohl ein besonderer Anlaß vorhanden gewesen sein. Es ist in diesem Zusammenhange von einigen Seiten darauf hingewiesen worden, daß die niederländische Kunst vom Anfange des 16. Jahrhunderts eine ausgesprochene Vorliebe für das Halbfigurenbild hatte, und gerade für die Halbfigur des heiligen Hieronymus in seiner Stube lassen sich Beispiele nachweisen, die vor der Entstehung des Dürerschen Bildes geschaffen worden sein müssen. Eine Fassung des Vorwurfs, die noch in das 15. Jahrhundert gehört und vielleicht auf ein Original von Hugo van der Goes zurückgeht, ist nur in einer späteren Kopie deutschen Ursprungs in der Dresdner Galerie erhalten. Aber auch von dem hervorragendsten Zeitgenossen Dürers unter den niederländischen Malern, von Quinten Metsys, dessen Atelier Dürer gleich nach seiner Ankunft in Antwerpen besuchte, gibt es in der Gemäldegalerie zu Wien ein ohne Zweifel eigenhändiges Gemälde mit demselben Vorwurf, das aus stilistischen Gründen kaum viel später angesetzt werden kann als das im Jahre 1514 entstandene Bild des Goldwägers und seiner Frau im Louvre. Obwohl die Komposition Metsys' von der Dürerschen völlig verschieden ist, so sind beiden Darstellungen doch die wesentlichsten Elemente gemein. Da nun Metsys auch sonst eine besondere Vorliebe für das Halbfigurenbild zeigt, ja diese Gattung in die niederländische Malerei eingeführt zu haben scheint, so wäre der Fall ausreichend erklärt durch eine Beeinflussung Dürers durch seinen niederländischen Berufsgenossen Quinten Metsys.

Allein die Sache liegt doch etwas anders. Wer Dürers künstlerische Tätigkeit während seines Aufenthalts in der Fremde, in Italien sowohl als in den Niederlanden, verfolgt, wird die Beobachtung machen, daß den großen Künstler nichts mehr reizt als neue Aufgaben. Es ist, als wollte er die fremden Maler auf ihrem eigensten Felde aufsuchen, als wollte er an i h r e n Aufgaben seine eigenen Kräfte prüfen und stählen. Wie er in Venedig in dem berühmten Rosenkranzfest eine Santa Conservazione schaffen wollte, die neben den ähnlichen Schöpfungen der Venezianer, vor allem Giovanni Bellinis, bestehen sollte, und darüber froh war, als das allgemeine Urteil höchst günstig lautete, so hat er in dem Bilde des heiligen Hieronymus versucht, es seinen niederländischen Kollegen, die er in seiner Bescheidenheit sehr hoch schätzte, gleichzutun. Auch hier blieb der Erfolg nicht aus. Wenn es uns auch darüber an schriftlichen Zeugnissen fehlt, so vermögen wir doch diesen Erfolg zu ermessen an einer ganzen Reihe von niederländischen Gemälden des 16. Jahrhunderts, die mit Benützung der Dürerschen Komposition geschaffen worden sind. Ja manche darunter können, nach ihrem Stile zu urteilen, der in die Nähe des Antwerpner Meisters des Todes Mariä weist, nur wenige Jahre nach der Entstehung des Originals gemalt worden sein. Es gibt kaum eine andere Komposition, die in dieser Schule so häufig wiederkehrt. Obwohl das Original in Antwerpen blieb und von dort aus gleich nach Portugal gelangt sein dürfte, kommt dieselbe Komposition auch in deutschen Nachbildungen des 16. Jahrhunderts vor. Wahrscheinlich hat Dürer selbst eine Nachbildung des Gemäldes mit nach Nürnberg genommen; in dem Verzeichnis der Kunstschätze des Nürnbergers Willibald Imhof des Älteren aus den Jahren

1573 und 1574 kommt ein kleines auf Pergament gemaltes Bild des heiligen Hieronymus von Dürer vor.

Die hohe Schätzung des Dürerschen Gemäldes vermögen wir auch heute zu begreifen: durch die einfache und doch wirkungsvolle Komposition, die wunderbare Durchbildung der Formen, den außerordentlich lebendigen Ausdruck des Greisenkopfes gehört es zu den vollendetsten Schöpfungen des großen Meisters. Es gibt nur ein Werk aus derselben Zeit, das diesem Bilde gleichkommt, ja es in mancher Hinsicht noch übertrifft: wir meinen das unglaublich lebensvolle männliche Bildnis des Prado zu Madrid, das ohne ausreichenden Grund als ein erst nach Dürers Rückkehr geschaffenes Porträt des Nürnberger Patriziers Hans Imhof des Älteren bezeichnet worden ist. Dieses Werk, das ebenfalls die Jahreszahl 1521 trägt, hat nun mit dem heiligen Hieronymus die größte Verwandtschaft. Wer mag der Dargestellte sein? In seinem Tagebuch erwähnt Dürer nur wenige in Öl gemalte Bildnisse. Die beiden »Herzogangesichter« nehmen wir aus, weil es nicht klar ist, ob hier Bildnisse nach dem Leben gemeint sind. Die übrigen Porträte sind die des niederländischen Malers Bernaert van Orley, des Rentmeisters von Brabant Lorenz Sterck, des Wirtes Dürers in Antwerpen, Jobst Planckfelt und seiner Frau, und endlich des Königs von Dänemark, Christian II. Da uns das Bildnis Orleys in der Dresdner Galerie erhalten ist und die Züge Jobst Planckfelts und Christians II. bekannt sind, so dürfte wohl der Dargestellte des Madrider Bildes kein anderer sein als jener Rentmeister Sterck, der zu Dürers freundlichsten Gönnern gehörte, ihm viele Geschenke machte, ihn mehrmals zu Tische lud, und ihm endlich für das nach Dürers eigener Angabe »gar rein fleißig« ausgeführte Porträt zwanzig Gulden schenkte. Diese Vermutung, die gelegentlich schon ohne nähere Begründung von Lionel Cust ausgesprochen worden ist, gewinnt an innerer Wahrscheinlichkeit, wenn wir bedenken, daß Dürer an dem Bildnisse des Rentmeisters zur gleichen Zeit gearbeitet haben muß wie an dem heiligen Hieronymus; nur zwei Monate nach der Vollendung dieses Bildes meldet uns Dürers Tagebuch, im Mai 1521, die Fertigstellung des Porträts, zu dem Dürer schon im März, noch v o r der Vollendung des Hieronymus, einen Rahmen im Umtausche gegen den »alten« — offenbar verworfenen — Rahmen zum Bilde des Hieronymus und gegen eine kleine Aufzahlung anschaffte. So scheint uns ein besonderes Band die beiden schönsten Ölgemälde zu verknüpfen, die uns aus der Zeit von Dürers Aufenthalt in den Niederlanden erhalten geblieben sind. (1912)

ZU DÜRERS ANBETUNG DER KÖNIGE
IN FLORENZ

Es ist merkwürdig und auffallend, daß auf Dürers berühmtem Gemälde der Anbetung der Könige in den Uffizien (Abb. 82) der heilige Joseph fehlt. Die Figur des heiligen Joseph ist zwar in den meisten Darstellungen dieses Gegenstandes im frühen Mittelalter noch nicht eingeführt worden, höchstwahrscheinlich deshalb, weil das Evangelium Matthäi bei der Erzählung von der Anbetung der Magier aus dem Morgenlande den heiligen Joseph gar nicht erwähnt[1]. Allein von der Mitte des 15. Jahrhunderts an finden wir ihn sowohl in der niederländischen als auch in der deutschen Kunst fast auf allen Darstellungen der Anbetung der Könige. Schon Roger van der Weyden, dessen Einfluß auf die deutsche Kunst der denkbar größte ist, und Konrad Witz geben mit dieser Bereicherung des alten Typus das Beispiel, und die Nürnberger der zweiten Hälfte des 15. Jahrhunderts folgen ihnen in dieser Hinsicht wohl durchwegs nach. Man müßte fast an einen beabsichtigten Archaismus denken, wenn Dürer durch das Fortlassen des heiligen Joseph mit dem Gange der bildlichen Überlieferung gebrochen hätte, um zu einem alten, längst aufgegebenen Schema zurückzukehren. Es liegt gar nicht in seinem fortschrittlichen Geiste, eine durch die Überlieferung geheiligte Figur bei einer so reichen Darstellung, wo es an Raum nicht fehlte, wegzulassen. In der Tat spielt auf den übrigen Darstellungen der Anbetung der Könige, die wir von Dürer kennen, der heilige Joseph zwar eine bescheidenere Rolle als etwa auf denen der Heiligen Familie, der Geburt Christi oder der Flucht nach Ägypten; aber er fehlt weder auf dem Blatte des Marienlebens, noch auf dem Holzschnitte von 1511, noch auf der Zeichnung von 1524 in der Albertina. Auf allen diesen Blättern, von denen das erstgenannte (Abb. 83) höchstwahrscheinlich vor dem Florentiner Bilde, also vor 1504, entstanden ist[2], steht er, eifrig an dem Vorgang teilnehmend, ganz nahe hinter Maria.

Wie ist nun die Schwierigkeit des Fehlens des heiligen Joseph auf der

[1] Nur eines der apokryphen Evangelien, das Pseudo-Matthäi, führt Josephs Namen neben dem Mariä an. Vgl. Hugo Kehrer, Die »heiligen drei Könige« in der Legende und in der deutschen bildenden Kunst bis auf Dürer, Straßburg 1904, S. 4 und 110.

[2] Ernst Heidrich (Repertorium für Kunstwissenschaft, XXIX, S. 236) setzt diesen Holzschnitt des Marienlebens in die Jahre 1501—1502. Heinrich Wölfflin (Die Kunst Albrecht Dürers, S. 76) zieht eine Handzeichnung von 1503 heran, die aber auch uns als Studie für den Holzschnitt nicht überzeugt.

Abb. 82. Dürer, Die Anbetung der Könige
Florenz, Uffizien

Florentiner Anbetung der Könige zu erklären? Eine kürzlich veröffentlichte Urkunde hilft uns hier auf den Weg. Wir erinnern vorher an die bekannte Geschichte des Bildes: es wurde für Friedrich von Sachsen gemalt, kam als Geschenk
Christians II. aus der Schloßkirche von Wittenberg in die Sammlung Rudolfs II.
nach Prag, von dort in die Wiener Galerie und schließlich durch einen höchst
unglücklichen Bildertausch gegen Ende des 18. Jahrhunderts nach Florenz. In
einem der ältesten Inventare der Wiener Kunstkammer, das Wilhelm Köhler
kürzlich veröffentlicht hat[3] und das kurz nach dem 28. Juni 1619 abgefaßt sein
muß, kommt Dürers Bild mit den folgenden Worten beschrieben vor: »42. Ein
stuckh mit den drei khönigen und Maria und J o s e p h, gar konstreich uhralt
gemacht von Albrecht Dierer.« Hier wird der heilige Joseph ausdrücklich genannt, also muß er auf dem Bilde vorhanden gewesen sein. Jeder Zweifel wird
aber unmöglich gemacht, wenn man Matthäus Fabers Beschreibung der Schloß-
und Stiftskirche in Wittenberg nachschlägt und hier das Bild mit folgenden

[3] Jahrbuch der kunsthistorischen Sammlungen in Wien, XXVI, S. IX.

Abb. 83. Dürer, Die Anbetung der Könige. Holzschnitt aus dem »Marienleben«

Worten beschrieben findet[1]: »Zur lincken Hand, neben der Cantzél, zwischen Degenhard Pfeffingers und Henning Gödens Grabschrifften, war vor Zeiten an der Mauer eine überaus künstliche Tafel zu sehen, welche ein Nürnberger,

[1] Matthäus Faber, Kurzgefaßte Historische Nachricht von der Schloß- und Akademischen Stiftskirche in Wittenberg, Wittenberg 1717, 8⁰, S. 143 f.

Nahmens Albertus Durerus, gemahlet hatte, der unter allen Deutschen Mahlern den Vorzug leichte behauptete. Auf dieser Tafel war Maria, mit dem JEsus-Kinde in ihrem Schooße, abgemahlet, zu ihren Füßen lag der Aelteste unter denen, so genannten, drey Königen, auf seinen Knien, welcher mit einem güldenen Ober-Kleide angethan, und ein Kästgen in der Hand hatte, darinne güldene Geschenke sich praesentirten. Dieser grüßete das Kindlein JEsum, und war in solcher Stellung so künstlich getroffen, daß nichts drüber hätte seyn können. Denn es ließ ihm, als wenn er voller Gedancken und voller Verwunderung das Kindlein auf das genaueste betrachtete, und dessen Physiognomie, Gestalt und Lineamenten accurat observirte. Hinter dem Rücken dieses kahlen Greißes stunden die übrigen 2. Morgenländische Weisen, (wenn anders derselben nicht mehr, noch weniger, gewesen) und brachten auch ihre Gaben. D a b e y w a r a u c h J o s e p h, d e r M a r i ä G e m a h l, a b g e s c h i l d e r t, w e l c h e r n e b e n e i n e m O c h s e n u n d E s e l, d i e a n d i e K r i p p e a n g e - b u n d e n w a r e n, s t u n d. Allwo des Mahlers Geschicklichkeit und Kunst sonderlich hervor leuchtete, indem er den Esel so gemahlet, daß er gleichsam die Ober-Leffze in die Höhe hub, und mit den Zähnen bläckete. Zu denen Füßen Mariä stund des Mahlers Nahme auf einem viereckigten Plätzgen, durch den Anfangs-Buchstaben A. angezeiget, wobey die Jahr-Zahl, da die Tafel gemahlet worden, nehmlich 1504. zu sehen. Diese überaus künstliche Tafel hat der Röm. Käyser Rudolphus II. welcher ein überaus großer Liebhaber der Mahlereyen gewesen, von dem Churfürsten zu Sachsen, Christiano dem Andern, Christ-mildesten Andenckens, sich ausgebethen, und mit Consens der Universität, A. 1603, erhalten.« Wir haben den ganzen Wortlaut dieser Beschreibung hierher gesetzt, um zu zeigen, daß sie so genau, lebendig und anschaulich ist, daß sie unmöglich aus der bloßen Erinnerung geschrieben sein kann. Es müssen dem Geschichtsschreiber der Stiftskirche zu Wittenberg zum mindesten ausführliche Notizen vorgelegen haben, die vor dem Original niedergeschrieben worden waren. Dadurch gewinnt diese Beschreibung den Wert eines historischen Dokumentes. Aus ihr erfahren wir auch, wo der heilige Joseph auf dem Bilde ge-standen hat: es ist dieselbe Stelle, die er auch auf Dürers übrigen Darstellungen dieses Vorwurfes einnimmt, d i c h t h i n t e r M a r i a. Hier hat er in der Tat neben dem Ochsen und dem Esel, wie es in der Beschreibung heißt, gestanden. Sieht man sich diese Stelle des Bildes näher an, so glaubt man — selbst auch in der Photographie — hinter der zweiten Quader über dem Kopfe Mariens das Haupt eines bärtigen Mannes hervorschimmern zu sehen. Auch die angrenzenden Partien bezeugen, daß hier eine Übermalung stattgefunden hat: das linke Ohr des Ochsen paßt ganz und gar nicht zu dem rechten, und nie hätte Dürer selbst in den Torbogen im Hintergrunde hinter Maria ein so geistloses Flickwerk von Bruchsteinen eingefügt, das sich noch dazu schlecht von dem dahinter zum Vor-schein kommenden Bruchwerk der Mauer abhebt. Das sonst vortrefflich erhaltene Gemälde zeigt gerade an dieser Stelle einen großen, vertikal durch die ganze Bildfläche durchgehenden Sprung, und dieser mag die Ursache gewesen sein, daß ein ungeschickter Restaurator des 17. oder 18. Jahrhunderts die ganze Figur des heiligen Joseph zugedeckt hat. Stellen wir uns den ursprünglichen Zustand vor, der ohne Zweifel von einem geübten Restaurator leicht wieder herzustellen wäre, so scheint uns die Komposition durch die Abschwächung der pyramidenartigen Gruppierung, die freilich ihre Liebhaber gefunden hat[5], nicht anders als zu gewinnen; die linke Bildhälfte erhält jetzt übrigens auch durch die Figur des heiligen Joseph ein Gegengewicht gegen die Gestalt des Mohrenkönigs auf der rechten Seite, und die Komposition schließt sich zur schönsten Harmonie zusammen. (1908)

[5] »Der zweite König steht hinter dem Altar; so ist das Problem der Pyramide mit der Madonna, dem Christusknaben und dem knienden Greise als Basis und dem stehenden König als Spitze gelöst« (H. Kehrer, a. a. O., S. 117).

FÄLSCHUNGEN AUF DÜRERS NAMEN
AUS DER SAMMLUNG ERZHERZOG LEOPOLD WILHELMS

Das Fälschen von Kunstwerken ist wohl fast so alt wie das Sammeln selbst. Denn sobald einmal eine starke, nicht leicht zu befriedigende Nachfrage nach bestimmten Kunstwerken vorliegt, wird sich die Produktion mit aller Macht auf die Nachahmung dieser Dinge stürzen, je nach den verschiedenen Zeiten mit wirksamen oder auch mit unzulänglichen Mitteln. Es ist nicht unwahrscheinlich, daß auch das Altertum schon das Fälschen von Kunstwerken gekannt habe. Die alten Griechen, die mit Vorliebe Urkunden, Bücher, Briefe, ja auch Grabhügel gefälscht haben und die Burckhardt deshalb einmal ein Volk von Fälschern genannt hat, werden sich auf dem Gebiete der Kunst kaum ganz von dieser Neigung freigehalten haben. Bei den nicht seltenen Erzeugnissen der archaistischen oder archaisierenden Richtung der griechischen Plastik mag wohl zum Teile neben retrospektiven Strömungen eine eigentliche Absicht der Fälschung zugrunde liegen; man könnte wenigstens denken, daß die schlauen Griechen die großen römischen Sammler der Kaiserzeit mit solchen Nachahmungen bedient haben mögen, wenn der Nachfrage nach Werken der altgriechischen Plastik das Angebot nicht zu genügen schien.

Wie dem auch sei, zweifellos nachweisbare Fälschungen begegnen uns erst im Mittelalter: es sind natürlich Fälschungen nach der Antike und sie hängen zusammen mit jener allgemeinen Sehnsucht nach der Kultur des Altertums, die schließlich als ein wesentlicher Teil der großen Bewegung der Renaissance ihren mächtigsten Ausdruck fand. Die ältesten Fälschungen nach der Antike hat Julius von Schlosser[1] in einigen Porträtmedaillen nachgewiesen, die ohne Zweifel von niederländischen Künstlern in der Umgebung des Herzogs Jean de Berry um die Wende des 14. und des 15. Jahrhunderts geschaffen und offenbar eigens für diesen großen Sammler berechnet worden waren. In der Blütezeit der Renaissance ist dann natürlich die Fälschung von Antiken gang und gäbe. Nichts ist bezeichnender für diese Seite der Renaissancebewegung als die bekannte Geschichte des Schlafenden Amors, den Michelangelo als junger Mensch meißelte und auf Anraten seines Gönners Lorenzo de' Medici, mit künstlicher Patina von Erde und Verwitterung versehen, als antik nach Rom verkaufte. Antike Statuen

---

[1] Die ältesten Medaillen und die Antike, im Jahrbuch der kunsthistorischen Sammlungen in Wien, XVIII, 1897, S. 64, und Die Kunst- und Wunderkammern der Spätrenaissance, Leipzig 1908, S. 27.

wurden damals, wie heute, besser bezahlt als moderne, und ein Fürst wie Lorenzo fand an einer solchen Fälschung nichts Bedenkliches.

Bis zur Renaissance handelt es sich bei den Fälschungen noch um die Nachahmung eines bestimmten S t i l e s; man denkt noch nicht daran, Werke einzelner großer K ü n s t l e r zu fälschen. Sobald aber, wie wir das an den erhaltenen Inventaren von Sammlungen des 16. Jahrhunderts verfolgen können, der N a m e des Künstlers und das Gewicht seiner Persönlichkeit beginnen, eine bedeutende Rolle zu spielen, kommt es bald zu Fälschungen auf die Namen bestimmter großer Künstler. Die größten und mächtigsten Sammler der ersten Hälfte des 17. Jahrhunderts, wie Karl I. von England, der Herzog von Buckingham, Lord Arundel u. a., legen schon das größte Gewicht darauf, die Namen der großen Italiener, wie Raffael, Lionardo, Michelangelo, Correggio, Giorgione, Tizian, Veronese, möglichst vollständig in ihren Galerien vertreten zu sehen. Zu diesen Italienern gesellt sich von deutschen Künstlern, neben Holbein, nur D ü r e r, der von allen deutschen Malern, die je gelebt haben, schon damals den größten Ruhm genoß.

Man kann sich nicht leicht eine Vorstellung davon machen, wie berühmt Dürer schon zur Zeit seines Lebens in ganz Europa gewesen ist. Seinen leicht versendbaren Kupferstichen und Holzschnitten hat er ohne Zweifel einen großen Teil dieses Ruhmes zu danken: man findet sie in ganz Europa verbreitet, und schon zu seinen Lebenszeiten werden sie in allem möglichen Material, in Stichen, Bildern und Miniaturen, in Holz, Stein, Metall und Glas in Deutschland, in Italien, in den Niederlanden nachgeahmt und kopiert. Ja selbst einzelne von seinen Bildern findet man in unzähligen Kopien auf der ganzen Welt verbreitet; wir erinnern hier nur an jenes vor wenigen Jahren in Lissabon wiederentdeckte Gemälde des hl. Hieronymus (Abb. 81), das er auf seiner niederländischen Reise für einen reichen Portugiesen gemalt hat und das man fast in allen Galerien Europas in Kopien, teils von niederländischer, teils von deutscher Hand, wiederfindet.

Gegen Ende des 16. und zu Anfang des 17. Jahrhunderts ist eher eine Steigerung als eine Abschwächung von Dürers Ruhm zu bemerken. Um die wenigen hervorragenden Gemälde, die Dürer hinterlassen hat, bewerben sich die großen fürstlichen Sammler des Kontinents aufs eifrigste, und es gelingt in der Tat Kaiser Rudolf II. und dem Kurfürsten Maximilian von Bayern, die schönsten und umfangreichsten Bilder des Künstlers in ihren Besitz zu bringen. Seitdem fehlt Dürers Name nicht auf der Wunschliste aller großen Sammler. Freilich, viel hatten Rudolf II. und Maximilian von Bayern nicht mehr übrig gelassen. So mußten sich Karl I. von England und Lord Arundel mit wenigen kleinen und dazu nicht immer echten Stücken begnügen.

Als nun gegen die Mitte des 17. Jahrhunderts Erzherzog Leopold Wilhelm, vielleicht der erfolgreichste und vielseitigste Sammler, der je gelebt hat, seine Gemäldegalerie zusammenstellte und damit den wesentlichen Grundstock für die künftige Wiener Galerie schuf, war auf dem europäischen Kunstmarkte von Dürers Bildern kaum mehr eines zu haben, und fast würde es uns wundern, wenn die zahlreichen Agenten, die der Erzherzog in ganz Europa hatte, ihn nicht mit falschen oder gefälschten Dingen bedient hätten, die dem mit alt-deutscher Kunst wohl wenig vertrauten Sammler in der Tat einen Ersatz für Echtes geboten zu haben scheinen. So brachte Erzherzog Leopold Wilhelm an dreißig verschiedene Stücke zusammen, die mit Dürers Namen in Zusammenhang gebracht wurden, darunter Gemälde, Handzeichnungen, ein Glasbild, plastische Arbeiten in Marmor und Holz. Davon waren fünfzehn Nummern ausdrücklich als Originale von Dürer bezeichnet, die andere Hälfte aber als Kopien und Nachahmungen. Die fünfzehn angeblichen Originale sind uns nicht alle erhalten; aber wenn wir nach dem Vorhandenen schließen dürfen, können wir kaum glauben, daß die Mehrzahl davon echt gewesen sei. Echte Bilder von Dürer aus der Sammlung des Erzherzogs sind uns heute gar keine mehr erhalten, und unter allen den Dingen, die heute davon noch vorhanden sind, vermögen wir nur mehr z w e i Originale nachzuweisen; es sind zwei Zeichnungen, darunter allerdings eine hervorragend schöne, mit der wir, um mit etwas Erfreulichem anzufangen, unseren Rundgang durch die in des Erzherzogs Sammlung Dürer zugeschriebenen Arbeiten beginnen wollen. Diese Zeichnung wird im Inventar der Sammlung des Erzherzogs vom Jahre 1659[2] wie folgt beschrieben: »Ein Stückhel, warinn vnnser liebe Fraw siczt mit dem Jesuskindl auf dem Schosz, vnndt der heyl. Joseph auff dem Tisch ligt vnndt schlafft, darbey die Englen musicieren. Mit der Federn auf Papier gerissen vnndt mitt vnnderschiedtlichen Farben schattiert. Original von Albrecht Dürer.« (Vertzaichnusz der Zaichnungen vnd Handtrüsz Nr. 336). Dieses Blatt ist ohne Zweifel mit der herrlichen Zeichnung identisch, die — wir wissen nicht auf welchem Wege — in die Kunstsammlung zu Basel gekommen ist[3].

Das zweite Original, eine Handzeichnung aus der Sammlung Blasius in Braunschweig, hat Lippmann publiziert (Nr. 144); es wird im alten Inventare folgendermaßen beschrieben: »Ein Stückhel, warin eines alten, melancolischen Weibs Prustpildt vnndt ober ihrem Kopf ein rechte Hand mit einem Pixl. Auf weisz Papier mit der Feder gerissen. Von Albrecht Dürer.« (Vertzaichnusz der Zaichnungen vnd Handtrüsz Nr. 318). Hier ist die Urheberschaft Dürers von Friedrich Lippmann bezweifelt worden, doch möchten wir das Blatt wohl als eine frühe, wenn auch nicht besonders hervorragende Arbeit des Meisters an-erkennen.

Im übrigen sucht man unter den erhaltenen Werken der Sammlung Erz-herzog Leopold Wilhelms vergebens nach Originalen von Dürer. Auch eigentliche Kopien kommen nur ganz wenige vor. Unter diesen ist vor allem das Bildnis eines etwa zwölf- bis vierzehnjährigen Mädchens zu nennen: »Ein Contrafait von Öhlfarb auff Holcz eines jungen Mägdels mitt einem rothen Käppel auf dem Haubt, daran ein Kleinodt von Robin mit einen Perl hängt ... Copia nach Albrecht Dürer.« (Mahlerey von teütsch vnnd niederländischen Mahleren Nr. 741). Diese Kopie war noch im Anfange des 17. Jahrhunderts in der Wiener Galerie, wie eine Abbildung in Stamparts und Prenners gestochenem Bilder-

[2] Veröffentlicht im Jahrbuche der kunsthistorischen Sammlungen in Wien, I, S. LXXIX.
[3] Abgebildet bei Anton Springer, Albrecht Dürer, Berlin 1892, S. 90.

Abb. 84. Bildnis Maximilians I.
Wien, Kunsthistorisches Museum. Vorrat der Gemäldegalerie

inventar beweist. Das Original, das Dürer im Jahre 1507, wahrscheinlich in
Venedig, gemalt hat und das in der zweiten Hälfte des 16. Jahrhunderts noch
in Nürnberg, in der Imhofschen Sammlung, war, befindet sich heute im Berliner
Museum (Abb. 79).

Ebenfalls als Kopie nach Dürer bezeichnet ist ferner: »Ein Contrafait von
Öhlfarb auf Holcz des Kaysers Maximiliani mit einem schwartzen Klaidt vnndt
Käppel, darauff ein Kleinodt, vnd über dasz Klaidt den guldenen Fluesz...
Nach Albrecht Dürer.« (Mahlerey von teütsch vnndt niderländischen Mahleren
Nr. 578). Dieses Bildnis hat sich noch heute im Vorrate der Wiener Galerie
erhalten (Abb. 84); es ist eine trockene, mittelmäßige deutsche Arbeit, etwa um
1530 gemalt, und zwar mit freier Benützung des bekannten Porträts, das die
Galerie von Dürers eigener Hand besitzt. Noch näher steht es in manchen

Einzelheiten der Zeichnung dem Leimfarbenbilde des Germanischen Museums[4], das wir mit einiger Wahrscheinlichkeit, wenn auch nicht mit voller Sicherheit, als Original von Dürer betrachten können. Hier trägt der Kaiser auch — freilich in viel feinerer Ausführung — das Goldene Vließ mit der Kollane, das auf dem mit Recht berühmteren Bilde fehlt.

Was sonst noch von Dürer zugeschriebenen Werken aus der Sammlung des Erzherzogs erhalten ist, gehört in das Gebiet der Nachahmungen oder der eigentlichen Fälschungen. Es ist merkwürdig, wie bunt und verschiedenartig die ganze Reihe von Dingen, die hier Dürers Namen trugen, uns heute erscheint. Einige von diesen Nachahmungen gehören wahrscheinlich noch in die erste Hälfte des 16. Jahrhunderts. Man hat ja Dürer schon nachgeahmt, kaum daß er die Augen geschlossen hatte. Hierher gehört eine nicht uninteressante Handzeichnung, im Inventar folgendermaßen beschrieben: »Ein mitter Stückhel, warin das Leben vnser lieben Frawen, vnderschiedlich auszgethailt. Auff blaw Papier mit der Feder gerissen, weisz vnndt praun schattiert. Von Albrecht Dürer.« (Vertzaichnusz der Zaichnungen vnd Handtrüsz Nr. 178). Dieses Blatt befindet sich heute in der Sammlung von Handzeichnungen und Aquarellen im II. Stock des kunsthistorischen Museums (Abb. 85), und zwar in einem merkwürdigen Zustande: es ist auf Holz geklebt und wie ein Ölbild gefirnißt worden, wodurch es natürlich stark nachgedunkelt ist[5]. Die Formengebung stimmt nicht zu der Dürers, obwohl das Äußerliche seiner Technik nicht ungeschickt nachgeahmt ist; wahrscheinlich stammt das Blatt von einem gegen die Mitte des 16. Jahrhunderts tätigen Nürnberger, der noch unter Dürers Einfluß steht. Auffallend ist nicht nur die Anordnung des Zyklus des Marienlebens, sondern auch die Auswahl der einzelnen Darstellungen; die Szenen der Hochzeit zu Kana und die Himmelfahrt Christi passen jedenfalls nicht in das Marienleben, sondern gehören zur Passion oder zur Lebensgeschichte Christi.

Eine andere noch ziemlich frühe Nachahmung, die mit Sicherheit als Fälschung betrachtet werden kann, ist folgendermaßen im Inventar der Sammlung beschrieben: »Ein Stückhel auf Glasz geschrieben, da Christus der Herr nach der Abnehmbung vom Creutz auf der Erden ligt vnndt der heyl. Johannes ihn beym Leib haltet, auch vnser liebe Fraw mitt zusamben geschlagenen Händten vor ihm khniet, darbey auch 2 andere heyl. Frawen stehen. Mit vergulden Pley eingefaßt... Von Albrecht Dürer Original.« (Mahlerey von teütsch vnndt niederländischen Mahleren Nr. 776). Dieses Glasbild, auf einem Täfelchen mit dem Monogramm Dürers und der Jahreszahl 1504 bezeichnet, befindet sich heute in der kunstgewerblichen Sammlung des Wiener kunsthistorischen Museums (Abb. 86). Dürers Biograph Moritz Thausing hat es noch für echt gehalten. Später wurde es von der öffentlichen Ausstellung ausgeschlossen, weil es fraglich schien, ob es sich nicht um eine moderne Fälschung handle. Dieser Ursprung wird aber ausgeschlossen durch den Nachweis der Herkunft des Glasbildes aus der Samm-

[4] Zu diesem vergleiche H. Stegmann, Mitteilungen aus dem Germanischen Nationalmuseum, 1901, S. 132 f.

[5] Vgl. Ed. v. Engerth, Jahrbuch der kunsthistorischen Sammlungen in Wien, III, 1885, S. 79.

Abb. 85. Marienleben (Handzeichnung)
Wien, Kunsthistorisches Museum

Abb. 86. Beweinung Christi (Glasbild)
Wien, Kunsthistorisches Museum

Alberti Dureri Effigies,
Edita ex lignea Tabula ab eodem A. MDXXVII. incifa , quae Vindobonae in Aug.
Bibliotheca Caes. Reg. afservatur.
MDCCLXXXI.

Abb. 87. Bildnis Dürers (Holzschnitt)

lung des Erzherzogs Leopold Wilhelm. Es wurde allerdings erst im Laufe des 19. Jahrhunderts im Wiener Kunsthandel für die kaiserliche Sammlung erworben, doch scheint uns die Identität mit dem Stücke der erzherzoglichen Sammlung sicher, zumal ja so viele Kunstwerke aus der kaiserlichen Sammlung, besonders im 18. Jahrhundert, in private Hände gekommen sind. Daß diese Glastafel nicht von Dürer herrühren kann, beweisen, trotz der sehr geschickten Nachahmung der Helldunkeltechnik des Meisters, die Formen, die nur ganz im allgemeinen Dürers Stile folgen, keineswegs aber in das Jahr 1504 passen würden. Doch steht hier noch manches Dürers Empfindung so nahe, daß wir eine verhältnismäßig frühe Entstehung, nicht sehr lange nach Dürers Tode, annehmen dürfen.

Ebenfalls noch zu den frühen Nachahmungen gehört eine Nummer, die ganz kurz beschrieben ist: »Ein Holczschnidt eines Contrafait. Von Albrecht Dürer Original.« (Verzaichnusz der stainenen, metallenen Statuen, anderer Antiquitäten vndt Figuren Nr. 183). Hier ist offenbar nicht nach dem heutigen Sprachgebrauch ein A b d r u c k eines Holzschnittes, sondern der H o l z s t o c k selbst zu verstehen, von dem die Abdrucke genommen worden sind. Die angegebenen Maße stimmen nun keineswegs zu einem der bekannten Holzschnittbildnisse Dürers, wohl aber genau zu dem Porträt von Dürers Person aus dem Jahre 1527, das noch Bartsch (Nr. 516) unter den echten Werken Dürers anführt, das aber seither mit Recht unter die apokryphen gesetzt worden ist (Abb. 87). Von diesem Holzschnitte ist nun in der Tat der Stock noch heute im Kupferstichkabinett der Hofbibliothek in Wien vorhanden, wohin er im Laufe der Zeit aus der Sammlung Erzherzog Leopold Wilhelms leicht gelangt sein kann. Ohne Zweifel ist dies keine Arbeit Dürers selbst, sondern ein Erzeugnis, das in irgend einer Nürnberger Werkstatt entstanden sein mag. Auch die Porträtähnlichkeit ist nicht einmal recht überzeugend. Wenn wir heute wenigstens an Dürer denken, so stellen wir ihn uns nach Maßgabe seiner nicht seltenen echten Selbstbildnisse ganz anders vor.

In den weiten Kreis der eigentlichen Dürer-Fälschungen des 16. und 17. Jahrhunderts führt uns ein anderes Stück der Sammlung, das als Original von Dürer beschrieben wird: »Ein Altarstuckh von der heyl. Dreyfaltigkeit mit zwey Flügeln von Öhlfarb auf Holcz, darunter auff einer Seithen der Pabst mitt viellen Persohnen khniedt, in dem rechten Flügel in der Höche die heyl. Agnes, Sta. Catharina, Sta. Barbara und andere heyl. Jungfrawen vnndt in dem linckhen der König David mitt andern Heyligen.« (Mahlerey von teütsch vnndt niederländischen Mahleren Nr. 546). Das Mittelbild ist heute verschollen; nur die Flügel haben sich noch in der Wiener Gemäldegalerie erhalten (Abb. 88). Sie werden dort der Schule Dürers zugeschrieben, und man hat schon seit langem bemerkt, daß einzelne Gestalten dem nahe davon aufgestellten Allerheiligenbilde Dürers entlehnt sind: vor allem fast ganz getreu die Gestalten des knienden Kaisers, der Patrizierin daneben mit der verhüllten Nase und des rechts knienden Kardinals. Obwohl man diese Entlehnungen bemerkt hat, scheint noch niemandem aufgefallen zu sein, daß diese Entlehnungen nicht die e i n z i g e n sind. Sieht man das Bild näher an, so findet man Gestalten, die aus verschiedenen Gemälden, Kupferstichen und Holzschnitten des Meisters stammen. Eine Gruppe von drei Personen, der Alte mit der Kapuze, ein Mann hinter ihm und der aufblickende vor ihm, alle diese Figuren hinter dem knienden Moses, sind Dürers Hellerschem Altar entnommen, ebenso wie auch der Moses die schön gelegte Draperie und die fein beobachteten Füße der Figur des Petrus auf dem Hellerschen Altar zu danken hat. Aus dem Rosenkranzfest ist der Greisenkopf mit dem langen weißen Barte und der Glatze hinter David entlehnt, ein Kopf, dessen Modell auch auf dem Barberinischen Bilde »Christus unter den Schriftgelehrten« (Abb. 71) und in einer Handzeichnung des Berliner Kupferstichkabinetts (Lippmann, Nr. 18) wiederkehrt und eine weitere Ausbildung in einer Figur des Hellerschen Altars gefunden hat. Nach einem Holzschnitt aus der Folge des Marienlebens, der Geburt Mariä, sind drei weibliche Köpfe kopiert, und zwar die hinter dem Mönch herausragende Frau und die beiden Köpfe hinter der heiligen Barbara. Endlich stammt die Frau mit dem Kopftuch und dem überschnittenen Profil auf dem rechten Flügel links unten aus dem Kupferstich »Christus am Kreuze« von 1508, wo diese Frau als eine der klagenden Marien erscheint. Wenn nun diese beiden Flügel, wie gewiß auch das

224

Abb. 88. Zwei Altarflügel
Wien, Kunsthistorisches Museum. Vorrat der Gemäldegalerie

Abb. 89. Hanns Hofmann, Christus unter den Schriftgelehrten (Zeichnung)
Budapest, Museum

verlorene Mittelstück, sich in allen wesentlichen Teilen als eine Kompilation aus verschiedenen Werken Dürers nachweisen lassen, so wird man kaum glauben können, daß das vorliegende Werk aus der unmittelbaren Schule Dürers stamme. Keiner wenigstens von seinen bekannten Schülern hat seinen Meister in einer so sklavischen und eklektischen Weise kopiert. Gegen die Entstehung des Altarwerkes bald nach dem Tode Dürers spricht auch die selbständige und sehr ausgebildete Landschaft, die schon deutlich den Stil der letzten Jahrzehnte des 16. Jahrhunderts zeigt.

Diese Flügel scheinen also von einem Künstler gemalt zu sein, der alle die genannten Gemälde, Stiche und Holzschnitte vor Augen gehabt hat und etwa in den letzten Jahrzehnten des 16. Jahrhunderts tätig gewesen ist. Von Nürnberger Malern dieser und späterer Zeit, die als Kopisten nach Dürers Werken bekannt waren, werden uns genannt: Hanns Hofmann, Gärtner und Ponnacker. Der bekannteste von ihnen ist H a n n s H o f m a n n. Von diesem sagt Andreas Gulden[6], daß er ein fleißiger Maler in Miniatur- und Gummifarben war und den Albrecht Dürer so fleißig kopierte, daß viele seiner Arbeiten für die Dürerschen Originalien verhandelt worden seien; er sei dann zu Kaiser

[6] Johann Neudörfers Nachrichten, herausgegeben von G. W. K. Lochner, Wien 1875, S. 198.

226

Rudolf II. nach Prag gekommen. Dem vermögen wir aus urkundlichen Nachrichten[7] hinzuzufügen, daß er auch in Öl gemalt hat und tatsächlich von 1585 an bis zu seinem Todesjahre 1592 als Diener und Hofmaler Kaiser Rudolfs II. erwähnt wird. Daß nun wirklich Hofmann der Maler unseres Bildes sein könnte, dafür spricht vor allem der Umstand, daß alle Vorlagen, die er zu dem Bilde gebraucht hat, mit alleiniger Ausnahme des Hellerschen Altars, in den Achtzigerjahren des 16. Jahrhunderts in Prag zusammenzufinden waren: hier konnte er das Allerheiligenbild, dessen Figuren auch in den F a r b e n getreu kopiert sind, das Rosenkranzbild und endlich die reiche Kupferstich- und Holzschnittsammlung des Kaisers benutzen. Von dem Hellerschen Altar hatte er vielleicht selbst einzelne Köpfe schon früher kopiert; das Bild ist auch im 16. Jahrhundert schon nachgezeichnet worden, wie eine Nachzeichnung der ganzen Komposition aus der Sammlung Bonnat in Paris beweist (Lippmann, Nr. 354), die früher Dürer selbst zugeschrieben worden ist[8].

Daß Hofmann wirklich ganz in dieser Weise gearbeitet hat, beweist eine Zeichnung[9] des Budapester Museums (Abb. 89). Es ist der Entwurf zu einem Bilde, das nach einer Mitteilung Joseph Meders vor Jahren im Wiener Versteigerungsamte auftauchte, dessen gegenwärtiger Aufbewahrungsort uns aber unbekannt ist. Das Blatt ist mit dem Monogramm des Künstlers bezeichnet und stellt Christus unter den Schriftgelehrten vor. Die Komposition erinnert nicht sehr an Dürers bekanntes Gemälde der Barberinischen Sammlung (Abb. 71), sie scheint von Hofmann selbständig entworfen zu sein, und auch die meisten Köpfe der Schriftgelehrten haben keine Ähnlichkeit mit Dürerschen Typen.

[7] Veröffentlicht im Jahrbuch der kunsthistorischen Sammlungen in Wien, VII, S. CCXXIII und CCXXIV.

[8] Lippmanns Zweifeln hat sich hier auch Heinrich Wölfflin, Die Kunst Albrecht Dürers, S. 151, Anm. 1, angeschlossen.

[9] Zuerst veröffentlicht von Schönbrunner und Meder, Handzeichnungen aus der Albertina, Nr. 948.

Abb. 90. Dürer, Knabenkopf
(Zeichnung)
Wien, Albertina

Abb. 91. Dürer, Händestudie
(Zeichnung)
Braunschweig, Sammlung Blasius

Abb. 92. Dürer, Händestudie
(Zeichnung)
Braunschweig, Sammlung Blasius

Auffallend ist aber bei diesem Entwurfe zu einem Gemälde, daß die Hauptfigur des Christus samt den Händen und Ärmeln wie auch die Hände des links sitzenden Schriftgelehrten nur in Umrißlinien gegeben sind, während die übrigen Figuren mit ziemlich eingehender Schraffierung ausgeführt sind. Die Erklärung ist sehr einfach: Hofmann hat für die unausgeführten Partien Zeichnungen von Dürer benützt, und da diese ihm offenbar bei der Ausführung des Gemäldes noch vorlagen, hat er sich in dem Entwurfe des Ganzen mit einer Andeutung begnügt. Zu dem Kopfe Christi hat er aber nicht die schöne Studie zu dem entsprechenden Kopfe des Barberinischen Bildes benützt, die die Albertina besitzt (Lippmann, Nr. 499) und die Hofmann selbst in einer Zeichnung des Budapester Museums getreu kopiert hat[10], sondern den aufwärtsblickenden, jugendlichen Kopf, der sich ebenfalls in der Albertina befindet (Lippmann, Nr. 496; Abb. 90) und der ursprünglich mit der Studie zum Barberinischen Christus auf einem Blatt vereinigt war[11]; für die Hände und den Ärmel Christi sowie für die auf das Buch gestützten Hände des Alten links hat er die entsprechenden Zeichnungen aus der Sammlung Blasius in Braunschweig zum Barberinischen Bilde verwendet (Abb. 91 und 92). Alle diese Zeichnungen befanden sich ohne Zweifel gegen Ende des 16. Jahrhunderts in der Sammlung Kaiser Rudolfs II. in Prag, und sie standen dem Hofmaler des Kaisers offenbar zur freien Verfügung. Die Art, wie die Zeichnungen Dürers verwendet sind und wie das Ganze kompiliert erscheint, erinnert uns sehr an die früher besprochenen Flügel aus der Sammlung Leopold Wilhelms. Und wenn auch hier die Urheberschaft Hofmanns, ebenso wie etwa bei dem ganz ähnlich kompilierten Umrißstich der Kreuzigung[12], vorläufig nicht mit Sicherheit nachgewiesen werden kann, so besteht doch kein Zweifel, daß die Flügel in den Kreis der Dürer-Fälscher der rudolfinischen Zeit gehören. Hofmann war jedenfalls der geschickteste von diesen allen und hat darin kaum einen anderen Rivalen, höchstens den am Hofe Maximilians von Bayern tätigen J o h. G e o r g F i s c h e r, der im Auftrage seines Herrn verschiedene Kompilationen aus Dürerschen Werken schuf und dem wir vielleicht die höchst geschickte Übermalung des Paumgartnerschen Altars zu danken haben[13], die uns einen ganz falschen Begriff von Dürers Stil gab, bis bekanntlich von dem damaligen Konservator Dr. Voll die Entfernung der Übermalung durch Professor Hauser veranlaßt wurde. Hofmann war besonders geschickt im Kopieren von Dürerschen Handzeichnungen. Auf den ersten Blick wirken seine Nachahmungen der Dürerschen Tuschzeichnungen, auf blauem Grunde mit Weiß gehöht, fast wie Originale; nur ein

[10] Publiziert in Schönbrunners und Meders Handzeichnungen, Nr. 1436.

[11] Die Zugehörigkeit dieses aufblickenden Kopfes zum musizierenden Engel des Rosenkranzfestes hat H. Wölfflin (a. a. O., S. 129, Anm. 2), wie wir glauben, mit Recht bezweifelt. Auf dem Originale ist freilich der Kopf des Engels fast völlig zerstört, doch scheinen die älteren Kopien Wölfflins Zweifeln recht zu geben.

[12] Über diesen unterrichtet die wertvolle Studie Jaro Springers im Jahrbuch der preußischen Kunstsammlungen, VII, Berlin 1887, S. 56.

[13] Karl Voll schreibt diese Übermalung (Führer durch die Pinakothek, München 1908, S. 83) nicht J. G. Fischer, sondern Hans Brüderl zu.

Vergleich mit den Originalzeichnungen Dürers selbst lehrt uns bei genauem Zusehen, wie sehr die Hofmannsche Zeichnung der Dürerschen an Kraft und Konsequenz der Formengebung nachsteht.

Die Kunstrichtung am Hofe Kaiser Rudolfs II. hatte überhaupt eine ausgesprochene Neigung zum Retrospektiven. Es wurde damals in Prag sehr viel kopiert. Neben Hofmann waren hier auch andere Künstler als Nachahmer Dürers tätig. Wir möchten, beispielsweise, nur auf e i n Werk hinweisen, weil es sich, obwohl nicht aus der Sammlung Leopold Wilhelms stammend, im Vorrate der Wiener Gemäldegalerie befindet. Es ist eine Madonna mit dem Kinde in zarten Aquarellfarben, mit Gold gehöht, auf Pergament, das auf Holz geklebt ist (Abb. 93). Dieses Bild erscheint schon unter Dürers Namen in einem Inventar der Wiener Kunstkammer[14], das kurz nach dem 28. Juni 1619 verfaßt ist: »Ein tafel von miniatur, ist ein weib mit einem saigenden kind von Albrecht Dürer. 1484.« Und doch sollte man meinen, daß der eigentliche Maler des Bildes noch am Hofe bekannt gewesen sein könnte: eine alte Inschrift der Rückseite des Bildes nennt den Namen: »Von daniel freschel.« Dieser Daniel Fröschel oder Fröschlein, geboren zu Augsburg am 7. Mai 1563 als Sohn des kunstsinnigen Advokaten Dr. Hieronymus Fröschel und seiner Gattin Ursula Ehem, die dem bekannten Augsburger Patriziergeschlecht entstammte[15], war Hofminiaturmaler und Hofantiquar Kaiser Rudolfs II. gewesen und erst 1613 gestorben, ein Jahr nach dem Tode seines kaiserlichen Herrn. Es ist merkwürdig, wie schnell es in Zeiten, denen historisches Interesse fehlt, mit der Verfälschung historischer Tatsachen geht. Freilich hat hier das Monogramm und die Jahreszahl 1484 auf diesen Irrtum geführt, der gewiß nicht vom Maler beabsichtigt war. Die Originale von Dürer, die Fröschel für sein Bild benützt hat, sind leicht zu finden; sie sind beide in der Albertina: die Madonna ist nach einer Kohlezeichnung Dürers von 1512 (Abb. 94) kopiert, das kleine rechts unten sichtbare Medaillonporträt des jungen Dürer im Alter von 13 Jahren nach der berühmten Zeichnung von 1484. Dieses Porträt Dürers, das rührende Denkmal frühreifen Schaffens, hat in der zweiten Hälfte des 16. Jahrhunderts ein liebevolles Interesse erweckt wie alle Erinnerungen an den großen verstorbenen Künstler. Ein Beweis dieses Interesses ist eine Kopie dieses Blattes, die sich im Britischen Museum befindet (Abb. 95) und auf die uns Dr. Weixlgärtner aufmerksam gemacht hat. Der unbekannte Kopist, der wohl im Kreise der rudolfinischen Künstler zu suchen ist, hat darunter geschrieben: »Anno 1576 am 4. Februari machet ich diss Conterfect von dem ab, welches der weitberümbt Albrecht Dürrer mit aigner handdt gemacht dartzu er selbsten geschrieben Also: Das habe ich aus einem spiegel nach mir selbst conterfet in 1484 Jar da ich noch ein Kind war. Albrecht Dürer.«

[14] Veröffentlicht von W. Köhler im Jahrbuch der kunsthistorischen Sammlungen in Wien, XXVI, 1906/07, S. 1.

[15] Diese urkundlichen Daten verdanken wir Dr. Friedrich Roth in München. Über Daniel Fröschel vgl. auch Döring, Des Augsburger Patriziers Philipp Hainhofer Beziehungen zum Herzog Philipp II. von Pommern-Stettin, Wien 1894, und Des Augsburger Patriziers Philipp Hainhofer Reisen nach Innsbruck und Dresden, Wien 1901. Über die Kunstbestrebungen seines Vaters Hieronymus Fröschel vgl. W. Schmidt, Repertorium für Kunstwissenschaft, XXXI, S. 244.

Abb. 93. Daniel Fröschel, Madonna mit Kind
Wien, Kunsthistorisches Museum

230

Abb. 94. Dürer, Madonna mit Kind (Handzeichnung)
Wien, Albertina

Abb. 95. Kopie nach Dürers Selbstbildnis vom Jahre 1484
London, British Museum

Daß jenes Aquarell der Madonna wirklich von Daniel Fröschel herrührt, beweist außer der alten Inschrift ein Aquarell mit der Darstellung des Sündenfalles in der Albertina[16], das von Joseph Meder zuerst mit vollem Recht dem Meister zugeschrieben worden ist und neben den Anfangsbuchstaben des Namens und der Jahreszahl 1604 auch das redende Zeichen des Künstlers, einen Frosch, enthält. In der technischen Behandlung des Aquarells ist das Blatt der Madonna sehr nahe verwandt. Von den übrigen Arbeiten Fröschels läßt sich heute nur noch e i n e nachweisen. Zur Zeit seines Lebens galt er als besonders geschickt in der Darstellung von Tieren, Blumen und Pflanzen, und es ist recht wahrscheinlich, daß er auf diesem Gebiete sich besonders auf die Nachahmung der Dürerschen Aquarellstudien geworfen habe. Auch als Bildnismaler war Fröschel

[16] Abgebildet bei Schönbrunner und Meder, Handzeichnungen aus der Albertina, Nr. 1200.

tätig. Seinen kaiserlichen Herrn hat er mehrere Male gemalt: eines von diesen Bildnissen Rudolfs II., auf Atlas gemalt, war in Philipp Hainhofers Stammbuch, ein zweites auf Pergament in der Sammlung Karls I. von England[17]. Das zuletzt genannte, ein Rundbild von sieben Zoll Durchmesser, ist noch heute im königlichen Schlosse Hampton Court (Nr. 630) erhalten.

Um wieder zur Sammlung Erzherzog Leopold Wilhelms zurückzukehren, so finden wir hier noch eine Madonna, die als Kopie nach Albrecht Dürer beschrieben wird: »Ein Stückhel von Öhlfarb, auf Holcz, warin vnser liebe Fraw mit dem Kindl auf ihrem rechten Armb, welches einen Apfel mit beeden Händten hält.« (Mahlerey von teütsch vnndt niederländischen Mahleren Nr. 612). Man wird durch diese Beschreibung sofort an einige Madonnen Dürers erinnert, aber nur e i n Dürer zugeschriebenes Bild stimmt g a n z zu der Beschreibung: ein Gemälde in der ehemaligen Sammlung Weber in Hamburg (Abb. 96). Dieses stimmt auch genau mit dem in Stamparts und Prenners Bilderinventar abgebildeten der Sammlung Leopold Wilhelms überein; ob es dasselbe Exemplar ist, kann man natürlich nicht mit voller Bestimmtheit sagen. Jedenfalls scheint uns das Stück der Weberschen Sammlung eine Fälschung vom Anfang des 17. Jahrhunderts zu sein. Der erste Eindruck ist der eines übermalten Bildes von Dürer selbst. Aber gerade dieser Eindruck ist ein Charakteristikon der Fälschungen aus jener Zeit; denn ein Original von Dürer ist selten so schlecht erhalten, daß es eine gänzliche Übermalung verlangte. Selbst bei dem so sehr zerstörten Prager Rosenkranzfest ist dies nicht der Fall. Die Farben des 17. Jahrhunderts haben aber nicht den Schmelz und die Leuchtkraft der Dürerschen, dafür ist ihnen ein eigentümlicher Speckglanz eigen. So hält man denn leicht ein solches Bild für ein übermaltes Original, obwohl doch, wie hier bei dem Weberschen Bilde, nicht schwer zu erkennen ist, daß es sich um eine Fälschung mit Benützung Dürerscher Motive handelt. Zunächst diesem Stücke verwandt, besonders in der Darstellung des Kindes, ist eine mit Dürers Monogramm und der Jahreszahl 1518 versehene Madonna im Berliner Museum (Abb. 97), die schon im offiziellen Katalog (Nr. 557B) als eine Nachahmung des 17. Jahrhunderts bezeichnet wird. Diese Fälschung scheint uns geschickter als die der Weberschen Sammlung. Das Motiv des Kindes ist hier wie dort der Augsburger Madonna von 1516 entlehnt.

Es sei uns gestattet, noch einige ähnliche Stücke zum Vergleiche heranzuziehen, bei denen wir einen gleichen Ursprung vermuten. Hier wären die traurigen Überbleibsel eines Bildes aus dem Besitz des Malers C. A. Reichel auf Schloß Bürgelstein bei Salzburg, die von Th. v. Frimmel[18] veröffentlicht worden sind, zu nennen (Abb. 98). Ein Restaurator hat dieses Bild bis auf den Grund

[17] Vgl. Vertue, A Catalogue and Description of King Charles the First's Capital Collection, London 1757, p. 39: »Done by Mr. Frossley the Emperor Rodolph's Limner. Another limned picture... of the Emperor Rodolphus the second, painted upon parchment, being transparent to be seen on both sides holding against the sky; given to the King by his Majesty's apothecary Mr. John Wolfrumlar.« Aus Fröschels Nachlaß scheint Karl I. für seine Sammlung dreiundzwanzig Gemälde italienischer Meister erworben zu haben, von denen einige noch heute erhalten sind.

[18] Blätter für Gemäldekunde, II, 1906, S. 37.

Abb. 96. Maria mit dem Kinde
Ehemals Hamburg, Sammlung Weber

abgeputzt, so daß überhaupt nicht viel mehr davon zu sehen ist. Dabei sind aber
auffallenderweise Monogramm und Jahreszahl fast unversehrt geblieben. Auch
in diesen Resten vermögen wir mit Bestimmtheit eine spätere Fälschung zu
erkennen, und zwar neben den stilistischen Gründen besonders aus technischen.
Das Bild hat keinen Kreide- oder Gipsgrund, und die Farbe ist direkt auf das
Holz aufgetragen, ein Verfahren, das bei Dürer weder nachweisbar ist, noch
auch zu seiner uns bekannten wahren Ehrfurcht vor der Technik der Ölmalerei
stimmt. Ein Bild von Dürer ist übrigens auch nicht so leicht zu verputzen; denn
die Technik seiner Gemälde ist fast genau dieselbe wie die der altniederländischen
Bilder, bei denen man, wie wir aus Erfahrung wissen, scharfe Mittel anwenden
kann, ohne die Farbe wesentlich zu verletzen. Wäre das Bild wirklich von Dürer,
so wäre die totale Verputzung gar nicht recht zu erklären. Der Restaurator
müßte geradezu ein Stümper gewesen sein. Wir glauben aber im Gegenteil, daß

Abb. 97. Maria mit dem Kinde
Berlin, Kaiser-Friedrich-Museum

er ein ganz verständiger Mann war. Er hat die Fälschung, wie ja auch gewiegte Kenner bei solchen Stücken sich täuschen, für ein übermaltes Original gehalten und gewußt, daß er in solchen Fällen starke Mittel anwenden dürfe. Bei dem ersten, ohne Zweifel etwas zu raschen Versuche ist fast die ganze Farbe des Bildes heruntergegangen, weil eben von Dürer nichts darunter vorhanden war. Betrachtet man die erhaltenen Reste, so ist auch diese Art der Untertuschung mit nachgezeichneten Konturen statt der umgekehrten Technik gänzlich undürerisch; manche Einzelheiten freilich zeugen davon, daß der Fälscher Dürers Werke gründlich studiert haben muß.

Wie diese Ruine ursprünglich ausgesehen haben mag, das können wir aus einem zweiten Exemplare derselben Komposition[19] erkennen, das aus der Samm-

[19] Zuerst veröffentlicht in Exhibition of Early German Art, Burlington Fine Arts Club, London 1906, Taf. XVIII.

Abb. 98. Maria mit dem Kinde
Schloß Bürgelstein bei Salzburg, Sammlung C. A. Reichel

lung des verstorbenen Direktors des Berliner Kupferstichkabinetts Geheimrat Dr. Lippmann in den englischen Kunsthandel gekommen ist. Auch dieses Exemplar (Abb. 99) ist schwerlich, wie englische Forscher und auch einzelne deutsche Gelehrte annehmen, ein Original von Dürer, sondern eine wohl von derselben Hand ausgeführte Fälschung; ja gerade weil es besser erhalten ist, wirkt es eigentlich schlechter als die Überbleibsel des Reichelschen Madonnenbildes. Hier tritt der gezierte Charakter dieser archaisierenden Kunstrichtung besonders in dem Kopfe Mariens deutlich hervor.

Gerade dieser Kopf ist fast identisch mit dem Mariens auf einer Fälschung, die wir, weil wir zufällig die Zwischenstufe kennen, schon sozusagen als eine Fälschung z w e i t e n Grades bezeichnen können. Es ist die mit Dürers Monogramm und der Jahreszahl 1519 bezeichnete Madonna des Grazer Museums

236

Abb. 99. Maria mit dem Kinde
New York, Metropolitan-Museum (1909 im Londoner Kunsthandel)

(Abb. 100), die Josef Strzygowski[20] als ein aus Dürers Atelier herrührendes Bild
veröffentlicht hat, um daran Betrachtungen über das Verhältnis Dürers und
Holbeins zur italienischen Kunst und besonders zu Lionardo zu knüpfen. Wir
erkennen darin nur eine frühestens aus dem 17. Jahrhundert stammende Kopie
nach einem Pasticcio aus der Mitte des 16. Jahrhunderts. Dieses fanden wir
im Germanischen Museum in Nürnberg. Es ist ein fadenscheiniges, recht un-
bedeutendes Gemälde in Tempera auf Leinwand (Abb. 101), auf das nach uns
auch Ernst Heidrich[21] im gleichen Zusammenhange hingewiesen hat; auf den
ersten Blick erkennt man in der Mittelgruppe dieser Darstellung der heiligen
Sippe das Motiv der Grazer Madonna, dieselbe Maria mit dem Kinde und dem

[20] Zeitschrift für bildende Kunst, N. F. XII, 1901, S. 235.
[21] Geschichte des Dürerschen Madonnenbildes, Leipzig 1906, S. 197.

237

Abb. 100. Maria mit dem Kinde und einem geigenden Engel
Graz, Museum Joanneum

geigenspielenden Engel. Die Formen sind hier weit altertümlicher als auf dem
Grazer Bilde, obwohl die Entstehung des Nürnberger Bildes kaum viel vor 1550
zu setzen ist. Besonders bemerkenswert ist auf dem Nürnberger Gemälde die
Form der Geige, eigentlich einer Viola mit drei Saiten und C-Löchern an Stelle
der heute gebräuchlichen F-Löcher; der Kopist hat auf dem Grazer Bilde, weil
er diese altertümliche Form nicht mehr verstand, eine Geige von der heutigen
Form gesetzt, die im 17. Jahrhundert schon allgemein üblich war. Ob das
Nürnberger Gemälde am Ende eine Kopie nach einem verlorenen Bilde Dürers
sein könnte, wie Heidrich meint, oder nur eine nachahmende Zusammenstellung
von Dürerschen Motiven, möchten wir nicht mit voller Sicherheit entscheiden,
obwohl wir mehr zur Annahme eines solchen Pasticcios neigen. Das Grazer Bild
bleibt aber bestenfalls die Kopie einer Kopie nach Dürer.

Sehr verwandt dem eben besprochenen Madonnentypus ist eine Komposition, die in zwei verschiedenen Exemplaren vorkommt: es ist die bekannte

238

Abb. 101. Die Heilige Sippe
Nürnberg, Germanisches Museum

Madonna mit der Schwertlilie. Ein Exemplar befindet sich im Rudolfinum zu Prag; es ist nicht gut erhalten und besonders im Hintergrunde ziemlich stark restauriert; besser erhalten ist das Gemälde der Sammlung Sir Frederick Cook in Richmond bei London[22] (Abb. 102). Die Unterschiede zwischen den beiden Wiederholungen sind nicht erheblich. Das Prager Exemplar enthält in dem restaurierten Hintergrunde einige Pflanzen und Gräser, die auf dem Richmonder

[22] Zuerst abgebildet in den Publikationen der Dürer Society, V, 1902, Taf. III (mit Text von Campbell Dodgson) und in Exhibition of Early German Art, London 1906, Taf. XXI.

fehlen. Der Mantel Mariens ist auf der Richmonder Wiederholung rosafarben, auf dem Prager Bilde schmutzigweiß. Doch scheint diese Farbe auf dem Prager Bilde nicht ursprünglich zu sein; nach den erhaltenen Resten einer Lasur zu schließen, dürfte der Mantel auch hier früher rosafarben gewesen sein. Das Prager Bild soll früher das Monogramm Dürers und die Jahreszahl 1508 getragen haben; beides ist noch auf dem englischen Exemplar erhalten. Was nun die Entscheidung der Frage anlangt, welche von beiden Wiederholungen das Original sei, so ist das Prager Exemplar von keinem der neueren Forscher, die sich mit der Sache beschäftigt haben, für ein Original gehalten worden. Aber auch das Bild bei Sir Cook (Abb. 102) scheint uns keineswegs unverdächtig: auffallend ist besonders die Farbengebung mit den kalten, kreidigen Fleischtönen und dem speckigen Rosa des Mantels, auffallend besonders deshalb, weil das Bild in der Tat sehr gut erhalten ist. Deshalb möchten wir mit Sicherheit annehmen, daß k e i n e s von beiden Bildern Anspruch darauf machen kann, als Original von Dürers Hand zu gelten. Schwieriger ist die Antwort auf die Frage, ob nicht vielleicht beiden Bildern ein Ölbild von Dürer zugrunde liegen könnte. Selbst d i e s e Annahme scheint uns nicht unbedenklich. Das Motiv der säugenden Maria erinnert auffallend an die eben besprochene Grazer Madonna und ihr Nürnberger Vorbild und ebenso auch an eine berüchtigte Fälschung, die wohl am Hofe Kaiser Rudolfs II. entstanden ist, an den Kupferstich »Die Madonna am Hoftor«[23], der, wie wohl alle diese Nachahmungen, im Motive auf das herrliche Titelblatt der Holzschnittfolge des Marienlebens zurückgeht. Auch die Komposition ist im ganzen arm zu nennen und eigentlich nur mit nebensächlichen Dingen ausgefüllt. Welchen Raum nimmt z. B. der Mantel Mariä ein! Das ganze Bild ist mit dieser Draperiestudie erfüllt. Auch das übrige Beiwerk zeugt nicht von Dürers Verständnis für solche Dinge, die Architektur des Torbogens ist, verglichen mit den auf Dürers Bildern und Holzschnitten häufig wiedergegebenen Bauten, einfach sinnlos, die Pflanzen nehmen auf dem Bilde einen ungebührlich großen Raum in Anspruch. Geradezu abscheulich und Dürers völlig unwürdig ist die winzig kleine Gestalt Gottvaters, die auf beiden Wiederholungen über dem Haupte Mariens zu sehen ist[24]. Solche Dinge lassen uns die Annahme bedenklich erscheinen, in diesen beiden Bildern getreue Kopien nach einem verlorenen Original Dürers zu erkennen. Möglich, daß eine flüchtige Handzeichnung Dürers[25] zugrunde liegt, nach der der Fälscher, den wir uns wohl ebenfalls am rudolfinischen Hofe zu denken haben, die beiden Exemplare in Prag und Richmond hergestellt hat[26].

[23] Vgl. Thausing, Dürer, 2. Aufl., II, S. 80.

[24] Die Reproduktionen lassen diese Einzelheit nicht erkennen. Die Angabe des Textes der Publikation über die Ausstellung deutscher Kunst im Burlington Club (a. a. O., p. 95), daß die Figur Gottvaters auf dem Prager Exemplar f e h l e, ist i r r i g.

[25] Diese vermögen wir aber nicht mit Sir Martin Conway (a. a. O., p. 95) in der flüchtigen Federzeichnung des Dresdner Skizzenbuches (Ausgabe von R. Bruck, 1905, Taf. 80) wiederzuerkennen.

[26] Max J. Friedländers Urteil über beide Bilder (Repertorium für Kunstwissenschaft, XXIX, 1906, S. 586) stimmt im wesentlichen mit dem unsrigen überein.

Abb. 102. Maria mit dem Kinde
Richmond, Sammlung Cook

Wir kehren nun nach diesem allzu langen Exkurse wieder in die Galerie des
Erzherzogs Leopold Wilhelm zurück. Hier finden wir ferner unter Dürers
Namen zwei Darstellungen des Ecce homo (Mahlerey von teütsch vnndt
niederländischen Mahleren Nr. 805 und 565), die eine, als Kopie nach Dürer
bezeichnet, mit zwei Juden, die andere, als Original Dürers, mit drei Juden, die
den Heiland verspotten. Diese Kompositionen sind nicht leicht nachzuweisen.
Von Dürer selbst gibt es eine Handzeichnung aus dem Jahre 1522 in der Bremer

Kunsthalle zu einer Halbfigur Christi, die wohl für eine Darstellung des Ecce homo entworfen sein könnte. Nach dieser Zeichnung ist ein Bild entstanden, das uns in einem Schabblatte von Kaspar Dooms aus der Mitte des 17. Jahrhunderts erhalten ist[27]. Die Figur Christi stimmt ziemlich genau mit der Bremer Zeichnung überein, die Köpfe zweier Häscher sind hinzugefügt. Ob dieses verlorene Bild, das Dürers Monogramm und die Jahreszahl 1523 trug, wirklich von Dürer hergerührt hat, vermögen wir nach der uns vorliegenden Wiedergabe kaum zu beurteilen; nach unseren bisherigen Erfahrungen sind wir mißtrauisch geworden. Jedenfalls könnte das Ecce homo mit zwei Juden in der Sammlung Leopold Wilhelms so oder ähnlich ausgesehen haben. Um sich eine Vorstellung von dem zweiten »Ecce homo« der erzherzoglichen Galerie zu machen, könnte man etwa an ein Bild wie das der gräflich Nostitzschen Galerie in Prag (Abb. 103) denken, das ohne Zweifel eine Fälschung aus der Zeit um 1600 ist und rechts oben das falsche Monogramm Dürers und die Jahreszahl 1520 trägt. Das nicht sehr erfreuliche Bild hat mit den Arbeiten Hanns Hofmanns manche Verwandtschaft.

Es wäre freilich auch möglich, daß die Darstellungen des Ecce homo in der Sammlung Erzherzog Leopold Wilhelms ganz anders ausgesehen hätten. Wir denken an eine Reihe von Bildern mit diesem Vorwurfe, deren Typus wohl ohne Zweifel der große niederländische Zeitgenosse Dürers, Quinten Metsys, geschaffen hat und von denen das bekannteste Beispiel ein Gemälde im Dogenpalast zu Venedig ist. An diesem Ecce homo haftet nun auch in der Tat seit alters her der Name Dürers, und Goethe hat es noch als ein echtes Werk Albrecht Dürers bewundert. Daß im 17. Jahrhundert altniederländische Bilder für Arbeiten Dürers gegolten haben, darf uns nicht wundernehmen. Man hatte damals nur eine ganz allgemeine Vorstellung von Dürers Stil, und diese entsprach etwa dem, was die Franzosen heute p r i m i t i f nennen. So galten einst die beiden bekannten, aus der Sammlung Karls I. von England stammenden prächtigen Bildnisse von Piero di Cosimo, die heute das Haager Mauritshuis besitzt, als in der Art Dürers gemalt[28]. Ein anderes Beispiel für diese Verwirrung in der Erkenntnis des Stils bietet das höchst merkwürdige Bildnis eines Hirten oder richtiger eines Hofnarren in der Gemäldegalerie in Wien (Nr. 720)[29], das im Inventar der Sammlung des Erzherzogs Leopold Wilhelm folgendermaßen bestimmt wird: »Auff Albrecht Dürer Manier von Johanne Bellino Original.« Daß das Bild weder mit Dürer noch Bellini etwas zu tat, sondern in die Richtung Jan van Eycks gehört, ist heute klar. Aber die »primitive« Manier erinnerte den Verfasser des Inventars an Dürer.

[27] Abgebildet bei V. Scherer, Dürer, Klassiker der Kunst, Stuttgart 1904, S. 62. — Über andere Schabblätter mit derselben Komposition vgl. A. Weixlgärtner, Mitteilungen der Gesellschaft für vervielfältigende Kunst, Wien 1905, S. 69.

[28] Claude Philipps, The Picture Gallery of Charles I, London 1896, p. 64.

[29] Nr. 720. Gegenwärtig auf Louis Gonses Vorschlag Peter Bruegel d. Ä. zugeschrieben, eine Bestimmung, die in der letzten Zeit von vielen Seiten, zuletzt noch von Georges Hulin, mit Recht bezweifelt worden ist, da das Bild offenbar etwa hundert Jahre vor Bruegels Schaffen entstanden zu sein scheint.

Abb. 103. Ecce Homo
Prag, Galerie Nostitz

Die Verwechslung altniederländischer Bilder mit Werken Dürers darf bei dem Mangel an kunstkritischer Schulung im 17. Jahrhundert nicht weiter wundernehmen. Man setzte auf gute altdeutsche oder altniederländische Bilder das Monogramm Dürers und irgend eine Jahreszahl und verkaufte sie als echte Werke Dürers.

Damit kommen wir zu einer besonderen Gruppe von Fälschungen auf Dürers Namen[30], die auch durch Beispiele in der Sammlung Leopold Wilhelms vertreten sind. Es sind gute Bilder anderer, etwa gleichzeitiger Meister, auf denen das Monogramm Dürers gefälscht ist. Als Original von Dürer galt: »Ein Stuckh von Öhlfarb auf Holcz, warin die Himmelfarth vnser lieben Frawen, so von Gott Vatter vnndt von Gott Sohn gecrönt wirdt.« (Mahlerey von teütsch vnndt niederländischen Mahleren Nr. 550). Es ist die bekannte Himmelfahrt Mariä von H a n s v o n K u l m b a c h , die noch heute die Wiener Galerie (Nr. 1438) besitzt. Der Fälscher hat sich hier einen recht bezeichnenden Scherz erlaubt: er hat das Monogramm Dürers und die Jahreszahl 1514 so angebracht,

[30] Zu diesen frühen Fälschungen gehört wohl auch die mit Dürers Monogramm und der Jahreszahl 1512 versehene, gegenwärtig der Schule Orleys zugeschriebene Anbetung der Hirten im Museum zu Lille (Nr. 577), in der wir die Hand des Antwerpners D i r i c k V e l l e r t , eines Bekannten Dürers von seiner niederländischen Reise, erkennen möchten, eine Taufe, bei der wir uns der Zustimmung M. J. Friedländers erfreuen.

Abb. 104. Meister des Todes Mariä, Maria mit dem Kinde
(vor der Abdeckung des Hintergrundes)
Wien, Kunsthistorisches Museum

daß eines von den kleinen Englein mit der Hand darauf hinweist. Das echte
Monogramm Hans von Kulmbachs befindet sich unter dem Mantel der Maria und
ist bei Gelegenheit einer Restauration des Bildes im 19. Jahrhundert zum Vorschein gekommen.

Ein zweiter interessanterer Fall einer solchen Fälschung ist ein Bild, das
ebenfalls als Original von Dürer beschrieben wird: »Ein Brustpildt von Öhlfarb
auf Holcz, warin vnser liebe Fraw mit langen hangenden Haaren vnndt einem
subtilen Schlayr über dem Haubt in einem blawen Klaidt vnndt rothen Mantel
mit Belcz gefüettert, vndt das Jesuskhindt halb ligent auff ihrem rechten Armb
mit einem Rosario vmb den Leib, dabey ein Taffel, darauff ein halber Pomeran-
czen vnndt ein kleines Messerl liegt.« (Mahlerey von teütsch vnndt niederländischen Mahleren Nr. 555). Dieses Bild ist noch in der Wiener Galerie erhalten
(Nr. 682, Abb. 104): auf dem schwarzen Grunde, von dem sich früher die Madonna

244

Abb. 105. Meister des Todes Mariä, Heilige Familie
Ehemals London, Sammlung Holford

abhob, sah man rechts das Monogramm Dürers und die Jahreszahl 1520. Die
Zuschreibung an Dürer ist natürlich schon im Laufe des 19. Jahrhunderts aufgegeben worden, und man hat das Werk als Arbeit eines anonymen Künstlers
erkannt, des Meisters vom Tode Mariä. Dieser Maler, den man
früher für einen Kölner hielt, ist ohne jeden Zweifel ein Niederländer, und zwar
ein Antwerpner; nach einer sehr scharfsinnigen Vermutung, auf die, unabhängig
voneinander, Carl Justi und Eduard Firmenich-Richartz gekommen sind, haben
wir in ihm höchstwahrscheinlich den Antwerpner Joos van Cleve zu erkennen,
der in der Zeit von 1511—1540 tätig gewesen ist.

Die Urheberschaft des Meisters vom Tode Mariä ist bei dem vorliegenden
Bilde völlig gesichert und kann von keinem Kenner bezweifelt werden. Auffallend und für den Stil des Meisters wenig passend war der schwarze Hintergrund, der uns sonst bei diesem Künstler nicht untergekommen ist. Auch die

Abb. 106. Meister des Todes Mariä, Heilige Familie
(während der Restaurierungsarbeit)
Wien, Kunsthistorisches Museum

Komposition schien merkwürdig einseitig und sah aus, als wäre sie aus einem
Bilde des Meisters herausgeschnitten. Diese Bedenken klärten sich, als wir vor
einigen Jahren auf einer retrospektiven Ausstellung zu Düsseldorf ein anderes
Bild des Meisters vom Tode Mariä aus dem Besitze des Lieut.-Col. G. L. Holford in London (Abb. 105) sahen. Hier ist die Komposition der Maria mit dem
Kinde genau dieselbe, auch in den Farben; der einzige Unterschied ist, daß das
Christuskind in einen feinen Schleier gehüllt erscheint. Der Hintergrund, der
auf dem Wiener Exemplar schwarz war, ist hier aber ganz anders: wir sehen
links den heiligen Josef aus einer Schriftrolle lesend, dahinter eine hübsche Landschaft, rechts eine Säule und endlich auf dem Tische außer dem Messer und der
halben Zitrone noch andere Dinge: ein Glas mit Deckel, ein weiteres Spältchen
einer Zitrone, ein gesticktes Handtuch und drei Knäuel mit Wolle. Durch dieses
Bild, von dem es noch eine dritte, etwas reichere Wiederholung gibt, die aus

246

Abb. 107. Meister des Todes Mariä, Heilige Familie
Wien, Kunsthistorisches Museum

Abb. 108. Holzrelief mit dem Bildnis des Kurfürsten
Friedrich von Sachsen
Wien, Kunsthistorisches Museum

der Wiener Sammlung Klin-kosch[31] in Pariser Privatbesitz gekommen ist, wurde uns klar, welche Bewandtnis es mit dem Gemälde der Wiener Galerie hat. Der ganze Hintergrund war barbarisch mit schwarzer Farbe übermalt worden, und auf die Übermalung hat der Fälscher das Zeichen Dürers und die Jahreszahl gesetzt. Unter der dicken schwarzen Farbe glaubten wir die Um-risse der Gestalt des heiligen Josef wahrnehmen zu können (Abb. 106). Die durch den Re-staurator Franz Woska vor-genommene Reinigung des Bil-des zeigte denn auch, daß das Exemplar der Wiener Galerie (Abb. 107) nahezu ganz genau mit dem der Holfordschen Sammlung in London übereinstimmt. Nur die Land-schaft ist auf dem Wiener Exemplar ganz anders, und zwar kann man sagen, daß sie sowohl in der Komposition als auch in den Farben die des Londoner Exemplars übertrifft; es ist eine der schönsten Landschaften, die wir überhaupt von diesem Meister haben. Leider war offenbar schon damals, als der Fälscher das Wiener Bild in die Hand bekam, der Rand beschädigt, so daß ein Teil des Randes abgesägt und durch einen Ansatz von weichem Holze ersetzt werden mußte. Dadurch ist ein Stück von der Figur des heiligen Josef verlorengegangen. An künstlerischem Werte scheint uns das Bild der Wiener Galerie nach seiner Restaurierung den anderen Wiederholungen etwas überlegen zu sein, obwohl auch diese offenbar von dem Meister selbst gemalt sind. Gerade solche Wieder-holungen sind für den Großbetrieb der damaligen Antwerpner Malerwerkstätten höchst bezeichnend.

Die Wiener Galerie besitzt noch ein zweites Marienbild des Meisters vom Tode Mariä (Nr. 685), das zwar nicht aus der Sammlung des Erzherzogs stammt, das aber seinen Weg durch dieselbe Fälscherwerkstatt des 17. Jahr-hunderts genommen zu haben scheint, in der es auch mit Dürers Monogramm und der Jahreszahl 1518 versehen worden ist.

Zum Schlusse möchten wir nur ein paar Worte sagen über die plastischen Arbeiten, die in der Sammlung des Erzherzogs Leopold Wilhelm Dürer zu-geschrieben worden waren. Es ist merkwürdig, daß in so vielen Inventaren und sonstigen Urkunden des 17. und 18. Jahrhunderts plastische Arbeiten Dürers

[31] Radiert von A. Kaiser in dem Versteigerungskatalog dieser Sammlung, Wien 1889.

erwähnt werden[32] und daß solche heute gar nicht mehr nachweisbar sind. Neuerdings sind sogar von einigen Seiten die wenigen Medaillen und Plaketten, die Dürers Monogramm tragen, dem Meister abgesprochen worden. Die Entscheidung in dieser Frage ist schwierig; wir möchten aber glauben, daß Dürer in der Tat einige von den ihm zugeschriebenen Medaillen[33] geschaffen und vielleicht sogar auch einzelne Kleinigkeiten modelliert oder in Holz geschnitzt habe. Dafür spricht ja auch die Tradition der alten Inventare, die sonst kaum dazu kämen, Dürer plastische Arbeiten zuzuweisen. Ob in

Abb. 109. Holzrelief mit dem Bildnis der
»Anna Kasper Dornle stieftochter 1525«
Wien, Kunsthistorisches Museum

der erzherzoglichen Sammlung nicht vielleicht doch die eine oder die andere Originalplastik von Dürer vorhanden war, läßt sich nicht mit Sicherheit feststellen. »Ein flaches Mahnscontrafait von weichen Marmel mit einem Mantl mit Belcz gefüettert vnndt rawen Hauben auf dem Haubt« (Verzaichnusz der stainenen, metallenen Statuen, anderer Antiquitäten vndt Figuren Nr. 265) dürfte wohl das Modell zu der bekannten Medaille mit dem angeblichen Bildnis von Dürers Vater gewesen sein. Eher um Fälschungen oder falsche Zuschreibungen scheint es sich zu handeln, wenn von einer kleinen Säule aus Buchsbaum mit Venus und Cupido (ebenda Nr. 172), von einem Brunnen aus Holz mit einem Geiger und einem Weibe mit einem Kinde (Nr. 156), von einer Gebetnuß aus Birnholz mit Passionsdarstellungen (Nr. 276) die Rede ist. Höchstens könnten diesen Arbeiten Zeichnungen von Dürer zugrunde ge-

[32] In der ehemals kaiserlichen Schatzkammer zu Wien galten zu Anfang des 18. Jahrhunderts eine ganze Reihe der verschiedensten Bildhauerarbeiten, darunter auch das Brettspiel des Hans Kels, für Arbeiten Dürers; man findet sie angeführt nach Fabers Europäischer Staats-Cantzley in H. C. Arends Gedechtniß der ehren Albrecht Dürers, Goslar 1728, fol. G. 3. — Noch bezeichnender ist vielleicht die Erwähnung einer Statue der Schmerzensmutter, die der berühmte Bildhauer Albrecht Dürer geschaffen haben sollte und die vom Jahre 1656 an bei einem Gottesdienste in Wien herumgetragen wurde (»indicta Sodalibus Supplicatio est, in qua piissimae Matris Filium defunctum in gremio lugentis signum ab Alberto Durero nobili Plaste effigiatum olim septem inter Genios Dolorosorum Mysteriorum bajulos circumferebatur«: Romer, Servitus Mariana, Viennae 1667, p. 341).

[33] Die Ausführungen Georg Habichs über diesen Gegenstand im Jahrbuch der preußischen Kunstsammlungen, XXVII, Berlin 1906, S. 17 und 27, scheinen uns völlig überzeugend.

legen haben; gerade solche Dinge wurden aber eben auch im 18. Jahrhundert mit Vorliebe Dürer zugeschrieben. Ohne Zweifel nicht von Dürer sind auch »Zwey rondte Contrafait in Holcz geschnitten, in rondten Deckhen, auch auszgeschnitten« (Nr. 260). Diese befinden sich nach einer gütigen Mitteilung Julius von Schlossers in der kunstindustriellen Sammlung des Wiener Museums und tragen noch heute auf der Rückseite die falsche Bezeichnung Dürers und die Nr. 260 der erzherzoglichen Sammlung. Es sind Holzbüchsen mit Reliefs aus Nußholz, mit Deckeln aus Birnholz[34]. Merkwürdig sind die dargestellten Personen: das eine Porträt stellt den Kurfürsten Friedrich von Sachsen vor, das andere nach der Inschrift »Anna Kasper Dornle stieftochter 1525« (Abb. 108 und 109). Wie diese beiden Personen zu Gegenstücken wurden, ist nicht leicht zu sagen. Sollte es sich um eine heimliche Geliebte des Kurfürsten handeln, wie Julius von Schlosser vermutet hat? Daß man diese Dinge Dürer zugeschrieben hat, erklärt sich daraus am leichtesten, daß das Porträt des Kurfürsten ziemlich getreu nach Dürers bekanntem Kupferstich kopiert ist.

Endlich seien noch ein paar Medaillenmodelle mit Dürers Bildnis erwähnt: »Ein rondes Contrafait des Albrecht Dürers, in Buchsholcz geschnitten. Original von Deschler« (Nr. 269) und »Ein Einfaszung in Buchsholcz geschnitten, warin zwey Gesichter in Cameo, darunter eins desz Albrecht Dürers. Original von Deschler« (Nr. 274). Ein Buchsbaummedaillon mit dem Porträt Dürers befand sich noch in den Sechzigerjahren des 19. Jahrhunderts in der Sammlung A. Posonyis[35] in Wien, scheint aber seither verschollen zu sein. Es war ein mit Farbe von patinierter Bronze überstrichenes Relief, das Dürer genau so darstellte wie der obenerwähnte und abgebildete Holzschnitt (B. 156, Abb. 87); vielleicht war es das Holzmodell zu der Medaille, die in Wills Nürnbergischen Münzbelustigungen (I, S. 313) abgebildet ist. Ob das Stück der Posonyischen Sammlung mit dem der erzherzoglichen identisch war, bleibt fraglich, besonders da es angeblich aus dem Praunschen Kabinette in Nürnberg stammen sollte.

Eher könnte jene Einfassung mit zwei Reliefbildnissen, darunter dem Dürers, eine und dieselbe sein mit einer zu dieser Beschreibung passenden Zusammenstellung von Medaillenmodellen, die in einem Rahmen des 17. Jahrhunderts noch in der Sammlung Sir Julius Wernhers in London erhalten ist (Abb. 110)[36]. In den vier runden Feldern dieser Einfassung sieht man die Specksteinmodelle der bekannten schönen Porträtmedaille Dürers aus dem Jahre 1527 sowie die beiden Kehrseiten dieser Medaille, von denen die eine ursprüngliche Dürers Wappen und die Jahreszahl 1527, die andere spätere das Todesdatum des Meisters enthält, und endlich das Buchsbaummodell der Porträtmedaille eines bärtigen Mannes, bezeichnet mit dem Datum 1534 und dem Monogramm

---

[34] Mit den Deckeln abgebildet in Julius von Schlossers Album ausgewählter Gegenstände der kunstindustriellen Sammlung in Wien, Wien 1901, Taf. XXIX.

[35] Catalogue d'une collection extraordinaire d'estampes, de dessins et de sculptures de Albert Durer formée par Alex. Posonyi à Vienne, Versteigerung München 1867, Nr. 354.

[36] Zuerst abgebildet in Exhibition of Early German Art, Burlington Fine Arts Club, London 1906, Taf. XLIX.

Abb. 110. Einfassung mit dem Medaillonporträt Dürers
London, Sammlung Sir Julius Wernher

M P [37]. Eine lateinische Inschrift der Umrahmung nennt als die Dargestellten Dürer und dessen Bruder Andreas.

Daß das zuletzt genannte Holzmodell wirklich Andreas Dürer vorstelle, wird man nach einem Vergleich mit Dürers Handzeichnung in der Albertina kaum glauben können; auch spräche, wenn wirklich die Londoner Einfassung mit dem Stücke der erzherzoglichen Sammlung identisch sein sollte, die Erwähnung

[37] Wir geben das Monogramm nach Adolf Erman, Deutsche Medailleure des 16. und 17. Jahrhunderts, Berlin 1884, S. 34, wieder, der dieses Modell noch in der Felixschen Sammlung in Leipzig gesehen hat. Die Publikation über die Ausstellung im Burlington Fine Arts Club gibt als Monogramm nur die Buchstaben M L an.

»z w e i e r   G e s i c h t e r   i n   C a m e o« im Inventar von 1659 dafür, daß ursprünglich an dieser Stelle ein Specksteinmedaillon eingefügt war, das erst später durch jenes Holzmodell ersetzt worden sein dürfte. Unter Cameo ist ja wohl am ehesten Speckstein zu verstehen[38].

Merkwürdig ist, daß das Inventar von 1659, wenn wir mit unserer Identifizierung recht haben sollten, die Specksteinmodelle der Porträtmedaille Dürers dem Medailleur J o a c h i m   D e s c h l e r[39] zuschreibt. Diese Zuschreibung wäre an sich nicht unmöglich, da der Künstler schon im Jahre 1527 gearbeitet haben könnte. Trotzdem ist sie irrig; Adolf Erman[40] hat nämlich durch die Entdeckung eines Monogramms auf einem alten Silberabguß dieser Medaille als deren Urheber L u d w i g   K r u g festgestellt[41]. Der Stil der Medaille paßt nun auch vortrefflich zu dem der Arbeiten Krugs aus den Jahren 1525 und 1526; sie ist ja auch nur wenig später, im Jahre 1527, entstanden.

Man hat angenommen[42], die Medaille von 1527 sei, ebenso wie manche späteren Nürnberger Medaillen mit dem Porträt Dürers, nach jenem von uns schon mehrmals erwähnten Holzschnittporträt (B. 156, Abb. 87) kopiert worden. Die Medaille stimmt zwar in den wesentlichen Einzelheiten der Zeichnung mit dem Holzschnitte überein, in dem nur die Züge Dürers naturalistisch vergröbert erscheinen, ist aber im Gegensinne zum Holzschnitte gehalten. Der Medailleur hatte nun aber keine Ursache, die Zeichnung des Holzschnittes zu verkehren; er hat auch in der Tat auf der Kehrseite mit dem Wappen seine Vorlage, den bekannten Holzschnitt Dürers von 1523 (B. 160), im gleichen Sinne wiedergegeben. Die Datierung des Holzschnittes mit Dürers Bildnis ist unsicher; die Jahreszahl 1527 kommt erst auf späteren Drucken vor, und selbst solche Drucke, die schon die Namen der erst in der zweiten Hälfte des 16. Jahrhunderts tätigen Formschneider Wolf Drechsel[43] und Hans Glaser[44] enthalten, zeigen jene Jahreszahl noch nicht, wenn sie auch Dürers Alter richtig mit 56 Jahren angeben. Nach alledem möchten wir die Überzeugung aussprechen, daß die Medaille und der Holzschnitt auf dasselbe gemeinsame Vorbild zurückgehen, unter dem wir uns wohl eine ziemlich große Porträtzeichnung zu denken haben. Wer diese Zeichnung geschaffen haben mag, Ludwig Krug etwa oder ein anderer Nürnberger, darüber läßt sich kaum etwas Bestimmtes sagen; Dürer selbst wird wohl dieses Profilbildnis schwerlich gezeichnet haben. Festzuhalten ist jedenfalls, daß

[38] So möchten wir auch deuten, was Neudörfer (Nachrichten, herausgegeben von G. W. K. Lochner, Wien 1875, S. 124) von Ludwig Krug sagt: »Was er aber in Stein, Camel (sic!) und Eisen schnitt, das war auch bei den Wahlen löblich.«

[39] Über diesen vergleiche Karl Domanig im Jahrbuch der kunsthistorischen Sammlungen in Wien, XIV, S. 26, und Die deutsche Medaille in kunst- und kulturhistorischer Hinsicht, Wien 1907, S. 27.

[40] Deutsche Medailleure des 16. und 17. Jahrhunderts, Berlin 1884, S. 28.

[41] Eine Annahme, die auch von Karl Domanig, op. cit., S. 70, gebilligt wird.

[42] Alfred von Sallet, Untersuchungen über Dürer, Berlin 1874, S. 29.

[43] Johann Ferdinand Roth, Leben Albrecht Dürers, Leipzig 1791, S. 105.

[44] Hausmann, Albrecht Dürers Kupferstiche, Radierungen, Holzschnitte und Zeichnungen, Hannover 1861, S. 89.

die schöne Medaille von Krug, ebenso wie die von Hans Schwarz, die Dürer im Tagebuch seiner niederländischen Reise erwähnt[45], als Bildnis volle Glaubwürdigkeit verdient, da sie sicherlich unter seinen Augen und mit seiner Einwilligung entstanden sein muß. Diese beiden Medaillen sind ein deutlicher Beweis für Dürers Interesse an diesem Kunstzweige, dessen Entwicklung in Deutschland der Meister selbst durch die von ihm schon früher geschaffenen Medaillen mächtig gefördert hatte.

Mit diesem kleinen Ausfluge auf ein uns fernliegendes Gebiet möchten wir unseren Überblick über die Kunstwerke, die in der erzherzoglichen Sammlung den Namen Dürers führten, schließen. Dieser Überblick ist nicht einmal vollständig; denn wir haben manches nicht erwähnt, wozu wir keine Erklärung oder Analogie beizubringen vermochten. Noch ferner lag es uns, das weite Gebiet der alten Nachahmungen oder Fälschungen Dürerscher Werke erschöpfend behandeln zu wollen, so sehr auch eine gründlichere, weiter ausgreifende Untersuchung über diesen Gegenstand nützlich wäre und selbst die Erkenntnis von Dürers Stil fördern könnte. Einige wenige Beispiele sollten uns genügen, um eine Vorstellung davon zu geben, wie es in den Fälscherwerkstätten des 17. Jahrhunderts aussah. Im übrigen möchten wir nicht mehr als einen kleinen Beitrag zur Geschichte des Sammelwesens geliefert haben, deren vertiefte Betrachtung uns Jacob Burckhardt, Carl Justi und zuletzt Julius von Schlosser in seinem geistvollen Buche über die Kunst- und Wunderkammern der Spätrenaissance gelehrt haben. (1909)

[45] Obwohl Adolf Erman (a. a. O., S. 21, Anm. 2) die richtige Deutung der betreffenden Stelle schon gegeben hatte, ist sie von den Kommentatoren des Tagebuches, selbst von den neuesten, unrichtig auf einen sonst kaum bekannten Maler gleichen Namens gedeutet worden.

DER BRUDER JEAN CLOUETS

Über die Werke Jean Clouets und seiner Schule sind wir noch vielfach im unklaren. Deshalb mag der folgende Versuch, ein wenig mehr über die Persönlichkeit von Jean Clouets Bruder, dessen Vorname bisher noch nicht festgestellt werden konnte[1], in Erfahrung zu bringen, nicht unberechtigt erscheinen. Über diesen Künstler war bisher nicht mehr bekannt, als einem in der Pariser National-bibliothek erhaltenen Briefe[2] der als Schriftstellerin und Haupt eines schön-geistigen Kreises merkwürdigen und berühmten Königin Margarete von Navarra, der Schwester Franz' I., entnommen werden kann. Der Brief ist in Fontaine-bleau am 21. Juli — die Jahreszahl fehlt — geschrieben und an eine Person gerichtet, die als Kanzler (»Monsieur le chancellier«) bezeichnet wird. Margarete schreibt, der König von Navarra und sie hätten sich entschlossen, den Bruder Jannets, des Malers des Königs (Franz I.), als Maler in ihren Dienst zu nehmen, und zwar gegen ein Jahresgehalt von 200 Pfund. Da sie den Künstler zu einem bestimmten Zwecke dringend brauchten, möge ihn der Kanzler unverzüglich schicken und ihm für den Anfang etwas Geld überweisen lassen, damit er mit Lust an die Arbeit gehe. Als Empfänger des Briefes gibt Th. Courtaux[3] den Kanzler von Alençon, Jean de Brinon, an und schließt daraus, daß Margarete den König von Navarra am 23. Januar 1527 geheiratet hat und Brinon am 2. April 1528 gestorben ist, daß der Brief am 21. Juli 1527 geschrieben sein muß. Ist aber wirklich der Empfänger des Briefes kein anderer als Brinon, dessen Name, soviel wir sehen können, in dem urkundlichen Wortlaut nicht vorkommt? Sollte das Schreiben nicht an eine andere Persönlichkeit gerichtet sein, der die Bezeichnung des Kanzlers ebenso zukommt wie Brinon, etwa an den reichen und

---

[1] Der von Horsin-Déon (Essai sur les portraits français de la Renaissance, 1888; uns nicht zugänglich) auf Grund eines Urkundenfundes in Vienne vorgeschlagene Name C l a u d e ist nach Angabe von Thieme und Beckers Künstlerlexikon, VII, 1912, S. 116, »nicht kontrollierbar und vielleicht verlesen«. Ebenfalls unbeweisbar scheint uns bisher die Vermutung L. Dimiers (bei Thieme und Becker, VII, S. 119), Jean und sein Bruder könnten mit den beiden Söhnen des Malers von Valenciennes Michel Clauwet, Jannet und P o l e t, identisch sein, die in einer Urkunde von 1499 (M. Hénault, Revue archéologique, IV. sér., X, 1907, p. 117) genannt, aber nicht einmal ausdrücklich als Maler bezeichnet werden.

[2] Abgedruckt bei Th. Courtaux, Documents sur les Clouets, Paris 1909, p. 17, früher bei F. Génin, Lettres de Marguérite d'Angoulême, Paris 1842, p. 242.

[3] A. a. O., p. 4 und 17, Anm.

254

Abb. III. Französischer Meister um 1530, Königin Margarete von Navarra
Liverpool, Royal Institution

ehrgeizigen Kanzler von Frankreich, den Kardinal Antoine Du Prat, der am Hofe Franz' I. eine große Rolle gespielt hat und erst 1535 gestorben ist?

Nun erfahren wir aus einem Briefe[4], den die schöne und lebenslustige Maria von England, die Witwe Ludwigs XII. von Frankreich, die als Gemahlin des Herzogs von Suffolk später in England lebte, am 13. Juni 1530 an ihren Stief-schwiegersohn Franz I. richtete, der zu den Verehrern ihrer Jugendzeit gehört hatte, daß ihr und ihrem Bruder König Heinrich VIII. der Maler des Kardinals Du Prat große Dienste geleistet habe. Sie nennt den Künstler kurz Maître Ambroise und entläßt ihn mit den allerwärmsten Empfehlungen an Franz I., dem der Maler persönlich bekannt war, nach Frankreich. Eine andere Urkunde, auf die L. Dimier[5] aufmerksam gemacht hat, besagt, daß derselbe Meister

[4] Nouvelles Archives de l'Art Français, I, Paris 1872, p. 154.
[5] Thieme und Becker, I, 1907, S. 395 (nach H. Walpoles Anecdotes of painting, IV. Ausg., I, p. 96).

255

Abb. 112. Französischer Meister um 1530, Königin Eleonore von Frankreich
Schloß Saint-Roch

Ambroise, der diesmal ausdrücklich als Maler der Königin von Navarra bezeichnet wird, 1538 von Heinrich VIII. 20 Kronen erhielt, um ein Gemälde nach
Eltham zu bringen.

Deuten wir die drei hier erwähnten Schriftstücke richtig, so scheint es sich
in allen dreien um dieselbe Künstlerpersönlichkeit zu handeln. Laut dem Briefe
Marias von England vom 13. Juni 1530 kehrt der Maler kurz nach dieser Zeit
von einem Besuche am englischen Hofe nach Frankreich zurück, wo er sich zunächst bei seinem Herrn und Gönner, dem Kardinal Du Prat, aufgehalten und
Gelegenheit gefunden haben mag, das Empfehlungsschreiben Marias von England dem König Franz I. zu übergeben. Auf Grund dieser Empfehlung erhält
er einen Ruf an den Hof der Schwester des Königs, Margarete, die ihn zu ihrem
und ihres Gemahls Hofmaler ernennt und den Kardinal Du Prat, an den höchstwahrscheinlich jener Brief gerichtet ist, in seiner Eigenschaft als Kanzler von
Frankreich beauftragt, den Maler gleich zu schicken und ihm Geld vorzuschießen.

Abb. 113. Französischer Meister um 1530, König Franz I. von Frankreich
Paris, Louvre

Dieses Berufungsschreiben dürfte wohl in demselben Jahre erfolgt sein, also am
21. Juli 1530; später als 1535 kann es nicht datiert werden, da Du Prat in diesem
Jahre gestorben ist. Daß der Maler 1538 wieder in England auftaucht, kann uns
nach seinen guten Beziehungen zum englischen Hofe nicht wundernehmen. Da
der einen Urkunde der Familienname des Künstlers, den beiden anderen aber
sein Vorname entnommen werden kann, und da es nicht wahrscheinlich ist,
Margarete habe z w e i Hofmaler zur gleichen Zeit gehabt, so glauben wir
schließen zu können, der Künstler habe A m b r o i s e   C l o u e t geheißen.

Wenn wir nach seinem hohen Gehalt, das nur wenig geringer ist als das
höchste, das sein Bruder Jean und auch dessen Sohn François bezogen haben,
und nach dem ungewöhnlich lebhaften Interesse, das die Höfe von Frankreich
und England an seiner Tätigkeit nehmen, urteilen dürfen, so müssen wir ihn
uns wohl als einen bedeutenden Künstler, ohne Zweifel auf dem Gebiete des
B i l d n i s s e s , vorstellen. Seine Werke werden unter den namenlosen oder

heute seinem berühmteren Bruder zugeschriebenen Porträten der französischen Schule dieser Zeit zu suchen sein. Als Persönlichkeiten, die er gemalt haben mag, kommen zunächst die in Betracht, die in jenen Urkunden vorkommen, vor allem seine königliche Gebieterin Margarete von Navarra. Von dieser gibt es in der Royal Institution zu Liverpool ein vortreffliches Bildnis[6], das die im Jahre 1492 geborene Königin im Alter etwa von 40 Jahren zeigt, also in derselben Zeit entstanden sein muß, in der unser Maler für sie tätig gewesen ist (Abb. 111). Es ist daher wohl nicht zu kühn, zu vermuten, Ambroise Clouet sei der Maler dieses Bildes. Das lebensgroße Porträt, das die Königin in reicher modischer Tracht, mit einem Hute auf den geflochtenen Haaren, in ausgeschnittenem Kleide mit geschlitzten Ärmeln, einen Papagei auf der Hand vorstellt, macht so sehr den Eindruck des Höfischen, Standesgemäßen, daß man dabei wohl an keinen anderen denken kann als an den damaligen Hofmaler der Dargestellten. Von diesem Werke ausgehend, wäre es vielleicht möglich, in Zeiten, die einem solchen Unternehmen günstiger sind als die gegenwärtigen, andere Schöpfungen desselben Künstlers aufzufinden. Zwei Bildnisse Eleonorens, der Gemahlin Franz' I., das eine ehemals auf dem Schlosse von Saint-Roch in Frankreich (Abb. 112)[7], das andere im Besitze des Grafen von Roden in England[8], scheinen nach einer Beobachtung, die wir in bezug auf das erstgenannte Bild Max J. Friedländer verdanken, dem Porträt Margaretens von Navarra besonders in der Haltung, Form und Behandlung der H ä n d e sehr nahe verwandt. Da beide Bilder wenig veränderte Kopien nach dem Original Joos van Cleves, des Meisters vom Tode Mariä, in der Gemälde-galerie zu Wien sind und die Änderungen des Kopisten fast nur die Hände betreffen, so wäre es wohl möglich, daß dieser Kopist mit dem Maler des Bildes in Liverpool identisch wäre. Auch eines von den lebensgroßen Porträten Franz' I. im Louvre (Abb. 113) ist dem Bilde Margaretens nahe verwandt, obwohl wir ohne gründlichen Vergleich die Selbigkeit der Hand nicht behaupten wollen, und steht andererseits zu Joos van Cleves Bildnis desselben Königs in der Johnsonschen Sammlung in Philadelphia in demselben Verhältnis der Abhängigkeit wie jene beiden Porträte Eleonorens zu Cleves Original in Wien. Joos van Cleve muß genau um dieselbe Zeit am französischen und englischen Hofe tätig gewesen sein wie Ambroise Clouet, da er etwa um 1530 Franz I. und Eleonore und auch Heinrich VIII. gemalt hat. Von der Einwirkung des Niederländers glaubt man auch in dem Bildnisse Margaretens von Navarra eine Spur zu entdecken. Zu denken gibt es, daß so manche Bilder des hier besprochenen Kreises selbst heute noch in England aufbewahrt werden.

Bei den Nachforschungen nach Werken dieses Malers[9] wird man auch an Bildnisse von Personen des englischen Hofes zu denken haben, die in den

[6] Abgebildet bei W. M. Conway, The Gallery of Art of the Royal Institution Liverpool, London und Liverpool, 1884, Taf. XII, und bei Wickhoff, Jahrbuch der kunsthistorischen Sammlungen in Wien, XXII, 1901, S. 221.

[7] 1904 auf der Ausstellung von frühen französischen Gemälden in Paris. Später im Pariser Kunsthandel.

[8] Abgebildet im Burlington Magazine, XII, 1907/08, p. 308.

spätesten Inventaren des Kunstbesitzes Margaretens von Österreich vorkommen. Von jener älteren Maria von England, der Schwester Heinrichs VIII., die als junge Braut Ludwigs XII. von einem Künstler wie Jean Perréal gemalt worden war, besaß die habsburgische Fürstin — abgesehen von einer Terrakottabüste, die wahrscheinlich von der Hand Konrad Meyts herrührte — ein gemaltes Bildnis in einem Kleid aus Goldbrokat mit geschlitzten Ärmeln, eine schwarze Mütze auf dem Kopf und einen Palmenzweig in der Hand, von der jüngeren Maria, der T o c h t e r Heinrichs VIII. und späteren Gemahlin Philipps II. die damals noch ein Kind war, ein Porträt in schwarzem Samtkleide mit einem Rock aus Goldstoff, einen Papagei auf der linken Hand. Solche Beschreibungen lassen an den Meister des Bildes in Liverpool denken; die Beigabe des Papageies scheint freilich ein Gemeingut französischer Maler zu sein, wie zum Beispiel das reizvolle Bildnis eines jungen Mädchens in der Liechtensteinschen Galerie in Wien beweist. (1917)

[9] Völlig unbegründet scheint uns die Zuschreibung des grotesken Doppelporträts Franz' I. und Eleonorens in Hampton Court an Maître Ambroise (vgl. E. Law, The Royal Gallery of Hampton Court illustrated: being an Historical Catalogue of the Pictures, London 1898, p. 205, Nr. 566).

EIN BILDNIS VON ANTOINE CARON
IN DER MÜNCHNER PINAKOTHEK

Die Geschichte der französischen Bildnismalerei des 16. Jahrhunderts weist noch immer fast unüberwindliche Schwierigkeiten auf. Unter dem Namen der Clouet findet man in vielen Sammlungen Gemälde von ganz verschiedenen Händen, ja selbst oft Werke niederländischen Ursprungs. Einiges Licht haben in dieses Dunkel die Arbeiten französischer Gelehrter, besonders die Henri Bouchots, gebracht. Unter anderen hat man eine Gruppe von solchen Bildnissen, denen die deutsche Forschung vorher den seltsamen Namen Pseudo-Amberger gegeben hatte, mit gutem Recht dem Zeitgenossen der Clouet, Corneille de Lyon, zugeschrieben. Für die späteren Nachfolger der Clouet fehlt es aber leider selbst an solchen Vermutungen; daher mag wohl der folgende Versuch erlaubt sein, einem dieser Künstler, von dem bisher kein gemaltes Bildnis bekannt war, ein solches zuzuweisen.

In der Älteren Pinakothek zu München befindet sich das Brustbild einer jungen Dame in der steifen und prächtigen französischen Tracht des 16. Jahrhunderts (Nr. 1430), das unter dem Namen des holländischen Malers Adriaen Crabeth geführt wurde (Abb. 114). Sie trägt ein schwarzes Barett mit Straußfedern und ein weißes, reich mit Gold besetztes Kleid mit hoher, gesteifter Halskrause und prunkvollem, goldenem Halsbande. Das lange, vornehme Oval des Gesichtes spricht wohl für eine Verwandtschaft der Dargestellten mit dem königlichen Hofe von Frankreich; doch sind alle Versuche, die Persönlichkeit zu bestimmen, vergeblich geblieben. Es ist ein sehr elegantes, dabei etwas gelecktes und glattes höfisches Bildnis, das gewiß ganz und gar nach dem Wunsch und Geschmack der Bestellerin ausgefallen ist. Das Bild erinnert sehr an die Weise des jüngeren Clouet; die Behandlung ist jedoch breiter, die Malweise weicher und unbestimmter, die Färbung des Fleisches stumpfer und kälter, und man vermißt überhaupt die unsägliche Feinheit der Ausführung, die das gemeinsame Merkmal aller Arbeiten des François Clouet ist.

Wichtig für die Bestimmung des Urhebers des Gemäldes ist ohne Zweifel die auf dem grünlich grauen Hintergrunde angebrachte Bezeichnung A. C. A◯ 1577, die man wohl nur aus Verlegenheit auf den Namen Adriaen Crabeth gedeutet hat. Sowohl die Buchstaben des Monogramms A und C als auch die Jahreszahl 1577 stimmen vortrefflich zu dem Namen eines Malers, der uns als Nachfolger der Clouet bekannt ist: A n t o i n e   C a r o n. Dieser Künstler, über

Abb. 114. Antoine Caron, Brustbild einer jungen Dame
München, Alte Pinakothek

den Anatole de Montaiglon ein kleines Buch geschrieben hat (Paris 1850), wurde
vor 1521 zu Beauvais geboren und starb um das Ende des 16. Jahrhunderts.
Nach alten Berichten war er Hofmaler Heinrichs II. und Catherinens von
Medici. Ludwig von Orléans hat ihn in zwei Sonetten besungen: in dem einen,
an Catherina von Medici gerichteten, stellt er ihn über alle Maler der Vorzeit,

in einem zweiten, worin er unserem Maler zum neuen Jahre Glück wünscht, ruft er ihm zu:

>>Couzin aura toujours un éternel renom,
Et toi, par desus lui, tu l'auras, mon Caron,
Aussi, pour t'étréner, au retour de cet an,
Je fai prière à Dieu, qu'en toi seul il assemble
Ce qu'Apelle et Zeuxis, Janet, le Titian,
Raphael, Michel ange ont eu jamais ensemble.<<

Dieser Wunsch hat sich nicht erfüllt. Wer weiß heute noch etwas von Antoine Caron? Nur ein paar mythologische Zeichnungen in dem aufgelösten Stil der Schule von Fontainebleau und einige gestochene Illustrationen zu Philostrat sind uns von ihm erhalten geblieben (vgl. Mantz, Histoire de la peinture française, I). Die Gemälde von seiner Hand, die einst in den Kirchen seiner Vaterstadt Beauvais prangten, sind verlorengegangen. Von seinen Bildnissen weiß man nicht viel mehr, als daß einige von seinem Schwiegersohne Thomas de Leu und von Léon Gauthier gestochen worden sind; aber in dem Werke dieser Stecher findet man keines mit dem Namen Carons. Th. de Leu hat im Jahre 1599 ein Bildnis seines Schwiegervaters gestochen; es läßt sich aber nicht mehr sagen, ob diesem Stiche ein Selbstbildnis Carons zugrunde liegt.

So wäre denn das Münchner Bild das einzige erhaltene Beispiel von Carons Bildniskunst. Denn aus welchem Grunde Henri Bouchot die in seinem trefflichen Buche über die Clouet auf Seite 61 abgebildete Federzeichnung mit dem Bildnisse Pierre de Brachs — allerdings zweifelnd — unserem Meister zuschreibt, weiß ich nicht. Freilich zeigt sie in der Anlage und Auffassung die größte Ähnlichkeit mit dem Bildnisse der Pinakothek. Nach diesem einzigen, durch die Inschrift beglaubigten Werke des Meisters wird es vielleicht möglich sein, noch andere Gemälde Carons unter den vielen Arbeiten der Clouetschen Schule nachzuweisen.   (1899)

EINE ZEICHNUNG DES ANTONELLO DA MESSINA

Im Städelschen Kunstinstitut zu Frankfurt am Main befindet sich eine frühe Silberstiftzeichnung (Abb. 115) auf weiß grundiertem Papier, auf die Joseph Meder in seinem lehrreichen Buch über Technik und Entwicklung der Handzeichnung vor einiger Zeit die Aufmerksamkeit gelenkt hat[1]. Es ist eine Aktstudie nach dem lebenden Modell, die für einen der Schächer auf einem Gemälde der Kreuzigung gedient haben muß. Der Zeichner hat, wie die Abbildung lehrt, das schlanke, bartlose, verhältnismäßig jugendliche Modell eine für diesen Zweck eigens ausgedachte Stellung einnehmen lassen. Die Formen des mageren Körpers sind sorgfältig durchmodelliert, mit Ausnahme der flüchtiger angedeuteten Hände und Füße. Der Charakter der Zeichnung verrät ebensoviel ausgesprochenes Stilgefühl wie liebevolle Naturbeobachtung, wodurch das Gesehene eine besonders eindringliche Gestalt erhielt. Trotzdem ist es bisher unbestimmt geblieben, welcher Schule das Blatt zuzuschreiben sei. Als die Zeichnung zum erstenmal in der Publikation der Handzeichnungen des Städelschen Institutes[2] wiedergegeben wurde, galt sie als die Arbeit eines unbekannten Italieners aus der ersten Hälfte des 15. Jahrhunderts. Meder dagegen hat sie mit richtigerem Gefühl für ihre Technik und Formengebung einem niederländischen Künstler aus der zweiten Hälfte des gleichen Jahrhunderts zugeschrieben.

Trotzdem glaube ich, daß dieses merkwürdige Blatt einem Italiener zugewiesen werden muß, freilich einem Südländer, der ganz in der Weise der alten Niederländer malte und der, wie man annehmen kann, auch ebenso zeichnete wie sie. Ich denke an keinen Geringeren als an A n t o n e l l o d a M e s s i n a , jenen vielseitigen Mittler zwischen nordischer und südlicher Kunst. Eine Benutzung dieser Studie eines Schächers kann allerdings in keiner der bekannten Kreuzigungen Antonellos nachgewiesen werden. Aber auf seiner Kreuzigung von 1475 im Antwerpner Museum (Abb. 116) lassen sich die gleichen Körperformen beobachten. Dort zeigt zum Beispiel der Körper Christi denselben schlanken Bau, dieselbe in den Hüften eingezogene Linie, dieselbe vertikale Teilung des Brustkorbs mit starker Betonung der Rippenenden. Noch deutlicher ist die Ähnlichkeit mit dem linken der beiden Schächer, die Antonello, in ganz ungewöhnlicher Weise, nicht an Kreuze, sondern an Baumstämme geheftet zeigt.

[1] J. Meder, Die Handzeichnung, Wien, Anton Schroll & Co., 1919, S. 389.
[2] Mappe VIII, Tafel 5.

Abb. 115. Antonello da Messina
Studie eines Schächers (Silberstift)
Frankfurt, Städelsches Institut

Hier finden wir das heftige Zurückwerfen des Kopfes wieder, die Betonung der
Kieferknochen und des Schlüsselbeins, die hochgezogenen und zugleich mageren
Schultern, welche Kopf und Hals zum Teil verdecken, die kraftlos herunter-
hängende rechte Hand, die ausgebogene Hüftenlinie, die langgezogenen Kniee,
die schwächlichen, schmalen Fußgelenke. Die Zeichnung ähnelt auch anderen,
Antonello da Messina zugeschriebenen Werken — ganz abgesehen von der
Kreuzigung der Londoner Nationalgalerie, die der Antwerpner aufs engste verwandt ist. Die kraftlose Biegung des rechten Handgelenks kommt ähnlich vor
auf dem Madonnenbild der Sammlung R. H. Benson in London, auf der Beweinung Christi im Museo Correr in Venedig[3] und schließlich auch bei der kühn
verkürzten Gestalt eines jungen Soldaten, die auf dem großen Gemälde des
heiligen Sebastian in der Dresdner Galerie im Hintergrund auf dem Rücken liegt
und deren verkürzt gesehener Kopf sich mit dem Kopf des Schächers wohl vergleichen läßt; die Bildung der Nase, der Nasenlöcher und des leicht geöffneten
Mundes ist hier ganz ähnlich.

[3] Diese beiden Bilder sind besprochen und abgebildet in Berensons Study and Criticism
of Italian Art, III, 1916, p. 81, 89.

Abb. 116. Antonello da Messina, Kreuzigung
Antwerpen, Museum

Über die Zuschreibung dieses sehr bedeutenden Bildes des heiligen Sebastian an Antonello hatte ich vor mehr als einem Jahrzehnt Zweifel geäußert[1] und dabei den ausgesprochen venezianischen Charakter dieses Werkes hervorgehoben. Heute jedoch will es mir scheinen, als habe ich dem veränderlichen und leicht beeinflußbaren Charakter von Antonellos Kunst nicht genügend Rechnung ge-

[1] Kunstgeschichtliches Jahrbuch der Zentralkommission für Kunst- und historische Denkmale, Wien 1909, S. 212.

265

tragen. Die besonderen Kenner dieses Gebiets haben durch ihr Schweigen offenbar zum Ausdruck gebracht, daß sie meinen Bedenken nicht zustimmen. Insbesondere ist B. Berenson in seinen zwei Aufsätzen über Antonello, die er vor einigen Jahren veröffentlicht hat[5], über meine Einwände zur Tagesordnung übergegangen. Seitdem hat derselbe Gelehrte durch die völlig überzeugende Zuweisung der bedeutenden Thronenden Madonna des Wiener Kunsthistorischen Museums an Antonello der Zuschreibung des Dresdner Sebastian eine starke Stütze gegeben. Es kommt mir in der Tat sehr wahrscheinlich vor, daß diese Madonna ein Fragment des verschollenen, berühmten Altars von S. Cassiano ist. Man kann vielleicht sogar weiter gehen. Denn es läßt sich von diesem Madonnenbild noch ein weiteres Fragment nachweisen, das einst in der Sammlung Erzherzog Leopold Wilhelms unter dem Namen Giovanni Bellinis hing. Dieses Fragment ist heute nur noch in kleiner Kopie auf einem Galeriebild des Teniers, das Baron Alfons Rothschild in Wien gehört, erhalten, sowie in einem Stich des »Theatrum pictorium«, das derselbe vlämische Künstler veröffentlicht hat: es ist dies ein schmales Bild mit einem heiligen Georg, der, eine lange Lanze in der Hand, vor einem Stück Mauer steht, mit einer weiblichen Heiligen hinter ihm, die einen Kranz von Rosen im Haar trägt (wohl die heilige Rosalia). Ist diese Vermutung richtig, dann hätte man sich das Altarbild von S. Cassiano in der Komposition ähnlich dem Gemälde des Marcello Fogolino im Haager Mauritshuis vorzustellen, als eine thronende Madonna mit sechs Heiligen, von denen der heilige Georg auf der einen und der heilige Michael auf der anderen Seite gesichert sind. Viel weniger wahrscheinlich wäre es, daß das Fragment einen selbständigen Teil des Altars gebildet haben sollte.

Die stilistischen Beziehungen zwischen diesen Fragmenten mit ihrem rein venezianischen Charakter und dem »Heiligen Sebastian« sind völlig überzeugend. Dagegen fällt der große Unterschied zwischen den Aktfiguren des Sebastian und denen der beiden obengenannten Kreuzigungen in Antwerpen und London auf, besonders wenn man bedenkt, daß der heilige Sebastian in derselben Zeit gemalt worden sein muß, die durch die Jahreszahlen dieser beiden kleineren Gemälde, 1473 und 1477, begrenzt ist. Dieser Unterschied kann wohl nur durch die Annahme erklärt werden, daß diesen recht altertümlich wirkenden Kreuzigungsbildern im Schaffen des Künstlers — der als Nachahmer der Niederländer begonnen hatte — frühere Fassungen bereits vorangegangen sein dürften.

Nur mit einem früher entstandenen Gemälde der Kreuzigung, einem, das zu den Fassungen in Antwerpen und London geführt hat, können wir offenbar jene Studie des Schächers — sie ist in den Formen strenger und weniger flüssig — in Verbindung bringen, die ich zum Ausgangspunkt nahm und die zu einer früheren Version der Kreuzigung, die uns nicht mehr erhalten ist, gedient haben dürfte. Soweit wir urteilen können, waren hier die beiden Schächer ebenso wie auf dem Antwerpner Bild nicht an Kreuze geschlagen, sondern an entlaubte Baumstämme. Die Art, wie auf der Frankfurter Zeichnung die Arme angebunden sind, scheint unverkennbar dafür zu sprechen, daß sie nicht an so viel stärkere

[5] Berenson, op. cit.

Kreuzbalken hätten befestigt werden können; so deutet auch dieses Motiv auf eine frühere Entstehungszeit hin. Im übrigen muß dieses zu vermutende Gemälde der niederländischen Art viel näher gestanden haben als die erhaltenen beiden späteren Versionen. Auch entspricht die Silberstifttechnik ganz dem Brauch in den Niederlanden. Aus gewissen Schwächen und flüchtigen Stellen mit Meder zu folgern, daß unsere Zeichnung die Arbeit eines Kopisten sei, scheint mir nicht notwendig; denn selbst die bedeutendsten frühniederländischen Zeichnungen stehen den gleichzeitigen Gemälden künstlerisch erheblich nach. Das gilt selbst für die Zeichnungen Jan van Eycks, zu denen wir die folgenden Bildnisse rechnen: den »Kardinal Albergati« (in Dresden), die »Jacobaea von Bayern« (Abb. 1), den »Mann mit dem Falken« (beide in Frankfurt) und den »alten Mann« (im Louvre). In der frühen niederländischen Kunst — auf jener Stufe also, auf welcher Antonello begann — war die äußerste Sorgfalt in der Wiedergabe der Formen einzig und allein dem fertigen Gemälde vorbehalten.   (1922)

EIN NEUGEFUNDENES JUGENDWERK
LORENZO LOTTOS

Im Vorrate der ehemals kaiserlichen Galerie in Wien befand sich bis zum Jahre 1910 ein Brustbild eines jungen Mannes mit kleinem, schwarzem, rundem Käppchen und rotem Kleide vor einem Vorhange aus grüner Mohrseide (Abb. 117). Trotz der starken Übermalungen, durch die die Leitung der Galerie veranlaßt worden war, das Bild seinerzeit nicht auszustellen, verriet die ganze Anlage des Bildnisses seine Zugehörigkeit zur venezianischen Schule vom Ende des 15. oder vom Anfange des 16. Jahrhunderts und eine nahe Verwandtschaft mit den Werken Giovanni Bellinis. Bei der Wiederherstellung des Bildes ergab sich einerseits, daß das Bild von einer recht ungeschickten Übermalung, die wohl kaum aus älterer Zeit stammte als aus dem 19. Jahrhundert, fast gänzlich überdeckt war, andererseits, daß leider manche Teile der ursprünglichen Malerei schon vor dieser Übermalung abgesprungen oder zerstört gewesen waren (Abb. 118). Als gut erhalten ergaben sich nur das schwarze Käppchen, die Stirne, der größte Teil der Haare und der Nase, die Augen, der weiße Hemdvorstoß und endlich die grüne Seide des Hintergrundes[1]. Auch von dem roten Kleide waren größere Flächen erhalten, wobei freilich die ursprüngliche Modellierung verlorengegangen war. Hingegen waren von dem unteren Teile des Gesichtes, insbesondere vom Munde und von den Wangen, nur Bruchstücke mehr erhalten, die von Ritschl in verständnisvoller Weise ergänzt wurden, ohne daß auch nur ein Fleckchen der alten Farbe von der neuen bedeckt worden wäre. Durch die Wiederherstellung, die dem Bilde sehr zum Vorteile gereichte, wurde der Charakter der venezianischen Schule noch deutlicher als vorher (Abb. 119). Die Vortrefflichkeit des Erhaltenen und eine unleugbare Verwandtschaft mit den Werken Giovanni Bellinis, zu dessen Malweise aber der eigentümlich zarte und trockene Farbenauftrag nicht stimmen wollte, ließen auf die Urheberschaft eines hervorragenden Zeitgenossen Bellinis schließen. Das Rätsel löste sich, als der Restaurator die Steinbrüstung, die im Vordergrunde des Bildes zu sehen ist, von einer dicken Kruste von Übermalung und Schmutz befreite: auf dem zarten Grau der Brüstung zeigte sich, im wesentlichen wohlerhalten, die Inschrift des Malers in großen schönen Renaissancebuchstaben[2]: LAVRENT LOTVS P.

[1] Nach Angabe des Restaurators ist unter der grünen Seide ein blauer Hintergrund, wahrscheinlich den Himmel darstellend, sichtbar gewesen, eine Änderung, die offenbar vom Maler selbst aus koloristischen Gründen vorgenommen worden ist.

[2] Der Vorname ist etwas beschädigt; es fehlt aber nur der Buchstabe A ganz, von den übrigen Buchstaben sind deutliche Reste vorhanden, die die Lesung sichern.

Abb. 117. Lorenzo Lotto, Bildnis eines jungen Mannes
Vor der Entfernung der Übermalungen
Wien, Kunsthistorisches Museum

Diese Bezeichnung, die in ihrer Echtheit nicht angezweifelt werden kann, scheint wohl dem etwas überraschend, der nur die späteren malerisch aufgefaßten und der Weise Tizians sich nähernden Bildnisse L o r e n z o L o t t o s im Sinne hat. Allein eine Reihe von Porträten aus der Zeit von Lottos Aufenthalt in Treviso, die zuerst Girolamo Biscaro[3] dem Meister zugewiesen hat, zeigt denselben strengen, mehr zeichnerischen Stil, dieselbe zarte und dabei trockene Malweise, dieselbe an die Bellini sich anlehnende Auffassung; es sind dies das Jünglingsbildnis der Wiener Galerie, das Morelli Jacopo de' Barbari zugeschrieben hat (Abb. 120), die Stifterbildnisse auf dem zumeist als Jugendwerk Sebastianos angeführten Altarbilde mit der Darstellung der Ungläubigkeit des heiligen Thomas in S. Niccolò zu Treviso (Abb. 121) und das Bildnis des Prälaten und Bischofs von Treviso Bernardo de' Rossi im Neapler Museum (Abb. 123).

[3] L'Arte, I, 1898, p. 138, und IV, 1901, p. 152.

Abb. 118. Lorenzo Lotto, Bildnis eines jungen Mannes
Nach der Entfernung der meisten Übermalungen
Wien, Kunsthistorisches Museum

Gustavo Frizzoni[4], der diesen Attributionen beistimmt, hat noch ein weibliches Bildnis im Museum zu Dijon (Abb. 122) hinzugefügt, das wir nach der
Photographie ebenfalls für ein Werk dieser Zeit von Lottos Tätigkeit halten
möchten und das auch Georg Gronau, wie er uns mitteilt, sich schon im Jahre 1894
als »ein Werk des Wiener Barbari« angemerkt hat. Diesen Porträten nahe verwandt scheinen uns das angebliche Selbstbildnis Giovanni Bellinis in der Galerie
des Kapitols zu Rom, dessen Übermalung freilich ein sicheres Urteil erschwert[5],
der unter dem Namen Lionardos gehende Jünglingskopf der Uffizien in Florenz

[4] Rassegna d'Arte, VI, 1906, p. 186.
[5] Vor allem müßte die Steinbrüstung mit der Signatur Bellinis durch einen Restaurator
auf ihre Echtheit geprüft werden. Vielleicht ist darunter die Inschrift des wirklichen Urhebers
verborgen. Im übrigen sind wir nicht geneigt, die Signaturen Bellinis ohne genaue Untersuchung
für apokryph zu halten.

270

1970

Abb. 119. Lorenzo Lotto, Bildnis eines jungen Mannes
Wien, Kunsthistorisches Museum

(Abb. 124), auf den uns Georg Gronau freundlichst aufmerksam macht und der in seiner strengen Vorderansicht an das allgemein als Werk Lottos anerkannte Brustbild eines bärtigen Mannes in Hampton Court erinnert, und endlich das vorzügliche Porträt eines jungen Mönchs in weißer Kutte auf grünem Grunde aus dem Besitze des Grafen Leo Pininski in Lemberg, ein Bild, das sich heute in der Sammlung Stefan v. Auspitz in Wien befindet (Abb. 125).

Das neugefundene bezeichnete Jugendwerk Lottos ist nun höchst wichtig für den Vergleich mit den vermutungsweise dem Meister zugeschriebenen Bildnissen, die wir oben genannt haben. Dieser Vergleich scheint uns jene Vermutungen völlig zu bestätigen. Vor allem sind sicherlich die Zweifel an der Richtigkeit der Zuschreibung des vielumstrittenen herrlichen Jünglingsporträts der Wiener Galerie, die wir selbst anfänglich gehegt haben, nicht mehr berechtigt. Stellt man neben dieses Bildnis, dem Morelli den viel zu geringen Namen Jacopo de' Barbaris gegeben hat, das neuentdeckte, so wird die Selbigkeit der Hand sofort klar aus der Ähnlichkeit des Farbenauftrages, besonders auf der Stirne beider Porträte, der eigentümlich zeichnerischen Auffassung, der Behandlung der Haare, von denen einzelne sich in bezeichnender Weise an die Käppchen anlegen, der malerischen Darstellung des Stofflichen in den beiden Vorhängen des Hintergrundes. Dabei vergleichen wir natürlich nur die wohlerhaltenen Teile des neugefundenen Bildes. Diesem sehr nahe stehen auch die Bildnisse auf der Darstellung der Ungläubigkeit des heiligen Thomas in S. Niccolò zu Treviso; besonders das Abbild des Prälaten Rossi, der hier mit unter den Stiftern erscheint, hat in Auffassung und Haltung mit dem neuentdeckten Bildnisse die größte Verwandtschaft. Das prachtvoll gemalte, in der freien Erscheinung der Persönlichkeit höchst wirksame Porträt derselben Person im Museum zu Neapel steht freilich dem früher Barbari zugeschriebenen Bildnisse näher als dem neugefundenen.

Die Entstehungszeit gerade dieses Neapler Porträts läßt sich durch einen Wahrscheinlichkeitsbeweis, den wir im folgenden antreten wollen, auf Jahr und Tag feststellen. Die Beziehungen des jungen Lotto zu dem Prälaten B e r - n a r d o d e' R o s s i , Bischof von Treviso, dessen Person zuerst Gustavo Frizzoni in dem Neapler Bild erkannt hat, werden — abgesehen von dem schon erwähnten Porträt auf dem Altarbilde in S. Niccolò zu Treviso — auch, wie schon mehrfach hervorgehoben worden ist, durch ein kleines Bild erwiesen, das nach Federigi[6] sich 1803 im Besitze des Präsidenten des Obersten Gerichtshofes Antonio Bertoli in Parma befand, später in den Besitz des Malers Gritti in Bergamo[7] kam, von diesem aber nach England verkauft wurde, wo es leider verschollen ist[8]. Solange es nicht wiedergefunden ist, müssen wir uns mit der ausführlichen Beschreibung F e d e r i g i s begnügen, die es uns wahrscheinlich macht, daß das Bildnis zu dem Porträte Rossis in Neapel in einer näheren Be-

[6] Memorie Trevigiane, II, Venedig 1803, p. 5.

[7] Hier sah es noch Morelli (Lermolieff, Die Galerien in München und Dresden, Leipzig 1891, S. 63 und 73). Er bezeichnet es als »hart beschädigt«.

[8] Bernard Berenson, Lorenzo Lotto, p. 7.

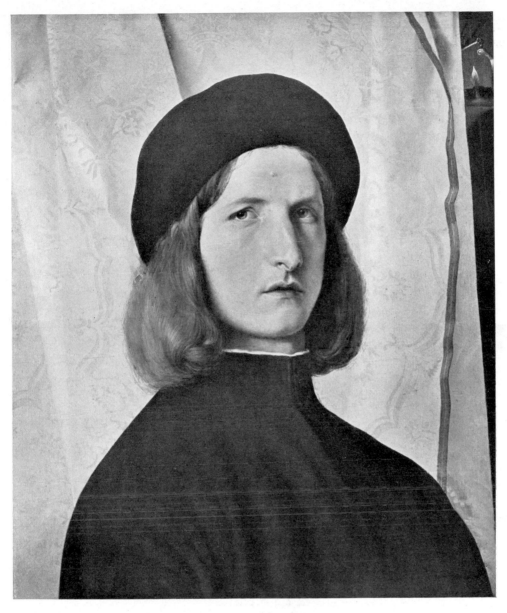

Abb. 120. Lorenzo Lotto, Bildnis eines Jünglings
Wien, Kunsthistorisches Museum

ziehung steht, als bisher angenommen worden ist. Federigi beschreibt das
Bild folgendermaßen: Lotto malte auf diesem Bilde einen Baum, von dem eine
Trophäe herabhängt und an dessen Fuße ein Schild lehnt mit einem Löwen,
dem Wappen der De' Rossi, Grafen von S. Seconda, und der venezianischen
Patrizierfamilie Bercetto. Rechts ist ein kleiner Knabe (putto), der von der Erde
mechanische Instrumente aufhebt; auf der anderen Seite ein Satyr, der antike

Vasen und Urnen betrachtet. Im Hintergrund erhebt sich ein hoher Berg mit einem Genius, der ihn ersteigt und hinter sich einen neugebahnten Weg zeigt. Mit diesen Symbolen wollte der junge Lotto den edlen Genius seines Protektors sinnbildlich darstellen, des tugendreichen Prälaten, der von 1499—1527 hochverdienter Bischof von Treviso war. Dieses höchst reizvolle Bild trägt auf seiner Rückseite folgende Inschrift:

BERNARDVS RVBEVS
BERCETI COMES PONTIF. TARVIS.
AETAT. ANN. XXXVI MENS. X. D. V.
LAVRENTIVS LOTTVS P.
CAL. IVL. MDV.

Wir fragen uns nun: zu welchem Zwecke ist dieses merkwürdige Bildchen entstanden? Schon Federigi und nach ihm Crowe und Cavalcaselle, Berenson und Biscaro bezeichnen es als eine Widmung des Künstlers an seinen geistlichen Gönner. So poetisch uns auch der Gedanke erscheinen mag und so gerne wir an die dankbaren Gefühle des jungen Lotto für seinen Mäzen glauben wollen, so kommt uns diese Deutung doch recht unwahrscheinlich vor. Vor allem spricht dagegen die feierliche Inschrift der Rückseite; Lotto gibt darin nicht nur den T a g der Entstehung oder richtiger der Vollendung des kleinen Kunstwerkes an, sondern verzeichnet sogar, wie viele Jahre, Monate und Tage sein Gönner am Tage der Vollendung des Bildchens zählte. Der Bischof de' Rossi war an diesem Tage 36 Jahre, 10 Monate und 5 Tage alt. Wie kam der Künstler dazu, diese Zahlen mit solcher ausführlicher Genauigkeit anzugeben, warum hat er den Namen des Bischofs in den Nominativ gesetzt, nicht in den Dativ, wie es bei einer Widmung natürlich wäre? Die Erklärung ist sehr einfach; das allegorische Bildchen ist kein selbständiges Kunstwerk, wie bisher angenommen worden ist, sondern gehört als S c h u t z d e c k e l zu einem Bildnisse.

Da die Sitte des 15. und 16. Jahrhunderts, Bilder und insbesondere Porträte durch Deckel und Futterale vor Beschädigung und Staub zu schützen, heute nicht mehr allgemein bekannt zu sein scheint, so sei uns hier eine kleine Abschweifung über diesen Gegenstand erlaubt. Drei verschiedene Formen solcher Deckel sind uns bekannt: erstens ein Schiebdeckel, der in die Einschubleisten des Bildes hineingeschoben wurde; zweitens ein auf Scharnieren beweglicher Klappdeckel, der mit dem Bilde zusammen eine Art von Diptychon bildete; und endlich drittens zwei auf Scharnieren bewegliche Klappdeckel, die in der Mitte sich zusammenschließen ließen und demnach den Flügeln eines Triptychons entsprechen[9]. Außerdem gab es Futterale — zumeist aus Leder —, die zur Auf-

---

[9] Die beiden zuletzt genannten Formen gehen wohl auf die Flügelaltäre zurück, die, teils für die Kirche bestimmt, nur an Sonn- und Feiertagen in geöffnetem Zustande zu sehen waren, teils zur Hausandacht dienend, als Trag- oder Reisealtärchen verwendet wurden. Auch hier ist der Zweck der Flügel oder Türen (sportelli) ohne Zweifel in dem Schutz vor Staub oder Beschädigung zu sehen.

Abb. 121. Sebastiano del Piombo und Lorenzo Lotto, Die Ungläubigkeit des heiligen Thomas
Treviso, S. Niccolò

Abb. 122. Lorenzo Lotto, Weibliches Bildnis
Dijon, Museum

nahme der Bilder, häufig auch m i t ihrem Deckel, bestimmt waren. Von diesen
Bilddeckeln und Futteralen sind heute nur mehr wenige Beispiele vorhanden; wir
haben ja nicht umsonst die Zeit der Uniformierung der Galerien in Hinsicht auf
die Rahmen durchgemacht. Doch vermögen wir das Vorhandene mit Hilfe der
Beschreibungen alter Inventare zu ergänzen.

Die Sitte des Bilddeckels läßt sich vielleicht schon bei Jan van Eyck nachweisen, und sie paßt so gut zu dem kleinodartigen Charakter seiner Kunst, zu
dem höfischen Geschmacke für kostbare Sorgfalt der Ausführung, daß wir am
ehesten die Entstehung der Sitte in die Zeit des Begründers der modernen Malerei
verlegen möchten. Seine Bilder sind meist klein und zur Betrachtung aus der
Nähe durch eine oder wenige Personen geschaffen, sie verlangen eine gewisse
Freude am Gegenständlichen oder an der Naturtreue der Darstellung, es fehlt
ihnen fast immer jede eigentliche dekorative Absicht, die den Anblick von weitem
und durch viele Personen fordern würde. Es ist daher sicherlich kein Zufall,

276

Abb. 123. Lorenzo Lotto, Der Prälat Bernardo de' Rossi
Neapel, Museum

daß die Sitte des Bilddeckels in der ersten Hälfte des 15. Jahrhunderts zuerst auftritt, etwa ein volles Jahrhundert dauert und bald nach dem Auftreten von ausgesprochen dekorativen Neigungen der Kunst, die schließlich zur Entstehung des Barockstils führen, wieder völlig verschwindet. Die hausfrauenhafte Sorgfalt dieser Sitte würde ja in der Tat zum Stile eines Tizian oder eines Rubens ganz und gar nicht mehr passen.

Aus dem 15. Jahrhundert können wir freilich nur wenige Beispiele mehr nachweisen. Bezeichnend ist, daß schon Jan van Eycks köstliches Bildnis des Ehepaares Arnolfini (gegenwärtig in der Nationalgalerie zu London) in der Sammlung Margaretens von Österreich, der Tochter Maximilians I., zu seinem Schutze zwei Flügel hatte, auf die der frühere Besitzer, Don Diego de Guevara, der das Bild Margareten zum Geschenk gemacht hatte, sein Wappen und seine Devise hatte malen lassen. Wir wissen freilich nicht, ob die Flügel zu Jan van Eycks Zeit schon vorhanden waren. Ein anderes Beispiel, das beweist, daß die

Abb. 124. Lorenzo Lotto, Kopf eines Jünglings
Florenz, Uffizien

Sitte noch im 15. Jahrhundert auch in Deutschland Eingang gefunden hat, ist das noch erhaltene, kleine, triptychonartige Bildnis Konrad Imhofs, 1486 von einem mittelmäßigen Nürnberger Künstler gemalt, im Bayrischen National-museum in München; hier ist das Bildnis ebenfalls mit zwei Flügeln versehen, die das Wappen und allegorische Frauenfiguren enthalten.

Viel häufiger werden die Beispiele von Bilddeckeln im 16. Jahrhundert. Besonders reich war, nach den vorhandenen Inventaren, an solchen Deckeln und Futteralen die Sammlung Margaretens von Österreich. Dabei mag freilich auch die Genauigkeit und Reinlichkeit der fürstlichen Hausfrau eine Rolle gespielt haben; sie schützte ja auch ihre Kunstwerke durch grüne Vorhänge gegen die Sonne, und ein angeblich nach dem Leben gemaltes Abbild Christi bewahrte sie sogar unter Glas, was damals noch höchst selten geschah. Jedenfalls waren in der Sammlung der Fürstin Bilddeckel so häufig, daß es in den Inventaren zumeist eigens angegeben wird, wenn ein Bild dieses Schutzes entbehrte. Um einige

278

Abb. 125. Lorenzo Lotto, Bildnis eines Mönches
Wien, Sammlung Stefan von Auspitz

Beispiele zu nennen, so hatte eine Madonna von Johannes (wahrscheinlich: van Eyck) einen Deckel von durchwirktem Atlas mit Rändern aus grünem Samt und Schließen aus vergoldetem Silber. Ein Bildnis Heinrichs VII. von England hatte einen Deckel mit Malereien auf stark vergoldetem Silber (»vermeil«), ein Porträt des Kardinals von Bourbon ein Futteral aus Leder. Ein von tüchtiger Hand gemaltes Bildnis eines schönen Sklavenmädchens zeigte auf seinem Deckel die Bildnisse ihres savoyischen Haushofmeisters Charles Oursson, seines Vaters und des Schoßhundes Margaretens — eine höchst merkwürdige Zusammenstellung.

Auch in der deutschen Kunst vom Anfange des 16. Jahrhunderts gehören Bilddeckel nicht zu den Seltenheiten. So ist der Deckel von Dürers Bildnis Oswald Krells im Germanischen Museum in Nürnberg entdeckt worden[10], und auch von dem berühmten Porträte Holzschuhers hat sich der Schiebedeckel mit dem Wappen

[10] Heinz Braune im Münchner Jahrbuch der bildenden Kunst, II. Halbjahresband 1907, S. 28.

des Dargestellten noch zusammen mit dem Bildnisse selbst im Kaiser-Friedrich-Museum in Berlin erhalten. Im übrigen kommen auch in anderen gleichzeitigen deutschen Schulen Bilddeckel vor, zum Beispiel bei einem Bildnisse von Hans Wertinger im Ferdinandeum zu Innsbruck[11]. In dem letztgenannten Falle handelt es sich um einen jener in Scharnieren beweglichen Klappdeckel, die mit dem Bildnisse selbst ein Diptychon bilden. Bei einer neuen Erwerbung der Wiener kaiserlichen Galerie, einem aus der Werkstatt der Cranach stammenden, im Jahre 1548 entstandenen Bildchen, das eine Allegorie des Ruhmes in merkwürdiger und unterhaltender Weise vorstellt, möchten wir eine ähnliche Bestimmung vermuten.

Auch in der niederländischen Schule derselben Zeit begegnen uns diptychonartige Deckel zu Bildnissen. Merkwürdigerweise haben drei Porträte des zum nächsten Kreise Karls V. gehörenden Kanzlers Jean Carondelet solche Deckel[12]. Von Mabuses Porträt aus dem Jahre 1517 haben sich beide Hälften noch im Louvre zu Paris erhalten: bei geöffnetem Zustande des Diptychons sah man links den Dargestellten betend, rechts Maria mit dem Kinde; beide Rückseiten sind bemalt, die eine mit einem Totenkopf, Wahlspruch und Devise, die andere mit Wahlspruch und Devise. Zu einem späteren Bildnisse desselben Mannes, ebenfalls von Mabuse (aus dem Besitze Rudolf Ritter v. Gutmann in Wien), gehört ein Deckel mit der Halbfigur des heiligen Donatian im Museum von Tournai. Endlich bildet das bekannte Porträt Carondelets von Bernard van Orley in der Münchner Pinakothek (irrtümlich Quinten Metsys zugeschrieben) ein Diptychon mit der Halbfigur einer Madonna im Besitze Lord Northbrooks in London. Solche Diptychen eigneten sich besonders gut zur Mitnahme auf Reisen, da sie, ebenso wie die Bildnisse der Kinder Maximilians I. im Wiener Museum[13] (Abb. 13) und die der Kinder Philipps des Schönen in der ehemaligen Sammlung Edouard Fétis in Brüssel bequem zusammengeklappt werden konnten.

Aber nicht nur im Norden, sondern auch in Italien läßt sich die Sitte der Bilddeckel und -futerale mit Sicherheit nachweisen. Schon in den Inventaren der Sammlungen Lorenzo Magnificos[14] begegnen uns einige Beispiele. Eine Tafel von Jan van Eyck mit der Darstellung des heiligen Hieronymus in seinem Studierzimmer befand sich hier in einem Futteral (guaina). Noch wichtiger ist es aber, daß unter den Schätzen des mediceischen Besitzes auch schon italienische Bilder mit solchem Schutze vorkommen: ein Täfelchen mit einer Darstellung der Judith von Mantegna[15] wurde in einem Kästchen (cassetta) aufbewahrt, und

[11] Heinz Braune, ebenda, S. 31.

[12] Max J. Friedländer, Jahrbuch der preußischen Kunstsammlungen, XXX, Berlin 1909, S. 102, hat zuerst auf den Zusammenhang der in Wien und Tournai, in München und London zerstreuten Bilder aufmerksam gemacht.

[13] Abgebildet im Jahrbuch der kunsthistorischen Sammlungen in Wien, XXV, 1905, S. 233, Taf. XXXVI.

[14] E. Müntz, Les collections des Médicis, Paris 1888, p. 78 und 85.

[15] Wir glauben, daß unter der Bezeichnung »Andrea Squarcione« wohl niemand anderer verstanden werden kann als Mantegna. Vgl. auch P. Kristeller, Andrea Mantegna, Berlin und Leipzig 1902, S. 468.

Abb. 126. Lorenzo Lotto, Kriegerfigur, Fresko vom Denkmal Onigos
Treviso, S. Niccolò

ein Damenbildnis von Domenico Veneziano hatte zwei Klappdeckel (due sportelli). Etwas Ähnliches liegt ja auch vor in Piero della Francescas Bildnissen des Herzogs von Urbino und seiner Gemahlin in den Uffizien zu Florenz; sie zeigen auf den Rückseiten die Triumphwagen der Dargestellten und waren offenbar wie die Diptychen Carondelets zusammenzuklappen. Dasselbe gilt von den Antonello zugeschriebenen kleinen Bildnissen eines Ehepaares, ebenfalls mit bemalten Rückseiten, in der Liechtensteinschen Galerie in Wien. Auch der Anonimo Morelli erwähnt einige Bilddeckel. In Santa Maria de Monte Orton zu Padua sah er ein Bild der wundertätigen Maria, auf dessen Deckel das Wunder des Ursprungs des Gnadenbildes gemalt war. Wichtiger ist noch die Beschreibung eines Bildnisses Alvise Contarinis von Jacometto, das der Anonimo im Jahre 1543 im Besitze Michiel Contarinis in Venedig sah. Das kleine Bildchen hatte ent-

Abb. 127. Lorenzo Lotto, Studienkopf
Wien, Galerie Liechtenstein

weder auf seiner Rückseite oder diptychonartig damit verbunden das Porträt
einer Nonne von S. Secondo — nach Jacob Burckhardt[16] »ein Denkmal ge-
heimer Zärtlichkeit«; — auf dem Deckel war ein Wagen[17] (etwa ein Triumphwagen) in einer Landschaft gemalt; das kostbare Ganze steckte noch in einem
mit Laubwerk aus echtem Gold verzierten Lederfutteral. Die Beschreibung ist
nicht ganz klar und der Text zum Teil verdorben; doch können wir mit Sicherheit daraus ersehen, daß die Sitte der Bilddeckel und Futterale schon im
15. Jahrhundert in Venedig bekannt gewesen ist.

Wenn sich also schon im 15. Jahrhundert in Italien bemalte Deckel nachweisen lassen, so kann es uns nicht wundernehmen, daß auch der junge Lotto

[16] Beiträge zur Kunstgeschichte von Italien, Basel 1898, S. 208.
[17] Diese Einzelheit hat nur die Ausgabe von Th. von Frimmel (Wien 1888), die auch
sonst an dieser Stelle von den älteren abweicht.

282

Abb. 128. Lorenzo Lotto, Studienkopf
Frankfurt, Städelsches Institut

einen solchen Deckel gemalt hat. Jenes verschollene allegorische Bildchen, von
dem wir ausgegangen sind, ist ohne Zweifel nichts anderes als der Deckel zu
einem Bildnisse des Prälaten de' Rossi, und zwar wahrscheinlich zu dem uns
noch erhaltenen in Neapel. Dieses stammt laut der Aussage eines aus der Mitte
des 17. Jahrhunderts stammenden Inventars[18] aus dem Gartenpalast der Farnese
zu Parma, der Geburtsstadt Rossis, wo es schon als Werk Lottos galt, und
es ist sicherlich kein Zufall, daß sich jener Deckel, wie wir gesehen haben, noch
im Anfange des 19. Jahrhunderts in Parma befunden hat. Der Deckel ist
offenbar schon vor der Übersendung des Bildes nach Neapel von diesem getrennt
worden und auf irgend eine Weise in den Besitz eines Sammlers in Parma gelangt.

Der Nachweis des bezeichneten und datierten Deckels zu dem Neapler
Bildnisse des Prälaten de' Rossi ergibt nun mit Sicherheit die Zeit der Entstehung dieses köstlichen Jugendwerkes Lottos: es ist am 1. Juli 1505 vollendet

[18] A. Filangieri di Candida in Le Gallerie Nazionali, V, 1902, p. 213.

gewesen. Es gehört also in dieselbe Zeit wie die Darstellung der Ungläubigkeit des heiligen Thomas in S. Niccolò zu Treviso (Abb. 121), eine Altartafel, deren Entstehungszeit schon Girolamo Biscaro[19] aus äußeren Gründen in die Jahre 1505 und 1506 versetzt hat. Etwas früher als diese Werke dürfte das prachtvolle, früher Jacopo de' Barbari zugeschriebene Jünglingsporträt der Wiener Galerie (Abb. 120) gemalt worden sein, das wegen der nahen Verwandtschaft in der Malweise wohl in dieselbe Zeit gehört wie die Heilige Familie im Neapler Museum — also in das Jahr 1503. Das neugefundene Wiener Bildnis mag nun, da es einen noch strengeren, altertümlichen Stil zeigt, wohl den bisher Barbari zugeschriebenen zeitlich vorangehen: es ist vielleicht das früheste Bildnis, das wir von Lotto besitzen, und seine Entstehungszeit läßt sich mit den Jahren 1500 bis 1503 umschreiben.

So bietet das neugefundene Porträt der Wiener Galerie (Abb. 119) einen neuen, dank der echten Bezeichnung höchst verläßlichen Stützpunkt für die Erkenntnis von Lottos frühem Stil und von der Reihenfolge der Entstehung seiner Bildnisse aus dieser Zeit. Morelli hat nun, ausgehend von dem berühmten Jünglingsporträt der Wiener Galerie (Abb. 120), dem er den Namen Barbari gegeben hatte, eine Reihe von Werken zusammengestellt, die wir heute wohl mit gutem Recht Lotto zuschreiben dürfen[20]. Wir nennen hier nur die beiden edlen Kriegergestalten vom Denkmal Onigos in S. Niccolò zu Treviso (Abb. 126) und eine Reihe von Handzeichnungen, darunter den schönen Studienkopf[21] der ehemaligen Habichschen Sammlung in Kassel (gegenwärtig im Besitze des Fürsten von und zu Liechtenstein in Wien [Abb. 127]), dem sich mit voller Sicherheit eine Zeichnung im Städelschen Institut zu Frankfurt (dort Bonsignori zugeschrieben[22] [Abb. 128]) anreihen läßt. Diesen Arbeiten, die zu dem Schönsten gehören, was die damalige venezianische Kunst hervorgebracht hat, sehr nahe verwandt ist nun ein bedeutendes Werk, auf das wir in diesem Zusammenhange die Aufmerksamkeit der Spezialforscher lenken möchten. Es ist der heilige Sebastian der Dresdener Galerie, dessen Zuschreibung an Antonello da Messina, seitdem der Name zuerst von Crowe und Cavalcaselle genannt worden ist, durch einen wahren consensus gentium festgestellt worden zu sein scheint. Wir vermögen jedoch in diesem Bilde nicht Antonellos Hand, ja kaum eine Ähnlichkeit mit seinem Stile zu erkennen. Nicht das große Format, sondern vielmehr die Größe der Auffassung, die sich hier kundgibt, scheinen uns weit über Antonellos Grenzen hinauszugehen. Unter seinen späteren Werken, um die

[19] L'Arte, I, 1898, p. 148.
[20] Es ist ein unschätzbares Verdienst des großen Kenners, daß er zuerst alle diese Arbeiten unter e i n e m Namen vereinigt hat. Ebenso richtig hat Berenson gesehen, als er das Neapler Bildnis Rossis in der dritten Auflage seiner »Venetian Painters« demselben Jacopo de' Barbari zuschrieb, der sich nun als der junge Lotto entpuppt hat.
[21] Schönbrunner und Meder, Handzeichnungen aus der Albertina, Nr. 935. — Lermolieff, Die Galerien zu München und Dresden, S. 259.
[22] Schönbrunner und Meder, a. a. O., Nr. 593; Handzeichnungen alter Meister im Städelschen Kunstinstitut, Frankfurt 1908, I, 5. — Schon J. Meder hat im Texte zu der angeführten Publikation vermutet, daß diese beiden Zeichnungen von e i n e r Hand herrühren.

Abb. 129. Lorenzo Lotto, Die Predigt des heiligen Dominikus
Wien, Sammlung Gustav Benda

es sich allein handeln könnte, findet sich keines, das diesem heiligen Sebastian nahestünde oder gleichkäme. Wie altertümlich und mager nimmt sich die Behandlung des Nackten auf den Kreuzigungsbildern in Antwerpen (Abb. 116) und London aus gegenüber den durchgebildeten, jugendlichen, weichen Formen des nackten Jünglings, der hier den heiligen Sebastian verkörpert! Auch für die folgerichtige Behandlung der Schatten, für die feinen sittenbildlichen Szenen des Hintergrundes, für die genau konstruierte Architektur sucht man in Antonellos beglaubigten Schöpfungen vergeblich eine Analogie. Antonello ist auch keineswegs durch seinen vorübergehenden Aufenthalt in Venedig am Ende eines Lebens, das er in den Überlieferungen der neapolitanisch-sizilischen und damit der niederländischen Malerschule verbracht hatte, zum reinen Venezianer geworden; was man in seinen letzten Werken von Anklängen an die venezianische Schule wahrzunehmen glaubt, das liegt wohl zum größten Teile an der Wahl der Modelle: in Venedig hat er natürlich Venezianer gemalt.

Der heilige Sebastian der Dresdner Galerie ist aber ein rein venezianisches Werk, und wir möchten auch glauben, daß er in eine spätere Zeit gehöre, daß er kaum früher entstanden sei als etwa ein Vierteljahrhundert nach Antonellos Tod (1479)[23]. Nun gibt es keine anderen Werke der venezianischen Schule der Zeit um 1500, die diesem Bilde so nahestehen wie jene Gruppe von Gemälden und Zeichnungen, die Morelli unter dem Namen Jacopo de' Barbari zusammengestellt hat und die wir nun glauben, Lotto zurückgeben zu müssen. Die Haltung der Kriegerfiguren des Onigodenkmals, die schräge und zugleich fast parallele Stellung von Stand- und Spielbein ist genau dieselbe wie die des heiligen Sebastian und der beiden plaudernden Soldaten des Hintergrundes. Von den letztgenannten entspricht der dem Beschauer den Rücken zuwendende auch durch die Art, wie er die Hand mit der Innenfläche nach außen in die Hüfte stützt, dem linken Krieger des Onigodenkmals. Für den weichen, rundwangigen, fast mädchenhaften Kopftypus des heiligen Sebastians gibt es keine besseren Analogien als den des linken Kriegers des Onigodenkmals und jenen aufblickenden Studienkopf der ehemaligen Habichschen Sammlung, den wir schon genannt haben. Auch ein etwas späteres Werk Lottos enthält einen nahe verwandten Kopf: es ist der des heiligen Veit auf dem Altarwerk von Recanati (1508) mit seinem vollen Antlitz von fast weiblichen Zügen.

Endlich möchten die dem Geiste der nordischen Kunst sich nähernden sittenbildlichen Szenen des Hintergrundes noch am wenigsten auffallen bei einem Künstler wie Lotto, bei dessen Werken wir uns auch sonst oft leicht an nordische Weise erinnert fühlen (man denke nur an jenes — nach Morellis feinem Gefühle — »nordische« Lämpchen im Hintergrunde des Wiener Jünglingsporträts). Wie sehr Lotto in der Neigung und Begabung für sittenbildliche Darstellung nordischem Empfinden nahekommt, beweist eine — nach Vasaris Aussage — zu jenem Altarwerk von Recanati gehörende Predellentafel aus dem Besitz von Gustav von Benda in Wien (Abb. 120). Sie stellt die Predigt des

[23] Auch Morelli (a. a. O., S. 236), der das richtige Todesdatum Antonellos noch nicht kannte, setzt das Bild in die Jahre 1480—1490.

heiligen Dominikus vor, die im Freien vor einer zahlreichen Versammlung von modisch gekleideten Herren und Damen abgehalten wird. Es gibt in der Tat keinen italienischen Maler dieser Zeit, der mit einem so ausgesprochen realistischen Gefühl eine solche Szene wiederzugeben, die zahlreichen Figürchen mit so viel Geschick zu ordnen, die einzelnen Motive mit solcher Wahrheit zu erfinden verstanden hätte, wie es Lotto hier getan hat. Mit gutem Recht nennt Vasari diese Predella ein seltenes Stück (»una cosa rara«) mit den anmutigsten Figürchen der Welt (»con le più graziose figurine del mondo«). Auch die niederländische Kunst hat es erst einige Jahrzehnte später zu einer so vollendeten Darstellung von figurenreichen Volksszenen gebracht. Jene Hintergrundszenen des Dresdner heiligen Sebastians könnten aber als Vorstufe für die dem Sittenbilde nahe verwandte Darstellung dieser Predella gelten, die wohl fast um ein Jahrzehnt später entstanden sein müßte.

Bevor wir diese abgerissenen Bemerkungen über Lottos Jugendzeit schließen, möchten wir noch eine Frage aufwerfen, deren endgültige Beantwortung hier freilich nicht versucht werden soll. Die Frage lautet: ergeben die hier besprochenen Werke Lottos eine neue Stütze für Berensons Annahme, Lotto sei ein Schüler Alvise Vivarinis gewesen? Wir glauben, diese Frage kaum mit einem uneingeschränkten »Ja« beantworten zu können. Ohne einen gewissen Einfluß Alvises auf den ohne Zweifel leicht empfänglichen jungen Künstler durchaus leugnen zu wollen, so scheint er uns doch in den neugefundenen und ihm neuzugeschriebenen Werken als ein Maler, der seine Schulung im wesentlichen den Bellini verdankt. Wir sagen, ebenso wie Vasari, nicht Giovanni Bellini allein, sondern d i e Bellini. Denn es scheint uns in der Tat neben Giovannis Einfluß der G e n t i l e s in den besprochenen Werken besonders deutlich zu sein. Der streng zeichnerische Stil der frühen Bildnisse, vor allem des neugefundenen und hier zum ersten Male veröffentlichten, scheint uns mehr auf eine Schulung durch den älteren und altertümlicheren der Brüder hinzuweisen, ebenso auch die Art, wie die Porträte der Stifter auf der Altartafel mit der Ungläubigkeit des heiligen Thomas in S. Niccolò zu Treviso vom Bildrande abgeschnitten werden, was an Gentiles »Kreuzwunder« in der Akademie zu Venedig erinnert. Die vielen Porträtköpfe auf Gentiles Bildern sehen wie Vorbilder zu Lottos frühen Bildnissen aus. Endlich hat Lotto vielleicht die Neigung zum Sittenbildlichen gerade von Gentile geerbt. Man erinnert sich, daß Gentiles zweite Frau, die er noch 1494 geheiratet hat und die 1503 ihr Testament macht, eine Trevisanerin war. Gerade in dieser Zeit könnte Lotto in der Werkstatt Gentiles begonnen haben. Sollen wir die Vermutung wagen, der junge Lotto sei durch Gentile Bellinis Empfehlung nach Treviso gekommen, wo ja dieser ohne Zweifel durch seine Heirat manche Beziehungen gehabt haben muß? Lottos Werke aus der Zeit seines Aufenthaltes in Treviso scheinen uns wenigstens nicht gegen eine solche Annahme zu sprechen.   (1910)

VELAZQUEZ' BILDNIS
DER INFANTIN MARGARETA THERESIA
AUS DEM JAHRE 1659

Geschmackswandlungen, die mit der Entwicklung des Stils einer bestimmten Zeit im Zusammenhange stehen, führen nicht selten zu Ungerechtigkeiten großen Verstorbenen gegenüber. Das Streben nach einer Kunst des Ausdrucks, worin viele — und wir glauben wohl mit Recht — das eigentliche Wollen unserer Tage erkennen, nimmt userm Urteil die Unbefangenheit. Manche meinen, Dürer hinter Grünewald, Velazquez hinter Greco zurücksetzen zu sollen, obwohl es sicherlich besser wäre, nach dem Vorschlage Goethes, gelegentlich des Streites um den Vorrang zwischen ihm und Schiller, sich zu »freuen, daß überall ein paar Kerle da sind, worüber sie streiten können«.

Bei Velazquez freilich ist die Richtung nach dem rein Malerischen, die schon in der venezianischen Malerei, bei Giorgione und Tizian, beginnt, auf das reinste, folgerichtigste, aber auch auf das einseitigste ausgebildet. Velazquez ist Maler, nichts als Maler, und zwar nach dem Urteil eines feinsinnigen Franzosen, der malerischeste Maler, der je gelebt hat.

In seinen Bildnissen sieht man, wie wenig Wert er trotz aller Gediegenheit und Sorgfalt der Zeichnung auf Abwechslung in der Komposition und damit in der Stellung seiner Modelle legt; er gibt sich nicht einmal die Mühe, die heute ein Photograph nicht scheut, die Posen der Dargestellten zu variieren. Nimmt man auf die Farbe keine Rücksicht, so würde die Beschreibung seiner Porträte immer gleich lauten: das Modell sieht fast in voller Ansicht den Beschauer an, legt die Hand des ausgestreckten rechten Armes auf einen Tisch, eine Sessellehne oder den Reifrock, der linke Arm ist gesenkt und die Hand hält einen Fächer, ein Taschentuch, eine Blume oder auch nichts. Diese Haltung ist nicht nur bei Velazquez, sondern schon bei seinen Vorgängern, den früheren spanischen Hofmalern, ohne Abwechslung die gleiche. Es scheint fast, als ob selbst für die Bildnisse ein spanisches Zeremoniell geherrscht hätte, an dem zu rütteln Velazquez wohl hätte wagen können, weil er an seinem Hofe persona gratissima war, an dem er aber nicht gerüttelt hat, weil ihm nicht das Geringste daran lag.

Um etwas ganz anderes handelte es sich für ihn. Schon allein an den Bildnissen der jungen Prinzessin Margareta Theresia (geb. am 12. Juli 1651), die durch den Pinsel des Velazquez berühmter geworden ist als durch ihre Würde als Kaiserin, kann man das verfolgen; sie fallen alle in die Zeit der höchsten Stufe seiner künstlerischen Entwicklung, in das letzte Jahrzehnt seines Schaffens.

Unter all den Kindern einer etwas entarteten Rasse ist diese Tochter Philipps IV. aus seiner zweiten Ehe mit Marianne von Österreich weitaus das lieblichste; selbst ein scharf kritischer Franzose wie der Herzog von Grammont nennt sie »einen kleinen Engel« und findet sie »so lebhaft und hübsch, wie nur möglich«. Schon als die Infantin im zartesten Alter stand, wurden zwischen dem österreichischen und dem spanischen Hofe Heiratsverhandlungen geführt und man interessierte sich in Wien früh für ihre äußere Gestalt. Es ist daher kein Zufall, daß das Wiener Kunsthistorische Museum eine Reihe von Bildnissen Margareta Theresias besitzt. Bisher waren es nicht weniger als vier, freilich nicht alle von der Hand des Velazquez. Das früheste und zugleich das schönste von diesen ist eines der berühmtesten Bilder der ehemals kaiserlichen Gemäldesammlung; es zeigt die Prinzessin im Alter von kaum drei Jahren, mit ihrem runden Kindergesichtchen, welches, wie das aller dieser spanisch-habsburgischen Kinder, ein wenig blaß ist, mit hellblauen Augen und ganz feinen, aschblonden Haaren, in blaßrotem, silberbesticktem Kleidchen, das noch nicht die für spätere Jahre vorbehaltene Form des Reifrockes zeigt. Die kleine Gestalt hebt sich von dem Grünblau eines Vorhangs, das sich in der Tischdecke fortsetzt, und zugleich von dem dunkelroten Smyrnateppich ab, und der berückende Farbenzauber des völlig eigenhändigen Gemäldes gipfelt gleichsam in dem Blumenstrauß, der auf dem Tische steht.

Das, worauf es dem Meister allein ankommt, tritt uns hier schon entgegen: man spürt nichts mehr von dem Stofflichen der Malerei, von der Führung des Pinsels, man vergißt völlig, daß das Bild aus öligen Farben und harzigem Firnis auf Leinwandgrund besteht, ebenso wie man bei den Tönen, die etwa ein Rubinstein oder ein Casals aus ihren Instrumenten hervorzaubern, nicht mehr an Tasten und Hammer des Klaviers noch an Bogen und Saiten des Cellos denkt. Velazquez hat hier die volle Entstofflichung der Farbe erreicht, welche die höchste Absicht seiner reifen Kunst ist. Dieses Ziel, das die Malerei fast zu einer Art von Musik macht und ihr, wie dieser ihrer Schwesterkunst, einen transzendentalen Zug verleiht, kommt nicht ganz ebenso stark zum Ausdruck in dem zweiten eigenhändigen Porträt derselben Infantin, das sie im Alter von fünf bis sechs Jahren, in weißem Kleide, schon mit dem Reifrock, vor tiefem, hauptsächlich rotem Hintergrunde wiedergibt und das an die ganz ähnliche Gestalt in des Meisters berühmtem, ganz von Licht und Farbe durchfluteten Gemälde der Meninas im Prado zu Madrid erinnert. Das dritte Bild des Wiener Museums zeigt die Prinzessin schon im Alter von zwölf bis dreizehn Jahren und ist nach dem Tode des Velazquez von einem Schüler, wohl ohne Zweifel von seinem Schwiegersohn Juan Battista del Mazo[1], gemalt worden, der in der höchst geistreichen Wiedergabe des rosafarbenen, silberschimmernden Kleides, in den Blumen, welche die Infantin in der Hand hält, und in anderen Nebendingen etwas von jener Entstofflichung der Farbe erreicht, während der Kopf etwas Lebloses, Bleiernes hat, wodurch der Abstand klar wird.

[1] Vgl. Heinrich Zimmermanns völlig überzeugenden Aufsatz »Maria Theresia oder Margareta Theresia« in: Der Cicerone, III, 1911, S. 249.

Abb. 130. Carreño de Miranda, Infantin Margareta Theresia
Wien, Kunsthistorisches Museum

Das vierte von den Porträten ist hier für uns am interessantesten. Man hat
es für dasjenige gehalten, welches nach der verläßlichen Angabe Palominos[2]
Velazquez selbst im Jahre 1659, also ein Jahr vor seinem Tode, gemalt hat und
welches König Philipp IV. zusammen mit dem gleichzeitig entstandenen Porträt
des Brüderchens der Infantin, Don Philipp Prosper, an den Kaiser schickte. Das
zuletzt genannte ist ohne Zweifel identisch mit einem der berühmtesten Gemälde
des Kunsthistorischen Museums, worin Velazquez den kleinen, blassen, schwächlichen, kaum zweijährigen Prinzen, umgeben von einem Meer der verschieden-

[2] Palomino, El Parnaso Español pintoresco, III, Madrid 1724, p. 349.

290

Abb. 131. Velazquez, Infantin Margareta Theresia (1659)
Wien, Kunsthistorisches Museum

sten roten Töne, wiedergibt und dabei den ganzen Zauber seines spätesten
Stils entfaltet. Das zweite Stück, das damals nach Wien gesendet wurde, wird
bei Palomino folgendermaßen beschrieben: »Das andere Bildnis war das
der durchlauchtigsten Infantin Frau Margareta Theresia von Österreich, ganz
ausgezeichnet gemalt, mit jener Majestät und Schönheit des Originals; zur rechten
Hand ist auf einem kleinen Schreibtisch eine Uhr aus Ebenholz, mit Figuren und
Tieren aus Bronze von sehr anmutiger Form; in der Mitte ist ein Kreis, worauf

der Sonnenwagen gemalt ist und in dem selbigen Kreis ein andrer kleiner, in welchem die Stunden eingeteilt sind.« Dieser Beschreibung entspricht ganz genau jenes Gemälde (Abb. 130), das schon lange im Kunsthistorischen Museum hängt und früher als Werk des Velazquez gegolten hat. Doch weicht es in seiner eigentümlichen, auf das tiefe Olivgrün des Gewandes gestimmten Färbung und in der sehr materiellen malerischen Behandlung durchaus von dem Geschmack des großen Meisters ab; von ihm kann es nicht herrühren. Die besonderen Kenner seiner Kunst haben sich darüber den Kopf zerbrochen, wie das zu erklären sei. Mein verehrter und unvergeßlicher Lehrer Carl Justi[3] hat die Diskrepanz zwischen Bild und urkundlicher Nachricht zuerst erkannt. »Obwohl dieses Bildnis das bestbezeugte ist«, sagt er, »so kann man es doch nach wiederholter Betrachtung nur für ein Werk des Mazo unter Leitung des Velazquez halten.« Nach diesen ersten Zweifeln kam der ebenfalls schon verstorbene spanische Kenner Beruete[4] der Wahrheit noch ein wenig näher, indem er in dem Bilde eine K o p i e erkannte, die Mazo nach einem Originale seines Lehrers und Schwiegervaters angefertigt hätte. Schließlich wurde die Bestimmung des Nachfolgers, der diese Kopie gemalt hat, durch August L. Mayer[5] endgültig richtiggestellt: nicht Mazo, sondern Juan Carreño de Miranda ist ihr Urheber.

Wo das O r i g i n a l der Kopie sich befindet, können wir heute endlich mit voller Bestimmtheit sagen. Vor kurzem hat sich in einem Depot der Wiener Hofburg, in das niemals ein Kunsthistoriker vorgedrungen zu sein scheint, vernachlässigt, jedoch bis auf die angesetzten Ecken, die sich aus einer Verstümmlung des Bildes im 18. Jahrhundert erklären und die nach der Auffindung von dem ausgezeichneten Restaurator Herrn Professor Bruno Sykora auf das feinfühligste ergänzt worden sind, ganz vorzüglich erhalten, ein Gemälde gefunden, das genau dieselbe Komposition zeigt, aber in ganz anderer Färbung und malerischer Behandlung (Abb. 131). Nach der vorsichtigen Reinigung des Bildes durch den genannten Restaurator hat hier nun jeder Pinselstrich, mit Ausnahme jener geringfügigen Ergänzungen, die Frische und Freiheit der Hand des Meisters selbst. Das feine Köpfchen mit den hellblauen Augen ist auf das sorgfältigste und zarteste durchmodelliert; es ist umgeben von einem Hauch von flachsblonden Haaren, die mit der unglaublichsten Leichtigkeit und Durchsichtigkeit hingestrichen und in denen mit ein paar Pinselzügen grüne Mäschchen angedeutet sind. Von derselben Zartheit der Behandlung wie das Gesicht ist die auf dem Reifrock ruhende linke Hand, mit dem ungeheuern, dunkelbraunen Muff. Das Kleid aber zeigt nicht das stumpfe Olivgrün der Carreñoschen Kopie, sondern ein unvergleichliches helles Türkisblau, das dem ganzen Bilde ein silbriges Leuchten, eine jubelnde Jugendfrische verleiht. So leicht auch alles behandelt ist,

[3] Carl Justi, Diego Velazquez und sein Jahrhundert, II, 1888, S. 305; 2. Aufl., 1903, II, S. 256.

[4] A. de Beruete y Moret, The School of Madrid. London 1909, p. 122: »It was evidently a copy of an original by Velazquez which is now lost, or at any rate unknown to criticism and to ourselves.«

[5] August L. Mayer in den Monatsheften für Kunstwissenschaft, V, 1912, S. 344.

so tritt aus allen Teilen des Fleisches, des Gesichtes und der linken Hand — die rechte ist von einem Handschuh bedeckt — ein unerhörtes Leben zutage. Mühelos und unmerklich ist alles, was in dem Bilde an Technik erinnert. Man beachte, wie selbst die kleinsten Einzelheiten, wie die lange Goldkette, die über Schulter und Brust hängt, der kleine Löwe in vergoldeter Bronze, der auf dem Schreibtisch hinten steht, die blaugrünen Fransen des Fächers, den die Rechte hält, mit spielend geistreichem Pinsel auf die Leinwand hingezaubert erscheinen.

Carreños Kopie, in der Färbung ganz selbständig und an sich ein gutes Bild, dessen künstlerischer Wert besonders von Malern immer anerkannt worden ist, sieht daneben vollkommen leer, flau und unlebendig aus. Obwohl es die Arbeit eines Künstlers von Verdienst ist, bemerkt man mit Staunen, wie wenig es ihm, dem Zeitgenossen des Schöpfers des Originals, gelungen ist, bei der Übersetzung des Bildnisses in einen etwas anderen Stil und Farbengeschmack eine Wirkung hervorzubringen, die auch nur annähernd an die des Urbildes heranreicht. Die kleinsten Abweichungen von der Zeichnung des Originals wurden, wenn man dieses vergleicht, zu groben Mißgriffen, zu argen Entgleisungen, die freilich nur bei näherem Zusehen deutlich zutage treten und dann erst den allgemein günstigen, dekorativen Eindruck beeinträchtigen.

Das, was den Unterschied von der Kopie ausmacht, das unschätzbare, unvergleichliche malerische Können, ist das reife Ergebnis, das am Ende der langen, unermüdlichen künstlerischen Tätigkeit eines wahrhaft gottbegnadeten Malers liegt. Whistler hat einmal bei einer Gerichtsverhandlung dem Richter, der ihn fragte, warum er für ein Bild, das er in zwei Tagen gemalt habe, zweihundert Guineas verlange, die stolze Antwort gegeben, er fordere diesen Betrag für die Erfahrung eines ganzen Lebens. In jedem Pinselstrich dieses Bildnisses, das Velazquez ein Jahr vor seinem Tode geschaffen hat, liegt diese Erfahrung eines ganzen Lebens. Von Farbe, Pinsel, Leinwand, vor allem auch von Mühe ist hier nicht mehr das geringste zu spüren. Man merkt nichts von Virtuosenkniffen, nichts von Versuchen zu gefallen. Die volle Entstofflichung der Kunstmittel ist hier erreicht, wie niemals vorher und niemals später.   (1926)

REMBRANDTS SELBSTBILDNIS
AUS DEM JAHRE 1652

I.

Es ist erstaunlich, daß sich von Rembrandt, soweit wir sehen können, mindestens fünfundvierzig gemalte Selbstbildnisse erhalten haben. Die Zahl ist groß; denn sie bedeutet, daß der Künstler während seiner ganzen Schaffenszeit durchschnittlich ein jedes Jahr sein eigenes Porträt gemalt hat. Wie wenige Abbilder sind uns dagegen von anderen Künstlern gleichen Ranges, wie Dürer, Holbein, Tizian, Rubens, Velazquez, von eigener Hand erhalten geblieben! Welche Schlüsse aus dieser Gegenüberstellung zu ziehen sein könnten, das mag dem Biographen Rembrandts überlassen bleiben, und wir wollen uns damit begnügen, festzustellen, daß dieses erhöhte Interesse Rembrandts für seine eigene Person nicht eine allgemeine Erscheinung des Barockzeitalters ist, in dem er schuf, sondern eine individuelle Eigentümlichkeit: kaum irgend ein anderer Künstler hat so viel mit und in sich selbst gelebt wie Rembrandt.

Wir haben die Zahl von fünfundvierzig angenommen und sind uns dabei völlig dessen bewußt, daß sie weit geringer ist als die in den meisten Büchern über Rembrandt angegebene. Allein wir vermögen einer Richtung der heutigen Forschung nicht zu folgen, die sich — wie wir fürchten, mit nicht ganz zulänglichen Mitteln — bemüht, in die vertrautesten Geheimnisse von Rembrandts Familienleben einzudringen, indem sie bald seine eigenen Züge, bald die seiner Verwandten und die von Personen seines Haushaltes, von deren äußerer Erscheinung wir kaum etwas wissen können, mit voller Bestimmtheit in manchen Bildnissen und Studienköpfen, ja selbst in Historienbildern und Handzeichnungen wiederzuerkennen glaubt. Wenn uns schon Wilhelm von Bodes mit dem Genie seiner intuitiven Einbildungskraft getroffenen Bestimmungen von Rembrandts Familienmitgliedern als mehr oder weniger kühne und zugleich auch als mehr oder weniger begründete Vermutungen erscheinen, so glauben wir, daß Wilhelm R. Valentiners Ansichten über diese Fragen, die er in seinem 1905 erschienenen Buche über Rembrandt und seine Umgebung zuerst ausgesprochen und an denen er in seinen höchst verdienstvollen beiden Abbildungsbänden der »Klassiker der Kunst«[1] festgehalten hat, ohne jeden Zweifel weit über das Ziel

---

[1] Die beiden Bände werden hier der Kürze wegen in der folgenden Weise zitiert: Klassiker der Kunst II, Rembrandt I, Gemälde, herausgegeben von A. Rosenberg, 3. Auflage von W. R. Valentiner, Stuttgart und Leipzig 1909, als V a l e n t i n e r I; Klassiker der Kunst XXVII, Rembrandt III, Wiedergefundene Gemälde (1910—1920), herausgegeben von W. R. Valentiner, Stuttgart und Berlin 1921, als V a l e n t i n e r II.

schießen[2]. Um nur wenige Beispiele zu nennen, so sind die beiden Bildnispaare ältlicher Eheleute beim Fürsten Yusupoff in Petersburg (Valentiner I, S. 484 und 485) und im Metropolitan Museum zu New York (früher bei Moritz Kann in Paris, Valentiner I, S. 482 und 483), obwohl sie Valentiner für Porträte des im Alter von 27 Jahren gestorbenen Titus und seiner Gattin hält, sicherlich Bestellungen zu danken; sie stellen vornehme Leute dar, die ohne Zweifel den Künstler bezahlt haben. Diese Beispiele mögen genügen, obwohl sich viele andere anführen ließen. Besonders die angeblichen Jugendbildnisse der Hendrikje Stoffels und die späten Porträte Titus' widersprechen gänzlich der Vorstellung, die wir uns von ihrem Aussehen glauben bilden zu können.

Bewegen wir uns in der Frage der Abbilder der Rembrandt nahestehenden Personen auf einem schwankenden Grunde, so sollte man meinen, daß dies bei den Selbstbildnissen des Meisters nicht der Fall sein könnte. Wir bilden uns doch wenigstens ein, Rembrandts äußere Erscheinung in allen Epochen seines Lebens genau zu kennen, und eine Verwechslung erscheint hier fast ganz unmöglich. Dennoch gibt es eine große Anzahl von Gemälden, die als Selbstbildnisse Rembrandts gelten und doch offenbar mit seiner Person sehr wenig zu tun haben. Der Irrtum, der hier vorliegt, hat eine nicht schwer begreifliche Begründung. Einerseits scheint der Künstler gelegentlich, ohne es mit der Ähnlichkeit im geringsten ernst zu nehmen oder sie überhaupt nur anzustreben, in manchen Bildern der historischen oder sittenbildlichen Gattung seine eigene Person als frei benützte Vorlage für einzelne Köpfe genommen zu haben. Anderseits darf man die alte Erfahrung nicht vergessen, daß jeder Künstler unbewußt ein wenig von den eigenen Zügen dem Modell verleiht, das er gerade malt.

An Beispielen der ersten Art fehlt es nicht. Dazu gehört vor allem ein berühmtes Meisterwerk: das sogenannte Bildnis des Künstlers selbst mit seiner Gattin Saskia in Dresden. Hier haben ihm das eigene Modell und das seiner Gattin vorgeschwebt. Allein, das Gemälde ist kein Porträt, sondern ein Sittenbild. Seitdem wir darauf hingewiesen haben[3], daß hier nichts anderes dargestellt sei, als das Thema »Der Soldat und sein Mädchen«, hat Valentiner auf einer Tafel der Rückwand Kreidestriche wiedergegeben gefunden, wie man sie in Wirtshäusern zur Kontrolle der trinkenden Gäste anzubringen pflegte. Daß es sich um ein Gelage, nicht um ein bürgerliches Mahl handelt, wird auch durch den prächtigen Pfau auf der Tafel angedeutet[4].

Ein anderes Gemälde dieser ersten Art, worin der Künstler an die eigenen Züge erinnert, ohne die Absicht eines Selbstbildnisses damit zu verbinden, ist

[2] Die Biographen Rembrandts, wie Carl Neumann (3. Auflage, München 1922) und der neueste Werner Weisbach (Berlin und Leipzig 1926), gehen in dieser Hinsicht weit zurückhaltender vor.

[3] Jahrbuch der kunsthistorischen Sammlungen in Wien, XXXV, 1920, S. 86.

[4] Die von W. R. Valentiner (Klassiker der Kunst XXXI, Rembrandt, Des Meisters Handzeichnungen I, S. 488, zu Nr. 383) und von Werner Weisbach (a. a. O., S. 50 und 172) vorgeschlagene Annahme, es sei hier der Verlorene Sohn dargestellt, scheint uns zu weit zu gehen. Der Held des biblischen Gleichnisses hat sich in der Kunst und in der Literatur seit Burkard Waldis kaum je mit e i n e r Hure begnügt.

der Fahnenträger bei Gustave Rothschild in Paris (Valentiner I, S. 147). Das Gesicht hat hier manches von Rembrandt, aber einen so gewaltigen, herabhängenden Schnurrbart hat er selbst, soviel wir wissen, niemals getragen. Ein weiteres Beispiel aus der späteren Zeit Rembrandts ist der 1650 entstandene Landsknecht mit dem mächtigen Zweihänder im Fitzwilliam Museum zu Cambridge (Valentiner I, S. 319 l.). Auch hier ist eine gewisse Ähnlichkeit mit der Person des Künstlers unleugbar, aber ein Porträt ist sicherlich nicht beabsichtigt. Was hätte ein Maler mit einer so gewaltigen Stichwaffe anfangen sollen, die er kaum zu handhaben verstanden hätte?

In Offizierskreisen dürfte freilich Rembrandt schon als angesehener Porträtmaler nicht unbekannt gewesen sein. Ohne Zweifel hat er manche Bildnisse von Offizieren gemalt. Zu diesen gehören einige, die man mit Unrecht als Selbstporträte bezeichnet hat: es sind dies zumeist Werke aus den Dreißigerjahren, so der energisch blickende Krieger des Mauritshuis im Haag (Valentiner I, S. 146), wobei man zweifeln kann, ob es sich um eine Schöpfung der ersten oder der zweiten Art handelt, ob der Meister seine eigenen Züge zu einer Bildnisstudie benützt oder dem Porträt eines wirklichen Offiziers etwas von den eigenen Zügen beigemengt hat, ein zweiter Offizier in der Wallaceschen Sammlung in London (Valentiner I, S. 146 r.)[5], worin sicherlich nicht Rembrandt selbst dargestellt ist, und endlich ein Bild, das offenbar zur zweiten Gruppe gehört und jemand ganz andern vorstellt, ehemals bei Fairfax Murray in London, in ovalem Ausschnitt, selbst von Valentiner (II, S. 36) nur mit einem Fragezeichen als Rembrandts Porträt bezeichnet.

Sicher handelt es sich um bestellte Bildnisse bei der Wiedergabe einiger jüngerer Männer aus den Dreißigerjahren, zum Beispiel bei dem eleganten Jüngling in Federbarett und Goldkette im Besitz von E. D. Libbey in Toledo in Nordamerika (Valentiner I, S. 33), bei dem stumpfsinnig blickenden, wenig Intelligenz verratenden in der Sammlung J. L. Severance in Cleveland (Valentiner II, S. 23), bei dem Stutzer der Corporation Art Gallery in Glasgow (Valentiner I, S. 149), bei dem hübschen jungen Mann im Braunschweiger Museum (Valentiner I, S. 34)[6]. Endlich kann ein neuentdecktes, wunderbares Werk, das Porträt eines etwa vierzigjährigen Mannes, mit edlen Zügen, in nachdenklicher Haltung, bei Nils B. Hersleff in Orange (N. J.)[7], unmöglich Rembrandt selbst darstellen, da es aus dem Jahre 1660 datiert ist und die Züge des früh gealterten Meisters mit ihren Furchen und Runzeln zu dieser Zeit ganz anders ausgesehen haben.

Auch gibt es eine Reihe von Studienköpfen, denen entgegen der all-

[5] Von W. Martin, in: Der Kunstwanderer 1923, S. 408, wohl mit Recht in seiner Echtheit bezweifelt und als Fälschung bezeichnet.

[6] Dieses ist wohl sicher nicht von Rembrandt. Von Abraham Bredius (Kunstchronik, 21. August 1914) wird es als Selbstbildnis Ferdinand Bols bezeichnet, von C. Hofstede de Groot (Beschr. und krit. Verzeichnis, VI, 1915, S. 137, Nr. 263, dazu S. 628) und Valentiner (II, S. 123) als eine Arbeit Flincks.

[7] Abgebildet bei C. Hofstede de Groot, Die holländische Kritik der jetzigen Rembrandt-Forschung und neuest wiedergefundene Rembrandt-Bilder, Stuttgart und Berlin 1922, S. 45.

Abb. 132. Rembrandt zugeschrieben, Bildnis des Künstlers und seiner Frau Saskia
London, Buckingham Palace

gemeinen Meinung nicht die Züge Rembrandts zugrunde liegen können: zum Beispiel der Kopf eines hübschen hellblonden Jünglings, um 1628, in der Sammlung C. Hofstede de Groots im Haag (Valentiner II, S. 113)[8]; ein weiterer Studienkopf aus ungefähr derselben Zeit, beim Grafen Tarnowski in Dzikow (Valentiner II, S. 4), der kaum eine Ähnlichkeit mit Rembrandt aufweist[9]; endlich der eines häßlichen, lachenden Burschen bei F. Stoop in Byfleet (Valentiner I, S. 30), eine Ausdrucksstudie nach irgend einem vorübergehend benützten Modell.

Schon unter den genannten Bildern sind einige wenige, die nicht als Originale von seiner Hand betrachtet werden können, sondern als Kopien oder Nachahmungen gelten müssen. Solche sind begreiflicherweise nicht selten und haben sogar in öffentliche und große Privatsammlungen Eingang gefunden. Nur noch ein berühmtes Bild dieser Art möchten wir erwähnen: das Doppelporträt im Buckingham Palace zu London (Abb. 132), früher als »Bürgermeister Pancraz und seine Frau«, in neuerer Zeit als Selbstbildnis Rembrandts mit seiner Gattin Saskia bezeichnet (Valentiner I, S. 134). Daß in dem geduldigen Ehemann, der, eine Perlenschnur in der Hand, darauf wartet, bis seine Gemahlin ihre umständliche Toilette beendet hat, Rembrandt zu erkennen ist, dürfte wohl von niemandem geleugnet werden können. Allein, daß das große Bild von dem Meister selbst gemalt sein soll, haben verschiedene Kenner, darunter vor allem Bredius und Martin, bezweifelt, während andere nicht minder bedeutende an der Echtheit festgehalten haben. Die Zweifel beziehen sich hauptsächlich auf die malerische und zeichnerische Durchführung; die Komposition wird in ihrer Ursprünglichkeit nicht ausdrücklich bezweifelt. Auffallender aber noch als die malerische Behandlung, die schließlich doch manches von Rembrandts Art zeigt und ihm sicherlich nahesteht, wenn wir auch dabei die Empfindung einer mehr äußerlichen Nachahmung haben, ist doch eigentlich das Motiv. Aus den lebensgroßen Figuren des Doppelporträts wird ein Sittenbild gemacht, mit großen Mitteln ein kleiner Gedanke wiedergegeben: wir sehen hier nur eine eitle junge Frau, die dem Spiegel abfragen will, wie ihr die neuen Ohrringe mit den Barockperlen stehen, und daneben den Ehemann, der, unbekümmert um sie und mit anderen Dingen beschäftigt, den Beschauer fast traurig anblickt und dabei doch zuwartet, um seiner Gattin eine Perlenschnur umzulegen. Das ist im Grunde ein Motiv, das für einen der kleinen feinen Meister des Sittenbildes wie geschaffen wäre, für Mieris oder Dou, nicht aber für Rembrandt. Dieser verschmäht zwar in seinen Bildnissen und insbesondere in Doppelporträten sittenbildliche Motive nicht. Welcher andere Geist, welcher andere Ernst spricht aber zum Beispiel aus dem Abbild des alten Schiffbaumeisters, dem seine Frau einen gerade angekommenen Brief, wohl mit einem wichtigen Auftrage, der mit seinem Beruf zusammenhängt, eiligst überbringt,

<hr />

[8] Von einigen als Arbeit Rembrandts bezweifelt, so von Abraham Bredius (Zeitschrift für bildende Kunst, 56. Jahrg., N. F. XXXII, 1921, S. 151), der es für eine englische Nachahmung der zweiten Hälfte des 18. Jahrhunderts hält und auf eine Zeichnung Rembrandts im British Museum zu London als Vorbild hinweist.

[9] C. Hofstede de Groot hat dieses Bild in Onze Kunst (L'Art Flamand et Hollandais), XII, 1909, S. 165, veröffentlicht und nicht als Selbstbildnis bezeichnet. Vgl. auch A. Bredius (a. a. O., S. 148): »Wohl kaum Selbstbildnis! Und wenn Rembrandt, nicht sehr bedeutend.«

Abb. 133. Rembrandt, Junge Frau bei der Toilette
Petersburg, Ermitage

wobei sie in der Hast die Türklinke in der Hand behält, ebenfalls im Buckingham Palace (Valentiner I, S. 92) oder aus dem des Memnonitenpredigers Anslo im
Berliner Museum (Valentiner I, S. 259), der mit seiner Frau in ernster Unterredung steht, wohl über geistliche Dinge! Und nun denke man gar an das frische
Leben in dem Dresdener angeblichen Selbstbildnis mit Saskia, das nun freilich,
wie gesagt, kein Porträt ist, sondern ein Sittenbild, das aber zur Vergleichung
des Stils gut passen würde, weil es zu derselben Zeit wie das Doppelbildnis im
Buckingham Palace entstanden sein müßte. Dieses wirkt dagegen steif und ab-
sichtlich gestellt. Die beiden Figuren haben keinen Zusammenhang; das Beiwerk
macht sich üppig breit, ein wahres Stilleben ist auf dem Toilettetisch ausgebreitet
und der Goldbrokatmantel der angeblichen Saskia füllt einen großen Teil der
rechten Hälfte des Bildes aus[10].

[10] Werner Weisbach (a. a. O., S. 49) findet hingegen in dem Gemälde »ganz den
Charakter des Erlebnismäßigen«.

Ist aber diese Frauensperson wirklich Saskia, die junge hübsche Frau Rembrandts? Wir können die Ähnlichkeit mit dem einzigen sicheren Porträt dieser Künstlersgattin, der feinen Zeichnung, die sie noch als Braut im Alter von 21 Jahren darstellt, im Berliner Kupferstichkabinett, keineswegs schlagend finden. Aber auch wenn wir eine solche zarte Zeichnung zur Beurteilung der Selbigkeit der Person nicht zureichend finden und andere gemalte Porträte Saskias heranziehen, die wir als solche anzuerkennen vermögen, wird die Ähnlichkeit nicht größer. In der Figur des Doppelbildnisses im Buckingham Palace sind die Gesichtszüge länglicher, die Stirne weit höher, die Nase leicht gebogen — im Gegensatz zu Saskias feinem Stumpfnäschen —, der Mund schmäler. Im ganzen ist hier ein derberer, weniger lieblicher Frauentypus wiedergegeben. Dieselbe Figur in genau derselben Haltung kommt nun, was schon lange beobachtet worden ist, in einem ganz besonders reizvollen Bilde der Ermitage zu Petersburg (Abb. 133) vor, das schon den flüssigen, flächigen Stil von Rembrandts später Zeit aufweist und auch durch die beigefügte Jahreszahl 1654 in diese Epoche gesetzt wird (Valentiner I, S. 406). Es ist eine in sich völlig geschlossene Darstellung, die sich, wenn wir sie unbefangen ansehen, als reines Sittenbild kundgibt. Nichts anderes ist dargestellt als eine eitle junge Frauensperson, die vor einem kleinen Stehspiegel sich mit einem neuen Ohrring schmückt. Das Motiv ist ganz einfach und läßt den überflüssigen Reichtum des Beiwerks, den wir auf dem Buckinghamschen Bilde erblicken, nicht vermissen. Ebenso viel einfacher ist auch die Tracht: statt der einer orientalischen Märchenprinzessin mit ihrem Geschmeide von Gold und Juwelen und ihrem weit ausgebreiteten Goldbrokatmantel sehen wir hier eine normale bürgerliche, vielleicht etwas nachlässige Kleidung, der nur zwei goldene Armbänder ein reicheres Aussehen verleihen.

Wie ist nun dieses Petersburger Bild zu erklären? Allgemein wird angenommen, Rembrandt habe es gemalt, als er durch seinen drohenden Bankrott genötigt wurde, das große Bild, das heute im Buckingham Palace erhalten ist, zu verkaufen. Er habe sich schweren Herzens davon getrennt, als Erinnerung daran die Figur Saskias herauskopiert und dabei Prachtgewand und Brokatmantel durch ein einfaches Hauskleid ersetzt. Abgesehen davon, daß Rembrandts finanzieller Zusammenbruch nicht 1654, sondern zwei Jahre später erfolgt ist, wäre diese immerhin etwas kühne Vermutung nur dann berechtigt, wenn wir in beiden Bildern Saskia zu erkennen vermöchten, was, wie gesagt, durchaus nicht angenommen werden kann. Nicht möglich erscheint uns auch die neuerdings von W. Martin[11] geäußerte Annahme, das Petersburger Bild wäre ein Ausschnitt aus einem größeren von Rembrandt gemalten Bilde, dessen Kopie in dem Gemälde des Buckingham Palace vorläge. Nichts weist aber in dem Petersburger kleinen Bilde auf einen Ausschnitt, auf ein Bruchstück hin, es ist eine völlig abgerundete Komposition, der sich nichts hinzufügen läßt, ohne daß die Einheit gestört würde.

Nun hat aber dieses Petersburger Bild auch noch vor dem Buckinghamschen den Vorzug einer einwandfreien Beglaubigung als Werk Rembrandts voraus.

[11] Der Kunstwanderer, 1921, S. 33.

Es ist, was schon früher[12] bemerkt worden ist, ohne daß daraus die zwingenden Folgerungen gezogen worden wären, in dem bei Gelegenheit von Rembrandts Insolventerklärung im Jahre 1656 aufgenommenen Inventare seines Besitzstandes unverkennbar erwähnt. Unter Nr. 39 erscheint hier »Eene Cortisana haer pallerende«, eine Kurtisane, die sich schmückt, also ebenso wie die junge Frau bei der Toilette dargestellt ist. Nichts ist — schon wegen der Seltenheit des Vorwurfs — wahrscheinlicher, als daß es sich um das zwei Jahre früher entstandene kleine Gemälde handelt, das uns in der Ermitage erhalten geblieben ist. Wenn der oder die Verfasser dieses Inventars die Dargestellte als eine Kurtisane bezeichnen, nicht als Rembrandts rechtmäßige Gattin Saskia, so müssen wir zugeben, daß sie besser die Absicht des Künstlers gewußt haben werden, als wir. Der Maler des Buckinghamschen Bildes hat sie aber nicht mehr gekannt. Er hat diese reizvolle Figur ganz ohne Recht zur Gattin Rembrandts gemacht.

Was daraus geschlossen werden muß, ist wohl klar. Das Doppelporträt im Buckingham Palace rührt nicht von Rembrandt her, sondern von einem Nachahmer oder gar von einem Fälscher des 18. Jahrhunderts. Dies stimmt mit den Beobachtungen überein, die wir vor kurzem vor dem Originale machen konnten und die andere Forscher, wie Bredius und Martin, vor uns angestellt haben. Der Fall ist nicht vereinzelt. Etwas Ähnliches liegt vor in dem lange Rembrandt zugeschriebenen Gemälde der Ehebrecherin vor Christus (früher in der Weberschen Sammlung zu Hamburg, jetzt in amerikanischem Privatbesitz, Valentiner I, S. 537), wo eine Studie, die zur Gestalt der Ehebrecherin auf dem kleinfigurigen Bild der National Gallery zu London (Valentiner I, S. 279) gedient hat, mit einigen Veränderungen für die entsprechende Figur benützt ist. Auch hier handelt es sich ohne Zweifel um eine Nachahmung oder Fälschung, obwohl noch einzelne Forscher an der Urheberschaft Rembrandts festhalten.

II.

Wenden wir uns nun nach dieser Abschweifung unserem eigentlichen Gegenstande, der Betrachtung der späten Selbstbildnisse Rembrandts, zu, so finden wir eine Reihe von etwa sechzehn Gemälden vor, die ungefähr in den beiden letzten Jahrzehnten seines Lebens entstanden sind und die zum großen Teil zu dem Bedeutendsten gehören, was er geschaffen hat. Gerne möchten wir sie in der Folge ihrer Entstehung betrachten. Allein die chronologische Anordnung, die man sich von vornherein leicht denken müßte, weil ja schon das allmähliche Altern des Menschen sich darin aussprechen sollte, stößt doch, soweit nicht der Bezeichnung des Künstlers eine Jahreszahl hinzugefügt ist, auf außerordentliche Schwierigkeiten. Vor allem ist es eine bekannte Erfahrungstatsache, daß die Veränderung der Züge nicht allein vom Alter abhängt, sondern auch von Krankheit und Wohlbefinden, ja selbst von schlechter oder guter Laune. Man kann einen Menschen nach Jahren wiedersehen und jünger geworden glauben. Einen anderen,

[12] Von C. Hofstede de Groot, Die Urkunden über Rembrandt, Haag 1906, S. 192, Anm. zu Nr. 39.

Abb. 134. Rembrandt, Selbstbildnis von 1652. Vor der Restaurierung
Wien, Kunsthistorisches Museum

bestimmteren Maßstab müßte bei Rembrandts Selbstbildnissen die Erkenntnis
der Entwicklung seines Stils abgeben. Doch, abgesehen davon, daß sich ein Maler
nicht immer so folgerichtig zu entwickeln pflegt, wie wir Kunsthistoriker zu
glauben gerne geneigt sind, scheint uns gerade bei Rembrandt die Entwicklung
seiner Malweise und seines Vortrages in den letzten Jahrzehnten seines Schaffens
nicht durchaus so klar zu sein, wie es zu wünschen wäre.

Eine weitere Schwierigkeit bildet der ganz verschiedene Erhaltungszustand
der Gemälde, die hier in Betracht kommen. Bilder, die sich in neueren Privatsammlungen oder noch im Kunsthandel befinden, sind häufig bis an die Grenze

302

Abb. 135. Rembrandt, Selbstbildnis aus dem Jahre 1652
Wien, Kunsthistorisches Museum

des Möglichen gereinigt, selbst der erste alte Firnis fehlt nicht selten, der Ton ist oft kühl, die Bildfläche glatt geplättet. Im größten Gegensatz dazu steht der Zustand mancher Gemälde, die zu dem Bestande der alten Galerien gehören. Hier bedeckt oft eine ganze Reihe von Schichten gefärbten Firnisses die Malerei. Dadurch erscheint der Ton noch wärmer, noch goldiger, als er vom Meister selbst ursprünglich beabsichtigt worden ist; man erblickt die Formen und die Farben nicht anders als durch ein trüb gewordenes Medium. Dieser Zustand gibt von der eigensten Absicht Rembrandts eine falsche, eine verfälschte Vorstellung. Und doch hängt unser Begriff seiner Farbe und seines Helldunkels vielfach von solchen Eindrücken ab. Die dunklen Teile von so manchen Bildern Rembrandts sind durch das Alter und durch die Trübung der Firnisschichten noch viel dunkler geworden. Wir haben uns aber an diesen Anblick so gewöhnt, daß wir in den undurchsichtigen Tiefen der Farbe einen gewissen Reiz, ja etwas geheimnisvoll Poetisches zu erkennen vermeinen.

Etwas Ähnliches war bei dem größeren von den beiden Selbstbildnissen Rembrandts, welche die Gemäldegalerie im Kunsthistorischen Museum zu Wien besitzt, seit langem auffallend bemerkbar (Valentiner I, S. 399). Nur der lebensvolle Kopf des Künstlers leuchtete eigentlich mehr aus einer Umgebung von trüber, stumpfer und undurchsichtiger Farbe hervor (Abb. 134). Trotzdem hätte man sich kaum entschlossen, das Bild zu berühren, wenn nicht sein Erhaltungszustand eine baldige Sicherung erfordert hätte — eine Sicherung für die Nachwelt. Nicht die Absicht der Restaurierung, sondern die der Konservierung nötigte uns, das unschätzbare Gemälde einer fachmännischen Behandlung zu unterziehen. Eine genaue Untersuchung und Erwägung, wobei wir uns der wertvollen Unterstützung des aus namhaften Künstlern und Kunsthistorikern bestehenden Beirats der Galerie zu erfreuen hatten, ließ die dem Meisterwerke drohende Gefahr erkennen. In bedenklicher Weise hatte sich die Farbenschicht gelockert; am Rande waren schon einzelne verschwindend kleine Farbteile abgefallen und auch in der Mitte des Bildes zeigten sich kleine Blasen. Um für die Zukunft ein weiteres Abfallen der lose gewordenen Farbenschicht zu verhindern, war eine Unterziehung des Gemäldes mit neuer Leinwand nach Entfernung der zum Teil morsch und ungleichmäßig gewordenen, in alter Zeit darunter gespannten beiden Leinwanden notwendig geworden. Diese höchst verantwortungsvolle, mühsame und zeitraubende Arbeit wurde dem in diesen Dingen ganz besonders erfahrenen Restaurator der Gemäldegalerie, Herrn Karl Proksch, übertragen und von ihm so glücklich durchgeführt, daß jede Zusammenpressung oder Glättung der gemalten Fläche völlig vermieden wurde und daß die erhabenen Stellen der Pinselstriche in ihrer ursprünglichen Plastik erhalten blieben.

Es war ein glücklicher Augenblick, als das Bild nach dieser Behandlung unversehrt wieder vor uns stand. Durch die Erwärmung, die bei dem Verfahren der Unterziehung mit neuer Leinwand unvermeidlich ist, hatten sich die späteren Firnisschichten ein wenig erweicht und zugleich getrübt, und es galt nun, den darunter befindlichen alten Firnis neu zu beleben. Dieser Aufgabe hat sich Herr Restaurator Professor Bruno Sykora mit der ihm eigenen Kunst, Geduld und

Abb. 136. Rembrandt, Selbstbildnis von 1652 (Ausschnitt)
Nach der Restaurierung
Wien, Kunsthistorisches Museum

Vorsicht unterzogen. Während die späteren Firnisschichten sich durch eine entsprechende, langwierige Behandlung auflösten und sozusagen schließlich ver-
schwanden, blieb der alte, ursprüngliche Firnis erhalten und belebte sich; die
ganze Leuchtkraft des Gemäldes wurde wieder gewonnen. Aber nicht nur das;
was früher dunkel, unklar, trüb daran gewesen war, wurde nun klar und durch-
sichtig, wenn auch nicht gerade hell (Abb. 135). Das schöne Motiv der beiden in
den Gürtel gesteckten Hände, das früher nur mit Mühe sichtbar gewesen war,

Abb. 137. Rembrandt, Selbstbildnis von 1652
Die Bezeichnung des Künstlers

kommt jetzt in voller Deutlichkeit zur Geltung. Auch der farbige Gesamt-
eindruck hat sich ganz verändert: nicht aus einer trüben, schleierhaften Umgebung tritt nunmehr der wunderbar lebendige Kopf (Abb. 136) mit seinen
ernsten, nicht aber eigentlich traurigen Zügen hervor, sondern er hebt sich
jetzt von klaren Farben ab: von dem kräftigen Schwarz des Hutes, dem lebhaften Rotbraun des schlichten Malerkittels, unter dem nun auch das eigentliche
Gewand des Künstlers deutlich sichtbar geworden ist, und dem hellen Braun
des Hintergrundes. Das Bild hat das Unklare, Verschwommene verloren
und dabei doch die volle Poesie von Rembrandts Helldunkel und Färbung beibehalten.

Eine kunstgeschichtlich wichtige Tatsache ergibt sich aus der Wiederherstellung und Neubelebung des Gemäldes: seine unzweifelhafte Datierung.
Durch seinen Zustand sind wir früher irregeleitet worden, und die Jahre 1657,
1658 und 1659 wurden als die Zeit seiner Entstehung genannt. Der fast mono-
chrome, eintönige Charakter der Färbung schien dafür zu sprechen, vielleicht
noch mehr der melancholische Ausdruck der Züge. Man glaubte dies mit den
persönlichen Schicksalen des Meisters in Verbindung bringen zu sollen, mit seiner
Insolventerklärung im Juli 1656, die ihm fast seinen ganzen Besitz und damit
auch seine mit Liebe gepflegten Kunstsammlungen kosten sollte. Heute sehen
wir buchstäblich klarer und richtiger. Die nun lebhaft gewordene Färbung weist
auf eine nicht unbeträchtlich frühere Zeit hin. Der Gesichtsausdruck hat viel
von seiner Trauer und Düsterkeit verloren, Tatkraft und ernste Spannung sind
in den ausgearbeiteten Zügen mehr zu lesen, als Melancholie, deren Hauch sie
freilich noch immer umgibt. Wie aber wollen wir wagen, die Ursachen dieser

306

Abb. 138. Tizian, Bildnis eines Mannes
Paris, Louvre

Melancholie zu erraten? Was in dem Gemüte des Meisters vorging, was ihm sein Schaffen innerlich an Aufregungen, ja hie und da vielleicht an Entmutigung brachte, wie vermöchten wir das zu sagen?

Daß der leise Zug von Schwermut nichts mit Rembrandts wirtschaftlichem Zusammenbruch zu tun hat, steht nach der Wiederherstellung des Bildnisses fest. Durch die Belebung des trüben Firnisses ist nämlich links unten, vom jetzigen Bildrand überschnitten, der Rest der Bezeichnung des Künstlers sichtbar geworden: ... dt f. 1652 (Abb. 137). Da die Jahreszahl unverkennbar deutlich ist, muß das Porträt vier Jahre vor der Insolventerklärung gemalt worden sein, in einer Zeit, wo von äußeren Schwierigkeiten kaum die Rede ist, wo Rembrandt auf der Höhe seiner Kunst und seines Lebens stand, eine Reihe der hervorragendsten Meisterwerke, Bilder, Radierungen, Zeichnungen schuf und noch von einem weiten Kreis von Schülern umgeben war, deren Mithilfe er bei einer Anzahl von Gemälden größeren Formats in Anspruch genommen zu haben scheint.

20*

Um diese Zeit, etwa zu Anfang der Fünfzigerjahre, hat sich in Rembrandts Bildnisstil eine entscheidende Wandlung vollzogen. Bis dahin merkt man seinen Porträten noch etwas davon an, daß sie gestellt sind. Von einer Pose, die er seinen Modellen gegeben hätte, kann man gerechterweise nicht gerade sprechen; aber etwas Absichtliches, Gewolltes tritt überall ein wenig zu Tage, sei es, daß er die Dargestellten zum Beschauer sprechen und die Hände redend erheben läßt, sei es, daß er ihnen eine ähnliche Haltung gibt, wie sie Raffaels Porträt Castigliones zeigt, das Rembrandt gekannt und in einer Skizze für sich festgehalten hat. Nun erhebt sich sein Bildnisstil zu Anfang der Fünfzigerjahre zu einer neuen, ungeahnten Natürlichkeit. Er gibt den Dargestellten eine vorübergehende, aber doch ihnen durchaus gemäße Haltung, er nimmt sie fast wie mit einem photographischen Momentapparat auf. Sie agieren nicht mehr, sondern sie leben. Man erinnere sich nur an das köstliche Porträt des Nicolas Bruyningh in der Kasseler Galerie (Valentiner I, S. 348) mit seiner leicht geneigten Haltung und dem liebenswürdig sprechenden Blick auf den Beschauer, oder an das eines alten Mannes beim Herzog von Devonshire in Chatsworth (Valentiner I, S. 370), der, nachdenklich sinnend und unbekümmert um den Betrachter, sich an die Schläfe greift, beide Gemälde in demselben Jahre (1652) entstanden, wie jenes Selbstbildnis.

Nicht unmöglich ist es, daß Rembrandt diese Wandlung seines Bildnisstils einem besonderen künstlerischen Erlebnis zu verdanken hatte. Wie er sich früher schon lebhaft für Raffaels Castiglione interessiert hat, so mag er jetzt die vornehm edle, ungezwungene Haltung Tizianscher Bildnisse kennengelernt haben. Man denke etwa an das Porträt eines jungen Mannes, den man als Engländer zu bezeichnen pflegt, im Palazzo Pitti zu Florenz, oder vielleicht wohl bei dem Motiv der in den Gürtel greifenden Hände, das Rembrandt übrigens auch bei einer gezeichneten Modellstudie, heute im Kupferstichkabinett zu Amsterdam, angewendet hat, an jenes andere Porträt eines jungen Herrn im Louvre zu Paris (Abb. 138), worauf uns in diesem Zusammenhang unser Freund und Mitarbeiter Dr. Johannes Wilde aufmerksam gemacht hat. Man hat früher Rembrandt als eine Art von Autodidakten zu betrachten geglaubt, der alles aus sich selbst heraus geschaffen habe; wir wissen aber heute, daß er die Kunst vergangener Zeiten hochzuschätzen gewußt hat. Wie sein vlämisches Widerspiel Rubens, ist auch er sicherlich der Größe Tizians voll innegeworden.

Nun ist auch noch eines weiteren, nicht unwichtigen Ergebnisses der Wiederherstellung jenes Selbstbildnisses Rembrandts zu gedenken. Durch diese ist etwas deutlicher geworden, was man auch schon früher zu spüren glaubte, wenn man das Gemälde aufmerksam betrachtete. Es fehlt ihm auf beiden Seiten, besonders aber links, an Raum, buchstäblich an Ellbogenfreiheit. Ohne Zweifel ist es in alter Zeit auf beiden Seiten beschnitten worden, und zwar links stärker und auffallender; der rechte Ellbogen verschwindet ganz im Rahmen. Etwa 7—8 cm der Leinwand sind hier einmal, etwa bei Gelegenheit einer Rentoilierung, weggeschnitten worden. Das Fehlen eines großen Teils der Künstlerinschrift bildet dafür einen untrüglichen Beweis. Ergänzt man das Ver-

Abb. 139. Rembrandt. Das kleine Selbstbildnis
Wien, Kunsthistorisches Museum

lorene, so kommt der Kopf fast ganz in die Mitte zu stehen, während er jetzt
ziemlich stark nach links gerückt ist. Die Komposition wird dadurch noch
natürlicher, das breite Dastehen noch ungezwungener, die Haltung gewinnt eine
Freiheit und Unbefangenheit, wie sie uns in der Geschichte der Kunst kaum je
begegnet ist, vielleicht mit Ausnahme einiger weniger Bildnisse von Tizian, die,
wie gesagt, auf Rembrandts Auffassung eingewirkt haben mögen.

Das große Selbstbildnis der Wiener Galerie gehört, wie wir gesehen haben,
nicht in die Mitte der Altersporträte des Meisters, sondern an ihren Anfang.

Voran geht ihm nur ein einziges, das aus dem Londoner Kunsthandel in die Widenersche Sammlung in Philadelphia (Valentiner I, S. 319 r.) gelangt ist und das die Jahreszahl 1650 trägt. Hier fehlt noch nicht eine gewisse Absichtlichkeit der Anordnung: die rechte Hand ist in die Seite gestemmt und die linke, die ein Handschuh bedeckt, etwas künstlich auf einen Stock gestützt. Auffallend reich ist das Kostüm mit der rotkarierten Netzhaube, dem mit einer Goldborte versehenen rotbraunen Barett, der Perle im Ohr, den geschlitzten olivgrünen Ärmeln, dem gelben Halstuch und dem goldgestickten Hemd. Es ist, als ob hier der Meister, wie in seinen früheren Selbstbildnissen oder wie Dürer in den meisten Wiedergaben seiner Person, getrachtet hätte, aus seiner eigenen Gestalt durch Kleidung und Haltung etwas Besonderes zu machen. Wie ganz anders schlicht und einfach wirkt dagegen das Wiener Selbstbildnis im Haus- und Arbeitskleid, das zwei Jahre später entstanden ist! Die Freude an der Tracht und an der Pracht, die Rembrandt in früheren Jahren eigen gewesen ist, hat ganz abgenommen, er verschmäht stolz die reiche Gewandung und will nichts anderes mehr geben, als das Bild seiner Persönlichkeit, wobei er uns einen viel tieferen Blick in sein Inneres tun läßt, als je vorher.

Einfache Kleidung herrscht in der nun folgenden Reihe vor, so zunächst in den schlichten Brustbildern in der Kasseler Galerie (Valentiner I, S. 396) aus dem Jahre 1654 oder 1655 und in der Mendelssohnschen Sammlung in Berlin (Valentiner I, S. 397) aus dem Jahre 1655. Nur die Goldkette auf der Brust erinnert hier noch an die frühere Eitelkeit. Nicht weniger natürlich und unbefangen wirkt die Komposition, welche ihn darstellt, wie er mit dem Zeichenbuch in den Händen aufblickt, und von welcher im englischen Kunsthandel kürzlich ein Exemplar[13] aufgetaucht ist, das dem bekannten der Dresdner Galerie (Valentiner I, S. 398 r.) überlegen zu sein scheint. Nicht viel später[14] möchten wir das kleinere von den beiden Selbstbildnissen der Gemäldegalerie im Kunsthistorischen Museum zu Wien (Valentiner I, S. 478; Abb. 139) ansetzen, das den Meister in voller Vorderansicht mit Schlapphut, braunem Mantel und rotem Wams wiedergibt, wobei die ungeheure Wucht des malerischen Vortrags den das Haupt enge umschließenden Rahmen fast zu sprengen droht. Noch mehr schonungslos als in den früheren Wiedergaben seiner Person gibt er hier seine nach gemeinen Begriffen unschönen, ja derben Züge dem Beschauer preis. Wie frisch und lebhaft ist aber dabei der Ausdruck, wie klar und seelenvoll der Blick, wie fein die leichte Mischung von Gutmütigkeit und ernster Energie in den Zügen! Die ganze Gewalt von Rembrandts Persönlichkeit tritt uns hier entgegen. Es läßt sich aber kaum behaupten, daß etwas von Rembrandts äußerem Schicksale in den eben erwähnten Bildnissen zu erkennen wäre. Kurz vorher hatte er einen großen Teil seiner Habe, vor allem seine Kunstschätze, eingebüßt. Von Trauer ist aber in seinen Zügen kaum etwas zu spüren. Dagegen machen sich nun Spuren des Alterns bemerkbar: die Haare werden allmählich grauer, die Haut runzliger, die

[13] Veröffentlicht von R. R. Tatlock, in: The Burlington Magazine, XLVI, 1925, p. 259.
[14] Entgegen der allgemeinen Ansicht, der auch Werner Weisbach (a. a. O., S. 88) beipflichtet, indem er darin »das Antlitz des etwa Sechzigjährigen« zu erkennen glaubt.

Züge etwas aufgedunsen. Der Blick wird zwar vielleicht ein wenig milder, verliert aber nichts von der geistigen Spannkraft, die den Meister bis zu seinen letzten Stunden Großes, ja Unerhörtes schaffen ließ.

Wesentlich gealtert und aus hohlen, tiefliegenden Augen blickend erscheint er uns in einem Brustbilde bei G. Serra in London (Valentiner II, S. 103). Wenig später, in das Jahr 1658, fällt ein Kniestück in reicherer Gewandung, aber von der Natürlichkeit und Ungezwungenheit des Gehabens, die uns zuerst in dem großen Selbstbildnis der Wiener Galerie aufgefallen ist: er ist hier fast ganz in Vorderansicht dargestellt, auf einem Stuhle sitzend, auf dessen Lehnen die beiden Hände ruhen, von denen die linke mit leichtem Griff einen Stock hält. Auch die Färbung dieses hervorragenden Bildes, das zur Frickschen Sammlung in New York gehört (Valentiner I, S. 400), ist viel reicher geworden. Nicht weniger als drei Selbstbildnisse sind im Jahre 1659 entstanden, die alle in der seitlichen Wendung des Körpers und in dem herausblickenden Kopf an den schon früher benützten Typus von Raffaels Castiglione erinnern und die alle den Meister deutlich ergraut zeigen: das milde blickende der National Gallery zu London (Valentiner I, S. 402), mit brauner Mütze, unter der das weiße Kopftuch sichtbar wird, und pelzverbrämtem rotbraunem Rock, auch in den übereinandergelegten Händen an jenes Raffaelsche Meisterwerk erinnernd, dann der höchst lebendige Kopf im Bridgewater House zu London (Valentiner I, S. 401) und endlich der ausdrucksvoll, aber nicht durchaus ähnlich wirkende beim Herzog von Buccleuch (Valentiner I, S. 403, die beiden zuletzt genannten Gemälde, wie es scheint, mehrfach falsch angestückt und daher in ihrer ursprünglichen Erscheinung nicht ganz zu beurteilen). Das Jahr 1660 bringt zwei weitere Selbstbildnisse: das durch die Poesie der Beleuchtung unendlich reizvolle im Louvre zu Paris (Valentiner I, S. 405), welches ihn schon mit dem um den Kopf gewundenen weißen Tuch, das für die spätesten Porträte des Künstlers bezeichnend ist, in den Händen Malstock, Pinsel und Palette, mit ruhigem, festem Blicke den Beschauer messend, darstellt, und das Brustbild des Metropolitan Museum in New York (Valentiner I, S. 411), in welchem die Runzeln des Alters stark hervortreten.

Dasselbe gilt auch von dem Porträte beim Earl of Kinnaird in Rossie Priory (Valentiner I, S. 475), das in demselben Jahre 1661 entstanden ist, wie Rembrandts größtes und großartigstes Historienbild, die Verschwörung des Claudius Civilis (Stockholm). Mit einem gleichsam fragenden Blick, der uns zugleich Rätsel aufgibt, blickt der Künstler von der Lektüre hebräischer Schriftstücke, wohl der Bibel, auf. Diese Schriftstücke wären bei einem so eifrigen Leser der Bibel, wie es Rembrandt gewesen ist, wohl leichter zu erklären, als der Schwertknauf, den er sich vor die Brust gesteckt hat. Daß er — nach einem Einfalle Valentiners — sich selbst als einen der Apostel hätte darstellen wollen, kommt uns ganz unglaublich vor[15]. Das Schwert gebührt als Attribut dem heiligen Paulus, den auch Rembrandt der Überlieferung gemäß mit einem langen Barte darzustellen pflegte, wie zum Beispiel in dem frühen Kniestücke des Kunsthistorischen Museums zu Wien (Valentiner I, S. 16). Einer ganz merkwürdigen

[15] Auch Werner Weisbach (a. a. O., S. 89) verwirft diese Annahme.

Laune des Künstlers muß seine Entstehung das etwa um dieselbe Zeit gemalte Bildnis der Carstanjenschen Sammlung (Valentiner I, S. 479 l.) verdankt haben, ein wunderbares Stück Malerei, das offenbar in stark beschnittenem Zustande auf uns gekommen ist. Hier hat er sich mit seinem weißen Kopftuch, einem bunten Halsschal, einem goldenen Medaillon auf der Brust, den Malstock in der nicht sichtbaren Hand, dem Beschauer entgegenlachend, mit einer römischen Kaiserbüste im Hintergrunde dargestellt. Was das Lachen, was die Kaiserbüste zu bedeuten hat, das können wir nicht ahnen. Wollte er einmal den Zyniker spielen, der sich aus der Welt, aus den Menschen, aus dem Beschauer, aus der Kunst, ja selbst aus der sonst von ihm so hoch geschätzten Antike nichts mehr macht? Jedenfalls scheint er hier auf die Neigung seiner Jugendjahre, den eigenen Kopf zum Studium des Gesichtsausdruckes zu benutzen, in auffallender Weise zurückzuziehen.

Als milder, freundlicher, aber ernst blickender Greis mit ganz weißen Haaren erscheint er endlich in zwei Gemälden, die er kurz vor seinem Tode geschaffen hat: in dem Kniestück bei Lord Iveagh in London (Valentiner I, S. 477), mit dem weißen Kopftuch, in der Hand Pinsel, Malstock und Palette, in tiefrotem Gewand, vor einem hellgrauen Hintergrund, den zwei schwer erklärliche runde Scheiben unterbrechen, und in dem aus dem Todesjahre 1669 datierten Brustbild, das aus der Sammlung des Sir Audley Neeld in die des verstorbenen Herrn Marcus Kappel in Berlin (Valentiner I, S. 479 r.) übergegangen ist und auf dem er eine hellviolette Mütze mit schmalen Goldstreifen trägt. Diese beiden Porträte mit ihren ein wenig vom Alter aufgedunsenen, weichen Zügen schließen die wunderbare Reihe der Selbstbildnisse seines Alters, die allein zu beweisen vermögen, daß es Rembrandt nicht nur auf die virtuose Behandlung der Malerei und des Helldunkels angekommen ist, daß er nicht nur ein technisches Problem zu lösen gesucht hat, sondern ein im höchsten Sinne geistiges: die Wiedergabe des in der äußeren Erscheinung verborgenen seelischen Lebens und Empfindens.

(1928)

NACHTRÄGE

Als eine Ehrung für Gustav Glück, der sein sechzigstes Lebensjahr vollendet hat, ist diese Publikation entstanden. Freunde und Kollegen haben es hier unternommen, seine weit verstreuten und daher oft nur mit Mühe erreichbaren Forschungsarbeiten zu vereinigen und mit dieser Sammlung eine Festschrift zum 60. Geburtstag des Gelehrten zu formen. Daß damit der Kunstwissenschaft ein bedeutsamer Dienst erwiesen werden konnte, hat gerade die Wahl dieser Form der Ehrung entschieden; denn in Glücks Schriften, die einen großen Teil seiner Lebensarbeit ausmachen, ist nicht nur eine Fülle von endgültigen, neuen Ergebnissen zu finden, sondern sind auch weittragende Anregungen enthalten, die erst eine Zusammenfassung wie die vorliegende eindrucksvoll und befruchtend hervorzuheben vermag.

In Gustav Glücks größeren und kleineren Abhandlungen zu verschiedenen Kunst- und Künstlerfragen der europäischen Malerei vom 15. bis zum 17. Jahrhundert, und besonders in seinen Untersuchungen auf dem Gebiet der flämischen Malerei im Heroenzeitalter des Rubens ist so viel Grundlegendes ausgesprochen worden, daß man wohl sagen kann: jeder, der auf diesen Arbeitsfeldern weiter erfolgreich tätig sein will, muß sich in die Schriften Glücks mit aufmerksamer Hingabe versenken.

Wenn den wissenschaftlichen Abhandlungen Gustav Glücks, sofern sie als Beiträge für Zeitschriften und ähnliche Publikationen oder als einführende Darlegungen zu einem Abbildungswerk gedruckt worden waren, das wichtige Instrument der Register — welche ein eingehendes Studium erleichtern — fehlen mußte, so konnte bei der hier unternommenen Zusammenordnung dieser Mangel beseitigt werden. Andererseits erschien es bei dem Wesen der hier zusammengefaßten Aufsätze, die, aus verschiedenem Anlaß und jeder selbständig für sich verfaßt, sich nur teilweise ergänzen, vielfach aber überschneiden und prinzipiell nicht verändert werden durften, notwendig, einen Kommentar hinzuzufügen, der die nötigen Hinweise vom einen Aufsatz zum andern bietet. Diese „Nachträge" nun wurden dadurch zu einem allgemeineren wissenschaftlichen Behelf ausgestaltet, daß in ihnen nicht nur die vielfachen Ortsveränderungen der besprochenen Kunstwerke mitgeteilt, sondern auch die neuere Literatur nachgetragen und die Wege kurz skizziert wurden, die die Forschung seither gegangen ist. Für diesen Teil des Kommentars haben einige Fachkollegen, die sich von vornherein zur Mitarbeit an einer Ehrung zu Glücks 60. Geburtstag bereit erklärt hatten, in aufopferungsvoller Weise ihr Wissen und ihre Arbeitskraft zur Verfügung gestellt. Und darüber hinaus haben weitere Fachgenossen mit wertvollen Auskünften und Mitteilung unveröffentlichter Forschungsergebnisse nicht gespart. Sie alle haben mit der Ehrung, die sie Gustav Glück erwiesen haben, sich selbst geehrt.

Gleich bei Auftauchen des Plans zu der vorliegenden Publikation fand dieser in den Kreisen der Forscher und Sammler, der Antiquare und Kunstfreunde so viel opferbereite Zustimmung, daß der Verlag in die erfreuliche Lage versetzt wurde, den Bänden jene würdige Ausstattung zu geben, in der sie jetzt erscheinen. Die Namen dieser Förderer, die so entscheidend zur Verwirklichung der Publikation beigetragen haben, durften in diesen Bänden nicht fehlen. Ihnen sei hier nochmals der Dank ausgesprochen für eine Mitwirkung, welche in den jetzigen Zeitläuften besonders schwer wiegt.

Von den beiden Herausgebern hat *Ludwig Burchard* den Hauptteil der Arbeit besorgt: er hat nicht nur die Beschaffung der Beiträge zum Kommentar auf sich genommen, sondern auch aus dem Reichtum seiner Spezialkenntnisse auf dem Gebiet der flämischen Malerei den größten Teil der Erläuterungen und Zusätze zum ersten Band selbst bestritten. Bei allen Arbeiten der Herausgabe wurde er durch *Alfred Scharf* unterstützt, der die vielen Literaturstellen, aus denen sich der Kommentar in seinen wesentlichen Teilen aufbaut, beigebracht und überprüft hat. Seine Arbeit konnte nur bescheiden im Hintergrunde wirken. Weil sie ebenso umfangreich wie entsagungsvoll war, muß auf sie mit besonderer Dankbarkeit hingewiesen werden.

Eigenberger.

EIN ANGEBLICHES BILDNIS
DER FRAU ROGER VAN DER WEYDENS

(Mitteilungen der Gesellschaft für vervielfältigende Kunst, XXVIII, Wien 1905, S. 1—2)

Die Identität der Dargestellten auf der Frankfurter Zeichnung mit Jacobäa von Bayern (Abb. 1), die G. Glück auf Grund eines Tafelbildes im Vorrat der Wiener Galerie (Abb. 2) überzeugend nachweisen konnte, wird durch eine Zeichnung im Arras-Codex (Phot. Giraudon, Nr. 309) bestätigt. Ein Vergleich lehrt, daß die Zeichnung im Arras-Codex und das Wiener Bild im wesentlichen mit der Frankfurter Zeichnung übereinstimmen.

Da nun durch die Beschriftung auf der Rückseite der Wiener Tafel und auf der Zeichnung in Arras Jacobäa von Bayern (1401—1436) als die Dargestellte beglaubigt ist, so muß der Versuch von J. Six (De Beeltnis van Margarethe, im „Bericht der Oudheidkundig Genootschap", 1918/19), das Frankfurter Bildnis mit Margarete von Burgund, der Mutter Jacobäas zu identifizieren, als mißlungen bezeichnet werden. Die von Six vorgeschlagene Zuschreibung des Blattes an Hubert van Eyck fand ebenfalls keine Anerkennung.

Ein zweites, zeitgenössisches Bildnis der Jacobäa von Bayern, das offenbar von anderer Künstlerhand als die Frankfurter Zeichnung herrührt (mit großer Haube und betend erhobenen Händen), ist uns in einer Nachzeichnung des Antoine Succa vom Jahre 1601 bewahrt (Brüssel, Kgl. Bibliothek); veröffentlicht von Marguerite Devigne, in: Fédération historique et archéologique de Belgique, Congrès de Tournai 1921, Tournai 1924, mit Abbildung.

Während Glück an dieser Stelle die Frankfurter Zeichnung nicht Jan van Eyck selbst zuschreibt, W. H. James Weale (Hubert and John van Eyck, London and New York 1908, p. 180) an eine Kopie nach Jan van Eyck denkt, ist Max J. Friedländer (Die Altniederländische Malerei, I, Berlin 1924, S. 111) „geneigt, eine Originalzeichnung Jans in dem Blatte zu sehen". Über weitere Zeichnungen Jan van Eycks und im Eyck-stil vgl. Friedländer, op. cit., S. 122 ff.; A. E. Popham, Drawings of the early flemish school, London 1926, p. 21, Tafel 4—9; F. Winkler, in: Pantheon, VII, 1931, S. 259; H. Beenken, in: Old Master Drawings, VII, 1932, p. 18 ff.

Neuerdings nennt G. Glück in einem Aufsatz des „Burlington Magazine", 1922, p. 270 ff. (hier wiederabgedruckt auf S. 263 ff.) — außer dem Bildnis des Kardinals Albergati in Dresden, dem Bildnis eines Falkners in Frankfurt (wegen des größeren Maßstabes nicht eigentlich ein Gegenstück zum Bildnis der Jacobäa) und dem Bildnis eines alten Mannes im Louvre — das Frankfurter Bildnis der Jacobäa von Bayern unter den u n b e z w e i f e l b a r e n Zeichnungen des Jan van Eyck.

Winkler.

EIN GEMÄLDE DES MEISTERS DER TIBURTINISCHEN SIBYLLE

(Mélanges Hulin de Loo, Brüssel und Paris 1931, p. 193—196)

Zu Seite 4 ff. — Die in dem Aufsatz genannten Arbeiten des „Meisters der tiburtinischen Sibylle" sind reproduziert bei M. J. Friedländer, Die Altniederländische Malerei, III, Berlin 1925, auf den Tafeln 64—66.

ZU EINEM BILDE VON HIERONYMUS BOSCH AUS DER
FIGDORSCHEN SAMMLUNG IN WIEN

(Jahrbuch der preußischen Kunstsammlungen, XXV, Berlin 1904, S. 174—184)

a) *Zu Seite 8 ff.* — Der „Verlorene Sohn" von H. Bosch (Abb. 4) ist mit den Gemälden der Sammlung Figdor am 29. September 1930 in Berlin versteigert worden (Kat.-Nr. 41; dort auch Abbildung und ausführliche Bibliographie) und ist 1931 in den Besitz des Boymans-Museums in Rotterdam übergegangen. — Eine farbige Wiedergabe im: Catalogue des nouvelles acquisitions de la Collection Goudstikker, Amsterdam, November-Dezember 1930, Kat.-Nr. 3; ebenso im „Jaarsverlag 1931" des Museums Boymans, der vor allem auch drei ausgezeichnete große Teilaufnahmen des Gemäldes bringt, begleitet von einer feinsinnigen Beschreibung und Würdigung des Bildes durch D. Hannema.

b) *Zu Seite 9.* — Das Bild des „Verlorenen Sohnes" in der Gemäldegalerie in Wien (Nr. 773) war der Ausgangspunkt zur Erkennung eines Antwerpner Malers, der durch Georges Hulin de Loo (Catalogue du Musée de Gand, 1909, p. 55/56) auf Grund dieses Wiener Bildes den Notnamen „Meister des Verlorenen Sohnes" erhalten hat. Vorher schon, in dem hier wiederabgedruckten Aufsatz vom Jahre 1904, hatte G. Glück als den Maler dieser Gruppe von Bildern den in Antwerpen tätigen Jan Mandyn namhaft gemacht. Neuerdings äußert sich L. Baldass im Katalog der Wiener Gemäldegalerie von 1928 (S. 130) zu dieser Frage folgendermaßen: „Grete Rings Behauptung, daß ,das einzige signierte Gemälde Mandyns, die Versuchung des heiligen Antonius' (ehemals Galerie Corsini, Florenz, jetzt Museum Haarlem), gegen G. Glücks Identifizierung spräche, ist unrichtig, da die Signatur dieses Bildes nicht original, sondern später aufgesetzt zu sein scheint. Die stilverwandten L K (verschlungen) signierten Bilder der Tobiaslegende im Berliner Kunsthandel wohl nicht von derselben Hand wie unser Bild."

Der Beitrag von Grete Ring (Der Meister des Verlorenen Sohnes, Jan Mandyn und Lenaert Kroes, in: Jahrbuch für Kunstwissenschaft, herausgegeben von E. Gall, 1923, S. 196—201) hatte, ausgehend von L K monogrammierten Bildern der Tobiaslegende, für den „Meister des Verlorenen Sohnes" den Namen Lenaert Kroes in Vorschlag gebracht und den Namen Jan Mandyn abgelehnt.

Die Ansichten von G. Glück und L. Baldass in dieser Frage wären also folgendermaßen zusammenzufassen: der „Meister des Verlorenen Sohnes" ist vermutlich Jan Mandyn. Das Bild des „Antonius" (in Haarlem) steht dem nicht entgegen, da dessen Signatur „Jan Mandyn" anscheinend eine spätere Zutat ist. Die Tobiaslegende ist von Lenaert Kroes, steht dem Maler des „Verlorenen Sohnes" nahe, ist aber nicht sicher von des letzteren Hand. — Über den „Meister des Verlorenen Sohnes" siehe neuerdings: F. Winkler, Die Altniederländische Malerei, 1924, S. 298—300.

c) *Zu Seite 12.* — Das Triptychon des „Jüngsten Gerichts" in der Wiener Akademie (Inv.-Nr. 579—581) wurde bereits 1659 in der Sammlung des Erzherzogs Leopold Wilhelm als „Original von Hieronimo Bosz" geführt. Der Ansicht G. Glücks, daß dieser Flügelaltar nur eine alte Kopie nach Bosch sei, haben sich neuerdings L. Baldass (Jahrbuch der preußischen Kunstsammlungen, 1917, S. 189) und Karl Tolnai (Wiener Dissertation, 1925) angeschlossen. Letzterer spricht dabei die Vermutung aus, daß das Akademiewerk von der gleichen hervorragenden und zeitgenössischen Kopistenhand stammen dürfte, welche die Prado-Kopie des (heute im Escorial befindlichen) „Heuwagen" geschaffen hat. Siehe hierüber R. Eigenberger im Katalog der Gemäldegalerie der Akademie in Wien, 1927, Textband, S. 47—51. Eigenberger selber möchte, in Übereinstimmung mit M. J. Friedländer, an der Eigenhändigkeit festhalten (a. a. O., S. 487).

d) *Zu Seite 12.* — Das „Triptychon mit dem heiligen Hieronymus" von H. Bosch (Führer durch die Gemäldegalerie Wien, 1908, Nr. 651) ist gleichzeitig mit Boschs „Triptychon mit der Marter der heiligen Julia" (ebendort, Nr. 653) im Jahre 1919 an Italien abgegeben worden. Beide Altäre befinden sich heute wieder im Dogenpalast in Venedig.

e) *Zu Seite 13.* — Carl Justi hat seinen Aufsatz über Hieronymus Bosch (Jahrbuch der preußischen Kunstsammlungen, 1889, S. 121 ff) später weiter ausgebaut und 1908 wiederveröffentlicht in: Miscellaneen aus drei Jahrhunderten spanischen Kunstlebens (Band II, S. 63—93). In den „Miscellaneen" (II, S. 88) äußert sich Justi zustimmend zu G. Glücks Ausführungen vom Jahre 1904 über Bosch und den angeblichen Monogrammisten ⌒ und wendet sich gleichfalls gegen Dollmayrs Hyperkritik. In der Tat sind die Bilder, für die G. Glück eingetreten ist, heute allgemein als Arbeiten Boschs anerkannt, mit Ausnahme des Triptychons in Valencia, dessen Mittelbild als eine derbe Kopie nach der „Dornenkrönung" im Escorial anzusprechen ist.

f) *Zu Seite 15.* — Von den hier erwähnten Werken des Hieronymus Bosch sind mehrere inzwischen in anderen Besitz übergegangen: Die beiden bezeichneten Triptychen aus der Wiener Galerie (Nr. 651, 653) sind wieder in den Dogenpalast nach Venedig gekommen. — Der Ecce Homo in kleinen Figuren (aus den Sammlungen L. Maeterlinck [Ausgestellt Brügge 1902, Nr. 137] und R. von Kaufmann [versteigert Berlin 1917, Nr. 108]) gehört jetzt dem Städelschen Kunstinstitut in Frankfurt a. M. — Die Anbetung der Könige aus der Sammlung Friedrich Lippmann (versteigert Berlin 1912, Nr. 38) ist in den Besitz des Metropolitan Museums in New York gelangt. Vgl. M. J. Friedländer, Die altniederländische Malerei, V, Berlin 1927, S. 143 ff.

g) *Zu Seite 17 ff.* — Über die beiden Gemälde von Peter Bruegel im Museum zu Neapel, „Die Blinden" (Abb. 6) und die „Unredlichkeit der Welt" (Abb. 7), siehe neuerdings G. Glück, Peter Bruegels Gemälde (Wien 1932), S. 81 f. und S. 78.

h) *Zu Seite 17.* — Über Jan de Hollander (Jan van Amstel) und dessen Gleichsetzung mit dem sogenannten Braunschweiger Monogrammisten siehe die Aufsätze von G. Glück aus den Jahren 1907 und 1910; im vorliegenden Band S. 145—150.

Scharf.

JAN MOSTAERT

(Zeitschrift für bildende Kunst, N. F. VII, Leipzig 1896, S. 265—272)

a) *Zu Seite 20.* — Zum Leben Mostaerts vgl. neuestens den Artikel von Kurt Steinbart, in Thieme-Beckers Künstlerlexikon, XXV, Leipzig 1931, S. 189 ff., mit ausführlicher Literaturangabe.

b) *Zu Seite 22.* — Der „Juan de Olanda" des Retablo der Kathedrale von Palencia ist, wie die Stilvergleichung ergeben hat, kein anderer als Jan Joest, der Meister des Calcarer Altarwerkes.

Die Darstellung des „Guten Hirten" in Bonn wird im dortigen Provinzialmuseum (Kat.-Nr. 189) jetzt als „Niederrheinisch, um 1550" bezeichnet.

c) *Zu Seite 23 und 31.* — Eine solche westindische Landschaft von der Hand Mostaerts hat Ernst Weiß (Zeitschrift für bildende Kunst, 1909/10, S. 215) in der Sammlung van Stolk in Haarlem feststellen können. Die Landschaft war, nachdem sie in Amsterdam mit der Sammlung van Stolk versteigert worden war (8. Mai 1928, Nr. 371), in London auf der Dutch Exhibition 1929, Nr. 19, aus dem Besitz von Dr. N. Beets, Amsterdam, ausgestellt. Durch die Feststellung von Ernst Weiß hat die Identifikation Jan Mostaerts eine starke Stütze erfahren. Das (nicht ganz vollendete) Bild ist sogar wahrscheinlich mit dem von van Mander erwähnten Gemälde identisch (een Landtschap, wesende een West-Indien, met veel naeckt volck, met een bootsighe Clip, en vreemt gebouw van huysen en hutten; doch is onvoldaen gelaten).

Laut freundlicher Mitteilung von Dr. Beets scheint Mostaerts Darstellung angeregt zu sein von einer Stelle im Tagebuch der ersten Reise des Christoph Columbus, wo die Landung der Spanier auf der westindischen Insel „Goanin" geschildert wird (Eintragung vom Sonntag, den 13. Januar 1493): „En llegando la barca á tierra, estaban detras los árboles bien cincuenta y cinco hombres desnudos con los cabellos muy largos, así como las mugeres los traen en Castilla. Detras de la cabeza traian penachos de plumas de papagayos y de otras aves, y cada uno traia su arco. Descendió el Indio en tierra, é hizo que los otros dejasen sus arcos y flechas, y un pedazo de palo que es como un ... muy pesado, que traen en lugar de espada, los cuales despues se llegaron á la barca, y la gente de la barca salió á tierra, y comenzáronles á comprar los arcos y flechas y las otras armas, por quel Almirante así lo tenia ordenado." (Martin Fernandes de Navarrete, Coleccion de los viages y descubrimientos que hicieron por mar los Españoles desde fines del siglo XV, Vol. I, Madrid 1825, p. 135).

In dem Aufsatz von Edouard Michel „Un tableau colonial de Jan Mostaert" (Revue belge d'archéologie et d'histoire de l'art, Bruxelles, avril 1931, p. 133—141) wurde die Stelle aus dem Tagebuch des Columbus noch nicht herangezogen.

d) *Zu Seite 23 f.* — Den „Waagenschen Mostaert" hat G. Hulin de Loo im „Catalogue critique" der Brügger Ausstellung 1902, p. LXIII, mit Adriaen Isenbrant identifiziert.

e) *Zu Seite 28 ff.* — Die zwei Bildnisse von Mostaert im Berliner Museum werden dort jetzt unter den Nummern 591 (Bildnis eines Mannes) und 2049 (Bildnis einer Frau) geführt.

Von den beiden Männerporträten von Mostaert ist das der Sammlung Hainauer in das Petit Palais in Paris, und das der Sammlung Hoech in das Museum in Worchester gelangt.

f) *Zu Seite 31.* — Nach Erscheinen der grundlegenden Untersuchung von Gustav Glück hat drei Jahre später ein Aufsatz von Camille Benoit, in der „Gazette des Beaux-Arts", XXI, 1899, p. 265, die Beobachtungen Glücks in vollem Umfang bestätigt.

Scharf.

ÜBER EINIGE BILDNISSE VON JAN MOSTAERT

(Beiträge zur Kunstgeschichte, Franz Wickhoff gewidmet. Wien 1903, S. 64—72)

a) *Zu Seite 35.* — Das Bildnis der Sammlung Macquoid, ausgestellt in Brügge 1902 unter Nr. 161, trägt die Initialen **F3**, die auf Floris van Egmont bezogen werden können, was nicht unbestritten ist. Sicher in der Deutung sind dagegen die Initialen des Floris van Egmont auf einem Bildnis im Rijksmuseum zu Amsterdam (Nr. 1489) auf dem Hut des Dargestellten, der einige Ähnlichkeit mit dem Londoner Porträt aufweist. — M. J. Friedländer, Die altniederländische Malerei, VIII, 1930, S. 160, Nr. 53 und 54, schreibt beide Bildnisse Jan Gossaert zu.

b) *Zu Seite 35 und Abb. 12.* — Von den beiden Wiederholungen des Pariser Wassenaerbildnisses gehört die eine dem Baron van Ittersum (jetzt ausgestellt im Museum zu Arnheim), die zweite befand sich ehemals in der Sammlung Steengracht im Haag.

c) *Zu Seite 35.* — Die von G. Glück erwähnte Zusammenstellung von Mostaerts Werken durch M. J. Friedländer war dessen Besprechung der Brügger Leihausstellung, Repertorium für Kunstwissenschaft, 1903, S. 169.

d) *Zu Seite 37 f.* — Die irrige Zuschreibung der zwei Bildnisse in Antwerpen (Kat.-Nr. 263, 264) an Mostaert erfolgte durch Henri Hymans, Le Livre des Peintres de Carel van Mander, I, Paris 1884, p. 206.

e) *Zu Seite 39/40.* — Es sind folgende Besitzveränderungen nachzutragen. Das kleine Triptychon, mit der Beweinung Christi (nach Geertgen) als Mittelstück, gehört heute dem Rijksmuseum in Amsterdam (Nr. 1675). — Der „Ecce Homo" der Sammlung Willett befindet sich jetzt in der Londoner Nationalgalerie, Nr. 3900. — Das „Jüngste Gericht" der Sammlung Wesendonck, jetzt Bonn, Provinzialmuseum, Nr. 168. — Das Bildnis des Joost van Bronkhorst, ehemals Berlin, Sammlung Hainauer, jetzt Paris, Petit Palais, Sammlung Tuck (Kat.-Nr. 3). Das Gemälde war 1927 auf der Vlämischen Ausstellung im Burlington House zu London (Nr. 123). Vgl. Camille Gronkowski, A Mostaert Masterpiece, in „The Connoisseur", LXXXIX, London 1932, p. 363, mit farbiger Abbildung. — Das Bildnis eines Mannes, ehemals München, Sammlung Hoech, jetzt Worcester (Massachusetts, USA.), Art Museum, vgl. Bulletin 1922, p. 26 f.

f) *Zu Seite 40.* — Das Bildnis König Christians II. in der Kopenhagener Galerie (Nr. 75) ist ein Werk des Meisters M i c h i e l. Vgl. Gustav Falck, Mester Michiel og Kunstmuseets Portraet af Christiern II., in „Kunstmuseets Aarsskrift", XIII/XV, Kopenhagen 1926/1928, p. 129, und Friedrich Winkler, Master Michiel, in „Art in America", XIX, 1931, p. 247.

g) *Zu Seite 40.* — Zwei Tafeln mit Szenen aus dem Leben des heiligen Romuald waren aus dem Besitz des Herzogs von Devonshire unter den traditionellen Namen Jan van Eyck und Gerard David im Jahre 1930 in Antwerpen (Nr. 97 und 134) ausgestellt. Fünfundzwanzig weitere Tafeln dieser umfangreichen Serie, Colin de Coter, dem Meister der Georgsgilde, dem Meister der Magdalenenlegende und anderen Händen zugeschrieben, befinden sich noch heute in der Kathedrale zu Mecheln. Vgl. neuerdings Jeanne Maquet-Tombu, in „Burlington Magazine" 1927, p. 325. — G. Glück spricht von dieser Bilderfolge auch an einer anderen Stelle, hier S. 114.

h) *Zu Seite 41.* — Seit dem Erscheinen von Glücks zweitem Mostaert-Aufsatz (1903) haben seine und Benoîts Darlegungen weitere Stützen erfahren, die um so sicherer wurden, je mehr Bilder hinzukamen, die sich mit Beschreibungen van Manders identifizieren ließen. Nachdem M. J. Friedländer (Ausstellung von Kunstwerken des Mittelalters und der Renaissance, Berlin 1899, S. 23) seine zurückhaltende Stellung in der Frage, ob der Maler dieser Bildergruppe tatsächlich Jan Mostaert sei, aufgegeben hatte, konnte er, ohne an dem Oeuvre, wie es Glück und Benoît zusammengestellt haben, Abstriche vornehmen zu müssen, dem Meister noch eine Reihe weiterer Werke zuschreiben (Neues für Jan Mostaert, Repertorium für Kunstwissenschaft, XXVIII, 1905, S. 517). Wenige Jahre später gelang es Ernst Weiß, die „Westindische" Landschaft des Meisters nachzuweisen. Um die gleiche Zeit erkannte Grete Ring (Repertorium für Kunstwissenschaft, XXXIII, 1910, S. 418) im Museum in Würzburg das Bildnis der Jossine d'Egmont, der Gattin des Jan van Wassenaer, auf Grund einer Nachzeichnung im Arras-Codex (fol. 195) und des Wappens auf dem Kissen, auf dem die Arme der Dargestellten ruhen. Endlich verdankt man Grete Ring den Nachweis (Monatshefte für Kunstwissenschaft, VII, 1911, S. 263), daß ein im Inventar des Kunstbesitzes der Statthalterin Margarete von Österreich beschriebener Christus als Schmerzensmann von Jan Mostaert in einem Gemälde des Museo Civico in Verona erhalten ist.   Winkler.

KINDERBILDNISSE
AUS DER SAMMLUNG MARGARETENS VON ÖSTERREICH

(Jahrbuch der kunsthistorischen Sammlungen in Wien, XXV, 1905, S. 227—237)

a) *Zu Seite 43 und 46.* — Über den Meister M i c h i e l vgl. Gustav Falck, Mester Michiel og Kunstmuseets Portraet af Christiern II, in „Kunstmuseets Aarsskrift", XIII/XV, Kopenhagen 1926/1928, p. 129; M. J. Friedländer, Neues über den Meister Michiel und Juan de Flandes, in „Der Cicerone", XXI, 1929, S. 249; F. Winkler, Neue Werke des Meisters Michiel, in „Pantheon", VII, 1931, S. 175; ders., Master Michiel, in „Art in America", XIX, 1931, p. 247.

b) *Zu Seite 43.* — Außer den fünfzehn Bildchen des J u a n d e F l a n d e s im Escorial haben sich in letzter Zeit noch eine Reihe weiterer Täfelchen dieser Serie angefunden; vgl. die Literatur darüber: F. Winkler in Thieme-Beckers Künstlerlexikon, XIX, Leipzig 1926, S. 278/79 (mit ausführlicher Bibliographie); M. J. Friedländer, Neues über den Meister Michiel und Juan de Flandes, in „Der Cicerone", XXI, 1929, S. 249; M. J. Friedländer, Juan de Flandes, in „Der Cicerone", XXII, 1930, S. 1; F. J. Sanchez Cantón, El retablo de la Reina Católica, in „Archivo Español de Arte y Arqueología", VI, 1930, p. 97 und VII, 1931, p. 149; F. Winkler, Neue Werke des Meisters Michiel, in „Pantheon", VII, 1931, S. 175.

Die beiden Bilder der Sammlung Fondi sind zweifellos identisch mit den zwei kleinen Tafeln der Sammlung Vernon Watney (Oliver Watney) in Cornbury Park, Oxon, die laut H. Isherwood Kay (Two paintings by Juan de Flandes, Burlington Magazine, LVIII, 1931, p. 197) der jetzige Besitzer von Bardini im Jahre 1899 erwarb. 1908 waren die Bildchen als Werke Gerard Davids in der Royal Academy in London (Kat.-Nr. 9 und 12) ausgestellt. Die Vermutung Glücks, daß die beiden Tafeln zu einem mit Silber beschlagenen Diptychon zusammengehört haben könnten, hat sich nicht bestätigt, es müßte denn sein, daß der silberne Rahmen wieder entfernt worden wäre.

c) *Zu Seite 44.* — Jacopo de Barbari ist seitdem vor allem auch als Porträtmaler besser bekannt geworden. Vgl. A. de Hevesy, Jacopo de Barbari, Paris 1925. Aus der Zeit seines deutschen Aufenthaltes sind bisher folgende bezeichnete und datierte Bildnisse festgestellt worden: Bildnis des Herzogs Heinrich des Friedfertigen von Mecklenburg (Arthur E. Bye, in: Art in America, XVIII, 1930, p. 221); Bildnis des Kurfürsten Albrecht von Brandenburg (A. de Hevesy, in „Burlington Magazine", LX, 1932, p. 208).

d) *Zu Seite 44.* — Über das eine Zeitlang Barbari zugeschriebene Jünglingsporträt im Wiener Kunsthistorischen Museum (Abb. 120) vgl. Glücks Lotto-Aufsatz, hier wiederabgedruckt auf S. 268—287.

e) *Zu Seite 44 f.* — Über Barend van Orley als Bildnismaler vgl. zuletzt M. J. Friedländer, Die altniederländische Malerei, VIII, 1931, S. 78 ff.

f) *Zu Seite 45.* — Die Aufstellung des „Meisters der Magdalenenlegende" durch Max J. Friedländer erfolgte im „Repertorium für Kunstwissenschaft", 1900, S. 256, und 1903, S. 165. — Über den Meister siehe jetzt auch Jeanne Maquet-Tombu, Le Maître de la Légende de Marie-Madeleine, in „Gazette des Beaux-Arts", 6ᵉ pér., II, Paris 1929, p. 258, und III, Paris 1930, p. 190.

g) *Zu Seite 46.* — Das weibliche Bildnis von Mabuse aus der Sammlung Cereda in Mailand ist jetzt in Boston, Sammlung Gardner. Eine annähernd gleichwertige Wiederholung befindet sich nach Friedländer (Die altniederländische Malerei, VIII, 1930, S. 163, Nr. 76) in der Sammlung H. H. Lehman in New York. — Auf Grund der glaubwürdigen Beischrift auf einer Zeichnung im Arras-Codex ist die Dargestellte nicht mit Isabella von Dänemark, sondern mit der Gattin Adolfs von Burgund, Anna de Berghes, zu identifizieren.

h) *Zu Seite 47.* — Über Jan Vermeyen als Bildnismaler siehe Otto Benesch, in „Münchner Jahrbuch", N. F. 6, 1929, S. 204. Vgl. auch Kurt Steinbart, in „Marburger Jahrbuch für Kunstwissenschaft", VI, 1931, S. 83. — Als Bildnis des Evrard de la Marck wurde von Friedländer eine Tafel der Sammlung Pannwitz (Nr. 29) auf Grund einer Zeichnung im Arras-Codex bestimmt, nachdem P. Wescher (Cicerone, 1927, S. 115) auf die Originalradierung Vermeyens (Popham, Catalogue of etchings by Jan Cornelisz Vermeyen, in „Oud Holland", XLIV, 1927, p. 179, Nr. 12) hingewiesen hatte, die den Kopf im Gegensinn wiedergibt.

i) *Zu Seite 47 f.* — Über Jacometto und zwei Bildnisse seiner Hand in der Galerie Liechtenstein in Wien siehe G. Gronau, in: Thieme-Beckers Künstlerlexikon, XVIII, 1925, S. 264.

k) *Zu Seite 48.* — Über das Kinderbildnis als Gattung vgl. Max Sauerlandt, Kinderbildnisse aus fünf Jahrhunderten der europäischen Malerei, Königstein und Leipzig 1923 (2. Aufl.).

l) *Zu Seite 48.* — Zu Jean Perréal vgl. neuerdings F. Winkler, in: Thieme-Beckers Künstlerlexikon, XXVI, 1932, S. 433 ff.

m) *Zu Seite 49.* — Ein von Rubens gemaltes Bildnis der Eleonore Gonzaga im Kindesalter ist nicht erhalten. Wohl aber kennt man ein von Frans Pourbus gemaltes Porträt dieser Prinzessin (Florenz, Pitti), auf dem sie genau jenen Schmuck trägt, den das Inventar Erzherzog Leopold Wilhelms beschreibt (Mitteilung von L. Burchard).

n) *Zu Seite 50 und 53.* — Die Wiener Kinderbildnisse (Abb. 13 und 15) schreibt Jeanne Maquet-Tombu dem Mechelner Meister der Georgsgilde zu (Gazette des Beaux-Arts, 6ᵉ pér., IV, 1931, p. 261, 263).

o) *Zu Seite 51 f. und 52, Anm. 21.* — Nach F. Winkler (Jahrbuch der preußischen Kunstsammlungen 1932, S. 129 ff.) sind die im Inventar von 1516 erwähnten Bildnisse Philipps und Margaretens noch erhalten: in Philadelphia, Sammlung Johnson (Philipp) und in Versailles (Margarete). Beide entstanden 1483, als die Geschwister noch Kinder waren. Margarete trägt das im Inventar erwähnte Kinderhäubchen. Vermutlich bezieht sich die Stelle im Inventar von 1524 auf dieselben beiden Bilder, da auch hier die Geschwister noch im unmündigen Alter, also vor 1494, dargestellt waren.

p) *Zu Seite 53 und Abb. 14.* — Die Bildchen der Sammlung Chigi (je 22 : 15 cm) befinden sich jetzt in der Nationalgalerie in London (Nr. 2613), ausgestellt als Burgundische Schule. Das Bildnis der Margarete von Österreich identifiziert Louise Roblot-Delondre (Portraits d'Infantes, Paris et Bruxelles 1913, p. 9, Tafel 5) fälschlich mit Johanna der Wahnsinnigen. Vgl. dagegen ihr Bildnis in diesem Bande, S. 60, Abb. 17.

q) *Zu Seite 56.* — Über Jacob van Lathem als Tafelmaler vgl. die Ausführungen F. Winklers, in: Thieme-Beckers Künstlerlexikon, XXII, 1928, S. 418.

r) *Zu Seite 56.* — Das weibliche Bildnis der Sammlung Ch.-L. Cardon wurde 1921 für das Museum in Brüssel (Nr. 872) erworben; es gilt dort als Porträt der „Ysabeau d'Autriche, soeur de Charles-Quint". *Winkler.*

BILDNISSE VON JUAN DE FLANDES

(Pantheon, VIII, München 1931, S. 313—317)

a) *Zu Seite 57.* — Über das Reiseoratorium von Juan de Flandes mit Szenen aus dem Leben Christi vgl. auch S. 43 des vorliegenden Bandes; siehe auch S. 322 (Zusammenstellung der neueren Literatur über Juan de Flandes).

b) *Zu Seite 63.* — Seitdem Gustav Glück den Nachweis führen konnte, daß in den beiden Wiener Gegenstücken (Abb. 17 und 18) Philipp der Schöne und dessen junge Gemahlin Johanna wiedergegeben sind, möchte Max J. Friedländer — laut mündlicher Mitteilung — meinen, daß in dem Mädchenbild der Sammlung Schloß Rohoncz (Abb. 16) gleichfalls Johanna die Wahnsinnige zu erkennen sei.

SCHICKSALE EINER KOMPOSITION LIONARDOS

(Pantheon, II, München 1928, S. 502—507)

a) *Zu Seite 66.* — Das Bild der Sammlung Doetsch befindet sich jetzt im Besitze von Lord Melchett (†), London. Es war auf der Ausstellung des Burlington Club 1898, Nr. 73, als „School of Leonardo" ausgestellt (Abbildung bei H. Bodmer, Leonardo, Klassiker der Kunst, Stuttgart und Berlin 1931, S. 80). Vom Gemälde in Hampton Court unterscheidet es sich durch die Landschaft.

b) *Zu Seite 68.* — Das Bild des Filippino Lippi in Lille ist nur eine Werkstattarbeit. — Das Gemälde Piero di Cosimos ist im Jahre 1900 von Wilhelm Bode für das Museum in Straßburg (Kat.-Nr. 222) erworben worden. Beide Tondi sind zweifellos unter dem Eindruck Leonardos entstanden.

c) *Zu Seite 70.* — Einen weiteren Beweisgrund für das selbständige Vorkommen der Jesus-und-Johannes-Gruppe bietet das vollsignierte („Bernardus de Comitibus faciebat 1522") Gemälde des Bernardino dei Conti in der Brera zu Mailand (Nr. 271), wo nicht nur die beiden Kinder in äußerlicher Weise mit Maria verbunden, sondern auch mit Teilen der Felsgrottenmadonna (Maria, Landschaftsgrund) kompiliert sind (Abbildung bei Bodmer, op. cit., S. 83).

d) *Zu Seite 72.* — Der Ansicht Gustav Glücks, daß in dem Bild in Chatsworth (Abb. 24) eine Originalarbeit des Quinten Metsys erhalten sei, hat sich auch Max J. Friedländer angeschlossen (Die altniederländische Malerei, VII, 1929, S. 62; S. 119, Nr. 29).

Scharf.

EIN STUDIENKOPF VON QUINTEN METSYS

(Die Graphischen Künste, XXXIV, Wien 1911, S. 1—4)

a) *Zu Seite 75 f.* — Über das Galeriebild des Willem Verhaecht (Abb. 27 a), jetzt im Besitz von Esmond C. Harmsworth (Vlämische Ausstellung, London 1927, Nr. 298), siehe Fr. Winkler, in den „Mitteilungen aus den Sächsischen Kunstsammlungen", VII, 1916, S. 35 ff., und neuerdings G. Glück, in der Einleitung zum Van-Dyck-Band der „Klassiker der Kunst", 1931, S. XXI/XXII. — Auf dem Galeriebild des Willem Verhaecht sind — außer der Madonna — noch zwei weitere Werke von Quinten Metsys dargestellt: das „Bildnis des Paracelsus" (oder nur die Kopie von Rubens?) und das „Bildnis eines Mannes mit erhobener rechter Hand" (heute im Städelschen Kunstinstitut zu Frankfurt a. M.).

b) *Zu Seite 76.* — Das Madonnenbild des Amsterdamer Rijksmuseums und das Exemplar der Sammlung Northbrook (Kat.-Nr. 23) werden bei Max J. Friedländer (Die altniederländische Malerei, VII, Berlin 1929, S. 125, Nr. 67) unter den nicht sicher eigenhändigen Werken des Quinten Metsys behandelt, wobei auf kleine Abweichungen von der Madonna, die einst Cornelis van der Geest besessen hatte, hingewiesen wird.

c) *Zu Seite 76.* — Rubens besaß von Metsys das Bildnis eines Juweliers (Nachlaß-inventar, 1640, Nr. 186). Über das im Original verschollene Paracelsus-Bildnis von Metsys und dessen Kopie von Rubens' Hand (Brüssel) siehe zuletzt M. J. Friedländer, op. cit., S. 128, Nr. 78.

d) *Zu Seite 76 f.* — Metsys' Anbetung der Könige aus der Sammlung Rodolphe Kann, Paris, jetzt in New York, Metropolitan Museum, Nr. 38-1 (M. J. Friedländer, op. cit., S. 115).

e) *Zu Seite 78.* — Der sog. „Handel ums Huhn" in der Dresdner Galerie wird heute meist für ein Frühwerk des Jan Metsys angesehen (vgl. M. J. Friedländer, op. cit., S. 128, Nr. 79); ebenso der „Hl. Hieronymus in der Stube" (Gemäldegalerie Wien), für den als erster W. Cohen (Studien zu Quinten Metsys, 1904, S. 90) den Namen Jan Metsys in Vorschlag gebracht hat, welcher Ansicht M. J. Friedländer (op. cit., S. 126, Nr. 70) beigetreten ist.

f) *Zu Seite 79.* — Die beiden Frauenköpfe (Abb. 26 und 27) wurden 1930 in Berlin mit der Sammlung Figdor (Kat.-Nr. 42 und 43) versteigert. — Max J. Fried-länder (op. cit., S. 113, Nr. 1^b und S. 169) nimmt einen unmittelbaren Zusammenhang zwischen den beiden Frauenköpfen und der „Beweinung Christi" des Antwerpner Museums an und hält die Köpfe für Kopien. Friedländer verweist auch (op. cit., S. 113) auf Th. Frimmel, Kleine Galeriestudien, 1896, S. 14 ff., „wo die Köpfe als Studien des Meisters behandelt werden".

Die Verwandtschaft der „Bildnisstudie" von Metsys im Musée Jacquemart-André (Abb. 25) mit den physiognomischen Studien Lionardos, die Glück aufgefallen war, hat neuerdings eine überraschende Erklärung gefunden. Der Kopf ist von Metsys nicht nach dem lebenden Modell gemalt, sondern unter Benutzung einer lionardesken (von W. Hollar radierten) Zeichnung. Siehe hierüber zuletzt M. J. Friedländer, op. cit., S. 43 f.; S. 64; S. 122, Nr. 51 und 52. — Vgl. auch die Bemerkung von G. Glück vom Jahre 1928, im Wiederabdruck des vorliegenden Bandes S. 74.

Winkler.

BEITRÄGE ZUR GESCHICHTE DER ANTWERPNER MALEREI IM 16. JAHRHUNDERT

(Jahrbuch der kunsthistorischen Sammlungen in Wien, XXII, Wien 1901, S. 1—34)

a) *Zu Seite 86.* — Über den Meister des heiligen Ägidius vgl. einen Aufsatz von Julius Held im „Jahrbuch der preußischen Kunstsammlungen", LIII, 1932, S. 3 ff.

b) *Zu Seite 87 ff.* — Von den hier genannten Arbeiten des Quinten Metsys und seines Kreises besitzt man heute, namentlich dank der Studien M. J. Friedländers (vgl. Repertorium für Kunstwissenschaft, XXVIII, 1903, S. 65 ff., und Die altniederländische Malerei, VII, 1929), eine vollkommenere Kenntnis. Einmal hat sich inzwischen eine klarere Anschauung von der Tätigkeit des Metsys herausgebildet, und zum andern haben sich Persönlichkeiten wie der „Meister des Morrison-Altars" und der „Meister der Mansi-Magdalena" von Metsys abtrennen lassen. Nach dem gegenwärtigen Stand unserer Kenntnisse verteilen sich die von Glück 1901 in seinem Aufsatz herangezogenen Werke auf die einzelnen Meister wie folgt:

Quinten Metsys:

a) Maria mit dem Kinde, Brüssel, Museum, Nr. 540.
b) Maria mit dem Kinde, Brüssel, Museum, Nr. 643.
c) Rehm-Altar, München, Alte Pinakothek, Nr. 33, 35, 5380, 719.
d) Die Heiligen Agnes und Johannes Evangelist, Köln, Sammlung Carstanjen.
e) Die Kreuzigung Christi, Wien, Galerie Liechtenstein, Nr. 730.
f) Die Kreuzigung Christi, London, National Gallery, Nr. 715.
g) Die Beweinung Christi, Paris, Louvre, Nr. 2203.

Metsys-Werkstatt:

a) Maria mit dem Kinde, Schleißheim, Nr. 132 (vielleicht eigenhändiges Werk Metsys').
b) Die Sieben Schmerzen Mariae, Brüssel, Museum, Nr. 300.
c) Die Kreuzigung Christi, Flügelaltar, Wien, Galerie Harrach, Nr. 51.
d) Die Kreuzigung Christi, Flügelaltar, Brüssel, Museum, Nr. 583.
e) Bildnis eines Donators, London, National Gallery, Nr. 1081.

Meister des Morrison-Altares:

a) Maria mit dem Kinde, Nürnberg, Germanisches Nationalmuseum, Nr. 75 („Vielleicht ein Werk des Morrison-Meisters im Anschluß an Massys"; M. J. Friedländer, Die altniederländische Malerei, VII, 1929, S. 130, Nr. 88).
b) Zwei Altarflügel, Valladolid, San Salvador („Vielleicht in engem Anschluß an Massys geschaffenes Werk des Morrison-Meisters"; M. J. Friedländer, op. cit., S. 129, Nr. 84).

Meister der Mansi-Magdalena:

a) Die Heilige Familie, Paris, Verst. E. Gavet, 1897, Nr. 751.
b) Die heilige Magdalena, Berlin, Kaiser-Friedrich-Museum, Nr. 574 D.

c) *Zu Seite 88.* — Die auseinandergerissenen Teile des Rehm-Altars sind jetzt in München (Nr. 33 und 35 [141]; 5380 [142]; 719 [143]) vereinigt. Als erster trat M. J. Friedländer (Von Eyck bis Bruegel, 1916, S. 96) für die Zuschreibung des lange Zeit Patinir zugewiesenen Altares an Metsys selber ein. Die Außenflügel, wie der heilige Rochus augenscheinlich in Metsys' Werkstatt entstanden, tragen die Wappen des in Antwerpen wohnenden Augsburger Patriziers Lucas Rehm und seiner Gattin Anna, die 1518 heirateten. Die Darstellung des Pestheiligen Rochus macht, da 1519 Antwerpen von der Pest heimgesucht wurde, dieses Jahr als Entstehungszeit des Altars wahrscheinlich. Vgl. auch H. Braune, im „Münchner Jahrbuch", VII, 1912, S. 78; derselbe, im „Münchner Jahrbuch", IX, 1914/15, S. 151; und M. J. Friedländer, „Die altniederländische Malerei", VII, 1929, S. 48 und 114, Nr. 3, Tafel 10.

d) *Zu Seite 89.* — Die Münchner Beweinung Christi ist auf Grund des bezeichneten Bildes, ehemals Amsterdam, Sammlung Six (versteigert Amsterdam 1928, Nr. 17), seit längerem als Werk des Willem Key erkannt worden. Alte Kopien befinden sich in Karlsruhe (Nr. 142) und Bern. Vgl. zuletzt Max J. Friedländer, Über Willem Key, in „Pantheon", III, 1929, S. 254.

e) *Zu Seite 90.* — Mabuses Anbetung der Könige, ehemals Sammlung Lord Carlisle, seit 1911 in London, National Gallery, Nr. 2790.

f) *Zu Seite 90.* — Die schon von Alfred Michiels (Histoire de la peinture flamande) angezweifelte Bezeichnung „Henricus Blesius fecit" auf der Anbetung der Könige in der Münchner Pinakothek (Nr. 709) hat sich als unecht erwiesen und ist 1911 entfernt worden.

g) *Zu Seite 91 f.* — Über die Werke der „Antwerpner Manieristen" vgl. M. J. Friedländer, Die Antwerpner Manieristen von 1520, im: Jahrbuch der preußischen Kunstsammlungen, XXXVI, 1915, S. 65 ff., der die Hände anders als G. Glück aufteilt. Danach gehören zusammen:

Gruppe der Münchner Anbetung:
Fr. 1. Anbetung der Könige, München, Nr. 709.
Fr. 2. Anbetung der Könige, Madrid, Nr. 1171.
Fr. 5. Enthauptung Johannis, Berlin, Nr. 630.

Gruppe der Antwerpner Anbetung:
Fr. 34. Anbetung der Könige, Antwerpen, Nr. 208—210.
Fr. 37. Anbetung der Könige, Brüssel, Nr. 577.

Meister der Grooteschen Anbetung:
Fr. 25 a. Anbetung der Könige, München, Nr. 147.
Fr. 25 g. Anbetung der Könige, Karlsruhe, Nr. 145.

Gruppe des Lübecker Altars (Meister von 1518):
Fr. 70. Anbetung der Könige, Dresden, Nr. 806 a.
Fr. 70a. Anbetung der Könige, Genua, Palazzo Bianco.
Fr. 48. Heilige Sippe, Schleißheim, Nr. 129.
Fr. 61. Heilige Magdalena, London, Nr. 719.
Fr. 47. Magdalenenaltar, Brüssel, Nr. 560.

h) *Zu Seite 92.* — Die Tafel mit den Heiligen Konstantin und Helena, ehemals in der Galerie zu Schleißheim (Nr. 31), jetzt in München, Alte Pinakothek (Nr. 1458), gilt heute allgemein als Werk des Cornelis Engelbrechtsen.

i) *Zu Seite 92.* — Zur Bathsebazeichnung der Wiener Albertina vgl. Otto Benesch, Die niederländischen Handzeichnungen der Albertina, 15. und 16. Jahrhundert, Wien 1928, Nr. 63.

＊

k) *Zu Seite 94.* — Der Versuch, den in Vergessenheit geratenen Namen des Stechers zu erschließen, indem man den Stern zwischen den Initialen als Nachnamen des Künstlers ansprach, reicht schon in die erste Hälfte des 17. Jahrhunderts zurück. Im Inventar des Antwerpner Malers Steven Wils vom 6. Juli 1628 (J. Denucé, Quellen zur Geschichte der vlämischen Kunst, II, Antwerpen 1932, p. 51) werden neben Kupferstichen von „Aldegrever, Sebaldus Beham und Vergilius Solis" solche von „Dierick Versterren" angeführt (Mitteilung von L. Burchard).

l) *Zu Seite 96.* — Das Oeuvre der G l a s m a l e r e i e n von Dirick Vellert hat seit Gustav Glücks Untersuchung weiter bereichert werden können; vgl. Hermann Schmitz, Die Glasgemälde des Kunstgewerbemuseums zu Berlin, I, Berlin 1913, S. 70—71, 83;

Ludwig Baldass, Dirk Vellert als Tafelmaler, in „Belvedere", I, 1922, S. 162; Ferrand Hudig, Quelques Vitraux du XVIe siècle, in „La revue de l'art, XXIV, Antwerpen 1922/23, p. 98; Nicolas Beets, Dirick Jacobsz Vellert, in „La revue de l'art", XXVI, Antwerpen 1925, p. 116; A. E. Popham, Notes on Flemish Glass Painting, in „Apollo", IX, 1929, p. 152.

An Rundscheiben von der Hand Dirick Vellerts sind bis jetzt bekannt:

1. Der Triumph der Zeit. Brüssel, Sammlung Goldschmidt-Přibram, vgl. hier, S. 96—100 und Abb. 29.

2. Die Anbetung der Könige. Darmstadt, Schloß. — Die 1532 datierte Vorzeichnung wurde in Glücks Zusammenstellung von Vellerts Zeichnungen als Nr. 11 besprochen (im vorliegenden Wiederabdruck auf S. 106). Vgl. auch Otto Benesch, op. cit., Nr. 41. — Ein zweites Exemplar der Scheibe war im Besitz von Wilhelm v. Bode in Berlin.

3. Die Flucht nach Ägypten. Berlin, Sammlung Wilhelm v. Bode.

4. Gottvater und die Beschneidung Isaaks. Amsterdam, Rijksmuseum.

5. Die Geschichte Loths. Amsterdam, Rijksmuseum. — Beide Amsterdamer Scheiben sind monogrammiert.

6. Der erste Schöpfungstag. Berlin, Schloßmuseum (Zuschreibung von Baldass [siehe oben]).

7 ff. Eine Serie von größeren Figurenscheiben Dirick Vellerts, von 1529, befand sich, laut Schmitz (op. cit.), im Jahre 1910 bei Durlacher Brothers in London.

m) *Zu Seite 100.* — Die Darstellung von „Moses vor dem brennenden Dornbusch" von Dirck Bouts, jetzt Philadelphia, Sammlung Johnson, Nr. 339. Vgl. Max J. Friedländer, Die altniederländische Malerei, III, Berlin 1925, S. 108, Nr. 13, Tafel 20.

n) *Zu Seite 112 f.* — Die Weihe eines Bischofs (Abb. 45) ist — infolge der falschen Signatur — von Glück unzutreffend beurteilt worden. Die Zeichnung ist, wie Max J. Friedländer im „Jahrbuch der preußischen Kunstsammlungen", XXXVIII, Berlin 1917, S. 91, ausgeführt hat, der Entwurf des Pieter Coeck van Aelst für ein 1536/37 entstandenes Glasgemälde beim Nikolausaltar der Antwerpner Kathedrale. Dargestellt ist die Weihe des heiligen Nikolaus zum Bischof von Myra.

o) *Zu Seite 114.* — Über das Gemälde der „Bischofsweihe" (aus St. Rombouts in Mecheln, jetzt Chatsworth, Duke of Devonshire) siehe im vorliegenden Band auf S. 40.

p) *Zu Seite 115.* — Die Totentanzdarstellung (Abb. 46) gilt heute als eine Arbeit des Jan Swart van Groningen. Siehe Curt Benedict, in: Zeitschrift für bildende Kunst, LVIII, 1924/25, S. 182, Anm. 13, und den Katalog der niederländischen Handzeichnungen im Berliner Kupferstichkabinett, 1930, S. 53.

q) *Zu Seite 116.* — Vellerts Zeichnung „Die nackte Bademagd" (Abb. 47) geht, wie Julius Held (Dürers Wirkung auf die niederländische Kunst seiner Zeit, Haag 1930, S. 93) überzeugend nachgewiesen hat, auf eine Proportionsstudie Dürers in London (L. 225) zurück.

r) *Zu Seite 121.* — Die Ausführungen über den Altar von Jan van der Elburcht wurden von Glück selbst berichtigt in Band I der vorliegenden Ausgabe, S. 58, Anm. 2.

s) *Zu Seite 122 und Abb. 49.* — Von frühen Darstellungen der „Sintflut" ist vor allem der wohl im dritten Viertel der 15. Jahrhunderts entstandene und gewöhnlich dem in Florenz tätigen Baccio Baldini zugeschriebene sehr große Kupferstich (Chalcographische Gesellschaft 1890) zu nennen. A. M. Hind reiht ihn jenen großen Blättern in „broad manner" an, die in der Manier der Pesellino-Baldovinetti-Tradition gezeichnet sind (Catalogue of early Italian Engravings, London 1910, p. 122). Der Zusammenhang mit Paolo Uccellos Fresko im Chiostro Verde von S. Maria Novella in Florenz, auf den Hind aufmerksam macht und den F. Antal (im „Jahrbuch für Kunstwissenschaft", 1924/25, S. 220) übernimmt, wird wegen der Verschiedenheit der inhaltlichen Interpretation des Themas von E. Tietze-Conrat (in „Berliner Museen", XLVIII, Berlin 1927, S. 90) unseres Erachtens zu Recht abgelehnt. Hier auch der Hinweis auf die Zeichnung Dürers mit der Gruppe von fünf Aktfiguren im Berliner Kupferstichkabinett (L. 875), die zweifellos auf die fünf auf dem Floß schwimmenden Personen zurückgeht, die der erste Zustand des Baldini-Stiches wiedergibt. Vermutlich hat Dürer den Stich in seiner Werkstatt besessen, was vielleicht noch durch die Tatsache gestützt wird, daß Baldung in seinem Bamberger Bild der Sintflut von 1516 die Arche in engem Anschluß an den Stich gebildet hat (vgl. Hans Curjel, Hans Baldung Grien, München 1921, S. 151, Tafel 55).

t) *Zu Seite 126.* — Vellerts Triptychon mit der „Anbetung der Könige" (Abb. 51) ist danach in den Besitz der Sammlung Stefan von Auspitz in Wien übergegangen und wurde 1932 für die Sammlung van Beuningen in Rotterdam erworben.

Ein weiteres Gemälde von der Hand Dirick Vellerts hat G. Glück 1909 in seinem Aufsatz über „Fälschungen auf Dürers Namen" nachgewiesen (im vorliegenden Wiederabdruck auf S. 243, Anm. 30), eine „Anbetung der Hirten" im Museum in Lille. — Über Vellert als Tafelmaler vgl. neuerdings Ludwig Baldass, in „Belvedere", I, Wien 1922, S. 162.

u) *Zu Seite 127.* — Über den „Meister S" und dessen Zusammenhang mit Vellert siehe auch im vorliegenden Band S. 132.

v) Seit Erscheinen von G. Glücks grundlegendem Aufsatz hat das Werk Dirick Vellerts noch um zahlreiche, hier nicht genannte Arbeiten vermehrt werden können. Es sei daher nur auf die hauptsächlichste Literatur verwiesen, soweit sie nicht schon im Vorstehenden genannt ist: Campbell Dodgson, in „Mitteilungen der graphischen Künste", 1902, S. 92 (Besprechung von Glücks Aufsatz). — N. Beets, in „L'Art flamand et hollandais", VI, 1906, p. 133; VII, 1907, p. 105; X, 1908, p. 89; XVIII, 1912, p. 129. — A. E. Popham, The Engravings and Woodcuts of Dirick Vellert, in „Print Collectors Quarterly", XII, 1926, p. 343. — A. J. J. Delen, in „De gulden passer", Antwerpen 1924. — A. E. Popham, Catalogue of Drawings by dutch and flemish artists ... in the British Museum, V, 1932, p. 49 ff.

Scharf.

EINE VERMUTUNG ÜBER DEN MEISTER S

(Festschrift der Nationalbibliothek, Wien 1926, S. 401—406)

a) *Zu Seite 132.* — Über die Kopie des Meisters S nach Dirick Vellert vgl. im vorliegenden Band, S. 127, Anm. 44.

b) *Zu Seite 132.* — Die Identifikation des Meisters S mit dem Antwerpner Goldschmied Alexander von Brüssel („Sanders van Brugsal") und seine Beziehungen zu Dürer werden auch von Julius Held (Dürers Wirkung auf die niederländische Kunst seiner Zeit, 's Gravenhage 1930, S. 128, 141) bestätigt.

c) *Zu Seite 134.* — Die Abkürzung des Vornamens Alexander in „Sander" ist auch sonst zu belegen; in Italien zum Beispiel bei „Sandro" Botticelli, in den Niederlanden, außer bei Bening, bei Jan „Sanders" van Hemessen.

Burchard.

EIN NEUGEFUNDENES WERK JAN SCORELS
Darstellung im Tempel

(Der Cicerone, II, Leipzig 1910, S. 589)

Zu Seite 136. — Als Ergänzung zu dem Beitrag Gustav Glücks hat Hans Jantzen, im „Cicerone", 1910, S. 646, darauf hingewiesen, daß der auf dem Gemälde (Abb. 55) dargestellte Raum einen Einblick in einen der Nebenkuppelräume von St. Peter in Rom, wie sie von Bramante geplant waren, gewährt. Im Anschluß an die Bauteile, die zur Zeit von Scorels Aufenthalt in Rom bereits ausgeführt waren, sucht der Maler einen Eindruck von Bramantes Peterskirche zu vermitteln.

EIN NEUGEFUNDENES GEMÄLDE JAN VAN SCORELS
Ruth und Naemi

(Oudheidkundig Jaarbook, III, Utrecht 1923, pag. 183—187)

a) *Zu Seite 139.* — Das durch G. Glück 1923 in die Literatur eingeführte Gemälde mit „Ruth und Naemi" (Abb. 56) wird in G. J. Hoogewerffs „Jan van Scorel" vom gleichen Jahre noch nicht erwähnt.

b) *Zu Seite 143.* — Die „Magdalena" von Jacob Cornelisz van Amsterdam befand sich späterhin in der Sammlung Chillingworth in Basel, versteigert Luzern am 5. September 1922, Nr. 25; vgl. Kurt Steinbart, Die Tafelgemälde des Jakob Cornelisz von Amsterdam, Straßburg 1922, S. 111—114, 153.

JAN VAN AMSTEL

(I. Thieme-Beckers Künstlerlexikon, I, Leipzig 1907, S. 423/24. — II. Thieme-Beckers Künstlerlexikon, IV, Leipzig 1910, S. 552/53. — An beiden Stellen Übersicht über die ältere Literatur)

a) *Zu Seite 145.* — Seit dem Erscheinen von Gustav Glücks Aufsätzen ist folgende Literatur über den Meister veröffentlicht worden: Ludwig von Baldass, Die niederländische Landschaftsmalerei von Patinir bis Bruegel, in „Jahrbuch der kunsthistorischen Sammlungen in Wien", XXXIV, 1918, S. 111 ff. (dort über den „Braunschweiger Monogrammisten" S. 136—142). — Ludwig von Baldass, Die Anfänge des niederländischen Sittenbildes, in „Ausgewählte Kunstwerke der Sammlung Lanckoroński", Wien 1918, S. 19 ff. (dort über Jan van Amstel und den „Braunschweiger Monogrammisten" S. 23). — Friedrich Winkler, Die altniederländische Malerei, Berlin 1924, S. 293, 306—309. Winkler nimmt die Gleichsetzung des „Braunschweiger Monogrammisten" mit Jan van Amstel vorbehaltlos an; ebenso A. E. Popham, Catalogue of drawings by dutch and flemish artists ... in the British Museum, V, 1932, pag. 1, der dem Meister die Londoner Zeichnung „Der Monat April" (Kat.-Nr. 1) zuschreibt.

b) *Zu Seite 145.* — Jan van Amstel müßte 1543 noch am Leben gewesen sein, falls ein aus dem Jahre 1543 datiertes Bild mit der Flucht nach Ägypten (ehemals Leipzig, Sammlung Thieme; Abbildung bei Winkler, S. 308) ihm mit Sicherheit zugeschrieben werden kann.

c) *Zu Seite 145.* — Nach demselben Prinzip wie das Monogramm des Jan van Amstel auf dem Bilde des Braunschweiger Museums ist auch das Monogramm des Cornelis van Dalem (z. B. auf der Felslandschaft mit der Flucht nach Ägypten im Berliner Kaiser-Friedrich-Museum, Nr. 1917) zusammengesetzt; ein Faksimile der Bezeichnung findet sich im Berliner Katalog von 1931 auf S. 127.

d) *Zu Seite 146.* — Die Zusammenhänge zwischen Pieter Bruegel und dem sog. Braunschweiger Monogrammisten werden nachdrücklich hervorgehoben auch von Walter Cohen, in: Thieme-Beckers Künstlerlexikon, V, 1911, S. 100.

Burchard.

BRUEGEL UND DER URSPRUNG SEINER KUNST

(Einleitung zu: Peter Bruegels des Älteren Gemälde im Kunsthistorischen Hofmuseum zu Wien. Brüssel, G. van Oest & Co., 1910)

a) *Zu Seite 152, Anm. 1.* — Neue Literatur: Walter Cohen, Pieter Bruegel, in: Thieme-Beckers Künstlerlexikon, V, 1911, S. 100 ff. — Ludwig Burchard, Pieter Bruegel im Kupferstichkabinett zu Berlin, in „Amtliche Berichte ...", XXXIV, Berlin 1913, S. 223 ff. — Max J. Friedländer, Von Eyck bis Bruegel, Berlin 1916, S. 160/170, 190/191. — Ludwig von Baldass, Die niederländische Landschaftsmalerei von Patinir bis Bruegel, in „Jahrbuch der kunsthistorischen Sammlungen in Wien", XXXIV, 1918, S. 111 ff. — Max J. Friedländer, Pieter Bruegel, Berlin 1921. — Max Dvořák, Pieter Bruegel der Ältere, in „Kunstgeschichte als Geistesgeschichte", München 1924, S. 217 ff. — Wilhelm Fraenger, Der Bauern-Bruegel und das deutsche Sprichwort, München 1923.

— Friedrich Winkler, Die altniederländische Malerei, Berlin 1924, S. 330/355. — Karl Tolnai, Die Zeichnungen Pieter Bruegels, München 1925. — Frits Lugt, Pieter Bruegel und Italien, in „Festschrift für Max J. Friedländer", Leipzig 1927, S. 111 ff. — Friedrich Winkler, Ein Bild des Bauern-Bruegel, in „Pantheon", II, München 1928, S. 456 ff. — Karl Tolnai, Beiträge zu Bruegels Zeichnungen, in „Jahrbuch der preußischen Kunstsammlungen", L, Berlin 1929, S. 195. — Max J. Friedländer, Neues von Pieter Bruegel, in „Pantheon", VII, München 1931, S. 53 ff. — Edouard Michel, Bruegel, Paris 1931. — René van Bastelaer, in „Mélanges Hulin de Loo", Brüssel 1931, p. 321. — Gustav Glück, in „Gedenkboeck A. Vermeylen", Antwerpen 1932, p. 263/268.

Eine Besprechung Glücks von Bastelaers Buch „Les Estampes de Peter Bruegel l'ancien" (Brüssel 1908) findet sich in „Monatshefte für Kunstwissenschaft", III, 1910, S. 354.

Ein soeben erschienener Band von Gustav Glück über „Peter Bruegels Gemälde" (Verlag Anton Schroll & Co., Wien 1932) bringt auf 41 Tafeln sämtliche von Glück für echt gehaltenen Gemälde zur Wiedergabe. Die Erläuterungen zu jedem einzelnen Bild beschäftigen sich nicht nur mit Fragen der Echtheit, der Chronologie und der künstlerischen Bedeutung, sondern suchen auch in die thematische Bedeutung der Bilder näher einzudringen, wobei die Vorstufen weitgehend berücksichtigt werden. In einem Anhang werden 25 (beziehungsweise 23) verlorene Bilder des Meisters besprochen und weitere 16 Kompositionen, die „vielfach dem alten Bruegel zugeschrieben worden sind, die aber als Erfindungen anderer Künstler angesehen werden müssen". In der Einleitung, die von Bruegels Leben und Schaffen handelt, wird mehrfach auch die Frage nach den „Grundlagen von Bruegels Kunst" berührt, jedoch nicht in gleicher Ausführlichkeit wie in dem hier wiederabgedruckten Aufsatz vom Jahre 1910.

b) *Zu Seite 152.* — In der Umgebung von Breda gibt es zwei Dörfer mit dem Namen Breughel. Im ersten, dreißig Kilometer südlich von 's Hertogenbosch und fünfzig von Breda entfernt, nahe bei Eindhoven liegend, wird das angebliche Geburtshaus Bruegels überliefert. Das zweite Dorf liegt weiter südlich, mehr als siebzig Kilometer fern von Breda in der Limburgischen Campine. Welche dieser beiden Ortschaften als Geburtsort Bruegels gelten kann, ist nicht mit Sicherheit zu entscheiden. — Siehe jetzt auch G. Glück, Peter Bruegels Gemälde, 1932, S. 9 („vielleicht verdient das Örtchen Breugel bei Eindhoven den Vorzug").

c) *Zu Seite 152 ff.* — Das Lehrverhältnis zwischen Pieter Coeck van Aelst und Bruegel, von dem van Mander berichtet, wird durch keine Urkunde bestätigt. Obgleich die Antwerpner Gildenlisten aus dieser Zeit vollständig erhalten sind, ist Bruegel als Lehrknabe dort nicht zu finden. Vgl. Friedländer, Pieter Coeck van Aelst, in „Jahrbuch der preußischen Kunstsammlungen", XXXVIII, Berlin 1917, S. 91. — Zuversichtlicher ist Edouard Michel, Pierre Bruegel le vieux et Pieter Coecke d'Alost, in „Mélanges Hulin de Loo", 1931, p. 266.

Neuerdings rechnet Glück, ebenso wie vor ihm Friedländer (Pieter Bruegel, 1921, S. 32), mit der Möglichkeit, daß Bruegel seine Lehrzeit in B r ü s s e l verbracht haben könnte. „Ob Bruegel bei Coeck in Antwerpen oder in Brüssel gelernt hat, läßt sich nicht feststellen, da wir nicht wissen, ob Coeck nicht die letzten Jahre seines Lebens in Brüssel verbracht haben könnte, wo er 1550 gestorben ist und wo seine Witwe nach seinem Tode ihren Wohnsitz hatte." (G. Glück, Peter Bruegels Gemälde, 1932, S. 10).

d) *Zu Seite 156.* — Der „Heilige Eligius" von Petrus Christus (versteigert Berlin 1914, Nr. 6, erworben für die Sammlung Busch in Mainz) jetzt Sammlung Ph. Lehman in New York.

e) *Zu Seite 159.* — Die anonyme „Versuchung des heiligen Antonius" in der Dresdner Galerie (Nr. 952) geht auf einen Holzschnitt des Jan de Cock (Vater des Graphikverlegers Hieronymus Cock) zurück.

f) *Zu Seite 160.* — Das Motiv der sich an der Nase fassenden Narren kommt auch auf dem Berliner Sprichwörterbilde von Bruegel vor. Vgl. dazu Fraenger, op. cit., S. 143, Nr. 5, und Tafel 8; ebenso G. Glück, Peter Bruegels Gemälde, 1932, S. 51.

g) *Zu Seite 162.* — Daß Bruegel Anregungen von seiten der Buchmalerei empfangen haben wird, nimmt auch Fr. Winkler an; er verweist auf das Golfbuch mit Kinderspielen, im British Museum zu London (Die altniederländische Malerei, 1924, S. 335).

h) *Zu Seite 163 ff.* — Über vlämische „Tüchlein" haben neuerdings gehandelt: C. H. Collins Baker, A Holy Family at Buckingham Palace, in „Burlington Magazine", LVI, 1930, p. 286; L. Baldass, Ein Madonnentüchlein aus der Nähe des Quinten Metsys, in „Mélanges Hulin de Loo", 1931, p. 24.

i) *Zu Seite 168.* — Der Aufsatz über den „Verlorenen Sohn" von Bosch ist hier wiederabgedruckt auf S. 8 ff. — Die Verweise auf die Abbildungen jenes Aufsatzes sind zu berichtigen; statt Abb. 3, 4, 5, 6 muß es heißen: Abb. 4, 5, 6, 7.

Burchard.

DER TOD MARIÄ
Ein neuentdecktes Gemälde Peter Bruegels d. Ä.

(The Burlington Magazine, LVI, London 1930, p. 284—286)

a) *Zu Seite 170.* — Über die Frage der Grisaillen von der Hand Pieter Bruegels vgl. die Ausführungen Ludwig Burchards in „Das Unbekannte Meisterwerk", I, Berlin 1930, Nr. 40, wo gleichzeitig mit dem Aufsatz Gustav Glücks der „Tod Mariä" besprochen worden ist.

b) *Zu Seite 170.* — Die Grisaille van Dycks „Verzückung des heiligen Augustinus" aus der Sammlung Northbrook ist abgebildet bei Emil Schaeffer, Van Dyck, Klassiker der Kunst, Stuttgart 1909, S. 88. — Über Grisaillen altniederländischer Maler vgl. Hermann Uebe, Skulpturennachahmung auf den niederländischen Altargemälden des 15. Jahrhunderts, Cöthen 1913.

c) *Zu Seite 171.* — Ein Probedruck des Stiches von Ph. Galle, der bei R. van Bastelaer und G. Hulin de Loo, Peter Bruegel, Brüssel 1907, nicht verzeichnet ist und am 21. Mai 1923 bei Boerner in Leipzig versteigert wurde, trug am unteren Rand die Jahreszahl 1574; vgl. L. Burchard, op. cit.
Über die Beziehungen von Pieter Bruegel und Abraham Ortelius vgl. A. E. Popham, in „Burlington Magazine", LIX, 1931, p. 184. In diesem Aufsatz ist auch ein Brief

des spanischen Theologen Benedictus Arias Montanus (1527—1598) an Ortelius vom 30. März 1590 aus Sevilla (J. H. Hessel, Letters of Abraham Ortelius and his friends, Cambridge 1887, Nr. 177) abgedruckt, in dem vom Bild und Stich des „Todes Mariä" die Rede ist: „... ex hoc genere memini videre apud te tabellam de virginis matris ex hoc mortali vita separatione et dexterrime et valde piè depictam: quâ tu Philippo Galleo nostro ad imitationem dabas in es incisuro; eius vero nuñ exēptū mihi valde exoptatū existimo iam alias a te amicitiae et pietatis nomine per me postulatū, nisi forsan literae ille nostre ad te ut sepe alie nō fuerint perlatae."

d) *Zu Seite 171 ff.* — Über Bruegels „Tod Mariä" (Abb. 66) vgl. Fr. Winkler, Die altniederländische Malerei, 1924, S. 338, und neuerdings G. Glück, Peter Bruegels Gemälde, Wien 1932, S. 60 ff., Nr. 16. — Ebendort (S. 26 f.; S. 89, Nr. 44; S. 90, Nr. 45; S. 94, Nr. 52) über weitere Grisaillen von Bruegel. *Scharf.*

HANS MALER VON ULM, MALER ZU SCHWAZ

(Jahrbuch der kunsthistorischen Sammlungen in Wien, XXV, 1906, S. 245—248)

Zu Seite 176. — Die neueste Literaturübersicht über Hans Maler findet man in Thieme-Beckers Künstlerlexikon, XXIII, 1929, S. 591.

Die Bezeichnung „Hans Maler" ist wohl ebenso zustande gekommen wie bei „Lucas Maler, Maler von Cronach, Maler zu Wittenberg". — Vgl. Christian Schuchardt, Lucas Cranach des Älteren Leben und Werke, I, 1851, S. 17 u. a., wonach in Urkunden und Rechnungen Bezeichnungen wie Meister Lucas Maler; Meister Lucas von Cranach, Maler; Lucas Cranach Maler zu Wittenberg vorkommen. *Burchard.*

EIN BRIEF HANS MALERS AN ANNA VON UNGARN
aus dem Statthaltereiarchiv zu Innsbruck

(Jahrbuch der kunsthistorischen Sammlungen in Wien, XXVI, 2, 1907, S. XXI—XXII)

Zu Seite 182 und Abb. 70. — Zu dem Bildnis der „Maria von Burgund", das aus der Ambraser Sammlung (Primisser 1819, S. 91, Nr. 26) stammt, bemerkt der Wiener Katalog vom Jahre 1928 (Kat.-Nr. 1759) folgendes: Das Gemälde ist die Umsetzung eines niederländischen Vorbildes in den Stil Strigels. Eine oberdeutsche, im Gegensinn gehaltene Kopie dieses Vorbildes (wohl ebenfalls von Hans Maler) im Grazer Johanneum. Die Kopie einer im Gegensinn gehaltenen Variante im Münzkabinett ausgestellt.

DÜRERS BILDNIS EINER VENEZIANERIN AUS DEM JAHRE 1505

(Jahrbuch der kunsthistorischen Sammlungen in Wien, XXXVI, 1923, S. 97—121)

a) *Zu Seite 185 ff.* — Über die Möglichkeit eines Aufenthaltes Dürers in Rom vgl. Hans Rupprich, Willibald Pirckheimer und die erste Reise Dürers nach Italien, Wien 1930, S. 55 ff.

b) *Zu Seite 188 f. und Anm. 6.* — Über die Erhaltung des „Rosenkranzbildes" vgl. den Aufsatz von O. Benesch „Zu Dürers Rosenkranzfest" in: Belvedere, XVI, 1930, S. 81 ff. (mit Abbildungen).

c) *Zu Seite 189 ff. und Abb. 71.* — Von Dürers „Christus unter den Schriftgelehrten" gibt L. Baldass (Jahrbuch der kunsthistorischen Sammlungen in Wien, N. F. I, 1926, S. 117, Abb. 65 und S. 120, Anm. 26) eine Abbildung ohne die obere Anstückung.

d) *Zu Seite 191.* — Beispiele solcher hier erwähnten Greisenköpfe von Rubens geben Abb. 1 und 2 des ersten Bandes.

e) *Zu Seite 192.* — Die an erster Stelle von Glück genannte plastische Darstellung einer sitzenden nackten Greisin war von Julius Schlosser in einem Aufsatz „»Armeleutekunst« alter Zeit" (Jahrbuch für Kunstsammler, 1921, S. 47; wiederabgedruckt in: Julius Schlosser, Präludien, Berlin 1927, S. 304 ff.) als „wohl das älteste eigentliche Spittelbild der neuen Kunst" gewürdigt und als eine paduanische Arbeit des 15. Jahrhunderts bestimmt worden. Etwa gleichzeitig hatte Leo Planiscig (Venezianische Bildhauer der Renaissance, Wien 1921, S. 90/92) versucht, das Bildwerk, unter Vorbehalt, Andrea Riccio zuzuschreiben, ebenso wie jene zweite, von Glück erwähnte Bronze einer auf einem Widder reitenden Hexe (Planiscig, op. cit., Abb. 87). In seiner 1927 erschienenen Monographie über Riccio (S. 90/93; Abb. 79/81, 83) ist Planiscig von diesen Zuschreibungen wieder abgekommen, um sich mit der weitergefaßten Bestimmung „Paduanisch, Ende 15. Jahrhundert" zu begnügen. An gleicher Stelle (S. 94) verweist Planiscig auf eine frühere Darstellung eines welken Frauenkörpers, die Dürer wohlbekannt war, auf die „Invidia" in Mantegnas Kupferstich „Kampf der Tritonen" (Bartsch 17).

f) *Zu Seite 194 f.* — Zu Dürers „Bildnis eines deutschen Kaufherrn" von 1506 (Hampton Court; Abb. 73) bemerkt Fr. Winkler, Dürer (Klassiker der Kunst, 1928), S. 413, Anm. zu S. 43 links: „Der auf dem Bilde in Hampton Court Dargestellte erscheint auch auf dem Bilde des Rosenkranzfestes, der vierte von links gerechnet, und kann nach einer Kopie in Weimar, die seinen Namen nennt, als ein gewisser Burckardt von Speier identifiziert werden (Dürer Society, XI, p. 63)."

Außer den bei Glück genannten drei männlichen Bildnissen Dürers aus der venezianischen Zeit hat Fr. Winkler (Dürer, Klassiker der Kunst, 1928, S. 42 und 45) noch folgende Männerbildnisse für dessen venezianische Zeit (Nr. 2 unter Vorbehalt) in Anspruch genommen:

1. Bildnis eines jungen Mannes (als heiliger Sebastian). Bergamo, Accademia Carrara, Nr. 469. Weder signiert noch datiert. — Im Katalog der Accademia Carrara (1912) als in der Art Lucas van Leydens bezeichnet. Doch hat schon 1893 H. Thode (Jahrbuch der preußischen Kunstsammlungen, XIV, 1893, S. 205/06) das Bild als Arbeit Dürers veröffentlicht, die sich stilistisch und koloristisch der Berliner Madonna von 1506 eng anschließen soll. Diese Ansicht teilen Winkler (S. 413) und der Katalog der Nürnberger Dürer-Ausstellung (1928, Nr. 57), auf der das Werk als authentisches Gemälde Dürers der venezianischen Zeit ausgestellt war.

2. Bildnis eines Mannes. Warschau, Museum. Weder signiert noch datiert. — Das Bild, das von W. Tatarkiewicz (Zeitschrift für bildende Kunst, N. F., XXI, 1910, S. 250) in die Literatur eingeführt wurde, wird von E. Buchner (Festschrift für Max J. Friedländer, Leipzig 1927, S. 74) dem Schäuffelein zugeschrieben.

3. Bildnis eines Mannes. Washington, Sammlung Andrew W. Mellon. — Oben bezeichnet mit dem Monogramm Dürers und mit der Jahreszahl 1507. Zuerst von S. Strömbom, Ericsberg Fideikommiß, 1927, p. 21, aus dem Besitz des Grafen C. G. Bonde veröffentlicht. Im gleichen Jahre schreibt E. Buchner (Friedländer-Festschrift, S. 72) dieses Bildnis, ebenso wie das des Warschauer Museums, dem Schäuffelein zu. Dem widersprechen sowohl Fr. Winkler (Dürer, S. 414) als auch M. J. Friedländer (Das Unbekannte Meisterwerk, I, 1930, Nr. 63), der auf Grund stilistischen Vergleichs mit den Porträten in Hampton Court (Abb. 73) und Wien (Abb. 74) — abgesehen von der zweifellos echten Bezeichnung — die Autorschaft Dürers für erwiesen hält.

g) *Zu Seite 197.* — Das Bildnis der Windischen Bäuerin (Abb. 75; Lippmann, Nr. 408) ist 1930 in den Besitz des British Museum in London übergegangen, vgl. The British Museum Quarterly, V, 1930, pag. 9. — Auf der Nürnberger Dürer-Ausstellung 1928 war das Blatt unter Nr. 243 ausgestellt.

Das weibliche Bildnis der Sammlung Eißler (Lippmann, Nr. 180) befindet sich jetzt in der Sammlung F. Koenigs in Haarlem (Abb. 76).

Eine von J. Meder (Albertina-Zeichnungen, Nr. 978) ebenfalls als Windische Bäuerin angesprochene Federzeichnung in Budapest hält Fr. Winkler für eine Kopie des Hans Hoffmann nach einer verschollenen Zeichnung Dürers aus der Zeit der zweiten Reise nach Venedig (Jahrbuch der preußischen Kunstsammlungen, LIII, 1932, S. 83; Abb. 13).

h) *Zu Seite 198 ff.* — Ein Frauenbildnis, Dürer zugeschrieben und in dessen venezianische Zeit versetzt, in der Sammlung Jules S. Bache in New York, ist durch A. L. Mayer im „Pantheon", München 1929, S. 249, veröffentlicht worden. Bei diesem Bildnis hat Willy Kurth als erster auf die frappante Übereinstimmung mit einem oberitalienischen Kupferstich der Nationalbibliothek in Paris (Abbildung bei H. Bouchot, Chefs d'œuvre et pièces uniques, Bibl. Nat., Paris, première série Nr. 14) hingewiesen; eine bequem erreichbare Abbildung des Stiches jetzt auch bei W. Suida, Leonardo und sein Kreis, 1929, Abb. 114.

i) *Zu Seite 200 und Abb. 79.* — Von Dürers „Bildnis eines jungen Mädchens" (Berlin) befand sich 1659 eine Kopie in der Sammlung Erzherzog Leopold Wilhelms. Siehe G. Glück, Jahrbuch der kunsthistorischen Sammlungen, Wien 1909/10, S. 4; im Wiederabdruck des vorliegenden Bandes S. 218 f.

k) *Zu Seite 201.* — Eine Nachzeichnung der von Glück für das Wiener Museum erworbenen Venezianerin Dürers befindet sich, worauf Fr. Winkler (Dürer, Klassiker der Kunst, 1928, S. 411, Anm. zu S. 32) aufmerksam macht, in der Sammlung F. Koenigs in Haarlem.   *Scharf.*

DÜRERS GEMÄLDE DES HEILIGEN HIERONYMUS
(Die Graphischen Künste, XXXV, Wien 1912, S. 21—24)

a) *Zu Seite 206 und Abb. 81.* — Über seine Auffindung von Dürers „Hieronymus" berichtete Carl Justi im Jahrbuch der preußischen Kunstsammlungen, 1888, S. 149. — Auf der Albrecht-Dürer-Ausstellung in Nürnberg, Germanisches Museum, 1928, war das Bild unter Nr. 69 ausgestellt. Im Katalog ist auch die Literatur über das Gemälde verzeichnet. — Eine farbige Abbildung findet sich im Dürer-Sonderheft der Zeitschrift „Cicerone" 1928 als Titelbild.

b) *Zu Seite 208.* — Die Zeichnungen zu Dürers Lissaboner Bild hat Wilhelm Suida in einem Aufsatz „Über eine Darstellung des heiligen Hieronymus von Albrecht Dürer" (Repertorium für Kunstwissenschaft, XXIII, 1900, S. 315) als erster zusammengestellt. Ihm war dabei unbekannt geblieben, daß das zugehörige Bild Dürers durch Justi bereits wiederaufgefunden worden war.

c) *Zu Seite 209.* — Auch M. J. Friedländer äußert zu dem Hieronymus: „Dürer hatte die den Niederländern vertraute Form der Halbfigur gewählt"; Altniederländische Malerei, IX, 1931, S. 46 ff.; dort auch nähere Angaben über die Nachahmungen von Dürers Hieronymus durch Joos van Cleve (Friedländer, Tafel 28) und andere niederländische Maler.

d) *Zu Seite 210.* — Die Jahreszahl auf dem sogenannten Imhoff im Prado muß nach G. Glücks eigener Beobachtung, die von der Leitung des Prado-Museums bestätigt wird, 1524, nicht 1521, gelesen werden. Für die Annahme, daß die Ziffer nachträglich geändert sein könnte, ergibt der Erhaltungszustand, der vorzüglich ist, nicht den geringsten Anhalt. *Winkler.*

ZU DÜRERS ANBETUNG DER KÖNIGE IN FLORENZ

(Jahrbuch der preußischen Kunstsammlungen, XXIX, Berlin 1908, S. 119—122)

Zu Seite 214. — Zu der Frage vergleiche den Aufsatz von Arpad Weixlgärtner im Jahrbuch der kunsthistorischen Sammlungen in Wien, XXVIII, 1909/10, S. 27. — Weixlgärtner widerspricht der These Glücks, daß das Bild übermalt und dadurch die Figur des heiligen Josef in der Komposition Dürers verlorengegangen sei. Das Bild befinde sich in gutem Zustand. Aus der Tatsache, daß sich der heilige Josef auf einer Erlanger Nachzeichnung, die um 1550 entstanden ist, nicht findet, folgert Weixlgärtner, daß ein Fehler in der Beschreibung des Inventars von 1619 und ebenso bei Faber 1717 vorliegen müsse: „Kann ich selbst aber mir schließlich kaum vorstellen, wo der heilige Josef auf dem Florentiner Bilde jenseits Mariä eigentlich Platz finden sollte, so meine ich doch, daß das letzte, entscheidende Wort über Glücks interessante Hypothese einem erfahrenen Restaurator zusteht, der das Original gründlich untersucht; denn Fabers dezidierte Postierung des heiligen Josef an eine Stelle, wo er auf allen anderen Dürerschen Darstellungen desselben Gegenstandes auch wirklich vorkommt, gibt auf jeden Fall zu denken."

Elfried Bock, Die Zeichnungen der Universitätsbibliothek in Erlangen, 1929, S. 311, Nr. 1311, schreibt die Erlanger Nachzeichnung der Schule Lucas Cranachs des Älteren zu und bemerkt: „Die Kopie ist in den Verhältnissen gegen das Gemälde verbreitert. Da die Figur (des heiligen Josef) auf der Erlanger Zeichnung, die älter ist als beide Quellen, fehlt, müssen die Beschreibungen in diesem Punkte irrig sein."

FÄLSCHUNGEN AUF DÜRERS NAMEN AUS DER SAMMLUNG ERZHERZOG LEOPOLD WILHELMS

(Jahrbuch der kunsthistorischen Sammlungen in Wien, XXVIII, 1909/10, S. 1—25)

a) *Zu Seite 217.* — Über den von Dürer in den Niederlanden gemalten „Heiligen Hieronymus" (jetzt Lissabon) siehe den Aufsatz von G. Glück, im vorliegenden Band S. 205—210 und Abb. 81.

b) *Zu Seite 218.* — Weibliches Brustbild, Zeichnung der Sammlung Blasius (Lippmann, 144). Ephrussi (A. D. et ses dessins, 1882, p. 82): um 1503; M. Conway (Burlington Magazine, XVIII, p. 318, Nr. 20): wohl etwas vor dem Erlanger Selbstbildnis; E. Römer (Jahrbuch der preußischen Kunstsammlungen, 1926, S. 128): vielleicht doch schon 1494; H. Tietze (Der junge Dürer, 1928, S. 8, Nr. 31): um 1493, als „Halbfigur eines alten Mannes".

c) *Zu Seite 220.* — Über das Glasgemälde der „Beweinung Christi" (Abb. 86) siehe jetzt auch H. Beenken „Dürer-Fälschungen?" (Repertorium für Kunstwissenschaft, L, 1929, S. 112). Beenken meint, das Glasbild gehe auf einen verschollenen Scheibenriß Dürers von 1504 zurück, der auch die Rahmung mit der Markentafel enthalten habe.

d) *Zu Seite 227.* — Die Nachzeichnung nach dem Hellerschen Altar (Lippmann, 354) heute im Museum Bonnat zu Bayonne.

e) *Zu Seite 227 ff.* — Das mit der Budapester Zeichnung „Christus unter den Schriftgelehrten" (Abb. 89) übereinstimmende Gemälde des Hans Hoffmann befand sich 1922 im Besitze des Londoner Sammlers A. G. H. Ward. — Über Hans Hoffmann als getreuen Kopisten von Dürer-Zeichnungen siehe zuletzt Fr. Winkler in: Jahrbuch der preußischen Kunstsammlungen, XXXV, Berlin 1932, S. 80—86.

f) *Zu Seite 236.* — Die von G. Glück angezweifelte „Maria mit dem Kinde" (Abb. 99) befindet sich heute im Metropolitan Museum in New York, Sammlung Pierpont Morgan (Dürer-Ausstellung, Nürnberg 1928, Nr. 109). — Die Meinungen über die Echtheit sind geteilt. M. J. Friedländer (Repertorium für Kunstwissenschaft, 1906, S. 586) und Fr. Winkler (A. D., 1928, S. 63 und 416) treten für die Eigenhändigkeit ein. Vgl. auch Ed. Flechsig, Albrecht Dürer, I, 1928, S. 434.

g) *Zu Seite 239.* — Eine Abbildung des Prager Exemplars der „Madonna mit der Schwertlilie" (Dürer-Ausstellung, Nürnberg 1928, Nr. 75) findet sich im Originaldruck des Aufsatzes von Glück, im Jahrbuch der kunsthistorischen Sammlungen in Wien, XXVIII, 1909/10, auf S. 14; ebenso in dem Dürer-Band der „Klassiker der Kunst", 1. bis 3. Auflage, S. 40.

h) *Zu Seite 240.* — Das Cooksche Exemplar der „Madonna mit der Schwertlilie" (Abb. 102) ist in den letzten Jahrzehnten — Flechsig ausgenommen — allgemein nach dem Vorgang von Glück abgelehnt worden. Vgl. den Katalog der Sammlung Cook und (ausführlich) Fr. Winkler, Dürer, 1928, Anm. zu S. 98. — Ein weiteres Exemplar, in Oberösterreich, ist abgebildet im „Erdgeist" vom 30. Januar 1909.

i) *Zu Seite 242.* — Das lange Zeit mit Pieter Bruegel in Verbindung gebrachte Bildnis eines Narren in Wien (Gemäldegalerie, Nr. 720) wird — nach dem Vorgang von M. Dvořák und L. Baldass — im Wiener Katalog von 1928 „Niederländisch um 1570" genannt. — H. Dollmayr, H. Hymans, A. Romdahl, M. J. Friedländer, G. Hulin de Loo hatten, ebenso wie G. Glück, das Bildnis in das 15. Jahrhundert gesetzt und in Schulzusammenhang mit Jan van Eyck gebracht. Vgl. auch G. Glücks Bemerkung vom Jahre 1911, im vorliegenden Band auf S. 80.

k) *Zu Seite 245.* — Der „Meister des Todes Mariä" wird jetzt allgemein mit Joos van Cleve identifiziert. — Die richtige Bestimmung der Wiener „Heiligen Familie" (Abb. 107) auf diesen Meister sprach als erster G. F. Waagen aus (Die vornehmsten Kunstdenkmäler in Wien, 1866, S. 160, Nr. 16).

l) *Zu Seite 246.* — Die „Heilige Familie" der Sammlung Holford (Abb. 105) ging auf der Versteigerung dieser Sammlung bei Christie's, London, 17. Mai 1928 (Kat.-Nr. 8), in den Besitz der Londoner Kunsthandlung Frank T. Sabin über.

m) *Zu Seite 248.* — Die „Heilige Familie" des Meisters vom Tode Mariä, ehemals in der Wiener Sammlung Klinkosch, danach in Pariser Privatbesitz, befindet sich jetzt in New York, Sammlung Philip Lehman. — Die kleinere „Heilige Familie", (ehemals in der Wiener Gemäldegalerie demselben Meister zugeschrieben; Engerth, Nr. 1497; Führer von 1906, Nr. 685) ist in das Roselius-Haus nach Bremen gelangt.

n) *Zu Seite 248 ff.* — Über Reliefs und Medaillen in Dürers Art vgl. jetzt — außer G. Habichs Aufsatz im „Jahrbuch der preußischen Kunstsammlungen", 1906, S. 17 — desselben Verfassers Werk „Die deutschen Medailleure des 16. Jahrhunderts", 1916, S. 5 f. — Derselbe, im „Archiv für Medaillen- und Plakettenkunde", V, 1925/26, S. 174. — Fr. Winkler, Dürer (Klassiker der Kunst) 1928, S. 399—404 und Erläuterungen, S. 435. — Georg Habich, Die deutschen Schaumünzen des 16. Jahrhunderts, I, 1, München 1929, S. 3—7. — Derselbe, in: Zeitschrift für bildende Kunst, LXIII, 1929/30, S. 53/65. — Derselbe, in: Kunstchronik, Mai 1930, S. 10—11.

o) *Zu Seite 252.* — Über Joachim Deschler vgl. Th. Hampe, in: Thieme-Beckers Künstlerlexikon, IX, 1913, S. 117 f.

p) *Zu Seite 252 f.* — Die Porträtmedaille Dürers von 1527/28 ist laut G. Habich (Thieme-Beckers Künstlerlexikon, XXII, 1928, S. 6) nicht von L. Krug, sondern eine urkundlich beglaubigte Arbeit des Matthes Gebel (vgl. Thieme-Beckers Künstlerlexikon, XIII, 1920, S. 309).

Scharf.

DER BRUDER JEAN CLOUETS

(Zeitschrift für bildende Kunst, N. F. LII, Leipzig 1917, S. 177—180)

Zu Seite 254 bis 259. — Die in diesem Aufsatz von Glück vorgetragene These wird von der französischen Literatur über Clouet nicht erwähnt, jedenfalls nicht von: Etienne Moreau-Nélaton, Les Clouet, Paris 1924, 3 Bde.
Louis Dimier, Histoire de la Peinture de portrait en France, Paris 1925, 3 Bde.

Louis Dimier, Histoire de la Peinture Française des origines au retour de Vouet, 1300 à 1627, Paris 1925.

Irene Adler, Die Clouet, Versuch einer Stilkritik (Jahrbuch der kunsthistorischen Sammlungen in Wien, N. F. III, Wien 1929, S. 201/246), berichtet in Anm. 7 ihres Aufsatzes über Glücks Hypothese, ohne dazu Stellung zu nehmen.

EIN BILDNIS VON ANTOINE CARON IN DER MÜNCHNER PINAKOTHEK

(Zeitschrift für bildende Kunst, N. F. XI, Leipzig 1899, S. 18)

a) *Zu Seite 260.* — Hans Buchheit (Katalog der Münchner Pinakothek v. J. 1911) identifiziert die Dargestellte mit der Prinzessin Sibylle von Jülich-Cleve (1557—1628).

b) *Zu Seite 262.* — Thomas de Leus Kupferstich mit dem Bildnis des Antoine Caron geht auf eine Zeichnung des letzteren zurück, die sich heute in der Bibliothèque Nationale in Paris befindet. Eine Wiedergabe der Zeichnung und des Stiches in dem Buche von Etienne Moreau-Nélaton, Les Clouet et leurs émules, Paris 1924, Bd. I, Abb. 68 und 69. — Über das Leben Carons vgl. daselbst p. 145 ff., wo weder das Münchner Bildnis, noch der Aufsatz von G. Glück erwähnt wird.

c) *Zu Seite 262.* — Louis Dimier, Histoire de la Peinture de portrait en France au XVIe siècle, II, Paris 1925, p. 283, widerspricht der Deutung des Monogrammes A C auf Antoine Caron. Der in seinem Buche als „Maître au Monogramme A C" verzeichnete Künstler sei vielleicht mit dem Bildnismaler Adriaen Cluyt zu identifizieren, der von van Mander, ed. Hymans, I, p. 406, erwähnt wird. Cluyt war ein Schüler des Anthonis Blocklant van Montfoort, stammte aus Alkmar und starb 1604. Außer dem Münchner Bildnis schreibt Dimier dem Künstler folgende Gemälde zu:

1. Bildnis des Herzogs von Alençon, des vierten Sohnes Heinrichs II., als Kind. — Paris, Louvre Nr. 1022.
2. Weibliches Bildnis. — Hannover, Provinzialmuseum Nr. 146.
3. Weibliches Bildnis. — Florenz, Palazzo Pitti, Nr. 260.
4. Männliches Bildnis. — Versailles, Schloß, Nr. 3263.
5. Weibliches Bildnis (die gleiche Dargestellte wie auf dem Münchner Bildnis). — Dijon, Museum, Nr. 250.

Außer dem Bild der Münchner Pinakothek (Abb. 114) und dem von Dimier erwähnten in Dijon gibt es von der dargestellten Dame noch ein drittes Porträt. Es befand sich 1932 im holländischen Kunsthandel und stimmt bis auf kleine Abweichungen mit dem Münchner Exemplar überein. Der Kopf ist nicht streng en face, sondern ein wenig von der Seite gesehen. Dementsprechend sind auch die Schleifen auf den Schultern schräg gestellt und der Kopfputz mehr zur Seite gewendet (freundliche Mitteilung von *Max J. Friedländer*).

EINE ZEICHNUNG DES ANTONELLO DA MESSINA

(The Burlington Magazine, XLI, London 1922, p. 270—275)

a) *Zu Seite 263.* — Die Frankfurter Zeichnung (Abb. 115) hat Georg Swarzenski (Der Kölner Meister bei Ghiberti. Vorträge der Bibliothek Warburg 1926/27, Leipzig

1930, S. 22 ff.) — ohne G. Glücks Zuschreibung zu kennen — mit dem von Ghiberti gerühmten Bildhauer Gusmin aus Köln in Verbindung gebracht, ohne sie ihm direkt zuzuweisen. Swarzenski vergleicht die Zeichnung mit der Figur des rechten Schächers am Hauptwerk des Meisters, dem Kreuzigungs-Altar (Alabaster) aus Rimini im Besitz des Städelschen Kunstinstituts. Beide Gestalten weisen merkwürdig viel Übereinstimmung auf. Laut freundlicher Mitteilung von Swarzenski liegt die Zuschreibung der Zeichnung an Antonello „in der gleichen Richtung einer nordisch-italienischen Mischkunst".

b) *Zu Seite 264*. — Antonellos Madonna der Sammlung Benson befindet sich jetzt in der Sammlung Clarence H. Mackay in New York. Über Geschichte und Chronologie des Bildes vgl. Roberto Longhi, in „Das Unbekannte Meisterwerk", Berlin 1930, I, Tafel 15, wo auch weitere Literatur über das Gemälde angeführt ist.

c) *Zu Seite 265, Anm. 4*. — Glücks Ausführung von 1909 über Antonellos Dresdner Sebastian findet sich im Wiederabdruck des vorliegenden Bandes auf S. 284 ff.

d) *Zu Seite 266*. — Glück bezieht sich auf die beiden folgenden Aufsätze von Bernhard Berenson: „Eine Wiener Madonna und Antonellos Altarbild in S. Cassiano" (in: Jahrbuch der Wiener Kunstsammlungen, XXXIV, Wien 1918, S. 33) und „Una Santa d'Antonello da Messina e la Pala di San Cassiano" (Dedalo, VI, 1925/26, p. 630).

In dem letztgenannten Aufsatz hat Berenson einen weiblichen Kopf im Budapester Museum und einen Mönchskopf in Mailänder Privatbesitz fälschlich auf die „Pala di San Cassiano" bezogen, wie Johannes Wilde, „Die ,Pala di San Cassiano' von Antonello da Messina" (Jahrbuch der Wiener Kunstsammlungen, N. F. III, Wien 1929, S. 57) überzeugend nachgewiesen hat. Wilde ist es auch gelungen, mit Hilfe zweier neu aufgefundener Fragmente der Wiener Gemäldegalerie und der Teniers-Kopie eines verschollenen Sebastianfragmentes (früher im Berliner Handel, jetzt in der Wiener Gemäldegalerie) das zerstückelte Altarbild zu rekonstruieren. Eine mehrere Jahre früher vorgenommene Rekonstruktion des Altares von Frank Jewett Mather, „Antonello da Messina's Venetian Altar-Piece of 1476" (Art Studies, II, 1924, p. 125) ist durch Wildes Feststellungen widerlegt. *Scharf.*

EIN NEUGEFUNDENES JUGENDWERK LORENZO LOTTOS
(Kunstgeschichtliches Jahrbuch der Zentralkommission für Kunst- und Historische Denkmale, Wien 1910, S. 212—227)

a) *Zu Seite 268*. — Das von G. Glück wiedergefundene männliche Bildnis von Lorenzo Lotto (Abb. 117—119) ist jetzt im Kunsthistorischen Museum in Wien unter Nr. 22 a ausgestellt (Lindenholz, 40 × 32 cm).

b) *Zu Seite 269*. — Von den hier genannten Bildern Lottos wird bei B. Berenson, Lorenzo Lotto, 1901, nur erst das Porträt in Hampton Court erwähnt (p. 15; datiert 1508/09); anders dagegen in Berensons Italian Pictures of the Renaissance, Oxford 1932.

c) *Zu Seite 272*. — In der letzten Zeile ist ein Druckfehler zu berichtigen; es muß dort heißen: „ . . . daß das *Bild* zu dem Porträte Rossis in Neapel in einer näheren Beziehung steht." Das von Federigi beschriebene Bild — laut Glück der Schutzdeckel zum Neapler Porträt — ist auch heute noch nicht wieder aufgetaucht.

d) *Zu Seite 280.* — Die 1908 aus ungarischem Privatbesitz vom Wiener Museum erworbene „Allegorie des Ruhmes" wird im neuesten Katalog von 1928 (Nr. 1468 a) Lukas Cranach dem Jüngeren zugeschrieben.

e) *Zu Seite 280.* — Das Madonnenbild von Orley aus der Sammlung Northbrook (ausgestellt Brügge, 1902, Nr. 330) befindet sich jetzt im Londoner Kunsthandel (Colnaghi); vgl. M. J. Friedländer, Die altniederländische Malerei, VIII, 1930, S. 175; Nr. 134.

f) *Zu Seite 280.* — Bemalte Schutzdeckel zu Bildnissen sind jetzt auch für Tizian nachgewiesen; siehe: Detlev von Hadeln, in: Burlington Magazine, XLV, 1924, p. 180.

g) *Zu Seite 281 f.* — Das vom Anonimo beschriebene Diptychon Jacomettos mit Bildnissen des Alvise Contarini und einer Nonne wurde inzwischen überzeugend mit den oben erwähnten, Antonello zugeschriebenen kleinen Bildnissen in der Liechtensteinschen Galerie in Wien identifiziert; vgl. G. Gronau, in: Thieme-Beckers Künstlerlexikon, XVIII, 1925, S. 264.

h) *Zu Seite 284.* — Lottos Neapler „Heilige Familie" von 1503 war, laut Biscaro, ein ex-voto-Bild des Prälaten Bernardo de' Rossi und zeigte auch dessen Bildnis, welches später (vor 1697) von ungeschickter Hand durch die Halbfigur des Giovannino ersetzt wurde; vgl. A. de Rinaldis, Pinacoteca del Museo Nazionale, Neapel 1928, p. 167.

i) *Zu Seite 284.* — Von den zwei Kreidezeichnungen (Abb. 127 und 128), bei denen Glück, ebenso wie vor ihm Meder, die gleiche Künstlerhand annahm, wird der Jünglingskopf in Frankfurt (Abb. 128) jetzt durch Detlev von Hadeln (Venezianische Zeichnungen des Quattrocento, Berlin 1925, S. 47 und Tafel 55) Gio. Bellini zugeschrieben, und zwar auf Grund einer Vergleichung mit dem Polyptychon in S. S. Giovanni e Paolo, in welchem R. Longhi (L'Arte, 1914) eine durch Sansovino erwähnte Arbeit Bellinis wiedererkannt hat.
Den Jünglingskopf der Sammlung Liechtenstein (Abb. 127) hält auch Hadeln für ein Frühwerk des Lorenzo Lotto (Venezianische Zeichnungen der Hochrenaissance, Berlin 1925, S. 33 und Tafel 23), auf Grund der gleichen Erwägungen, die vor ihm schon G. Glück angestellt hatte. — Die drei übrigen Zeichnungen von Lotto, die Hadeln (a. a. O.) abbildet, gehören den späteren Jahren des Künstlers an, ebenso wie die Kreidezeichnung mit der Darstellung eines Knappen (Sammlung F. Koenigs, Haarlem), die W. Suida (Einige Zeichnungen des Lorenzo Lotto) im „Pantheon", II, 1928, S. 531, veröffentlicht hat.
Die neuerdings von T. Borenius (Burlington Magazine, LVI, 1930, p. 105) als Entwurf zu einer der Kriegerfiguren am Onigo-Grabmal veröffentlichte Zeichnung ist wohl nur eine Nachzeichnung nach dem Fresko.

k) *Zu Seite 284.* — Cavalcaselles Zuschreibung des Dresdner „Sebastian" an Antonello ist heute unbestritten (die neueste Zusammenstellung der Literatur bietet der illustrierte Dresdner Katalog von 1929, S. 24/25). — Seine Stellungnahme in diesem Aufsatz hat Glück selber 1922 widerrufen; im Wiederabdruck des vorliegenden Bandes auf S. 265/266.

l) *Zu Seite 286.* — Lottos „Predigt des heiligen Dominikus" (Abb. 129) ist 1932 durch die Stiftung der Sammlung Benda in den Besitz des österreichischen Staates übergegangen und in der Wiener Hofburg aufgestellt worden. Vgl. L. Baldass, Das Legat Benda an das Kunsthistorische Museum in Wien (Pantheon, IX, 1932, S. 157, mit Abbildung eines Ausschnitts von Lottos Bild auf S. 155).

Scharf, Wilde.

VELAZQUEZ' BILDNIS DER INFANTIN MARGARETA THERESIA AUS DEM JAHRE 1659

(Jahrbuch der kunsthistorischen Sammlungen in Wien, N. F. I, 1926, S. 209—212)

a) *Zu Seite 292.* — Eine gute Kopie nach Velazquez' Wiener Bildnis der Infantin Margareta Theresia (Abb. 131), von der Hand des J. B. del Mazo, besitzt der Herzog von Alba in Madrid (vgl. Barcia, Catalogo de la colleccion de pinturas del ... duque de ... Alba, 1911, p. 89, 251, 254). — Eine zweite, schwächere Kopie befand sich bis 1909 in der Alten Pinakothek in München, jetzt Schleißheim (Gemäldegalerie, Nr. 1294); siehe auch Juan Allende-Salazar, Velazquez (Klassiker der Kunst, 1925) S. 140 und S. 282, Anm. zu 140.

b) *Zu Seite 293.* — Weitere Bildnisse der Infantin Margareta Theresia von Velazquez besitzen:

1. Louvre Nr. 1731. Laut Allende-Salazar (op. cit. S. 282, Anm. zu S. 141) schlecht erhalten und vermutlich zu der Bildnisfolge der spanischen Königsfamilie gehörend, die 1654 der Königin von Frankreich geschickt wurde (vgl. C. Justi, Diego Velazquez und sein Jahrhundert, II, 3. Aufl. 1923, S. 410/411). Das Bildnis der Infantin Maria Theresa in der Sammlung Johnson in Philadelphia (Nr. 812) gehört anscheinend zur selben Serie.

2. Madrid, Prado, Nr. 1174. Auf dem Bilde der „Meninas" zweites Kind von links.

3. Madrid, Prado, Nr. 888. Begonnen um 1659, war das Gemälde beim Tod des Meisters noch unvollendet. Es ist gegen 1662 von Mazo überarbeitet worden, wobei der Kopf neu gemalt wurde. Vgl. Allende-Salazar, op. cit., S. 283, Anm. zu S. 158 und 159.

4. Frankfurt a. M., Städelsches Kunstinstitut, Nr. 1074. Das Frankfurter Bild, das die Infantin im Alter von fünf Jahren zeigt, scheint von Velazquez begonnen und in seiner Werkstatt vollendet worden zu sein. Die Wiederholung in der Wallace Collection in London (Nr. 100) ist wohl ein typisches Werk des Mazo. Vgl. Allende-Salazar, op. cit., S. 286, Anm. zu S. 220 und 221.

REMBRANDTS SELBSTBILDNIS AUS DEM JAHRE 1652

(Jahrbuch der kunsthistorischen Sammlungen in Wien, N. F. II, 1928, S. 317—328)

Mit den Ausführungen G. Glücks habe ich mich bereits im Burlington Magazine, LVII, London 1930, S. 259 ff. und in „Rembrandt Paintings in America", 1931, auseinandergesetzt. Daß ich mich in einigen Punkten in meiner vor 27 Jahren erschienenen Erstlingsschrift und in dem wenige Jahre danach herausgegebenen 1. Band der Klassiker der Kunst geirrt habe, gebe ich gerne zu; in diesen Fällen, z. B. in der Bestimmung der Yussupoffbildnisse (Philadelphia, J. E. Widener) als Porträte von

Titus und Magdalena van Loo, glaube ich mich inzwischen selbst korrigiert zu haben (s. o.). Im allgemeinen aber bin ich durch die Zustimmung, die mir von seiten anderer Kenner zuteil wurde, und bei längerem Studium in meinen damals geäußerten Ansichten bestärkt worden. Gewiß gibt es Grenzfälle bei solchen auf Ähnlichkeit der Gesichtszüge basierten Bestimmungen, bei denen das subjektive Empfinden des einen und anderen Forschers verschieden entscheiden wird. In dem Fall der Selbstbildnisse ist es aber auch nicht sehr wesentlich, ob Rembrandt im ganzen etwa 45, wie Glück will, oder einige mehr oder weniger gemalt hat. Ihre Zahl ist, verglichen mit der der Selbstbildnisse anderer großer Meister, so erstaunlich, wie auch von Glück hervorgehoben wird, und verteilt sich so gleichmäßig auf alle Perioden des Künstlers, daß bestimmte Rückschlüsse auf sein Wesen gezogen werden können.

Etwas anders liegt der Fall bei den Jugendbildnissen Hendrickjes und den Spätbildnissen des Titus, die Glück nicht gelten lassen will. Wenn wir diese Mädchenporträte, die zu den bezauberndsten Schöpfungen Rembrandts gehören, und jene Darstellungen eines kränklich aussehenden, jüngeren Mannes aus der Spätzeit mit ihrem tragischen und mystischen Charakter als Porträte Hendrickjes und Titus' gelten lassen, so wird unsere Vorstellung von Rembrandts Leben und seinem Verhältnis zu seiner Umgebung in den Zeitabschnitten, in die sie fallen, wesentlich bereichert.

Bei den Bildnissen H e n d r i c k j e s handelt es sich um die zahlreichen Studienköpfe und Porträte eines jungen Mädchens, dessen Typus sich in mehreren religiösen Werken aus der Zeit von 1645 bis 1652 wiederfindet. Nun muß Hendrickje, von der man bereits eine größere Anzahl von Bildnissen von 1652 an festgestellt hatte, schon vor 1649 in Rembrandts Haus gewesen sein; denn die Urkunde vom Juni dieses Jahres, in der sie zuerst erwähnt wird, betrifft eine Eifersuchtsangelegenheit, aus der wir das geschwundene Interesse Rembrandts an Geertje Dirks, die sich über Hendrickje beschwert, sowie seine zunehmende Zuneigung zu Hendrickje herauslesen. Daß Rembrandt diese bei der wichtigen Stellung, die sie bereits damals in seinem Haus einnahm, bei der Vorliebe, mit der er die Gestalten seiner nächsten Umgebung in seine Werke einführte, schon vor 1652 gemalt habe, ist mehr als wahrscheinlich. Wie sehr ihr Typus, wie wir ihn aus den späteren Bildnissen kennen, dem der „Susanna" und den zugehörigen Studien um 1647 gleicht, habe ich in „Rembrandt und seine Umgebung" (1905) durch Gegenüberstellung der Abbildungen zu zeigen versucht, die auch Bode zur Annahme meiner Vermutung bestimmten. Neuerdings hat Jakob Rosenberg noch festgestellt, daß der Studienkopf in Berliner Privatbesitz (Valentiner I, S. 406), der als eine Studie nach Hendrickje aus den 1650er Jahren galt, ein falsches Datum (1653) trägt und um 1646 entstanden sein muß, da er eine Vorstudie zum Kopf der Maria in der Heiligen Familie der Ermitage ist. In dem Typus dieser Madonna hatte ich von jeher den der Hendrickje zu erkennen gemeint.

Weiter bemerkt Schmidt-Degener in dem Katalog der Amsterdamer Rembrandt-Ausstellung (1932): „Hendrickje diente Rembrandt häufig als Modell. Seit etwa 1645 war sie an Saskias Stelle getreten, wenn sie sich auch nicht offiziell mit dem Künstler verheiratete." Das Bild, das ihm Anlaß zu dieser Bemerkung gibt, „Die junge Frau im Bett" (Edinburgh), führt er wie Bode und Hofstede de Groot unter dem Namen Hendrickjes auf, datiert es aber 1647, statt wie bisher in die Fünfzigerjahre; in der Tat ist, wie ich mich gleichfalls überzeugte, keine andere Lesart der dritten Ziffer als eine 4 möglich.

Was die wesentlich kompliziertere Frage der späten T i t u s - Bildnisse anbetrifft, so sei nicht an anderer Stelle bereits Ausgeführtes wiederholt. Ich möchte nur noch bemerken, daß es auffällig wäre, wenn aus dem letzten Jahrzehnt keine Bildnisse von Rembrandts Sohn, den der Künstler vorher Jahr um Jahr malte und der bei ihm bis zu seinem Tode lebte, existieren sollten. Auch kann man doch nicht ohne weiteres mit solcher Bestimmtheit die beiden Bildnisse im Metropolitan-Museum (früher Sammlung Rodolphe Kann) als bestellte Porträte ansprechen, wie es Glück tut; sie tragen, ebensowenig wie die „Judenbraut", das Zeitkostüm, von dem Rembrandt auch in den Werken der Spätzeit nicht abzugehen pflegte, sobald es sich um wirkliche Porträtaufträge handelte, sondern eine Kostümierung, die sich der Künstler gewöhnlich nur bei Gestalten seiner nächsten Umgebung gestattete. In dem Mann des Metropolitan Museums und dem Mann der „Judenbraut" glaubte ich, die Gesichtszüge von Titus wiedererkennen zu können, und ebenso in der Frau des New Yorker Museums die Züge der „Judenbraut", einer damals mehrfach gemalten Gestalt aus der Umgebung des Künstlers, in der ich die bei Rembrandt wohnende Schwiegertochter vermutet habe. An dieser Beobachtung muß doch etwas Richtiges gewesen sein; sonst wäre nicht Bode in einem gleichzeitig mit meinem Buch erschienenen Aufsatz in der Zeitschrift für bildende Kunst unabhängig zu derselben Auffassung gekommen; sonst hätten sich damals nicht Schmidt-Degener und Jan Veth sowie Baldwin Brown in seinem Buch über Rembrandt (London 1906) derselben Ansicht angeschlossen.

Was die S e l b s t b i l d n i s s e angeht, so lohnt es nicht, auf einige unbedeutende frühe Ausdrucksstudien (Dzikow, Valentiner II, S. 4; Byfleet, Valentiner I, S. 30) einzugehen, die nach meiner Ansicht mit den radierten jugendlichen Selbstbildnissen wohl zusammengehen, nach Glücks Ansicht indessen nach einem anderen Modell ausgeführt sind. — Das angebliche Selbstbildnis in der Sammlung Hofstede de Groot habe ich ausdrücklich als „nicht überzeugend" unter die „zweifelhaften Bilder" versetzt; daß ich es immer für eine Fälschung hielt, mochte ich zu Lebzeiten meines verehrten Lehrers nicht aussprechen. — Die beiden Bildnisse der Sammlungen Libbey und Severance und der „Stutzer" in Glasgow weichen von den gleichzeitigen bestellten Bildnissen, als die sie Glück ansieht, durch die für Rembrandts Selbstbildnisse charakteristische Atelierkostümierung ab; außerdem gibt es zu dem Bildnis bei Severance ein Gegenstück (Klassiker der Kunst, 60 links), das noch niemand als ein Bildnis der angeblichen Schwester Lisbeth — wohl der ersten Geliebten Rembrandts in Amsterdam — bezweifelt hat. — Das Bild in Braunschweig hätte ausgeschaltet werden können, da es, wie Glück richtig anmerkt, von Bredius für ein Werk Bols, von Hofstede de Groot und mir für eine Arbeit Flincks gehalten wird. — Bei dem 1650 datierten Porträt in Cambridge sind auch mir Zweifel, ob es sich um ein Selbstbildnis handle, gekommen (s. o.); aber die Begründung, die Glück gibt, wirkt wenig überzeugend: „Was hätte ein Maler mit einer so gewaltigen Stichwaffe anfangen sollen, die er kaum zu handhaben verstanden hätte?" An den Gebrauch der damals schon veralteten Waffen, mit denen Rembrandt gelegentlich seine Modelle ausstattete, hat doch der Künstler gewiß nicht gedacht. Mit der Sturmhaube auf dem Kasseler Selbstbildnis, das Glück nicht anzweifelt, wird Rembrandt auch nicht Sturm gelaufen sein.

Bei dem Bildnis des Künstlers und Saskias im Buckingham Palace, das ja längst angezweifelt wurde, bin ich geneigt, den Ausführungen Glücks zu folgen; aber solange das Bild, mit dickem Firnis bedeckt, an so hoher, schwer sichtbarer Stelle hängt, wage ich nicht, ein so bestimmtes Urteil abzugeben wie Glück. Beiläufig sei bemerkt, daß ich das Bildnis eines Rabbiners (Valentiner I, S. 188) in der gleichen Sammlung, das an günstigerer Stelle hängt, jetzt für ein Werk Bols halte, der dasselbe Modell in ähnlicher Stellung radiert hat. — Die Darstellung der „Ehebrecherin" in Minneapolis (ehemals Hamburg, Sammlung Weber), die Glück für eine Nachahmung oder Fälschung hält, ist der Technik nach ein sicher in Rembrandts nächster Nähe entstandenes Werk, ein von dem Meister übergegangenes Gemälde des Barend Fabritius, wie ich an anderer Stelle (Art Bulletin) nachzuweisen suche. Zu der Zuschreibung an Fabritius ist auch A. M. Hind in seinem neuen Buch über Rembrandt, ohne Kenntnis meiner schon seit längerer Zeit im Druck befindlichen Darstellung, gekommen. Schließlich würde Glück wohl kaum mehr daran zweifeln, daß es sich bei dem großartigen Bildnis „eines etwa vierzigjährigen Mannes mit edlen Zügen in nachdenklicher Haltung" in der Sammlung Hersleff um ein Selbstbildnis handelt, wenn er gewußt hätte, daß das Datum früher falsch (1660) gelesen wurde und jetzt einwandfrei als 1650 festgestellt worden ist.

Im Zusammenhang mit dem sich hieran unmittelbar anschließenden Wiener Selbstbildnis von 1652, das Glück in so trefflicher Weise charakterisiert, darf man auch noch an das meisterhafte, neuerdings aufgetauchte Bildnis eines Herrn, von 1658 (im amerikanischen Kunsthandel, Rembrandt Paintings in America, Nr. 138) erinnern, in dem der Künstler das Problem der frontalen Komposition jenes Bildnisses mit den beiden in die Seiten gestemmten Armen aufnimmt und vielleicht noch großartiger löst.

W. R. Valentiner.

Der Kunstverlag Wolfrum in Wien hat dem Verlag für dieses Werk eine größere Anzahl bei ihm erschienener photographischer Vorlagen in liebenswürdiger Weise zur Verfügung gestellt. Die Abbildungen 19 bis 24 und 25 werden mit freundlicher Einwilligung des Verlages F. Bruckmann in München wiedergegeben.

DRUCKFEHLER

Seite	Zeile		statt:	lies:
4,	12	von unten —	Albert Bouts	Albert Bouts'
„ 10,	„ 12	„ „ —	„ in den Himmel	„ in dem Himmel
„ 12,	„ 19	„ „ —	„ Schusterkneip	„ Schusterkniep
„ 14,	„ 8	„ „ —	„ Alexander Pinchart	„ Alexandre Pinchart
„ 49,	„ 7	„ „ —	„ Majestät	„ Mayestät
„ 58,	„ 1	„ oben —	„ Archivo Español	„ Archivio Español
„ 131,	„ 2	„ unten —	„ H. Titze	„ H. Tietze
„ 168,	„ 25 ff.	—	„ Abb. 3, 4, 5, 6	„ Abb. 4, 5, 6, 7
„ 181,	„ 9	von oben —	„ Wörtlitz	„ Wörlitz
„ 209,	„ 17	„ unten —	„ Santa Conservazione	„ Santa Conversazione
„ 224,	„ 2	„ oben —	„ Bartsch (Nr. 516)	„ Bartsch (Nr. 156)
„ 272,	„ 5	„ unten —	„ daß das Bildnis	„ daß das Bild

KÜNSTLERVERZEICHNIS

Metsys, Quinten.
Zwei weibliche Köpfe (ehem. Wien, Slg.
Figdor) 80, Abb. 26, 27, 326.
Bildnis eines Mannes (Frankfurt) 325.
Bildnisse 80.
Alter Mann (Paris. Musée Jacquemart-
André) 74 ff., Abb. 25, 79 f., 326.
Brustbild eines häßlichen Weibes 74.
Goldwäger und Frau (Paris) 209.
Bildnis eines Juweliers (verschollen) 326.
Sittenbilder 78.
Wandmalereien (verschollen) 89.

Metsys, Quinten, und seine Schule.
87 f.
Heilige Familie (Paris, Verst. E. Gavet)
87. 327.
(Zugeschr.), Madonna (Nürnberg, Nr. 75)
87, 327.
Rehm-Altar (München) 88, 327.
Darstellungen der Kreuzigung Christi
(Wien, Galerie Harrach; Wien, Galerie
Liechtenstein; London, Nr. 715; Brüssel,
Nr. 583) 88 f., 327.
Darstellungen der Beweinung Christi
(Paris; München, Nr. 539) 89, 327.
Die Sieben Schmerzen Mariä (Brüssel,
Nr. 300) 88, 327.
(Zugeschr.), Zwei Altarflügel (Valladolid,
S. Salvador) 87, 327.
Zwei Altarflügel (Köln, ehem. Berlin, Slg.
Carstanjen) 88, 327.
(Zugeschr.), Der hl. Hieronymus (Wien)
78, 209. 326.
(Zugeschr.), Die hl. Magdalena, aus Slg.
Mansi (Berlin) 87, 327.
Bildnis eines Stifters (London, Nr. 1081)
89, 327.
Männliches Bildnis (Frankfurt) 92.
(Zugeschr),Der Handel ums Huhn (Dres-
den) 78, 326.

Meyt, Konrad.
Bildnisbusten 40, 259.

Moeyaert, Claes.
Ruth und Boas (Berlin) 140.

Moro, Antonio.
Bildnis, Alessandro Farnese (Parma) 49.

Mostaert, Jan.
20—41, 46 f., 319—322.
Kopf Johannis des Täufers (London,
Dijon) 39.
Anbetung der Könige (Amsterdam) 30,
Abb. 11, 40.
Die Heilige Familie (Köln) 39.
Ecce Homo (London; ehem. Brighton,
Slg. Henry Willett) 39, 321.
Schmerzensmann (Verona) 322.
Triptychon der Sammlung Oultremont
(Brüssel) 39.
Triptychon der Beweinung Christi (Am-
sterdam; ehem. Antwerpen, Peypers) 39,
321.
Jüngstes Gericht (Bonn, ehem. Slg.Wesen-
donck) 39, 321.

Mostaert, Jan.
Zwei Altarflügel (Brüssel) 28, Abb. 9, 10,
31, 40.
Joost van Bronkhorst (Paris, Petit Palais;
ehem. Berlin, Slg. Hainauer) 28, 30 f.,
39 f., 320 f.
Jacobäa von Bayern (Kopenhagen) 3, 23,
38.
Philibert II. von Savoyen (Madrid, Brüs-
sel) 35 f., 40.
Philibert II. von Savoyen (verschollen)
21, 23, 35 f., 46 f.
Philipp der Schöne (Stiche) 23.
Selbstbildnis (verschollen) 24, 38.
Jan van Wassenaer (Paris) 32 ff., Abb. 12,
40, 321.
Justine van Wassenaer (Würzburg) 322.
Männliches Bildnis (Brüssel) 24 ff., Abb. 8,
30 f., 40.
Männliches Bildnis (Berlin) 28, 31, 40,
320.
Männliches Bildnis (Liverpool) 28, 30, 40.
Männliches Bildnis (Worcester; ehem.
München, Sgl. Hoech) 30, 40, 320 f.
Bildnisse eines Ehepaares (Nürnberg,
Nr. 63, 64) 40.
Weibliches Bildnis (Berlin) 30, 40, 320.
Göttermahl (verschollen) 41.
Westindische Landschaft 23, 31, 320, 322.
Verschollene Gemälde 21 ff., 31.

Niederländisch, um 1494.
Philipp der Schöne und Margarete von
Österreich. Diptychon (Wien) 50 ff.,
Abb. 13, 62, 280, 324.

Niederländisch, nach 1494.
Philipp der Schöne und Margarete von
Österreich, Diptychon (London; ehem.
Rom, Slg. Chigi) 52 f., Abb 14, 62, 324.

Niederländisch, um 1502.
Die Kinder Philipps des Schönen, Triptychon (Wien) 53 ff., Abb. 15, 324.

Niederländisch, um 1520.
Bathseba im Bade, Zeichnung (Wien, Albertina) 92, 116, 328.

Niederländisch, um 1550.
Der Gute Hirte (Bonn, Nr. 189) 320.

Nürnbergisch, um 1486.
Bildnis des Konrad Imhof (München, Nationalmuseum) 278.

Olanda, Juan de.
Siehe Joest, Jan.

Orley, Bernaert van.
35, 128, 205
Madonna (London, Colnaghi; ehem. London, Slg. Northbrook) 280, 343
Hiobaltar (Brüssel) 98.
Bildnis des Jean Carondelet (München)
280.
als Bildnismaler 44 f., 323.

ORTSVERZEICHNIS

Berlin, Slg. Paul von Schwabach.
Rembrandt, Mädchenkopf, Studie zur Leningrader Heiligen Famil e 345.

Berlin, Slg. Wesendonck (ehem.).
Jan Mostaert.Jüngstes Gericht(jetztBonn) 39, 321.

Birmingham, Lord Huntingfield (ehem.).
Willem Verhaecht, Die Sammlung van der Geest (jetzt Slg. E. C. Harmsworth) 75 f., Abb. *24a*, 325.

Bonn, Provinzialmuseum.
Kat.-Nr. 189, Der Gute Hirte 22, 320.
Jan Mostaert, Jüngstes Gericht (ehem. Berlin, Slg. Wesendonck) 321.

Boston, Gardner Museum.
Mabuse, Isabella von Dänemark? (ehem Mailand, Slg. Cereda) 323.

Braunschweig, Herzog-Anton-Ulrich-Museum.
Jan van Amstel, Die Speisung der Fünftausend 145 ff , Abb. *57*.
Rembrandt (jetzt Flinck) zugeschr., Bildnis eines jungen Mannes 296. 346
Kat.-Nr. 12, Bildnis Maximilians I. 30.

Braunschweig. Slg. Blasius.
Dürer, Brustbild einer alten Frau, Zeichnung (Lipp. 144) 218, 339.
Dürer, Zwei Studien mit Händen 190, 228, Abb. *91*, *92*.

Bremen, Kunsthalle.
Dürer, Halbfigur Christi, Zeichnung 241 f.
Dürer, Frauenbad, Zeichnung 116.

Bremen, Roselius-Haus.
Joos van Cleve, Heilige Familie 340.

Brighton, Slg. Henry Willett (ehem.).
Jan Mostaert, Ecce Homo (jetzt London) 39, 321.

Brügge, Ausstellung 1902.
Meister der Magdalenenlegende (Nr. 282, 283) 45.
B. van Orley, Margarete von Österreich (Nr. 224) 45.

Brüssel, Museum.
Bruegel, Anbetung der Könige 168 f.
Hemessen, Der Verlorene Sohn 8, 9.
Quinten Metsys, Die Heilige Sippe, Triptychon 72, 76, 89.
Quinten Metsys, Madonnen (Kat.-Nr.540, 643) 87, 327.
Metsys-Werkstatt, Die Kreuzigung Christi (Nr. 583) 88 f., 327.
Metsys-Werkstatt, Die Sieben Schmerzen Mariä (Nr. 300) 88, 327.
Jan Mostaert, Triptychon der Sammlung Oultremont 39.
Jan Mostaert, Zwei Altarflügel 28, Abb. *9*, *10*, 40.
Jan Mostaert, Philibert II. von Savoyen 35.
Jan Mostaert, Männliches Bildnis 24 ff., Abb. *8*, 30, 40.

Brüssel, Museum.
B. van Orley, Hiobaltar 98.
B. van Orley, Bildnis eines kaiserl. Sekretärs (Nr. 301) 45.
Rubens, Paracelsus (nach Metsys) 325 f.
Kat. Nr. 76, Bildnis des Guillaume de Croy 40.
Kat. Nr. 557, Philipp der Schöne und Johanna die Wahnsinnige (Flügelpaar) 62.
Kat. Nr. 872, angebl. Isabella, Schwester Karls V. (ehem. Brüssel, Slg. Cardon) 324.

Brüssel, Musée des Arts-Décoratifs.
Duquesnoy, Manneken-pis 131.

Brüssel, Kgl. Bibliothek.
Succa, Bildnis der Jacobäa von Bayern 317.

Brüssel, Slg. Cardon (ehem.).
Isabella, Schwester Karls V., angebl. (jetzt Brüssel, Nr 872) 56, 324.

Brüssel, Slg. Fétis (ehem.).
Nach Bruegel, Der Tod Mariä 171.
Die Kinder Philipps des Schönen 280.

Brüssel, Slg. Goldschmidt-Przibram.
Dirick Vellert, Der Triumph der Zeit, Glasscheibe 96 ff., Abb. *29*, 329.

Budapest, Museum.
Hanns Hofmann, Christus unter den Schriftgelehrten, Zeichnung 227 ff., Abb. *89*, 339.
Hanns Hofmann, Kopf Christi. Kopie nach Dürers Zeichnung 228.
Hanns Hofmann, Windische Bäuerin, Kopie nach Dürers Zeichnung 337.

Byfleet, Slg. F. Stoop.
Rembrandt, Selbstbildnis (?) 298, 346.

Calcar, Nicolaikirche.
Jan Joest, Altar 22, 320.

Cambridge, Fitzwilliam Museum.
Rembrandt, Selbstbildnis (?) in Landsknechttracht 296, 346.

Cambridge, King's College.
Dirick Vellert, Glasmalereien 96. 114 f.

Chantilly, Musée Condé.
Stundenbuch des Herzogs von Berry, Oktoberbild 162 f., Abb. *62*

Chatsworth, Slg. Herzog von Devonshire.
Quinten Metsys, Jesus und Johannes 72 ff., Abb. *24*, 325.
Zwei Tafeln aus dem Leben des hl. Romuald 40, 114, 321, 329.

Cleveland, Slg. John L. Severance.
Rembrandt, Selbstbildnis (?) 296, 346.

Cornbury Park, Slg. Vernon Watney.
Juan de Flandes, Zwei Szenen aus dem Leben Christi (ehem. Neapel, Slg. Fürst Fondi) 322.

Darmstadt, Schloß.
Dirick Vellert, Die Anbetung der Könige (Rundscheibe) 329.

Dijon, Museum.
Antoine Caron, Brustbild einer jungen Dame (Nr. 250) 341.
Lorenzo Lotto, Weibliches Bildnis 270, Abb. *122.*
Jan Mostaert, Kopf Johannis des Täufers 39.

Dresden, Gemäldegalerie.
Antonello da Messina, Heiliger Sebastian 264 ff., 284 ff., 342 f.
H. m. d. Bles, Landschaft 91, 162.
Dürer, Bildnis des Barend van Orley 210.
Jordaens, Der Verlorene Sohn 9.
Quinten Metsys (zugeschr.), Der Handel ums Huhn 78, 326.
B. van Orley, Bildnis eines Mannes (Nr. 811) 45.
Rembrandt, Selbstbildnis mit Saskia 295.
Kat.-Nr. 952, Versuchung des hl. Antonius 159, 334.

Dresden, Kupferstichkabinett.
Jan van Eyck, Kardinal Albergati, Silberstift 267, 317.

Dzików, Slg. Graf Tarnowski.
Rembrandt, Selbstbildnis (?) 298, 346.

Edinburgh, National Gallery.
Rembrandt, Die junge Frau im Bett (Hendrickje) 345.

Erlangen, Universitätsbibliothek.
Nachzeichnung nach Dürers Anbetung der Könige in Florenz 338.

Escorial.
H. Bosch, Dornenkrönung 11, 12, 319.
H Bosch, Die Sieben Todsünden 11, 12, 13.
H. Bosch, Heuwagen 13, 156, 319.
H. Bosch, Der Garten der Lüste 13.
Juan de Flandes, Passionsdarstellungen 42, 322.

Florenz, Uffizien.
Dürer, Anbetung der Könige 187, Abb. *82,* 211—215, 338.
Lorenzo Lotto, Kopf eines Jünglings 270 ff., Abb. *124.*
Piero della Francesca, Bildnisse des Herzogs von Urbino und seiner Gemahlin 281.

Florenz, Palazzo Pitti.
Frans Pourbus d. J., Eleonore Gonzaga 324.

Florenz, Galerie Corsini (ehem.).
J. Mandyn, Versuchung des hl. Antonius (jetzt Haarlem) 13.

Frankfurt, Städelsches Kunstinstitut.
Antonello da Messina, Studie eines Schächers, Silberstift 263 ff., Abb. *115,* 341 f.
H. Bosch, Ecce Homo (ehem. Berlin, Slg. Kaufmann) 319.

Frankfurt, Städelsches Kunstinstitut.
Jan van Eyck, Mann mit dem Falken, Silberstift 267, 317.
Jacobäa von Bayern (Silberstift) 1, Abb. *1,* 267, 317.
Lotto zugeschr., Studienkopf, Zeichnung 284, Abb. *128,* 343.
Meister der Tiburtinischen Sibylle 6, 7.
Quinten Metsys, Bildnis eines Mannes 325.
Dirick Vellert, Vorzeichnung für eine Rundscheibe 111 f., Abb. *44.*

Gent, Museum.
H. Bosch, Kreuztragung 15, 190.

Genua, Palazzo Rosso.
Dürer, Bildnis eines Mannes 194.

Glasgow, Art Corporation Gallery.
Rembrandt, Selbstbildnis (?) 296, 346.

Glasgow, Slg. Beattie (ehem.).
Piero di Cosimo, Madonna mit Johannes (jetzt Straßburg) 68, 325.

Graz, Joanneum.
Dürer-Fälschung, Madonna mit geigendem Engel 237 f., Abb. *100,* 240.
Hans Maler (?), Maria von Burgund 335.

Haag, Mauritshuis.
Joos van Cleve (Werkstatt), Jesus und Johannes 65 ff., Abb. *20.*
Marcello Fogolino, Thronende Madonna mit Heiligen 266.
Piero di Cosimo, Zwei Männerbildnisse 242.
Rembrandt, Selbstbildnis (?) als Offizier 296.

Haag, Slg. Hofstede de Groot (†).
Rembrandt zugeschr., Angebl. Selbstbildnis 298, 346.

Haag, Slg. Steengracht (ehem.).
Bildnis des Jan van Wassenaer 321.

Haarlem, Frans-Hals-Museum.
Jan Mandyn zugeschr., Versuchung des hl. Antonius 318.

Haarlem, Slg. Franz Koenigs.
Dürer, Bildnis einer venezianischen Frau (Lipp. 180) 337.
Zeichnung nach Dürers Bildnis einer Venezianerin in Wien 337.
Lorenzo Lotto, Knappe, Zeichnung 343.

Haarlem, Slg. van Stolk (ehem.).
Jan Mostaert, Westindische Landschaft (jetzt Amsterdam, Dr. N. Beets) 320.

Hamburg, Slg. Weber (ehem.).
Dürer-Fälschung, Madonna 233, Abb. *96.*
Rembrandt (jetzt Barend Fabritius) zugeschr., Die Ehebrecherin vor Christus (jetzt Minneapolis) 301, 346 f.

Hampton Court.
Dürer, Bildnis eines deutschen Kaufherrn 194 f., Abb. *73,* 336.

Hampton Court.
Daniel Fröschel, Bildnis Rudolfs II. 233.
Lionardo-Schule, Jesus und Johannes 66 f., Abb. *22*, 325.
Lorenzo Lotto, Brustbild eines bärtigen Mannes 272, 342.
Mabuse, Bildnis der drei Kinder Christians I. von Dänemark 46, 49.
B. von Orley (Wiederholung), Margarete von Österreich 45.
Bildnis der Leonore von Österreich 46.
Maitre Ambroise zugeschr., Doppelporträt Franz' I. und Eleonores 259.

Hartekamp, Slg. Pannwitz.
Bildnis des Evrard de la Marck 323.

Hayward's Heath, Slg. Stephenson Clarke.
Meister der Tiburtinischen Sibylle 4, 6.

Köln, Wallraf-Richartz-Museum.
H. Bosch, Die Geburt Christi 15.
Jan Mostaert, Die Heilige Familie 39.

Köln (ehem. Berlin), Slg. Carstanjen.
Quinten Metsys, Zwei Altarflügel 88, 327.

Köln, Slg. Oppenheim (ehem.).
Petrus Christus, Der hl. Eligius (jetzt New York, Slg. Lehman) 156, 334.

Kopenhagen, Museum.
Bildnis Christians II. 40, 321.
Mostaert, Jacobäa von Bayern 3, 38.

Lebrija (Prov. Sevilla), S. Maria de la Oliva.
Madonnenbild 43.

Leipzig, Slg. Thieme (ehem.).
Jan van Amstel, Flucht nach Ägyten 332.

Leitmeritz, Dom.
Meister der Tiburtinischen Sibylle (Kopie) 6.

Leningrad, Ermitage.
Rembrandt, Der Verlorene Sohn 10.
Rembrandt, Die Heilige Familie 345.
Rembrandt, Junge Frau (Saskia?) bei der Toilette 300 f., Abb. *133*.

Lille, Museum.
Filippino Lippi, Anbetung der Hirten 68, 325.
Dirick Vellert, Anbetung der Hirten (Nr. 577) 243, 330.

Lissabon, Museum.
Dürer, Der hl. Hieronymus 205—210, Abb. *81*, 217, 337 f.

Liverpool, Royal Institution.
Jan Mostaert, Männliches Bildnis 28, 30, 40.
Französisch, um 1530, Margarete von Navarra 258, Abb. *111*.

London, National Gallery.
Antonello da Messina, Kreuzigung 264 ff., 286.

London, National Gallery.
Van Dyck, Bildnis des Cornelis van der Geest 75.
Mabuse, Anbetung der Könige (ehem. London, Lord Carlisle) 327.
Quinten Metsys, Die Kreuzigung Christi 88 f., 327.
Metsys-Werkstatt, Bildnis eines Donators (Nr. 1081) 89, 327.
Jan Mostaert, Kopf Johannis des Täufers 39.
Jan Mostaert, Ecce Homo (ehem. Brighton, Slg. Henry Willett) 321.
Niederländisch nach 1494, Philipp der Schöne und Margarete von Österreich, Diptychon (ehem. Rom, Slg. Chigi) 52 f., Abb. *14*, 62, 324.
Nach Rubens, Wunderbarer Fischzug 170.

London, British Museum.
Jan van Amstel, Der Monat April 332.
Dürer, Windische Bäuerin (Lipp. 408) 337.
Dürer, Proportionsstudie (Lipp. 225) 329.
Dürer (Kopie), Selbstbildnis von 1484 229, Abb. *95*.
Dirick Vellert, Vorzeichnung für eine Rundscheibe 108, Abb. *42*.
Dirick Vellert, Knaben- und Mädchenschule, Holzschnitt 124, Abb. *50*.

London, Wallace Collection.
Rembrandt, Selbstbildnis (?) als Offizier 296.

London, Thomas Agnew (ehem.).
Charlotte, Tochter Franz' I. (Clouet zugeschr.) 48.

London, Slg. Ayr.
Bildnis des Dauphins Karl Roland 48.

London, Slg. Benson (ehem.).
Antonello da Messina, Madonna (jetzt New York, Slg. Mackay) 264, 342.

London, Bridgewater House.
Hans Maler, Bildnis 176, 180.

London, Buckingham Palace.
F. Bol, Bildnis eines Rabbiners (ehem. Rembrandt zugeschr.) 346.
Rembrandt zugeschr., Bildnis des Künstlers und seiner Frau Saskia 298 ff., Abb. *132*, 346.

London, Lord Carlisle (ehem.).
Mabuse, Anbetung der Könige (jetzt London, Nat. Gal.) 90, 327.

London, P. & D. Colnaghi.
Van Dyck, Verzückung des hl. Augustinus 170, 334.
Orley, Madonna (ehem. London, Slg. Northbrook) 343.

London, Slg. Doetsch (ehem.).
Lionardo-Schule, Jesus und Johannes (jetzt London, Slg. Melchett) 66, 325.

London, Durlacher Brothers (1910).
Dirick Vellert, Serie von Figurenscheiben 329.

London, Slg. Holford (ehem.).
Joos van Cleve, Heilige Familie (jetzt London, Frank T. Sabin) 246, Abb. *105*, 248, 340.

London, Lord Lee of Fareham.
Bruegel, Der Tod Mariä 170 — 175, Abb *66*, 334 f.

London, Slg. Percy Macquoid.
Bildnis des Floris van Egmont (?) 35, 40, 321 f.

London, Slg. Lord Melchett (†).
Lionardo-Schule, Jesus und Johannes (ehem. London, Slg Doetsch) 325.

London, Fairfax Murray (ehem.).
Rembrandt, Ovalbildnis eines Offiziers 296.

London, Slg. Lord Northbrook.
Quinten Metsys, Madonna 76, 325, Orley, Madonna (jetzt London, Colnaghi) 280, 343.

London, Frank T. Sabin.
Joos van Cleve, Heilige Familie (ehem. London, Slg. Holford) 340.

London, Slg. A. G. H. Ward (1922).
Hanns Hoffmann, Christus unter den Schriftgelehrten 339.

London, Slg. Sir Julius Wernher (†)
Einfassung mit dem Medaillonporträt Dürers 250 ff., Abb *110*.
Quinten Metsys, Madonna 72.

Madrid, Prado.
H. Bosch, Steinoperation 11, 13 17.
H. Bosch, Anbetung der Könige 12.
Dürer, Adam, Eva 192, 198.
Dürer, sog. Imhof 210, 338.
Juan de Flandes. Heimsuchung Mariä 58.
Luini, Heilige Familie mit dem hl. Johannes 66 ff., Abb. *23*.
Jan Mostaert, Philibert II. von Savoyen 35 f., 40.
Patinir, Versuchung des hl. Antonius (Figuren von Metsys) 89.
Velazquez, Las Meninas 289, 344.
Dirick Vellert, Altar der Madonna mit dem hl. Bernhard (Nr. 1931) 126 f.

Madrid, Kgl. Palast.
Bildnis Isabellas der Katholischen 64.

Mailand, Brera.
Bernardino dei Conti, Felsgrottenmadonna 325.

Mailand, Casa Cereda (ehem.).
Mabuse, Isabella von Dänemark? (jetzt Boston, Gardner Museum) 46, 323.

Mecheln, St. Rombouts.
Leben des hl. Romuald 40, 321, 329.

Mexiko, Museum S. Carlo.
Meister der Tiburtinischen Sibylle 6.

Minneapolis.
Rembrandt (jetzt Barend Fabritius) zugeschr., Die Ehebrecherin vor Christus 346 f.

München, Alte Pinakothek.
Früher Bles zugeschr. (Antwerpner Manierist), Anbetung der Könige 90, 328.
Antoine Caron, Brustbild einer jungen Dame 260 ff., Abb. *114*, 341.
Engelbrechtsen, Die Heiligen Konstantin und Helena 328.
Quinten Metsys, Madonna 72.
Früher Metsys zugeschr. (Willem Key), Beweinung Christi 89, 327.
Metsys-Werkstatt, Rehm-Altar 88, 327.
B. van Orley, Bildnis Jean Carondelet (Nr. 133) 45, 280.

München, Nationalmuseum.
Nürnbergisch, um 1486, Bildnis des Konrad Imhof 278.

München, Slg. Hoech (ehem.).
Jan Mostaert, Männliches Bildnis (jetzt Worcester) 30, 40, 320 f.

Neapel, Museum.
Bruegel, Die Blinden 17 f., Abb. *6*, 168, 319.
Bruegel, Die Unredlichkeit der Welt 18 f., Abb. *7*, 168, 319.
Joos van Cleve, Jesus und Johannes 65 ff., Abb. *19*.
Lorenzo Lotto, Heilige Familie 284, 343.
Lorenzo Lotto, Der Prälat Bernardo de' Rossi 269, Abb. *123*, 272 ff., 283, 342.

Neapel, Slg. Fürst Fondi (ehem.).
Juan de Flandes, Zwei Szenen aus dem Leben Christi (jetzt Cornbury Park, Slg. Watney) 43, 322.

New York, Metropolitan Museum.
H. Bosch, Anbetung der Könige (ehem. Berlin, Slg. Lippmann) 319.
Dürer (?), Madonna 235 f., Abb. *99*, 339.
Lionardo, Studienblatt zur Felsgrottenmadonna 69
Quinten Metsys, Die Anbetung der Könige (ehem. Paris, Slg. R. Kann) 326.
Rembrandt, Bildnisse eines Ehepaares 295, 346.

New York, Slg. Jules S. Bache.
Dürer zugeschr., Weibliches Bildnis 337.

New York, Slg. H. H. Lehman.
Mabuse, Anna de Berghes 323.

New York, Slg. Philip Lehman.
Petrus Christus, Der hl. Eligius (ehem. Köln, Slg. Oppenheim) 334.
Joos van Cleve, Heilige Familie (ehem. Wien, Slg. Klinkosch) 340.

New York, Slg. Clarence H. Mackay.
Antonello da Messina, Madonna (ehem. London, Slg. Benson) 342.

Wien, Slg. Figdor (ehem.).
  Quinten Metsys, Zwei weibliche Köpfe
  80, Abb. *26, 27,* 326.
  H. Saftleven, Bauernhof 9.
Wien, Slg. Rudolf von Gutmann.
  Mabuse, Bildnis des Jean Carondelet 280
Wien, Galerie Harrach.
  Metsys-Werkstatt, Kreuzigung Christi,
  Flügelaltar (Nr. 51) 88, 327.
Wien, Slg. Klinkosch (ehem.).
  Joos van Cleve, Heilige Familie (jetzt
  New York, Slg. Lehman) 248, 340.
Wien, Slg. Posonyi (ehem.).
  Bildnis Dürers, Medaillon in Buchs 250.

Wien, Slg. Baron Alfons Rothschild.
  Teniers, Ansicht aus der Galerie Erz-
  herzog Leopold Wilhelms 266.
Windsor, Kgl. Schloß.
  Lionardo, Studienblatt mit Jesus und Jo-
  hannes 66ff., Abb. *21.*
  Lionardo, Kopf eines häßlichen Weibes
  (Rötel) 74.
Worcester, Art Museum.
  Jan Mostaert, Bildnis eines Mannes (ehem.
  München, Slg. Hoech) 320f.
Würzburg.
  Jan Mostaert, Justine van Wassenaer 322.

VERZEICHNIS
DER DARGESTELLTEN PERSÖNLICHKEITEN

Diese Sammlung von kleineren Schriften
wurde Gustav Glück gewidmet
zu seinem 60. Geburtstage am 6. April 1931
von

Th. Agnew & Sons, London
K. André'sche Kunsthandlung, Prag
Artaria & Co., Wien
Ragnar Aschberg, Stockholm
Stefan von Auspitz, Wien
Pawel Bächer, Prag
Galerie Bachstitz, Den Haag
Pierre Bautier, Brüssel
Gustav von Benda †, Wien
P. de Boer, Amsterdam
Julius Böhler, München
Paul Bonn, Berlin
Abraham Bredius, Monaco
Paul Cassirer Verlag, Berlin
Graf Franz Clam-Gallas †, Wien
H. M. Clark, London
P. & D. Colnaghi & Co., London
Campbell Dodgson, London
A. S. Drey, München
W. E. Duits, London
Willibald Duschnitz, Wien
Duveen Brothers, Paris
Baron J. van der Elst, Wien
Galerie Theodor Fischer, Luzern
J. Goudstikker, Amsterdam
Georg Gronau, Florenz
Rudolf Ritter von Gutmann, Wien
Karl Haberstock, Berlin

Z. M. Hackenbroch, Frankfurt a. M.
Galerie D. Heinemann, München
Galerie J. Herbrand, Paris
Robert von Hirsch, Frankfurt a. M.
D. A. Hoogendijk & Co., Amsterdam
Harry Axelson Johnson, Stockholm
Julius Kien, Wien
François Kleinberger Galeries, Paris
Osborn Kling, Stockholm
Knoedler & Co., London
J. Leger & Son, London
Galerie St. Lucas, Wien
Frits Lugt, Paris
S. del Monte †, Brüssel
Marcel von Nemes †, München
August Neuerburg, Hamburg
Alexius von Petrovics, Budapest
S. M. von Rothschild, Wien
The Sackville Gallery, London
Otto Schatzker, Wien
Friedrich Schmidt-Ott, Berlin
Léon Seyffers, Brüssel
Julius Singer, Prag
A. W. Sjöstrand, Stockholm
Spink & Sons, London
Henry J. Streletskie, Stockholm
W. R. Valentiner, Detroit
Sir Robert Witt, London

den Herausgebern und ihren Mitarbeitern
und dem Verlag Anton Schroll & Co.